ZAGINIONY SYMBOL

Tego autora

ANIOŁY I DEMONY

ANIOŁY I DEMONY:
SPECJALNE WYDANIE ILUSTROWANE

KOD LEONARDA DA VINCI

KOD LEONARDA DA VINCI:
SPECJALNE WYDANIE ILUSTROWANE

KOD LEONARDA DA VINCI:
DZIENNIK PODRÓŻY

KOD LEONARDA DA VINCI:
ILUSTROWANY SCENARIUSZ

CYFROWA TWIERDZA

ZWODNICZY PUNKT

ZAGINIONY SYMBOL

DAN
BROWN

ZAGINIONY
SYMBOL

Z angielskiego przełożył
ZBIGNIEW KOŚCIUK

Tytuł oryginału:
THE LOST SYMBOL

Redakcja: Beata Słama

Konsultacja historyczna: prof. Zbigniew Mikołejko

Ilustracja na obwolucie: Murat Taner/Getty Images

Projekt graficzny frontu obwoluty: Michael J. Windsor/Doubleday Books

Zdjęcie autora: Dan Courter

Skład: Laguna

ISBN 978-83-7659-031-8
(Wyd. Albatros)

ISBN 978-83-7508-215-9
(Wyd. S. Draga)

WYDAWNICTWO ALBATROS ANDRZEJ KURYŁOWICZ
Wiktorii Wiedeńskiej 7/24, 02-954 Warszawa

WYDAWNICTWO SONIA DRAGA Sp. z o.o.
Pl. Grunwaldzki 8-10, 40-950 Katowice

2010. Wydanie I/oprawa twarda
Druk: GGP Media GmbH, Pössneck, Germany

DLA BLYTHE

Podziękowania

Składam serdeczne podziękowania trójce wspaniałych przyjaciół, z którymi mam przywilej współpracować: mojemu redaktorowi, Jasonowi Kaufmanowi, agentce literackiej, Heide Lange, i konsultantowi Michaelowi Rudellowi. Chciałbym także wyrazić ogromną wdzięczność wydawnictwu Doubleday, wydawcom moich książek na całym świecie i, oczywiście, Czytelnikom.

Powieść, którą trzymacie w rękach, nie powstałaby bez wspaniałomyślnej pomocy niezliczonych osób, które podzieliły się ze mną swoją wiedzą i umiejętnościami. Przekazuję Wam wszystkim wyrazy ogromnego uznania.

Żyć w świecie, nie rozumiejąc jego sensu,
to jak błąkać się po wielkiej bibliotece,
nie dotykając książek.

Odwieczna wiedza tajemna

FAKTY

W 1991 roku w sejfie dyrektora CIA umieszczono dokument, który spoczywa tam bezpiecznie do dziś. Tajemniczy tekst zawiera wzmianki o pradawnym portalu i nieznanym miejscu znajdującym się pod ziemią. Jest w nim również zdanie: *Zostało to gdzieś ukryte.*

Wszystkie instytucje pojawiające się na kartach tej książki istnieją naprawdę, m.in. masoni, Invisible College*, Biuro Bezpieczeństwa, SMSC** oraz Instytut Badań Noetycznych.

Prawdziwe są również wszystkie rytuały, dzieła sztuki i pomniki, o których wspominam.

---

* Invisible College (ang.) — Niewidzialny College — grupa przyrodników będąca prekursorem londyńskiego Royal Society (Towarzystwa Królewskiego).

** SMSC — Smithsonian Museum Support Center — Centrum Wspierania Muzeum Smithsoniańskiego.

Prolog

Dom świątyni, godz. 23.33

Prawdziwą tajemnicą jest śmierć.

Tak było od zarania czasu: zawsze pozostawało tajemnicą, jak umrzeć.

Trzydziestoczteroletni adept wpatrywał się w ludzką czaszkę, którą trzymał w dłoniach. Czaszkę wydrążoną jak misa, wypełnioną winem czerwonym niczym krew.

Wypij — powiedział sobie. — Nie masz się czego bać.

Zgodnie z nakazem tradycji rozpoczął podróż odziany w rytualną szatę średniowiecznego heretyka prowadzonego na szubienicę. Luźne poły rozsunęły się, ukazując bladą pierś, lewa nogawka uniosła się ponad kolano, prawy rękaw odsłonił łokieć. Na szyi wisiała ciężka pętla, „sznur do wleczenia", jak nazywali ją bracia. Tej nocy, podobnie jak ci, którzy składali świadectwo, miał na sobie strój mistrza.

Otoczyli go wszyscy członkowie bractwa przybrani w regalia*: w fartuchy z jagnięcej skóry, szarfy i białe rękawiczki. Na szyjach mieli ceremonialne klejnoty, które lśniły w słabym świetle jak oczy zjaw. Wielu z nich zajmowało wysokie stanowiska, lecz adept wiedział, że w tych murach doczesna władza nie ma

---

* Ponieważ masoneria określa się również jako „sztuka królewska" (*ars regia*), właściwe dla niej symbole nazywane bywają insygniami królewskimi — regaliami; wśród masonów trwa spór, czy do regaliów należy zaliczyć niektóre elementy ceremonialnego stroju (fartuchy, białe rękawiczki, szarfy, klejnoty, naszyjniki, pierścienie itd.), czy też wyłącznie pewne elementy wystroju loży (przyp. prof. Zbigniew Mikołejko).

żadnego znaczenia. Wszyscy są równi — są braćmi, których za sprawą przysięgi połączyła mistyczna więź.

Patrzył na członków tego niezwykłego zgromadzenia, zastanawiając się, czy ktoś z zewnątrz dałby wiarę, że wszyscy ci ludzie zbiorą się w jednym miejscu... i to w takim miejscu. Sala przypominała starożytną świątynię.

Prawda była jeszcze bardziej niewiarygodna.

Jestem w odległości zaledwie kilku przecznic od Białego Domu!

Ogromny gmach przy Szesnastej Ulicy pod numerem tysiąc siedemset trzydziestym trzecim, w północno-zachodniej części Waszyngtonu, był kopią pogańskiej świątyni — świątyni króla Mauzolosa, pierwotnego *mauzoleum*, miejsca, w którym po śmierci składano ludzkie szczątki. Głównego wejścia strzegły dwa siedemnastotonowe, odlane z brązu sfinksy. Wnętrze budynku tworzył bogato zdobiony labirynt sal, korytarzy, zamkniętych krypt i bibliotek. Znajdował się tam nawet otwór w ścianie, w którym widać było dwa ludzkie szkielety. Choć powiedziano mu, że każde pomieszczenie w tym gmachu ma swoją tajemnicę, wiedział, iż największe kryje wielka sala, w której klęczał z czaszką w rękach.

Sala świątyni.

Pomieszczenie zbudowane na planie kwadratu było olbrzymie. Sklepienie sięgające imponującej wysokości trzydziestu metrów wspierało się na kolumnach z zielonego granitu. Pod ścianami stały w kręgu rzędy krzeseł wykonanych z ciemnego rosyjskiego orzecha z siedzeniami obitymi ręcznie wyprawioną świńską skórą. Zachodnią stronę sali zdominował wysoki na dziesięć metrów tron, naprzeciwko którego ukryto organy. Ściany pokrywała mozaika starożytnych symboli, egipskich i hebrajskich, astronomicznych i alchemicznych oraz innych, których nie rozpoznawał.

Tej nocy salę świątyni oświetlał szereg precyzyjnie rozmieszczonych świec. Słabe światło wzmacniał jedynie blady promień księżyca wpadający przez duży otwór w suficie, odsłaniając najbardziej zdumiewający element pomieszczenia — potężny ołtarz wykuty z jednego bloku polerowanego, czarnego, belgijskiego marmuru, usytuowany na samym środku.

Prawdziwą tajemnicą jest śmierć — przypomniał sobie.

— Nadszedł czas — wyszeptał głos.

Adept podniósł wzrok i spojrzał na dostojną postać w białej szacie, która przed nim stała. Czcigodny Wielki Mistrz. Ten dobiegający sześćdziesiątki mężczyzna był symbolem Ameryki, człowiekiem uwielbianym, silnym i niesłychanie bogatym. Jego niegdyś czarne włosy całkiem posiwiały, a twarz sugerowała błyskotliwy intelekt i władzę sprawowaną przez długie lata.

— Złóż przysięgę — powiedział Wielki Mistrz głosem cichym jak padający śnieg. — Dotrzyj do kresu wędrówki.

Podróż adepta, podobnie jak wszystkie podróże tego rodzaju, rozpoczęła się od pierwszego stopnia wtajemniczenia. Tamtej nocy, podczas podobnego rytuału, Czcigodny Wielki Mistrz zasłonił mu oczy aksamitną przepaską, przyłożył do piersi ceremonialny sztylet i zapytał:

— Czy uroczyście przysięgasz na własną cześć, wolny od chęci zysku lub innych niskich pobudek, dobrowolnie i bez przymusu dążyć do zgłębienia tajemnic i dostąpienia przywilejów naszego bractwa?

— Tak — skłamał.

— Przestrzegam cię, że karą za wyjawienie tajemnic, które zostaną ci powierzone, będzie natychmiastowa śmierć — ostrzegł Mistrz.

Adept nie czuł wtedy lęku. Nigdy nie poznają prawdziwego powodu, dla którego się tu znalazłem.

Tej nocy poczuł jednak złowrogą atmosferę panującą w świątynnej sali. W jego głowie zaczęły rozbrzmiewać wszystkie złowieszcze przestrogi, których udzielono mu podczas wędrówki, opowieści o strasznych konsekwencjach ujawnienia starożytnych sekretów, które pozna: „Gardło rozpłatane od ucha do ucha... wydarty język... wypatroszone i spalone wnętrzności, rozrzucone na cztery strony świata... serce wyrwane z piersi i rzucone na pożarcie dzikim zwierzętom...".

— Bracie, złóż ostatnią przysięgę — ponaglił go Wielki Mistrz, wpatrując się w niego szarymi oczami i kładąc lewą dłoń na jego ramieniu.

Adept zebrał siły, by przystąpić do ostatniego etapu podróży. Pochylił muskularny tułów i skupił uwagę na czaszce spoczywającej w jego rękach. W słabym świetle świec czerwone wino stało się niemal czarne. W sali zapadło grobowe milczenie. Czuł na sobie spojrzenia wszystkich świadków czekających, by złożył ostatnie przyrzeczenie i wstąpił do ich elitarnego grona.

Tej nocy w ścianach tego gmachu zdarzy się coś, co nie wydarzyło się w całej historii tej loży — pomyślał. — Ani razu w całych jej dziejach.

Wiedział, że wznieci iskrę, że zdobędzie w ten sposób niewyobrażalną władzę. Pełen energii, wciągnął głęboko powietrze i wypowiedział głośno te same słowa, które od wieków wypowiadali niezliczeni mężczyźni na całym świecie.

— Niech wino, które wypiję, stanie się dla mnie śmiertelną trucizną, jeśli kiedykolwiek świadomie lub rozmyślnie złamię złożoną przysięgę.

Jego słowa odbiły się echem w wielkiej sali.

Zapadła cisza.

Opanował drżenie rąk i uniósł czaszkę do ust, czując na wargach suchy dotyk kości. Zamknął oczy i przechylił kielich, pijąc wino długimi haustami. Kiedy opróżnił naczynie, opuścił je.

W tej samej chwili poczuł, jak jego usta się zaciskają, a serce zaczyna dziko łomotać. Dobry Boże, dowiedzieli się! Na szczęście upiorne uczucie znikło równie szybko, jak się pojawiło.

Jego ciało ogarnęła przyjemna fala ciepła. Odetchnął głęboko i uśmiechnął się do siebie, patrząc na niczego niepodejrzewającego mężczyznę o szarych oczach, który lekkomyślnie powierzył mu największe tajemnice bractwa.

Wkrótce stracisz wszystko, co jest ci najdroższe.

Rozdział 1

Winda marki Otis, wznosząca się południowym filarem wieży Eiffla, była pełna turystów. Przedsiębiorca o surowym wyglądzie, w starannie odprasowanym garniturze, spojrzał na chłopca, który stał obok.

— Kiepsko wyglądasz, synku — stwierdził. — Powinieneś był zostać na dole.

— Nic mi nie jest... — zapewnił chłopiec, próbując opanować lęk. — Wysiądę na następnym poziomie.

Nie mogę oddychać!

Mężczyzna przysunął się bliżej.

— Sądziłem, że masz to już za sobą. — Czule pogładził policzek syna.

Chłopak poczuł się zawstydzony, że rozczarował ojca, lecz tak huczało mu w uszach, iż ledwie słyszał.

Nie mogę oddychać. Muszę wysiąść z windy!

Windziarz opowiadał coś o niezawodnych tłokach napędzających windę i konstrukcji ze zgrzewanego żelaza. Daleko pod nimi widać było ulice Paryża biegnące we wszystkich kierunkach.

Jesteśmy prawie na miejscu — dodał sobie otuchy, podnosząc głowę i spoglądając na ostatnią platformę. — Muszę wytrzymać.

Winda zmierzała ku górnej platformie widokowej. Filar zaczął się zwężać, a jego masywna konstrukcja skurczyła się w ciasny pionowy tunel.

— Tato, ja nie...

Nad głową usłyszeli nieoczekiwane skrzypienie. Kabina szarpnęła i dziwnie wychyliła się na bok. Postrzępione liny, przypominające węże, zaczęły uderzać o ściany. Chłopiec złapał ojca za rękę.

— Tato!

Wpatrywali się w siebie przez przerażającą chwilę.

Po chwili podłoga wróciła do właściwego położenia.

Robert Langdon podskoczył na miękkim skórzanym fotelu, budząc się z na wpół świadomego snu na jawie. Siedział sam w ogromnej kabinie falcona 2000EX, który znalazł się właśnie w strefie turbulencji. W oddali pracowały równo dwa silniki firmy Pratt & Whitney.

— Panie Langdon? — usłyszał nad głową trzeszczący głos dochodzący z interkomu. — Rozpoczynamy podchodzenie do lądowania.

Wyprostował się i wsunął notatki do skórzanej torby podróżnej. Odpłynął myślami w połowie przeglądania materiałów dotyczących symboli masońskich. Pomyślał, że wspomnienie zmarłego ojca zostało wywołane nieoczekiwanym zaproszeniem, które otrzymał tego ranka od swojego dawnego mentora, Petera Solomona.

Kolejny facet, którego nie chcę zawieść.

Ten pięćdziesięcioośmioletni filantrop, historyk i badacz wziął go pod swoje skrzydła prawie trzydzieści lat temu, pod wieloma względami wypełniając pustkę, która powstała po śmierci ojca Roberta. Mimo że Solomon pochodził z wpływowej i niezwykle zamożnej rodziny, Langdon dostrzegł w jego łagodnych szarych oczach pokorę i ciepło.

Chociaż słońce już zaszło, Langdon nadal widział delikatny zarys największego obelisku na świecie, wznoszącego się ponad horyzontem niczym ramię starożytnego zegara słonecznego. Mający prawie sto siedemdziesiąt metrów wysokości pomnik był symbolem serca tego narodu. Od iglicy we wszystkich kierunkach rozchodziła się misterna geometryczna siatka ulic i pomników.

Waszyngton, nawet oglądany z lotu ptaka, promieniował niemal mistyczną mocą.

Langdon kochał to miasto, a gdy odrzutowiec wylądował, poczuł podniecenie na myśl o tym, co go czeka. Falcon podkołował do prywatnego terminalu znajdującego się na rozległym obszarze Międzynarodowego Lotniska Dullesa.

Kiedy maszyna się zatrzymała, Langdon zabrał swoje rzeczy, podziękował pilotom i opuścił luksusowe wnętrze, schodząc po rozkładanych schodkach. Chłodne styczniowe powietrze dawało poczucie swobody.

Odetchnij głęboko, Robercie — pomyślał, rozkoszując się otwartą przestrzenią.

Pas startowy spowijała biała mgła, gęsta jak zasłona. Schodząc na mokry asfalt, Langdon miał wrażenie, że znalazł się na bagnach.

— Witam! Witam pana! — usłyszał śpiewny angielski akcent. — Czy to pan, profesorze Langdon?

Odwrócił głowę i ujrzał kobietę w średnim wieku z plakietką i podkładką do pisania. Biegła w jego stronę, machając ręką. Spod modnego, robionego na drutach kapelusza wystawały jasne kręcone włosy.

— Witam pana w Waszyngtonie!

— Dziękuję — odpowiedział z uśmiechem.

— Nazywam się Pam, pracuję w liniach pasażerskich. — Kobieta mówiła z takim ożywieniem, że było to niepokojące. — Proszę za mną, samochód już czeka.

Langdon ruszył w poprzek pasa do terminalu „Signature" otoczonego lśniącymi prywatnymi odrzutowcami. Postój taksówek dla sławnych i bogatych.

— Proszę wybaczyć, że pytam — zagadnęła kobieta nieśmiało. — Czy jest pan tym Robertem Langdonem, który pisze książki o religiach i symbolach?

Langdon po chwili wahania skinął głową.

— Tak sobie pomyślałam! — wykrzyknęła rozpromieniona. — W moim klubie czytelniczym dyskutowaliśmy o pana książce poświęconej Kościołowi i świętej kobiecości! Tej, która wywołała taki skandal! Widać lubi pan wpuszczać lisa do kurnika.

— Nie chciałem wywołać skandalu.

Wyczuła, że Robert nie jest w nastroju do rozmowy o swojej pracy.

— Przepraszam, że tyle gadam. Pewnie męczy pana sława, ale sam pan jest sobie winien. — Wskazała żartobliwie jego ubranie. — Zdradził pana uniform.

Uniform? Langdon spojrzał na siebie. Był ubrany w grafitowy golf, marynarkę marki Harris Tweed, spodnie khaki i uniwersyteckie mokasyny z miękkiej skóry... typowy ubiór, w którym przychodził na zajęcia, wygłaszał wykłady, pozował do zdjęć jako autor i brał udział w imprezach towarzyskich.

Kobieta się roześmiała.

— Golfy już dawno wyszły z mody. Wyglądałby pan znacznie przystojniej w krawacie.

Nie ma mowy, nie założę sobie pętli na szyję — pomyślał.

Wykładając w Phillips Exeter Academy, musiał nosić krawat przez sześć dni w tygodniu i mimo romantycznie brzmiących zapewnień rektora, że krawat wywodzi się od jedwabnego *fascalium*, noszonego przez rzymskich mówców, pragnących w ten sposób ogrzać struny głosowe, doskonale wiedział, że słowo *cravat* pochodzi od nazwy bezwzględnych chorwackich najemników, którzy przed wyruszeniem do walki zawiązywali sobie chustę na szyi. Biurowi wojownicy, pragnący onieśmielić wrogów podczas codziennych potyczek w salach posiedzeń, zakładają je do dziś.

— Dzięki za radę — zaśmiał się Langdon. — Pomyślę o tym w przyszłości.

Na szczęście z lśniącego lincolna zaparkowanego obok terminalu wysiadł profesjonalnie wyglądający mężczyzna w czarnym garniturze, dając mu znak ręką.

— Pan Langdon? Jestem Charles z firmy Beltway Limousine — powiedział, otwierając tylne drzwi. — Dobry wieczór, proszę pana. Witam w Waszyngtonie.

Langdon wręczył Pam napiwek za jej gościnność i zajął miejsce we wnętrzu luksusowego auta. Kierowca pokazał mu regulator temperatury, butelkę z wodą i koszyczek z ciepłymi babeczkami. Po chwili mknęli prywatną droga dojazdową. A więc tak żyje druga połowa ludzkości.

Kiedy znaleźli się na Windsock Drive, szofer sprawdził listę pasażerów i podniósł słuchawkę telefonu.

— Dzwonię z firmy Beltway Limousine — oznajmił rzeczowo. — Proszono mnie o potwierdzenie przylotu pasażera. — Zamilkł na chwilę. — Tak, proszę pana. Pański gość, pan Langdon, właśnie przybył. Będzie przed Kapitolem o dziewiętnastej. Bardzo proszę. — Rozmowa dobiegła końca.

Langdon uśmiechnął się do siebie. Pomyśleli o wszystkim. Drobiazgowość była jednym z największych przymiotów Petera Solomona, dzięki którym z niezwykłą łatwością sprawował tak rozległą władzę. Nie zaszkodziło też kilka miliardów dolarów w banku.

Rozsiadł się wygodnie w skórzanym fotelu i zamknął oczy, pozostawiając za sobą szum lotniska. Jazda do Kapitolu miała zająć pół godziny. Langdon był zadowolony, że może spędzić ten czas w samotności, by zebrać myśli. Wszystko działo się tak szybko, że dopiero teraz zaczął się poważnie zastanawiać nad niesamowitym wieczorem, który go czeka.

Mój przyjazd jest okryty tajemnicą — pomyślał rozbawiony.

Piętnaście kilometrów od Kapitolu na przybycie Roberta Langdona czekał niecierpliwie pewien mężczyzna.

Rozdział 2

Mężczyzna nazywający siebie Mal'akh wbił igłę w skórę swojej ogolonej głowy, wzdychając z rozkoszą, gdy ostre narzędzie wchodziło i wychodziło z ciała. Cichy szum elektrycznego urządzenia był uzależniający, podobnie jak ukłucia igły wnikającej w skórę właściwą i wprowadzającej barwnik.

Jestem dziełem sztuki.

Celem tatuażu nigdy nie było piękno, lecz przemiana. Począwszy od składanych w ofierze nubijskich kapłanów z 2000 roku przed naszą erą i wytatuowanych wyznawców kultu Kybele ze starożytnego Rzymu, po tatuaże *moko* współczesnych Maorysów, ludzie zdobili swoje ciała, aby niejako złożyć je w ofierze, znosząc fizyczny ból związany z upiększaniem się i odmieniając swoje jestestwo.

Mimo złowrogiej przestrogi zapisanej w Księdze Kapłańskiej, zakazującej umieszczania znaków na ciele, tatuowanie pozostało obrzędem przejścia dla milionów współczesnych ludzi: od ogolonych na łyso nastolatków i narkomanów po gospodynie domowe z przedmieść.

Czynność tatuowania skóry była wyrazem mocy przemiany, ogłoszeniem światu: „Jestem panem własnego ciała". Upajające poczucie władzy, czerpane z przemiany fizycznej, uzależniło miliony od praktyk zmieniających wygląd ciała, od chirurgii kosmetycznej, piercingu, kulturystyki i sterydów, po bulimię i zmianę płci.

Ludzki duch pragnie władzy nad swoją cielesną powłoką.

Zegar szafkowy uderzył jeden raz. Mal'akh spojrzał na tarczę. Osiemnasta trzydzieści. Odłożył instrumenty, owinął nagie, mające sto dziewięćdziesiąt centymetrów wzrostu ciało jedwabnym szlafrokiem kiryu i ruszył korytarzem. W powietrzu wypełniającym jego rozległą rezydencję czuć było ostrą woń barwników i dym świec z wosku pszczelego, których używał do dezynfekowania igieł. Rosły mężczyzna szedł korytarzem, mijając bezcenne włoskie antyki — akwafortę Piranesiego, krzesło Savonaroli, srebrną lampę naftową Bugariniego...

Wyjrzał przez okno sięgające od podłogi do sufitu, podziwiając widoczną w oddali linię horyzontu. Błyszcząca kopuła Kapitolu lśniła władczo na tle ciemnego zimowego nieba.

Spoczywa tam, gdzie je ukryto — pomyślał. — Zakopali to gdzieś tam.

Niewielu wiedziało o jego istnieniu... a jeszcze mniej o jego budzącej grozę mocy i o tym, jak przemyślnie został ukryty. Do dziś pozostał największą tajemnicą tego kraju. Garstka ludzi, która znała prawdę, ukrywała ją za zasłoną symboli, legend i alegorii.

Teraz otworzyli przede mną drzwi — pomyślał Mal'akh.

Trzy tygodnie temu, po mrocznym rytuale, którego świadkami byli najpotężniejsi ludzie Ameryki, Mal'akh osiągnął trzydziesty trzeci stopień wtajemniczenia, najwyższego eszelonu w najstarszym bractwie, jakie przetrwało. Mimo iż zdobył wysoką pozycję, bracia nic mu nie powiedzieli. Nigdy tego nie zrobią. Odbywa się to zupełnie inaczej. W jednych kręgach wtajemniczenia znajdują się drugie, podobnie jak bractwa w ramach bractw. Nawet gdyby czekał całe lata, mógłby nigdy nie zasłużyć na największe zaufanie.

Na szczęście nie potrzebował zaufania członków loży, aby poznać jej najpilniej strzeżony sekret.

Obrzęd inicjacji spełnił swoje zadanie.

Podniecony tym, co go czeka, ruszył do sypialni. Z głośników rozmieszczonych w całym domu dobiegały dźwięki rzadkiego nagrania kastrata, wykonującego arię *Lux Aeterna* z *Requiem* Verdiego. Muzyka była jak wspomnienie poprzedniego życia. Mal'akh wcisnął guzik pilota, aby usłyszeć grzmiące *Dies Irae*. Przy akompaniamencie kotłów i równoległych kwint zaczął wchodzić po marmurowych stopniach, czując, jak szata opina jego muskularne nogi.

Kiedy zaczął biec, pusty żołądek jęknął w proteście. Mal'akh pościł od dwóch dni. Pił tylko wodę, przygotowując swoje ciało zgodnie ze starożytnym zwyczajem. Zaspokoisz głód o świcie — dodał sobie otuchy. — Wtedy ból ustanie.

Wszedł z czcią do sanktuarium sypialni, zamykając za sobą drzwi. Skierował się do garderoby, lecz nagle przystanął, czując, że przyciąga go do siebie ogromne pozłacane lustro. Nie mogąc się oprzeć, spojrzał na swoje odbicie. Wolno, jakby rozpakowywał bezcenny dar, rozpostarł poły szlafroka, odsłaniając nagi tors. Widok, który ujrzał, wzbudzał podziw.

Jestem dziełem sztuki.

Jego masywne ciało było ogolone i gładkie. Opuścił głowę, spoglądając na stopy, na których wytatuowano łuskę i szpony jastrzębia. Umięśnione nogi były wytatuowane niczym rzeźbione kolumny — lewa pokryta spiralnym wzorem, prawa, pionowymi liniami. Boaz i Jakin*. Pachwina i brzuch tworzyły ozdobny łuk, ponad którym wznosiła się potężna klatka piersiowa z dwugłowym Feniksem. Źrenicami pojedynczego oka jednego i drugiego ptaka były brodawki sutkowe. Ramiona, szyję, twarz i ogoloną głowę pokrywała misterna siatka starożytnych symboli i magicznych znaków.

Jestem dziełem sztuki... ewoluującą ikoną.

Jeden ze śmiertelnych, który osiemnaście godzin temu oglądał nagie ciało Mal'akha, wykrzyknął przerażony:

— Mój Boże, jesteś demonem!

— Jak sobie życzysz — odparł Mal'akh, rozumiejąc jak starożytni, że anioły i demony są tym samym: wymiennymi archetypami. Wszystko zależy od punktu widzenia. Opiekuńczy anioł, który pokonał twojego nieprzyjaciela podczas bitwy, był przez niego postrzegany jako demon zagłady.

Mal'akh pochylił głowę, by spojrzeć z ukosa na jej czubek. Tam, niczym podobna koronie aureola, lśnił mały krąg bladej, niewytatuowanej skóry, jedyny dziewiczy fragment jego ciała. Święte miejsce, które czekało cierpliwie aż do dzisiejszej nocy...

---

* Boaz i Jakin — kolumny strzegące wejścia do Świątyni Salomona.

Chociaż Mal'akh nie miał jeszcze tego, co było potrzebne do ukończenia arcydzieła, wiedział, że ta chwila szybko nadejdzie.

Zachwycony swoim odbiciem, poczuł, jak narasta w nim świadomość posiadanej władzy. Ściągnął poły szlafroka i podszedł do okna, podziwiając mistyczne miasto, które rozciągało się przed jego oczami. Ukryli to gdzieś tutaj.

Pomyślał o czekającym go zadaniu, podszedł do toaletki i zaczął starannie nakładać warstwę podkładu, aż znikły tatuaże pokrywające twarz, głowę i szyję. Kiedy skończył, spojrzał na swoje odbicie. Z zadowoleniem pogładził gładką skórę głowy i się uśmiechnął.

Jest tu — pomyślał. — Dzisiejszej nocy pewien człowiek pomoże mi go odnaleźć.

Wychodząc z domu, przygotował się na wydarzenie, które niebawem wstrząśnie gmachem amerykańskiego Kapitolu. Zadał sobie wiele trudu, by złożyć wszystkie fragmenty układanki.

Teraz do gry miał wkroczyć jego ostatni pionek.

Rozdział 3

Robert Langdon przeglądał karteczki z notatkami, kiedy odgłos opon jadącego samochodu się zmienił. Podniósł głowę i zdumiał się, gdy stwierdził, gdzie są.

Dotarliśmy do mostu Memorial?

Odłożył notatki i spojrzał na przesuwające się w dole spokojne wody Potomacu. Nad jego powierzchnią unosiła się ciężka mgła. Słusznie nosząca miano Foggy Bottom*, zawsze wydawała mu się dziwnym miejscem na zbudowanie stolicy kraju. Spośród wszystkich miejsc Nowego Świata Ojcowie Założyciele wybrali grząskie nadrzeczne mokradła, umieszczając w nich kamień węgielny pod swoje utopijne społeczeństwo.

Langdon spojrzał w lewo, za Tidal Basin, ku wdzięcznie zaokrąglonemu kształtowi Mauzoleum Jeffersona, Panteonu Ameryki, jak wielu go nazywało. Z przodu ze sztywną surowością wznosiło się Mauzoleum Lincolna przypominające ateński Partenon. W oddali Langdon dostrzegł centralny punkt miasta — tę samą iglicę, którą oglądał z lotu ptaka. Jej architektoniczna inspiracja wywodziła się z czasów znacznie poprzedzających Greków i Rzymian.

Egipski obelisk Ameryki.

Monolityczna iglica pomnika Waszyngtona rysowała się w oddali, oświetlona na tle nieba niczym majestatyczny maszt żag-

* *Foggy* (ang.) — „mglisty", Foggy Bottom to także nieco ironiczna nazwa Departamentu Stanu.

lowca. Gdy się patrzyło z ukosa, obelisk wydawał się oderwany od ziemi, jakby kołysał się na posępnym niebie niczym na wzburzonych falach. Langdon czuł się tak samo pozbawiony oparcia. Jego podróż do Waszyngtonu była zupełnie niespodziewana. Obudziłem się rano, myśląc, że spędzę spokojną niedzielę w domu, a oto jestem w odległości kilku minut drogi od Kapitolu.

O czwartej czterdzieści pięć Langdon dał nurka do spokojnej wody, zgodnie ze swoim zwyczajem rozpoczynając dzień od przepłynięcia pięćdziesięciu długości pustego o tej porze basenu Harvard. Nie miał już takiej formy jak w czasach college'u, gdy grał w drużynie piłki wodnej, nadal jednak był szczupły i wysportowany, i wyglądał całkiem znośnie, jak na faceta po czterdziestce. Jedyną różnicą był wysiłek, jaki musiał włożyć, by ten stan utrzymać.

Wróciwszy do domu koło szóstej, przystąpił do porannego rytuału ręcznego mielenia sumatrzańskiej kawy i wdychania egzotycznego aromatu, który wypełnił kuchnię. Tego ranka zdumiało go migające światełko automatycznej sekretarki.

Kto może dzwonić w niedzielę o szóstej rano?

Wcisnął przycisk i odsłuchał wiadomość.

„Dzień dobry, profesorze Langdon. Przepraszam, że dzwonię o tak wczesnej porze". W uprzejmym głosie brzmiało wahanie i słaby południowy akcent. „Nazywam się Anthony Jelbart, jestem asystentem Petera Solomona. Pan Solomon powiedział mi, że wcześnie pan wstaje... Próbował skontaktować się z panem dziś rano w pilnej sprawie. Czy byłby pan łaskaw zadzwonić do Petera, gdy otrzyma pan tę wiadomość? Wiem, że zna pan jego prywatny numer, lecz na wszelki wypadek go powtórzę: dwieście dwa — trzysta dwadzieścia dziewięć — pięćdziesiąt siedem — czterdzieści sześć".

Langdon zaniepokoił się nagle o starego przyjaciela. Peter Solomon miał nienaganne maniery i był niezwykle uprzejmy. Z pewnością nie nękałby go w niedzielę, gdyby nie stało się coś bardzo złego.

Odstawił na pół zmieloną kawę i pobiegł do gabinetu, by oddzwonić.

Mam nadzieję, że wszystko jest w porządku.

Peter Solomon był jego przyjacielem i mentorem. Chociaż starszy od Langdona o zaledwie dwanaście lat, wypełniał pustkę po stracie ojca od czasu, gdy spotkali się po raz pierwszy na uniwersytecie Princeton. Langdon był wtedy studentem drugiego roku i musiał wysłuchać wieczornego odczytu zaproszonego wykładowcy — znanego młodego historyka i filantropa. Solomon przemawiał z zaraźliwym entuzjazmem, przedstawiając olśniewającą wizję semiotyki i historii archetypów. Obudziła ona w Langdonie zainteresowanie symbolami, które miało stać się później jego życiową pasją. Jednak to nie błyskotliwość Petera Solomona, lecz pokora widoczna w jego szarych oczach sprawiła, że Langdon zdobył się na odwagę i napisał do niego list z podziękowaniami. Młody student nawet nie śmiał marzyć o tym, że Peter Solomon, jeden z najbogatszych i najbardziej intrygujących młodych intelektualistów, odpisze. Solomon to zrobił i w ten sposób rozpoczęła się ich niezwykła przyjaźń.

Peter Solomon, wybitny akademik, którego spokojny sposób bycia nie zdradzał wspaniałego rodzinnego dziedzictwa, pochodził z niezwykle zamożnego rodu Solomonów. Ich nazwisko widniało na gmachach i uniwersytetach w całym kraju. Tak jak Rothschild w Europie, nazwisko Solomon zawsze kryło w sobie mistyczną aurę arystokratyczności i sukcesu. Peter przejął obowiązki głowy rodu w młodym wieku, po śmierci ojca, i w ciągu pięćdziesięciu ośmiu lat życia piastował wiele ważnych stanowisk. Obecnie był dyrektorem Instytutu Smithsoniańskiego. Langdon żartował czasami z Petera, mówiąc, że jedyną skazą na jego doskonałym życiorysie jest dyplom drugorzędnej uczelni — Yale.

Gdy wszedł do gabinetu, stwierdził zdumiony, że Peter przesłał mu faks.

Peter Solomon
SEKRETARIAT
INSTYTUTU SMITHSONIAŃSKIEGO

Witaj, Robercie,

Muszę z Tobą natychmiast pomówić.
Zadzwoń niezwłocznie na numer 202-329-5746

Peter

Langdon, nie namyślając się, wykręcił numer. Usiadł przy ręcznie wykonanym biurku i czekał na połączenie.

— Biuro Petera Solomona — usłyszał znajomy głos asystenta. — Mówi Anthony, czym mogę służyć?

— Tu Robert Langdon. Otrzymałem wiadomość...

— Witam, profesorze Langdon! — wykrzyknął młody człowiek z wyraźną ulgą. — Dziękuję, że tak szybko pan oddzwonił. Pan Solomon czekał na pański telefon. Powiem mu, że jest pan na linii. Zaczeka pan?

— Oczywiście.

Langdon czekał, aż Solomon podejdzie do telefonu, spoglądając z uśmiechem na nazwisko Petera widniejące w nagłówku Instytutu Smithsoniańskiego. W klanie Solomonów nie ma obiboków. Drzewo genealogiczne Petera pełne było nazwisk magnatów finansowych, wpływowych polityków i wybitnych naukowców, niektórzy byli nawet członkami Royal Society w Londynie. Jedyna żyjąca osoba z rodziny, młodsza siostra Solomona Katherine, najwyraźniej odziedziczyła gen nauki, bo była jedną z czołowych postaci nowej dyscypliny nazywanej noetyką.

Nic nie rozumiem — pomyślał Langdon, z rozbawieniem wspominając, jak rok temu Katherine bezskutecznie próbowała wyjaśnić mu cele i metody noetyki podczas przyjęcia zorganizowanego w domu brata. Langdon słuchał jej uważnie, by w końcu oznajmić: „Bardziej przypomina to magię niż naukę". Mrugnęła do niego szelmowsko. „Jesteś bliższy prawdy, niż ci się wydaje, Robercie".

Asystent Solomona wrócił do telefonu.

— Przepraszam, pan Solomon bierze właśnie udział w telekonferencji. Mamy dziś rano urwanie głowy.

— Nie ma problemu, mogę zadzwonić potem.

— Pan Solomon prosił mnie, abym wyjaśnił, dlaczego się z panem skontaktował. Nie ma pan nic przeciwko temu?

— Pewnie, że nie.

Asystent odetchnął głęboko.

— Jak pan zapewne wie, profesorze, co roku w Waszyngtonie rada nadzorcza Instytutu Smithsoniańskiego organizuje galę, aby podziękować najbardziej hojnym ofiarodawcom. W tym roku weźmie w niej udział kulturalna elita wielu krajów.

Langdon wiedział, że na jego koncie jak o kilka zer za mało, by mógł zostać zaliczony do tego grona. Może Instytut Smithsoniański chce go zaprosić mimo to?

— Jak zawsze uroczysty obiad poprzedzi prelekcja — ciągnął asystent. — Zarezerwowaliśmy w tym celu National Statuary Hall.

Najpiękniejszą salę w całym Waszyngtonie — pomyślał Langdon, przypominając sobie odczyt na temat polityki, którego wysłuchał w tej olśniewającej półokrągłej sali. Trudno było zapomnieć pięćset składanych krzeseł ustawionych w idealny łuk, otoczony trzydziestoma ośmioma posągami w sali, która pierwotnie mieściła Izbę Reprezentantów.

— Problem w tym, że nasz prelegent zachorował. Właśnie powiadomił nas, że nie będzie mógł przybyć. — Anthony urwał, najwyraźniej zakłopotany. — Pan Solomon ma nadzieję, że zechce go pan zastąpić.

— Ja? — zdziwił się Langdon. Była to ostatnia rzecz, której się spodziewał. — Jestem pewny, że Peter może znaleźć lepszego zastępcę...

— Pan Solomon od razu pomyślał o panu. Jest pan zbyt skromny, profesorze. Nasi goście będą zachwyceni, mogąc pana wysłuchać. Peter pomyślał, że mógłby pan wygłosić ten sam odczyt, co w Bookspan TV kilka lat temu. W ten sposób nie musiałby pan się specjalnie przygotowywać. Wspomniał, że mówił pan wtedy o symbolach w architekturze naszej stolicy. Temat wydaje się idealny.

Langdon nie był tego pewny.

— O ile pamiętam, mówiłem wtedy głównie o budowlach wznoszonych przez masonów...

— Właśnie! Jak pan wie, pan Solomon jest masonem, podobnie jak wielu jego przyjaciół, którzy będą na sali. Jestem pewny, że z przyjemnością wysłuchają tego, co ma pan do powiedzenia na ten temat.

Rzeczywiście, nie byłoby to trudne. Langdon pieczołowicie przechowywał notatki do wszystkich swoich wykładów.

— Przypuśćmy, że się zgodzę. Na kiedy zaplanowaliście uroczystość?

Asystent odchrząknął nerwowo, jakby nagle poczuł się niezręcznie.

— No cóż... na dziś wieczór, panie profesorze.

Langdon nie mógł opanować śmiechu.

— Na dzisiejszy wieczór?

— Właśnie dlatego mamy takie urwanie głowy. Instytut Smithsoniański znalazł się w niezwykle kłopotliwym położeniu... — Mężczyzna mówił coraz szybciej. — Pan Solomon przyśle po pana do Bostonu prywatny odrzutowiec. Lot trwa zaledwie godzinę. Wróci pan do domu przed północą. Wie pan, gdzie jest terminal prywatnych odrzutowców na Lotnisku Logana w Bostonie?

— Tak — przyznał z niechęcią Langdon. Nic dziwnego, z Peter zawsze dostaje to, czego chce.

— Wspaniale! Mógłby pan znaleźć się na pokładzie powiedzmy o... siedemnastej?

— Nie pozostawił mi pan dużego wyboru, prawda? — zaśmiał się Langdon.

— Chcę tylko, żeby pan Solomon był zadowolony.

Peter umie wywierać wpływ na ludzi.

Langdon wahał się przez chwilę i, nie widząc innego wyjścia, odpowiedział:

— W porządku. Proszę mu powiedzieć, że przyjadę.

— Wspaniale! — wykrzyknął młodzieniec, nie kryjąc ulgi. Podał Langdonowi numer widniejący na ogonie maszyny i inne niezbędne informacje.

Kiedy Langdon wreszcie odłożył słuchawkę, zadał sobie pytanie, czy Peter Solomon kiedykolwiek spotkał się z odmową.

Wrócił do kuchni i dorzucił kilka dodatkowych ziaren do młynka. Trochę więcej kofeiny w taki poranek nie zaszkodzi — pomyślał. — Zapowiada się długi dzień.

Rozdział 4

Gmach Kapitolu wznosi się dostojnie na wschodnim krańcu National Mall, na wysokim płaskowyżu, który architekt miasta, Pierre L'Enfant, nazwał „piedestałem oczekującym na pomnik". Masywna podstawa Kapitolu ma dwieście dwadzieścia osiem metrów długości i sto sześć metrów głębokości. Powierzchnia wewnętrzna to ponad sześćdziesiąt cztery tysiące metrów kwadratowych, podzielonych na pięćset czterdzieści jeden okazałych sal. Neoklasycystyczna architektura nawiązuje do wielkości starożytnego Rzymu, którego ideały były inspiracją dla amerykańskich Ojców Założycieli, tworzących prawa i kulturę nowej republiki.

Bramki bezpieczeństwa dla turystów wchodzących do Kapitolu znajdują się w głębi podziemnego centrum dla zwiedzających, pod wspaniałym świetlikiem w kopule gmachu. Nowy strażnik, Alfonso Nuñez, przyglądał się uważnie mężczyźnie podchodzącemu do bramki — miał ogoloną głowę i stał przez jakiś czas w holu, rozmawiając przez komórkę. Lekko utykał i prawe ramię miał na temblaku. Ubrany był w sfatygowany marynarski płaszcz z demobilu, co w połączeniu z ogoloną głową zasugerowało Nuñezowi, że jest wojskowym.

— Dobry wieczór! — odezwał się strażnik, postępując zgodnie z zasadami bezpieczeństwa, nakazującymi zagadnąć każdego samotnego mężczyznę, który chce wejść do środka.

— Witam — odparł nieznajomy, spoglądając na niemal puste wejście. — Widzę, że macie spokojną noc.

— Mamy spotkania barażowe NFC* — wyjaśnił Nuñez. — Dziś wieczorem wszyscy oglądają Washington Redskins. — Żałował, że nie może oglądać meczu, lecz pracował tu od miesiąca i wyciągnął krótszą słomkę. — Proszę położyć metalowe przedmioty na tacy.

Nuñez obserwował gościa, który sprawną ręką zaczął grzebać w kieszeniach długiego płaszcza. Współczucie nakazywało wyrozumiałość dla rannych i inwalidów, lecz Nuñeza nauczono, jak je uciszyć.

Patrzył cierpliwie, jak tamten wydobywa z kieszeni typową kolekcję przedmiotów: drobne, klucze i kilka telefonów komórkowych.

— Skręcił pan nadgarstek? — zainteresował się, spoglądając na zabandażowaną rękę mężczyzny.

Łysy facet skinął głową.

— Tydzień temu poślizgnąłem się na lodzie. Nadal boli jak cholera.

— Przykro mi to słyszeć. Proszę przejść przez bramkę.

Gość pokuśtykał na drugą stronę, a maszyna pisnęła ostrzegawczo.

Mężczyzna ściągnął brwi.

— Właśnie tego się obawiałem. Mam obrączkę pod bandażem. Palec był zbyt spuchnięty, nie mogłem jej zdjąć. Lekarz zabandażował całą rękę.

— Nie ma problemu — zapewnił go Nuñez. — Użyję ręcznego wykrywacza metalu.

Przesunął urządzenie wzdłuż zabandażowanej ręki. Tak jak oczekiwał, jedynym metalowym przedmiotem było duże zgrubienie nad kontuzjowanym palcem serdecznym. Wiedział, że przełożony w centrum bezpieczeństwa go obserwuje, więc musiał to zrobić.

Odrobina ostrożności nigdy nie zawadzi. Wsunął wykrywacz pod bandaż.

Facet skrzywił się z bólu.

— Przepraszam.

---

* NFC — National Football Conference — Krajowa Konferencja Futbolowa — jedna z dwóch konferencji zawodowej ligi futbolu amerykańskiego.

— Nic się nie stało. W dzisiejszych czasach lepiej być ostrożnym.

— Fakt.

Nuñez polubił tego gościa. O dziwo, w jego robocie miało to ogromne znaczenie. Intuicja stanowiła pierwszą linię obrony Ameryki przed terroryzmem. Udowodniono, że jest lepszym wykrywaczem niebezpieczeństwa niż wszystkie urządzenia elektroniczne na świecie. W podręcznikach zasad bezpieczeństwa nazywano ją „darem lęku".

Tym razem Nuñez nie wyczuł niczego, co mogłoby wzbudzić lęk. Jedyną osobliwością, którą odnotował, gdy stali blisko siebie, było to, że twardziel miał na twarzy grubą warstwę samoopalacza lub podkładu.

Co z tego? Zimą nikt nie lubi wyglądać blado.

— W porządku — oznajmił, odkładając wykrywacz metalu.

— Dzięki. — Mężczyzna zaczął zbierać z tacy swoje rzeczy. Kiedy już to robił, Nuñez zauważył dwa wytatuowane palce wystające spod bandaża. Na czubku palca wskazującego była korona, a na kciuku gwiazda. W dzisiejszych czasach wszyscy mają tatuaże — pomyślał, chociaż opuszki palców muszą być bardzo wrażliwe.

— Czy zrobienie tych tatuaży było bardzo bolesne?

Facet spojrzał na swoje palce i się uśmiechnął.

— Mniej, niż pan sądzi.

— Szczęściarz z pana — westchnął Nuñez. — Mnie piekielnie bolało. Kiedy byłem na obozie dla rekrutów, kazałem wytatuować sobie na plecach syrenę.

— Syrenę? — roześmiał się łysy.

— Taak. — Wyraźnie zmieszany Nuñez skinął głową. — Wszyscy popełniamy takie błędy w młodości.

— Jasne. Ja też w młodości popełniłem wielki błąd i teraz budzę się z nią w łóżku co rano.

Roześmiali się i facet ruszył przed siebie.

Dziecinnie proste — pomyślał Mal'akh, zostawiając za sobą Nuñeza i kierując się w stronę windy. Wejście do budynku okazało się łatwiejsze, niż sądził. Garbienie się i warstwa gąbki umieszczona na brzuchu zamaskowały prawdziwy wygląd Mal'akha, a podkład na twarzy i rękach ukrył tatuaże. Najgenialniejszym rozwiązaniem był jednak temblak, który pozwolił mu wnieść do Kapitolu pewien przedmiot.

Podarunek dla jedynego człowieka na ziemi, który może mi pomóc w odnalezieniu tego, czego szukam.

Rozdział 5

Największe i najnowocześniejsze muzeum na świecie kryło również najpilniej strzeżone sekrety. Znajdowało się w nim więcej eksponatów niż w Ermitażu, Muzeum Watykańskim i nowojorskim Metropolitan razem wziętych. Jednak mimo wspaniałych zbiorów jego tak dobrze strzeżone mury odwiedzało niewiele osób.

Kompleks położony przy Silver Hill Road cztery tysiące dwieście dziesięć był gmachem o zygzakowatym kształcie, składającym się z pięciu połączonych części, każda wielkości przekraczającej powierzchnię boiska piłkarskiego. Niebieskawa metalowa fasada niejasno sugerowała dziwną rzeczywistość, która kryje się w środku — mający ponad pięćdziesiąt pięć tysięcy metrów kwadratowych obcy świat, zawierający „martwą strefę", Sektor 3, tak zwany wilgotny sektor, i ponad dwadzieścia kilometrów szklanych gablot.

Naukowiec Katherine Solomon była dziwnie niespokojna, przejeżdżając białym volvo przez główną bramę prowadzącą na teren kompleksu.

— Widzę, że nie jest pani miłośniczką futbolu, panno Solomon — zauważył z uśmiechem strażnik, ściszając głos w telewizorze. Najwyraźniej oglądał mecz Redskinsów.

Katherine odpowiedziała wymuszonym uśmiechem.

— Jest niedzielny wieczór — zauważyła.

— Fakt, mają państwo spotkanie.

— Czy on już przyjechał? — spytała nieco zdenerwowana.

Strażnik zajrzał do książki gości.

— Nie widzę jego nazwiska.

— Jestem przed czasem.

Pozdrowiła go przyjacielskim gestem i ruszyła krętym podjazdem w kierunku swojego miejsca parkingowego na parterze małego, dwupoziomowego parkingu. Spojrzała we wsteczne lusterko, by sprawdzić, jak wygląda. Bardziej z nawyku niż z próżności.

Katherine Solomon odziedziczyła po przodkach śródziemnomorską urodę i mimo iż skończyła pięćdziesiąt lat, jej oliwkowa cera była gładka. Prawie się nie malowała, a gęste czarne włosy spływały na ramiona, nieułożone w żadną wymyślną fryzurę. Podobnie jak starszy brat, Peter, miała szare oczy, smukłą figurę i patrycjuszowską elegancję.

„Wyglądacie jak bliźniaki" — powtarzali ludzie.

Ojciec Katherine zmarł na raka, gdy miała siedem lat, dlatego słabo go pamiętała. Piętnastoletni Peter, starszy od siostry o osiem lat, został wówczas głową rodu Solomonów. Znacznie wcześniej, niż ktokolwiek się tego spodziewał. Zgodnie z oczekiwaniami Peter zaczął pełnić tę funkcję z godnością i siłą typową dla członków ich rodziny. Do dziś opiekował się Katherine, jakby nadal byli dziećmi.

Mimo zachęty brata i wielu zalotników Katherine nigdy nie wyszła za mąż. Jej życiowym partnerem stała się nauka, a praca dostarczała więcej satysfakcji i zadowolenia niż jakikolwiek mężczyzna. Katherine niczego nie żałowała.

Choć dyscyplina, którą się zajęła — noetyka — gdy usłyszała o niej po raz pierwszy, była zupełnie nowa, w ostatnich latach otworzyła wiele drzwi w ludzkim umyśle.

Nasze niewykorzystane możliwości są naprawdę zdumiewające.

Dwie książki poświęcone noetyce, które napisała, uczyniły ją najważniejszą postacią tej nowej dyscypliny, a ogłoszenie najnowszych odkryć gwarantowało, że noetyka stanie się głównym tematem rozmów na całym świecie.

Tego wieczoru jednak w ogóle o tym nie myślała. Kilka godzin temu otrzymała niepokojące informacje dotyczące brata.

Nie mogę w to uwierzyć!

Przez całe popołudnie nie mogła skupić się na niczym innym. Kiedy usłyszała pierwsze krople deszczu uderzające w szybę, postanowiła wejść do budynku. Już miała wysiąść z samochodu, gdy zadzwoniła komórka.

Spojrzała na ekran i westchnęła głęboko.

Poprawiła włosy i usadowiła się wygodnie, by odebrać.

Dziesięć kilometrów dalej Mal'akh szedł korytarzami Kapitolu z telefonem komórkowym przyciśniętym do ucha. Czekał cierpliwie na połączenie.

Wreszcie w słuchawce odezwał się kobiecy głos:

— Słucham?

— Musimy spotkać się jeszcze raz — powiedział.

Milczała przez dłuższą chwilę.

— Wszystko w porządku?

— Mam nowe informacje — oznajmił.

— Jakie?

Mal'akh zaczerpnął powietrza.

— O tym, co zdaniem pani brata ukryto gdzieś w Waszyngtonie.

— Mów dalej.

— Myślę, że możemy to odnaleźć.

Katherine Solomon skamieniała.

— Chcesz powiedzieć, że... że to prawda?

Mal'akh uśmiechnął się do siebie.

— Bywa, że legendy żyją przez wieki... i dzieje się tak nie bez powodu.

Rozdział 6

— Nie może pan podjechać bliżej? — spytał Langdon, czując niepokój, gdy szofer zaparkował na First Street, w odległości dobrych pięciuset metrów od Kapitolu.

— Przykro mi, takie są przepisy Departamentu Bezpieczeństwa Wewnętrznego. Żadne pojazdy nie mogą parkować w pobliżu ważnych gmachów.

Langdon spojrzał na zegarek i ze zdumieniem stwierdził, że jest już osiemnasta pięćdziesiąt. Opóźniły ich prace budowlane prowadzone w rejonie National Mall. Odczyt miał się rozpocząć za dziesięć minut.

— Pogoda się zmienia — zauważył kierowca, wyskakując z auta i otwierając Langdonowi drzwi. — Lepiej niech się pan pospieszy. — Langdon sięgnął po portfel, lecz mężczyzna machnął ręką. — Pana gospodarz doliczył już do rachunku szczodry napiwek.

Cały Peter — pomyślał Langdon.

— W porządku, dziękuję za podwiezienie.

Gdy Langdon dotarł do końca osłoniętego zgrabnym łukiem holu prowadzącego do nowego podziemnego wejścia dla odwiedzających, spadły pierwsze krople deszczu.

Nowe centrum dla zwiedzających było kosztownym i kontrowersyjnym przedsięwzięciem. Podziemne miasto, które mogłoby konkurować z fragmentami Disney Worldu, dysponowało podziemną przestrzenią rzędu czterdziestu sześciu tysięcy metrów kwadratowych, przeznaczoną na wystawy, restauracje i sale konferencyjne.

Langdon chciał je zobaczyć, lecz nie spodziewał się, że będzie musiał odbyć w tym celu tak długi spacer. W każdej chwili mogła się zacząć ulewa, więc ruszył truchtem, choć jego mokasyny ślizgały się na mokrym betonie.

Ubrałem się na wykład, a nie na czterystumetrowy bieg, na dodatek w strugach wody!

Dotarł na dół, ciężko dysząc. Pchnął obrotowe drzwi i stanął w holu, by złapać oddech i strząsnąć z ubrania krople deszczu. Jednocześnie podniósł głowę, oglądając niedawno ukończone wnętrze.

No dobrze, jestem pod wrażeniem.

Centrum dla gości zwiedzających Kapitol okazało się zupełnie inne, niż się spodziewał. Ponieważ znajdowało się pod ziemią, Langdon bał się wejść do środka. W dzieciństwie wpadł do studni i siedział w niej do późnej nocy — pewnie dlatego odczuwał paraliżujący lęk przed zamkniętymi pomieszczeniami. Jednak ta podziemna przestrzeń była... dziwnie przestronna. Jasna. Rozległa.

Na ogromnym szklanym suficie umieszczono szereg teatralnych reflektorów, które rzucały przyćmione światło na perłowy wystrój wnętrza.

W normalnych okolicznościach Langdon poświęciłby pół godziny na podziwianie architektury, lecz do odczytu zostało pięć minut, więc spuścił głowę i popędził głównym holem do bramki bezpieczeństwa i windy.

Rozluźnij się — nakazał sobie. — Peter wie, że jesteś w drodze. Wieczór nie zacznie się bez ciebie.

Młody latynoski strażnik zagaił rozmowę, gdy Langdon opróżniał kieszenie i zdejmował zegarek.

— Zegarek z Myszką Miki? — zauważył Latynos, nie kryjąc rozbawienia.

Langdon skinął głową, przyzwyczajony do takich uwag. Z okazji dziewiątych urodzin rodzice podarowali mu kolekcjonerski egzemplarz takiego zegarka.

— Ten zegarek przypomina mi, żebym przestał się spieszyć i nie traktował życia zbyt poważnie.

— Nie wierzę — odparł z uśmiechem strażnik. — Wygląda pan, jakby bardzo się dokądś spieszył.

Langdon też się uśmiechnął i umieścił torbę w urządzeniu prześwietlającym bagaż promieniami rentgenowskimi.

— Jak trafić do Statuary Hall?

Strażnik wskazał windy.

— Tam są znaki.

— Dziękuję.

Langdon wziął torbę z taśmy i popędził przed siebie.

Czekając na windę, odetchnął głęboko i starał się zebrać myśli. Spojrzał na mokrą od deszczu szklaną kopułę Kapitolu. Była oświetlona i gigantyczna. Co za zdumiewający gmach. Na samym szczycie, niemal dziewięćdziesiąt metrów nad ziemią, w przenikniętym wilgocią mroku rysowała się Statua Wolności, przypominająca upiornego strażnika. Langdon nigdy nie przestał dostrzegać ironii zawartej w fakcie, że robotnicy, którzy dźwigali w górę odlane z brązu elementy mającego sześć metrów posągu, byli niewolnikami. Był to jeden z sekretów Kapitolu, o którym rzadko wspominano w podręcznikach do historii dla szkół średnich.

Prawdę powiedziawszy, cały gmach był skarbnicą osobliwych i tajemniczych pamiątek. Była tam między innymi „zabójcza wanna", odpowiedzialna za zgon prezydenta Henry'ego Wilsona, spowodowany zapaleniem płuc, schody z niedającą się usunąć plamą krwi, na której rzekomo poślizgnęło się mnóstwo gości, czy zamurowane pomieszczenie w piwnicy, gdzie w 1930 roku robotnicy znaleźli wypchanego konia generała Johna Alexandra Logana.

Żadna z legend nie była jednak tak znana, jak ta o trzynastu zjawach nawiedzających gmach. Był wśród nich duch architekta miasta, Pierre'a L'Enfanta, błąkający się po korytarzach, by odebrać zapłatę, z którą zalegano już od blisko dwustu lat. Duch robotnika, który spadł z kopuły Kapitolu podczas prac budowlanych, krążył po salach ze skrzynką narzędzi. Oczywiście najsłynniejszą zjawą, wielokrotnie widywaną w piwnicy budynku, był czarny kot skradający się upiornym labiryntem wąskich przejść i pomieszczeń.

Langdon wysiadł z windy i rzucił okiem na zegarek. Trzy minuty. Popędził szerokim korytarzem, kierując się znakami wskazującymi drogę do Statuary Hall, powtarzając w myślach pierwsze zdania swojego wystąpienia. Musiał przyznać, że asystent Petera miał rację: temat prelekcji doskonale nadaje się na galę zorganizowaną w Waszyngtonie przez wpływowego masona.

Nie było tajemnicą, że Waszyngton może się poszczycić bogatą przeszłością masońską. Kamień węgielny pod gmach, w którym się znajdował, położył sam Jerzy Waszyngton podczas tradycyjnego wolnomularskiego rytuału. Miasto zostało pomyślane i zaplanowane przez mistrzów masońskich — Jerzego Waszyngtona, Beniamina Franklina i Pierre'a L'Enfanta — genialne umysły, które ozdobiły nową stolicę wolnomularskimi symbolami, wspaniałą architekturą i sztuką.

Oczywiście ludzie widzą w tych symbolach niesamowite rzeczy.

Liczne teorie spiskowe głosiły, że masońscy przodkowie ukryli w Waszyngtonie wielkie tajemnice, a plan ulic ma tajemne symboliczne znaczenie. Langdon nigdy nie dawał im wiary. Błędne informacje na temat masonów były tak rozpowszechnione, że nawet wykształceni studenci Harvardu mieli wypaczone poglądy na temat bractwa.

Rok temu na zajęcia Langdona wpadł student pierwszego roku z dziko wytrzeszczonymi oczami. W ręku trzymał wydruk zdjęcia z Internetu. Plan ulic Waszyngtonu, na którym niektóre arterie zaznaczono w taki sposób, że tworzyły różne kształty — satanistyczne pentagramy, masoński cyrkiel i węgielnicę oraz głowę Bafometa. Miał to być dowód na to, że masoni, którzy zaprojektowali miasto, uczestniczyli w jakimś mrocznym mistycznym spisku.

— To interesujące — przyznał Langdon — choć trudno uznać ten rysunek za przekonujący. Można wykreślić na mapie rozmaite przecinające się linie, otrzymując różne figury.

— To nie przypadek! — upierał się chłopak.

Langdon wyjaśnił mu cierpliwie, że podobne kształty można wykreślić na planie ulic Detroit.

Student nie krył rozczarowania.

— Proszę nie tracić entuzjazmu — pocieszył go Langdon. — Waszyngton kryje niezwykłe sekrety, lecz żadnego z nich nie można znaleźć na tej mapie.

Młodzieniec podniósł głowę.

— Sekrety? Jakie?

— Każdej wiosny wygłaszam cykl wykładów zatytułowany *Symbole okultystyczne*. Sporo mówię o Waszyngtonie. Powinien się pan zapisać.

— Symbole okultystyczne! — W oczach studenta znów błysnęła ekscytacja. — A więc w Waszyngtonie można odnaleźć znaki satanistyczne!?

Langdon uśmiechnął się z pobłażaniem.

— Słowo „okultyzm", chociaż kojarzy się z kultem szatana, oznacza „ukrytą" lub „tajemną" wiedzę. W czasach prześladowań religijnych była to wiedza sprzeczna z obowiązującą nauką, którą trzeba było ukrywać, trzymać w tajemnicy. Ponieważ Kościół czuł się przez nią zagrożony, doprowadził do utożsamienia okultyzmu ze złem i ten przesąd przetrwał do dziś.

— No tak. — Chłopak się zgarbił.

Mimo to podczas wiosennych zajęć Langdon dostrzegł go w pierwszym rzędzie wśród pięciuset studentów Harvardu, którzy zapełnili Sanders Theatre, starą, ziejącą pustką salę wykładową o trzeszczących drewnianych ławach.

— Witam państwa! — krzyknął z rozległej sceny, a następnie włączył rzutnik i na ekranie za jego plecami ukazał się obraz. — Skoro usadowiliście się już wygodnie, powiedzcie, kto z was rozpoznaje budynek widoczny na zdjęciu?

— Kapitol! — odpowiedział chórek głosów. — To Waszyngton!

— Prawidłowa odpowiedź. Stalowa konstrukcja kopuły waży prawie pięć tysięcy ton. To niezrównane dzieło architektoniczne pochodzi z lat pięćdziesiątych dziewiętnastego wieku.

— Niesamowite! — wykrzyknął jeden ze słuchaczy.

Langdon przewrócił oczami, żałując, że nikt nie zakazał używania tego słowa.

— Kto z państwa był w Waszyngtonie?

W górę uniosło się kilkanaście rąk.

— Tak niewiele? — udał zdumienie Langdon. — A ile osób było w Rzymie, Paryżu, Madrycie lub Londynie?

W górę poszybowały niemal wszystkie ręce.

Jak zwykle.

Jednym z obrzędów przejścia, który był udziałem wszystkich amerykańskich dzieciaków uczęszczających do college'u, było wyruszenie w podróż po Europie z biletem Eurorail w kieszeni, zanim na dobre ich życiem zacznie rządzić twarda rzeczywistość.

— Wygląda na to, że więcej osób odwiedziło Europę niż stolicę własnego kraju. Co, państwa zdaniem, jest tego przyczyną?

— W Europie nie zakazuje się młodzieży picia! — rzucił ktoś z tylnego rzędu.

Langdon się uśmiechnął.

— Czy zakazy obowiązujące w Ameryce powstrzymały kogoś z was?

Sala wybuchnęła śmiechem.

Był to pierwszy dzień nowego semestru, więc studenci potrzebowali więcej czasu, by usiąść wygodnie, i nie przestawali się wiercić na skrzypiących drewnianych ławach. Langdon lubił wykładać w tej sali, bo po odgłosach skrzypienia zawsze potrafił się zorientować, czy udało mu się przyciągnąć uwagę słuchaczy.

— Poważnie mówiąc, Waszyngton może się poszczycić jednymi z najwspanialszych dzieł architektury, sztuki i symboliki na świecie. Dlaczego wyjeżdżacie do Europy, skoro nie odwiedziliście własnej stolicy?

— Starożytne budowle są fajniejsze — zasugerował jakiś student.

— Rozumiem, że przez starożytne budowle rozumieją państwo zamki, grobowce, świątynie i tego typu rzeczy?

Studenci pokiwali głowami.

— Rozumiem. A gdybym wam powiedział, że w Waszyngtonie można znaleźć to wszystko? Zamki, grobowce, piramidy i świątynie... że wszystko to mamy u siebie?

Skrzypienie ławek ucichło.

— Drodzy przyjaciele — Langdon ściszył głos i podszedł do krawędzi podestu — w ciągu następnej godziny dowiecie się, że nasz kraj jest pełen sekretów i ma tajemną historię. Dowiecie się też, że podobnie jak w Europie, największe sekrety znajdują się tuż przed waszymi nosami.

Drewniane ławy nie wydały ani jednego skrzypnięcia.

Mam was!

Langdon zgasił światło i pokazał kolejne zdjęcie.

— Kto wie, co na tym zdjęciu robi Jerzy Waszyngton?

Slajd przedstawiał słynny fresk ukazujący Waszyngtona w pełnym masońskim stroju, stojącego przed dziwnym urządzeniem — ogromnym drewnianym trójnogiem, wspierającym konstrukcję z lin i bloczków, na której zawieszony był duży kamienny blok. Wokół zgromadziła się grupa elegancko ubranych widzów.

— Podnosi duży kamienny blok? — podsunął ktoś.

Langdon nie zareagował, woląc, aby student sam się poprawił.

— Myślę, że Waszyngton opuszcza ten kamień. Ma na sobie strój masoński. Widziałem ryciny przedstawiające masonów kładących kamień węgielny. Podczas rytuału zwykle używano do tego trójnoga.

— Bardzo dobrze — pochwalił go Langdon. — Fresk przedstawia Ojców Założycieli naszego kraju, używających trójnoga i bloków, by położyć kamień węgielny pod gmach Kapitolu. Wydarzenie to miało miejsce osiemnastego września tysiąc siedemset dziewięćdziesiątego trzeciego roku, między jedenastą piętnaście a dwunastą trzydzieści. — Langdon przerwał, przyglądając się uważnie słuchaczom. — Czy ktoś z państwa może mi powiedzieć, jakie znaczenie miała w tym przypadku data i godzina?

Milczenie.

— A jeśli powiem państwu, że ten czas został precyzyjnie ustalony przez trzech słynnych masonów: Jerzego Waszyngtona, Beniamina Franklina i Pierre'a L'Enfanta, głównego architekta miasta?

Nadal wszyscy milczeli.

— To proste. Kamień węgielny położono tego dnia, o tej godzinie między innymi dlatego, że pomyślna *Caput Draconis** weszła wówczas w znak Panny.

Studenci wymienili niepewne spojrzenia.

— Ma pan na myśli... astrologię? — zapytał jeden z nich.

— Dokładnie, chociaż nieco inną od obecnej.

Ktoś podniósł rękę.

— Chce pan powiedzieć, że Ojcowie Założyciele wierzyli w astrologię?

---

* *Caput Draconis* (łac.) — „głowa smoka", jedna z nazw węzłów księżycowych, punktów przecięcia orbity Księżyca z płaszczyzną ekliptyki.

Langdon się uśmiechnął.

— Właśnie. Co by państwo powiedzieli, gdybym stwierdził, że Waszyngton kryje w swojej architekturze więcej astrologicznych symboli niż jakiekolwiek inne miasto na świecie? Mam na myśli znaki zodiaku, tablice gwiazd, kamienie węgielne położone w porze precyzyjnie określonej przez astrologię. Ponad połowa twórców naszej konstytucji była masonami, ludźmi przekonanymi, że gwiazdy i przeznaczenie są ze sobą nierozerwalnie splecione. Ludźmi, którzy tworząc nowy świat, uważnie śledzili to, co dzieje się na niebie.

— Jakie znaczenie ma fakt, że kamień węgielny Kapitolu położono, gdy *Caput Draconis* był w znaku Panny? Czy nie mógł być to zwykły zbieg okoliczności?

— Byłby to zaiste niezwykły zbieg okoliczności, zważywszy na to, że kamienie węgielne trzech gmachów tworzących „Trójkąt Federalny": Kapitol, Biały Dom i pomnik Waszyngtona, położono w różnych latach, lecz identycznej sytuacji astrologicznej.

Studenci patrzyli na niego wytrzeszczonymi oczami. Kilku opuściło głowy, gorączkowo coś notując.

Ktoś podniósł rękę.

— Dlaczego to robili?

Langdon zachichotał.

— Odpowiedź poznamy podczas zajęć trwających cały semestr. Jeśli was to ciekawi, powinniście zapisać się na moje zajęcia poświęcone mistycyzmowi, choć szczerze mówiąc, nie sądzę, abyście byli do tego emocjonalnie przygotowani.

— Co?! — wykrzyknął jeden ze studentów. — Proszę nas wypróbować!

Langdon udał, że się zastanawia, po czym pokręcił głową, drocząc się z nimi.

— Wybaczcie, ale nie mogę tego zrobić. Niektórzy z was są dopiero na pierwszym roku. Obawiam się, że mógłbym wam pomieszać w głowach.

— Proszę powiedzieć! — zawołali jednym głosem.

Langdon wzruszył ramionami.

— Może powinniście wstąpić do loży masońskiej lub Zakonu Gwiazdy Wschodu i dowiedzieć się tego u źródła?

— Nie możemy! — zaoponował jakiś chłopak. — Masoni to tajne bractwo!

— Tajne? Czyżby? — Langdon przypomniał sobie duży pierścień masoński, który jego przyjaciel, Peter Solomon, nosił dumnie na palcu prawej ręki. — Dlaczego więc masoni noszą rzucające się w oczy masońskie pierścienie lub spinki do krawatów? Dlaczego masońskie gmachy są tak wyraźnie oznaczone? Dlaczego masoni ogłaszają godziny swoich spotkań w gazetach? — Uśmiechnął się, patrząc na zdumione twarze. — Drodzy przyjaciele, masoni nie są tajnym stowarzyszeniem... są stowarzyszeniem, które ma swoje tajemnice.

— Na jedno wychodzi — mruknął ktoś.

— Naprawdę? — rzucił wyzywająco Langdon. — Czy uznałby pan koncern produkujący coca-colę za tajne bractwo?

— Pewnie, że nie.

— Czego by się pan dowiedział, gdyby zapukał do drzwi dyrekcji koncernu i poprosił o recepturę classic coke?

— Nic by mi nie powiedzieli.

— Dokładnie. Aby poznać najgłębsze tajemnice koncernu Coca-Cola, musiałby pan podjąć tam pracę, wykonywać ją przez wiele lat, dowieść, że jest godny zaufania, i w końcu awansować do najwyższego eszelonu. Wtedy może zdradziliby panu jakiś sekret. Byłby pan również zmuszony do oświadczenia, że nikomu o tym nie powie.

— Sugeruje pan, że masoni działają podobnie jak wielkie korporacje?

— Są do nich podobni pod względem porządku hierarchicznego oraz tego, że poważnie traktują swoje tajemnice.

— Mój wujek jest masonem! — wyrwało się jakiejś dziewczynie. — Ciotka nienawidzi masonów, bo wuj nie chce z nią o tym rozmawiać. Twierdzi, że masoni to wyznawcy jakiejś dziwnej religii.

— To powszechne błędne przekonanie.

— Wolnomularstwo nie jest religią?

— Możecie to państwo sprawdzić za pomocą papierka lakmusowego — zaproponował Langdon. — Kto brał udział w zajęciach profesora Witherspoona z religioznawstwa porównawczego?

Podniosło się kilka rąk.

— Znakomicie. Proszę mi powiedzieć, jakie trzy warunki musi spełnić ideologia, aby mogła zostać uznana za religię?

— OWN — zgłosiła się jedna ze studentek. — Obiecuje, wierzy, nawraca.

— Bardzo dobrze — pochwalił ją Langdon. — Religie obiecują zbawienie, nakazują wiarę w określone dogmaty i nawracają niewierzących. Masoni przegrywają w tej dyscyplinie zero do trzech. Nie obiecują zbawienia, nie trzymają się żadnej doktryny teologicznej i nie starają się nikogo nawracać. Co więcej, w lożach masońskich nie można dyskutować o religii.

— Czy masoneria jest... antyreligijna?

— Wręcz przeciwnie. Jednym z warunków, które trzeba spełnić, żeby zostać masonem, jest wiara w jakąś nadrzędną siłę. Tym, co odróżnia masonerię od zorganizowanych religii, jest nienarzucanie konkretnej definicji lub imienia tej siły. Zamiast określonych, zdefiniowanych teologicznie postaci Boga, Allaha lub Jezusa, masoni posługują się ogólnymi określeniami w rodzaju Najwyższa Istota lub Wielki Budowniczy Wszechświata. Dzięki temu masoni wyznający różne religie mogą się ze sobą porozumieć.

— Wydaje się to trochę naciągane — stwierdził jeden ze studentów.

— A może odświeżające, otwierające nowe horyzonty? — podsunął Langdon. — W czasach, gdy ludzie różnych kultur zabijają się i kłócą o to, która definicja Boga jest najlepsza, można uznać, że masońska tradycja nawołująca do tolerancji i otwartości jest godna polecenia. — Langdon zaczął spacerować po scenie. — Co więcej, masoni są otwarci na ludzi wszystkich ras, kolorów skóry i wyznań. Stanowią duchowe bractwo, które nikogo nie dyskryminuje.

— Nie dyskryminuje? — zdziwiła się członkini uniwersyteckiego Stowarzyszenia Kobiet, wstając z miejsca. — Ile kobiet należy do lóż masońskich, profesorze Langdon?

Podniósł ręce, udając, że się poddaje.

— Dobre pytanie. Korzenie ruchu masońskiego sięgają gildii wolnomularskich w Europie, co zadecydowało o tym, że jego członkami byli tylko mężczyźni. Kilkaset lat temu, zdaniem niektórych w roku tysiąc siedemset trzecim, powstała kobieca loża masońska, Gwiazda Wschodu. Obecnie liczy ona ponad milion członkiń.

— A jednak masoneria to wpływowa organizacja, do której kobiety nie mają wstępu!

Langdon nie był pewny, jak daleko sięgają rzeczywiste wpływy masonów, więc nie zamierzał ciągnąć tego wątku. Współczesny świat postrzegał wolnomularzy jako grupę nieszkodliwych starców, którzy lubią się przebierać, lub tajną kabalistyczną organizację rządzącą światem. Bez wątpienia prawda leży pośrodku.

— Profesorze Langdon! — odezwała się dziewczyna z kręconymi włosami siedząca w jednym z tylnych rzędów. — Jeśli masoni nie są tajnym bractwem, korporacją ani religią, to czym są?

— Gdyby zadała pani to pytanie masonowi, odpowiedziałby, że wolnomularstwo to system moralny ukryty za zasłoną alegorii i dostarczający przykładów pod postacią symboli.

— Czy nie jest to eufemistyczne określenie „dziwacznej sekty"?

— Powiedziała pani „dziwacznej"?

— Nie przesłyszał się pan! — powiedziała głośno, wstając. — Słyszałam, co wyprawiają podczas swoich tajemnych zgromadzeń! O upiornych rytuałach przy świecach, z trumnami, stryczkami i piciem wina z ludzkich czaszek. Jak inaczej to nazwać?!

Langdon rozejrzał się po sali.

— Czy państwo też uważają to za dziwaczne?

— Tak! — zakrzyknęli studenci jak jeden mąż.

Westchnął z udawanym smutkiem.

— Kiepska sprawa. Jeśli takie rytuały wydają wam się dziwaczne, nigdy nie wstąpicie do mojej sekty.

W sali zapadła cisza. Studentka ze Stowarzyszenia Kobiet spojrzała na niego niepewnie.

— Jest pan członkiem jakiejś sekty? — spytała.

Langdon skinął głową i ściszył głos do konspiracyjnego szeptu.

— Proszę nikomu nie mówić, że w dzień, gdy poganie oddawali cześć bogu Ra, klękam u stóp starożytnego narzędzia tortur i spożywam rytualne symbole ciała i krwi.

Studenci spojrzeli po sobie przerażeni.

Langdon wzruszył ramionami.

— Jeśli ktoś chce się przyłączyć, proszę przyjść w niedzielę do kaplicy uniwersyteckiej. Uklękniemy przed krucyfiksem i przyjmiemy eucharystię.

W sali nadal było cicho.

Langdon mrugnął porozumiewawczo do słuchaczy.

— Otwórzcie umysły, drodzy przyjaciele. Wszyscy boimy się tego, czego nie rozumiemy.

W korytarzach Kapitolu rozległo się bicie zegara.

Dziewiętnasta.

Robert Langdon zaczął biec.

Tylko mi nie mówcie o efektownym wejściu.

Przebiegł przez łącznik, dostrzegł wejście do Statuary Hall i ruszył w tamtą stronę.

W pobliżu drzwi zwolnił do nonszalanckiego chodu i odetchnął głęboko kilka razy. Zapiął marynarkę i lekko uniósł głowę, skręcając za róg, gdy zegar odezwał się po raz ostatni.

Pora na przedstawienie.

Wchodząc swobodnym krokiem do National Statuary Hall, profesor Robert Langdon podniósł głowę i się uśmiechnął. Po chwili uśmiech znikł z jego twarzy. Stanął jak wryty.

Coś było nie tak. I to bardzo.

Rozdział 7

Katherine Solomon biegła przez parking w strugach zimnego deszczu, żałując, że nie włożyła dżinsów i kaszmirowego swetra. Gdy zbliżyła się do głównego wejścia, odgłos gigantycznych urządzeń oczyszczający powietrze się nasilił. Prawie nie słyszała hałasu, bo w uszach wciąż brzmiało to, co powiedział jej rozmówca:

„O tym, co zdaniem twojego brata ukryto gdzieś w Waszyngtonie... Myślę, że możemy to odnaleźć".

Nie mogła uwierzyć. Mieli jeszcze dużo do omówienia. Zgodził się na spotkanie wieczorem.

Dotarła do drzwi, czując takie samo podniecenie, jakie ogarniało ją zawsze, gdy wchodziła do tego ogromnego gmachu. „Nikt nie wie, gdzie to się znajduje".

Tabliczka na drzwiach informowała:

SMITHSONIAN MUSEUM SUPPORT CENTER (SMSC)

Instytut Smithsoniański, oprócz ponad tuzina dużych muzeów na terenie parku National Mall, posiadał tak ogromne zbiory, że wystawiano zaledwie dwa procent z nich. Pozostałe dziewięćdziesiąt osiem trzeba było gdzieś przechowywać. Wszystkie zgromadzono właśnie tutaj.

Nic dziwnego, że w gmachu znajdowała się zdumiewająca kolekcja eksponatów — od gigantycznych posagów Buddy, po ręcznie kopiowane kodeksy, zatrute strzały z Nowej Gwinei, inkrustowane szlachetnymi kamieniami noże i kajaki z fiszbinów wieloryba. Równie zadziwiające były eksponaty przyrodnicze: szkielety plezjozaurów, bezcenna kolekcja meteorytów, ogromna kałamarnica, a nawet kolekcja czaszek słoni, przywieziona z Afryki przez Teddy'ego Roosevelta.

Żadna z tych rzeczy nie była jednak powodem, dla którego sekretarz Instytutu Smithsoniańskiego, Peter Solomon, przyprowadził tutaj siostrę trzy lata temu. Ściągnął ją nie po to, by pokazywać cuda nauki, lecz by je tworzyć. Właśnie tym zajmowała się Katherine.

W głębi gmachu, w mroku najbardziej odległych zakamarków, znajdowało się małe laboratorium naukowe, jakiego nie było nigdzie indziej na świecie. Przełom, którego Katherine dokonała niedawno w dziedzinie noetyki, miał konsekwencje dla wszystkich nauk — od fizyki po historię, od filozofii po religioznawstwo.

Na widok Katherine recepcjonista wyłączył radio i zdjął słuchawki z uszu.

— Witam, panno Solomon! — uśmiechnął się szeroko.

— Redskinsi już grają?

Rozpromienił się, spoglądając na nią wzrokiem winowajcy.

— Transmitują przedmecz.

Uśmiechnęła się.

— Nie zorientowałabym się. — Podeszła do bramki i opróżniła kieszenie. Zsuwając z przegubu złotego cartiera, poczuła znajomą falę smutku. Dostała go od matki na osiemnaste urodziny. Minęło prawie dziesięć lat od czasu, gdy umarła... Zgasła w ramionach Katherine.

— Panno Solomon, powie pani wreszcie, co pani tam robi? — zagadnął żartobliwie strażnik.

Podniosła głowę.

— Pewnego dnia, Kyle, lecz nie dziś wieczorem.

— Śmiało. Tajne laboratorium w tajnym muzeum? To musi być coś naprawdę super.

Nawet sobie nie wyobrażasz — pomyślała Katherine, zbierając swoje rzeczy. W rzeczywistości zajmowała się tak zaawansowanymi badaniami, że przestały przypominać tradycyjną naukę.

Rozdział 8

Robert Langdon zamarł w drzwiach Statuary Hall zdumiony tym, co zobaczył. Sala była dokładnie taka, jak ją zapamiętał — zbudowana na planie półokręgu, w stylu greckiego amfiteatru. Łukowate ściany z piaskowca pokryte włoskim tynkiem przedzielały różnobarwne marmurowe kolumny, między którymi umieszczono posagi przedstawiające bohaterów narodu — naturalnej wielkości postacie trzydziestu ośmiu wielkich Amerykanów, stojące w półokręgu na posadzce wyłożonej czarnymi i białymi kamiennymi płytami.

Właśnie taki obraz zachował w pamięci, kiedy był tu na jakimś wykładzie.

Teraz na sali nie było żadnych krzeseł. Nie zauważył też publiczności ani Petera Solomona, a tylko garstkę turystów wałęsających się bez celu, nieświadomych jego efektownego wejścia. Może Peterowi chodziło o Rotundę? Spojrzał w kierunku południowego korytarza, gdzie znajdowała się wspomniana sala, lecz tam również byli tylko zwiedzający.

Echo uderzeń zegara przebrzmiało. Spóźnił się.

Wybiegł na korytarz i odszukał przewodnika.

— Przepraszam, gdzie odbywa się odczyt zorganizowany przez Instytut Smithsoniański? W której sali?

Mężczyzna się zawahał.

— Nie jestem pewien. O której godzinie miał się rozpocząć?

— Przed chwilą.

Przewodnik pokręcił głową.

— Nie słyszałem, aby Instytut Smithsoniański organizował tu odczyt dziś wieczorem. Z pewnością nie w tym gmachu.

Zdumiony Langdon pobiegł na środek sali i rozejrzał się wokół. Czyżby Solomon zrobił mi kawał? Nie mógł w to uwierzyć. Wyjął komórkę i wydruk faksu, który otrzymał tego ranka, a następnie wykręcił numer Petera.

Telefon potrzebował chwili, by złapać zasięg w tym ogromnym gmachu. W końcu rozległ się sygnał.

— Biuro Petera Solomona, mówi Anthony, czym mogę służyć? — odezwał się ktoś mówiący z południowym akcentem.

— Anthony! — wykrzyknął z ulgą Langdon. — Całe szczęście, że jesteś w biurze. Mówi Robert Langdon. Doszło do jakiegoś nieporozumienia w sprawie wykładu. Jestem w Statuary Hall, lecz oprócz mnie nie ma tu nikogo. Czy przeniesiono imprezę do innej sali?

— Nie sądzę, proszę pana. Zaraz sprawdzę. — W słuchawce na chwilę zapadła cisza. — Czy uzgodnił pan wszystko z panem Solomonem?

Langdon był zdezorientowany.

— Nie, uzgodniłem to z tobą, Anthony. Dziś rano.

— Fakt, przypominam sobie. — Przez chwilę w słuchawce słychać było tylko trzaski. — Nie uważa pan, że postąpił nierozważnie, profesorze?

Langdon przeszedł w tryb najwyższej czujności.

— Przepraszam, ale nie rozumiem...

— Proszę pomyśleć... — ciągnął mężczyzna — dostał pan faks, w którym proszono pana o skontaktowanie się z podanym numerem. Uczynił to pan i odbył rozmowę z nieznajomym, który podał się za asystenta Petera Solomona. Później z własnej nieprzymuszonej woli wsiadł pan do prywatnego samolotu, przyleciał do Waszyngtonu i wskoczył do oczekującego samochodu. Czy tak?

Langdon poczuł ciarki na plecach.

— Kim jesteś, do diabła? Gdzie jest Peter?

— Obawiam się, że Peter Solomon nie ma pojęcia, iż jest pan dziś w Waszyngtonie. — Głos z południowym akcentem zamilkł, a zamiast niego odezwał się inny, głębszy i melodyjny.

— Jest pan tu, panie Langdon, bo ja tego chciałem.

Rozdział 9

Robert Langdon przycisnął komórkę do ucha, krążąc po Statuary Hall.

— Kim pan jest, do cholery?!

W odpowiedzi usłyszał cichy, spokojny szept:

— Proszę się nie denerwować, profesorze. Został pan wezwany z ważnego powodu.

— Wezwany?! — Langdon poczuł się jak zwierzę w klatce. — A może uprowadzony?

— Skądże znowu. — Głos nieznajomego był bardzo spokojny. — Gdybym chciał zrobić panu krzywdę, leżałby pan martwy w limuzynie Town Car. — Urwał na krótką chwilę. — Moje intencje są czyste, zapewniam pana. Chciałbym dokądś pana zaprosić.

Serdeczne dzięki.

Od czasu przygody w Europie kilka lat temu Langdon, chcąc nie chcąc, stał się sławą przyciągającą jak magnes różnego rodzaju szaleńców. Ten tutaj przekroczył wszystkie dopuszczalne granice.

— Niech pan posłucha, nie wiem, co się tu dzieje, i nie mam zamiaru kontynuować tej rozmowy...

— To bardzo nierozsądne z pana strony. Nie dostanie pan kolejnej szansy ocalenia duszy Petera Solomona.

Langdon odetchnął głęboko.

— Co pan powiedział?

— Jestem pewien, że doskonale pan słyszał.

Sposób, w jaki tamten wypowiedział imię Petera, sprawił, że Langdon poczuł lodowaty chłód.

— Co pan o nim wie?

— Znam jego najgłębsze sekrety. Pan Solomon jest moim gościem. Zapewniam, że umiem być przekonującym gospodarzem.

To niemożliwe!

— Nie wierzę.

— Przecież dzwoni pan na jego prywatną komórkę. Proszę się zastanowić.

— Zawiadomię policję.

— Nie ma potrzeby. Przedstawiciele władz niebawem się do pana przyłączą.

Co ten szaleniec wygaduje?

Głos Langdona stał się twardy:

— Jeśli Peter jest u pana, niech podejdzie do telefonu.

— To niemożliwe. Pan Solomon przebywa w bardzo nieprzyjemnym miejscu. — Przerwał, by po chwili dodać: — W Arafie.

Gdzie?

Langdon zdał sobie sprawę, że zdrętwiały mu palce, tak mocno ściskał telefon.

— W Arafie? W Hamistaganie*? W miejscu, o którym pisze Dante w *Boskiej komedii*?

Religijne i literackie aluzje, które robił nieznajomy, upewniły Langdona, że ma do czynienia z szaleńcem. *Czyściec* — Pieśń druga. Langdon doskonale znał te fragmenty. Nikt nie opuścił szacownych murów Phillips Exeter Academy, nie zapoznawszy się z dziełami Dantego.

— Chce pan powiedzieć, że Peter Solomon znajduje się... w czyśćcu?

— Wy, chrześcijanie, używacie takich prostackich określeń. Choć ma pan rację, pan Solomon znajduje się gdzieś pomiędzy...

Ostatnie słowo przez dobrą chwilę wybrzmiewało w głowie Langdona.

---

* Hamistagan — według tekstów zaratustriańskich (od IX w.) to „trzecie", neutralne miejsce w zaświatach, coś w rodzaju katolickiego czyśćca.

— Chce pan powiedzie, że Peter... nie żyje?
— Niezupełnie.
— Jak to, niezupełnie?! — krzyknął Langdon, słysząc, jak jego słowa odbijają się głośnym echem od ścian. Rodzina zwiedzająca salę spojrzała na niego zdumiona. Odwrócił się i ściszył głos. — Nie można umrzeć niezupełnie! Albo się umiera, albo nie!
— Zaskakuje mnie pan, profesorze. Sądziłem, że lepiej rozumie pan tajemnice życia i śmierci. Istnieje świat pomiędzy... świat, w którym Peter Solomon teraz przebywa. Nie może wrócić do naszego ani przejść do innego. Wszystko zależy od tego, co pan zrobi.
Langdon próbował zrozumieć, o co chodzi.
— Czego pan ode mnie oczekuje?
— To proste. Ma pan dostęp do starożytnej wiedzy. Chcę, aby podzielił się pan nią ze mną dziś wieczorem.
— Nie mam pojęcia, o czym pan mówi.
— Czyżby? Udaje pan, że nie zrozumiał starożytnych sekretów, które mu powierzono?
Langdona ogarnęły złe przeczucia. Zaczął się domyślać, o co chodzi. Starożytne sekrety. Nie powiedział nikomu o tym, co przeżył w Paryżu kilka lat temu, lecz fanatycy Graala uważnie śledzili doniesienia w mediach. Pewnie jeden z nich dodał dwa do dwóch i doszedł do wniosku, że Langdon jest w posiadaniu informacji dotyczących świętego Graala. Może nawet wie, gdzie go ukryto.
— Proszę posłuchać... — zaczął — jeśli chodzi panu o świętego Graala, zapewniam, że wiem tyle, co...
— Proszę nie obrażać mojej inteligencji, panie Langdon — prychnął tamten. — Nie interesują mnie rzeczy tak błahe, jak święty Graal, lub żałosne spory o to, czyja wersja historii jest prawdziwa. Nie interesują mnie również semantyczne podstawy wiary. Odpowiedź na takie pytania można uzyskać dopiero po śmierci.
Te ostre słowa wprawiły Langdona w zakłopotanie.
— O co w takim razie chodzi?
Nieznajomy milczał przez kilka sekund.
— Jak pan zapewne wie, w tym mieście znajduje się starożytny portal.

Starożytny portal?!

— Dziś wieczorem rozwiąże pan dla mnie jego zagadkę, profesorze. Powinien pan czuć się zaszczycony, że się z panem skontaktowałem. To najważniejsze zaproszenie w pańskim życiu. Nie wybrano nikogo innego.

Ten człowiek postradał zmysły.

— Przykro mi, dokonał pan niewłaściwego wyboru — odrzekł Langdon. — Nie wiem nic na temat starożytnego portalu.

— Źle mnie pan zrozumiał, profesorze. To nie ja pana wybrałem... lecz Peter Solomon.

— Co? — powtórzył Langdon ledwie słyszalnym szeptem.

— Pan Solomon powiedział, jak go odnaleźć. Wyznał również, że jest pan jedyną osobą, która może go otworzyć. To on pana wskazał.

— Jeśli rzeczywiście tak powiedział, to się mylił... lub kłamał.

— Nie sądzę. Był w opłakanym stanie, gdy mi to wyznał. Jestem skłonny mu uwierzyć.

Langdon poczuł narastającą falę gniewu.

— Ostrzegam pana, jeśli w jakikolwiek sposób skrzywdzi pan Petera...

— Za późno. — Wydawało się że tajemniczy mężczyzna jest rozbawiony. — Uzyskałem od Petera Solomona to, czego potrzebowałem. Teraz pora, abym otrzymał to, czego potrzebuję, od pana. Dla was dwóch najważniejszy jest czas. Sugeruję, aby znalazł pan portal i go otworzył. Peter wskaże panu drogę.

Peter? Czy nie powiedział, że Peter znajduje się w „czyśćcu"?

— Jak w górze, tak i na dole — powiedział głos w słuchawce.

Langdon poczuł na plecach zimny pot. Dziwna odpowiedź, którą usłyszał, była deklaracją wiary w fizyczną więź pomiędzy niebem i ziemią. „Jak w górze, tak i na dole". Langdon spojrzał na wielką salę, zastanawiając się, jakim sposobem wszystko nagle wyrwało się spod kontroli.

— Niech pan posłucha, nie wiem, jak odnaleźć starożytny portal. Dzwonię na policję.

— Jeszcze pan tego nie pojął? Nie rozumie pan, dlaczego został wybrany?

— Nie.

— Za chwilę pan zrozumie — odparł nieznajomy, chichocząc. — Już wkrótce.

I się rozłączył.

Langdon przez chwilę stał nieruchomo, próbując przeanalizować to, co się stało.

Nagle w oddali rozległ się dziwny dźwięk.

Dobiegał z Rotundy.

Ktoś krzyczał.

Rozdział 10

Robert Langdon wiele razy wchodził do Rotundy Kapitolu, lecz nigdy nie robił tego biegiem. Wpadł północnym wejściem i dostrzegł pośrodku sali niewielką grupkę turystów. Jakiś mały chłopiec krzyczał, a rodzice próbowali go uspokoić. Kilku strażników starało się przywrócić porządek.

— Zerwał temblak — mówił gorączkowo jeden z gości. — Tu go zostawił!

Langdon podszedł bliżej i ujrzał przedmiot, który wywołał zamieszanie. Fakt, to, co leżało na posadzce Kapitolu, wyglądało dziwnie, lecz nie tłumaczyło przeraźliwych krzyków.

Langdon wielokrotnie widywał podobne przedmioty. Na Wydziale Sztuki Harvardu mieli takich kilkanaście — naturalnej wielkości plastikowe manekiny, używane przez rzeźbiarzy i malarzy jako modele, by mogli jak najlepiej oddać części ludzkiego ciała. Co dziwne, nie była to ludzka twarz, lecz dłoń.

Ktoś zostawił w Rotundzie model ludzkiej dłoni?

Modele dłoni miały zwykle ruchome palce, aby artysta mógł dowolnie je ustawiać. Studenci drugiego roku często prostowali środkowy palec. Palec wskazujący tej dłoni wskazywał sufit.

Kiedy Robert podszedł bliżej, spostrzegł, że model dłoni jest nietypowy. Plastikowa powierzchnia nie była gładka, a wnętrze lekko pomarszczone, pokryte cętkami i plamami. Wyglądała jak...

Jak prawdziwa skóra.

Langdona zamurowało.

Dopiero teraz dostrzegł krew.

Dobry Boże!

Okaleczony nadgarstek został osadzony na spiczastej drewnianej podstawie, aby można go było postawić. Langdon poczuł mdłości. Podszedł jeszcze bliżej. Nie mógł oddychać. Stwierdził, że czubek palca wskazującego i kciuka zostały ozdobione małymi tatuażami. Nie one jednak przykuły jego uwagę. Utkwił wzrok w znajomym złotym pierścieniu na czwartym palcu.

Nie!

Cofnął się przerażony. Świat wokół zaczął wirować, gdy Langdon zrozumiał, że to odcięta prawa dłoń Petera Solomona.

Rozdział 11

Dlaczego Peter nie odbiera? — zastanawiała się Katherine Solomon, odkładając komórkę. — Gdzie on jest?

Od trzech lat Peter Solomon zjawiał się pierwszy na ich cotygodniowych niedzielnych spotkaniach o dziewiętnastej. Był to rodzinny rytuał podtrzymujący ich wzajemną więź przed rozpoczęciem nowego tygodnia. Dzięki temu dowiadywał się też o wynikach eksperymentów przeprowadzanych w laboratorium.

Nigdy się nie spóźnia — pomyślała. — Zawsze odpowiada na telefony. Jakby tego było mało, Katherine nie wiedziała, co mu powiedzieć, kiedy w końcu się zjawi.

Jak mam go spytać o to, czego się dziś dowiedziałam?

W cementowym korytarzu, biegnącym niczym kręgosłup wzdłuż całego kompleksu SMSC, rozległ się rytmiczny odgłos kroków. Nazywane Ulicą przejście łączyło pięć ogromnych magazynów, w których przechowywano zbiory. Pomarańczowe przewody poprowadzone dwanaście metrów pod podłogą przypominały układ krążenia budynku. Katherine czuła pulsowanie tysięcy metrów sześciennych filtrowanego powietrza pompowanego do pomieszczeń.

Zwykle podczas liczącej niemal pół kilometra drogi do laboratorium uspokajał ją jednostajny oddech budynku. Jednak tego wieczoru była u kresu wytrzymałości. To, czego dowiedziała się o bracie, zmartwiłoby każdego, a ponieważ Peter był jedynym krewnym, jakiego miała, czuła się tym bardziej poruszona, że mógł coś przed nią ukrywać.

O ile wiedziała, tylko raz coś zataił. Był to cudowny sekret ukryty na końcu korytarza, którym teraz podążała.

Trzy lata temu Peter poprowadził Katherine tym samym korytarzem, pokazując jej z dumą najcenniejsze zbiory SMSC — pochodzący z Marsa meteoryt ALH-84001, piktograficzny dziennik Siedzącego Byka i zbiór zapieczętowanych pszczelim woskiem słojów zawierających okazy zgromadzone przez samego Karola Darwina.

W pewnym momencie minęli ciężkie drzwi z małym okienkiem. Katherine zajrzała do środka i wykrzyknęła:

— A cóż to takiego?!

Peter zachichotał, nie zatrzymując się.

— To Sektor Trzeci, „wilgotny sektor". Niezwykły, prawda?

Raczej przerażający — pomyślała Katherine, biegnąc za bratem. Cały ten gmach był jak inna planeta.

— Najbardziej zależy mi na tym, żeby pokazać ci Sektor Piąty — powiedział Peter, prowadząc ją niekończącym się korytarzem. — To nasza najnowsza inwestycja. Zbudowaliśmy to skrzydło, aby przenieść zbiory z piwnicy Narodowego Muzeum Historii Naturalnej. Kolekcja ma się tu znaleźć za pięć lat, co oznacza, że teraz Sektor Piąty jest pusty.

— Pusty? Sądziłam, że chcesz mi coś pokazać.

Peter spojrzał na nią chytrze.

— Pomyślałem, że skoro pomieszczenia są wolne, możesz je wykorzystać.

— Ja?

— Właśnie. Chyba przyda ci się dodatkowa przestrzeń laboratoryjna? Sale do przeprowadzania eksperymentów, które opracowywałaś teoretycznie przez tyle lat.

Katherine nie kryła zdumienia.

— Peterze, to tylko teoria! Ich przeprowadzenie jest prawie niemożliwe!

— Nie ma rzeczy niemożliwych, Katherine. W tym budynku znajdziesz idealne warunki do pracy. SMSC jest nie tylko magazynem skarbów. To jeden z najnowocześniejszych ośrodków naukowych na świecie. Badamy eksponaty za pomocą najlepszych metod, jakie są aktualnie dostępne. Będziesz tu miała cały sprzęt, który jest ci potrzebny.

— Peterze, to, czego potrzebuję do przeprowadzenia eksperymentów, jest...

— Już na miejscu — dokończył, uśmiechając się szeroko. — Laboratorium jest gotowe.

Katherine się zatrzymała.

Peter wskazał długi korytarz ciągnący się przed nimi.

— Za chwilę je zobaczysz.

Nie mogła wykrztusić słowa.

— Urządziłeś... urządziłeś dla mnie laboratorium?

— Na tym polega moja praca. Instytut Smithsoniański założono po to, by wspierać badania naukowe. Jako sekretarz muszę poważnie traktować tę misję. Jestem przekonany, że eksperymenty, które zamierzasz przeprowadzić, poszerzą granice wiedzy o wcześniej nieznane obszary. — Peter spojrzał jej prosto w oczy. — Jesteś moją siostrą i czuję się w obowiązku wspierać twoje badania. Masz wspaniałe pomysły. Świat zasługuje na to, by dowiedzieć się, do czego prowadzą.

— Peterze, nie będę mogła...

— Uspokój się... Sam za wszystko zapłaciłem. Teraz nikt nie korzysta z pomieszczeń Sektora Piątego. Kiedy zakończysz eksperymenty, wyprowadzisz się. Oprócz tego są tu idealne warunki dla twojej pracy.

Katherine nie miała pojęcia, w jaki sposób ogromne puste pomieszczenia mogą sprzyjać jej badaniom, lecz czuła, że wkrótce się tego dowie. Wreszcie stanęli przed stalowymi drzwiami, na których widniał napis namalowany za pomocą szablonu:

Sektor 5

Peter wsunął kartę magnetyczną do czytnika. Kiedy elektroniczna klawiatura została podświetlona, wprowadził hasło. W pewnym momencie zawahał się i szelmowsko uniósł brwi, jak wtedy, gdy był chłopcem.

— Na pewno jesteś gotowa?

Katherine skinęła głową.

Mój brat zawsze lubił teatralne efekty.

— Cofnij się — polecił, wciskając klawisze.

Stalowe drzwi otworzyły się z sykiem.

Za drzwiami był nieprzenikniony mrok. Pustka. Katherine wydawało się, że słyszy głuchy jęk otchłani. Poczuła uderzenie zimnego powietrza. Zupełnie jakby oglądała nocą Wielki Kanion.

— Wyobraź sobie pusty hangar, który może pomieścić flotę airbusów — powiedział Peter — a będziesz miała pojęcie, co za chwilę zobaczysz.

Zrobiła krok do tyłu.

— Sektor jest zbyt duży, aby można go było ogrzać, lecz twoje laboratorium wyłożono specjalnymi pustakami. Przypomina sześcian. Aby maksymalnie oddzielić je od reszty gmachu, umieściliśmy je w najdalszej jego części.

Katherine próbowała wyobrazić sobie, jak wygląda laboratorium.

Jedno pudełko wewnątrz drugiego.

Zmrużyła oczy, bezskutecznie usiłując przeniknąć ciemności.

— Jak daleko się znajduje?

— To całkiem spora odległość. W tym pomieszczeniu z łatwością zmieściłoby się boisko futbolowe. Powinienem był cię ostrzec, że spacer może być nieco denerwujący. Panują tu egipskie ciemności.

— Jest tu gdzieś włącznik światła?

— Do Sektora Piątego nie doprowadzono jeszcze prądu.

— W takim razie jak będzie funkcjonować laboratorium?

Puścił do niej oko.

— Zasilanie wodorowe.

Katherine uniosła brwi.

— Żartujesz, prawda?

— Będziesz dysponowała taką ilością czystej energii, jaka wystarczyłaby do funkcjonowania małego miasta. Laboratorium jest odizolowane od fal radiowych pochodzących z pozostałej części budynku. Co więcej, wszystkie powierzchnie zewnętrzne są zabezpieczone membranami chroniącymi eksponaty przed promieniowaniem słonecznym. Krótko mówiąc, Sektor Piąty to szczelne, energetycznie neutralne środowisko.

Dopiero wtedy zrozumiała, jak cenny może być dla niej Sektor 5. Ponieważ większa część jej eksperymentów łączyła się z badaniami wcześniej nieznanych pól energii, trzeba było przeprowadzać je w miejscu odizolowanym od zewnętrznego promieniowania lub białego szumu — były to tak słabe zakłócenia, jak „promieniowanie mózgu" lub „emisja myślowa" wytwarzana przez ludzi znajdujących się w pobliżu. Właśnie dlatego nie mogła urządzić laboratorium na terenie miasteczka uniwersyteckiego lub szpitala. Trudno było wyobrazić sobie coś lepszego od pustego sektora SMSC.

— Chodź, zajrzymy do środka! — Peter uśmiechnął się, wkraczając w gęsty mrok. — Idź za mną.

Zawahała się.

Mam przejść ponad sto metrów w nieprzeniknionych ciemnościach?

Chciała zaproponować, by użyli latarki, lecz on już zniknął w otchłani.

— Peter?! — zawołała.

— Uwierz mi — rzucił przez ramię, a jego głos cichł w oddali. — Odnajdziesz drogę. Zaufaj mi.

Pewnie żartuje.

Serce zaczęło jej walić, gdy przeszła przez próg i zrobiła kilka kroków, próbując przeniknąć ciemność.

Nic nie widzę!

Nagle stalowe drzwi zamknęły się z sykiem, pogrążając ją w gęstym mroku. Nigdzie ani odrobiny światła.

— Peter?!

Milczenie.

„Odnajdziesz drogę. Zaufaj mi".

Zaczęła ostrożnie iść przed siebie. Mam mu uwierzyć? Nie widziała nawet własnej ręki. Po kilku sekundach zupełnie straciła orientację.

Dokąd ja idę?

To było trzy lata temu.

Gdy stanęła przed stalowymi drzwiami, zdała sobie sprawę, jak długą drogę przebyła. Nowe laboratorium, nazywane żartobliwie Sześcianem, stało się jej domem — sanktuarium w przepastnej otchłani Sektora 5. Tamtej nocy odnalazła drogę tak, jak przepowiedział brat. Teraz odnajdywała ją codziennie dzięki prostemu, a jednocześnie genialnemu systemowi naprowadzania, który, dzięki namowom Petera, odkryła.

Co ważniejsze, spełniła się także druga z jego przepowiedni: eksperymenty Katherine doprowadziły do zdumiewających rezultatów, szczególnie te przeprowadzone w ciągu sześciu ostatnich miesięcy. Były przełomem, który mógł zmienić wszystkie dotychczasowe paradygmaty myślenia. Katherine i jej brat ustalili, że utrzymają je w sekrecie do czasu, aż lepiej poznają ich skutki. Wiedziała jednak, że pewnego dnia opowie światu o jednym z najbardziej przełomowych odkryć w dziejach ludzkości.

Tajne laboratorium w... tajnym muzeum — pomyślała, wsuwając kartę magnetyczną do czytnika przy drzwiach prowadzących do Sektora 5. Gdy klawiatura się rozświetliła, wstukała hasło. Jak zwykle poczuła, że jej serce zaczyna bić szybciej.

Najdziwniejsza droga do pracy.

Zbierając siły do odbycia podróży, Katherine Solomon spojrzała na zegarek i zanurzyła się w otchłani. Tej nocy towarzyszyła jej niespokojna myśl: gdzie jest Peter?

Rozdział 12

Trent Anderson, szef posterunku policji w Kapitolu, od dziesięciu lat dowodził ochroną kompleksu. Krzepki mężczyzna o szerokiej klatce piersiowej, wyrazistej twarzy i rudych, krótko ostrzyżonych włosach przypominał dowódcę wojskowego. Nie rozstawał się z pistoletem, który miał ostrzegać każdego, kto byłby na tyle głupi, by zakwestionować jego władzę.

Anderson spędzał większość czasu w nowoczesnym centrum dowodzenia mieszczącym się w piwnicy, koordynując działania swojej małej armii. Uważnie obserwował cały zastęp techników śledzących obraz na monitorach, wydruki komputerowe i centralę telefoniczną, za pomocą której utrzymywał kontakt z personelem ochrony.

Ten wieczór przebiegał niezwykle spokojnie, co wyraźnie cieszyło Andersona. Miał nadzieję, że obejrzy transmisję meczu Redskinsów na telewizorze plazmowym w swoim gabinecie. Gra właśnie się rozpoczęła, gdy odezwał się dzwonek interkomu.

— Szefie?

Anderson jęknął i wcisnął guzik, nie odrywając wzroku od ekranu.

— Słucham.

— W Rotundzie jest jakieś zamieszanie. Na miejscu są nasi ludzie, ale myślę, że powinien pan to zobaczyć.

— Dobra.

Anderson przeszedł do centrum dowodzenia, przypominającego główny ośrodek układu nerwowego — niewielkiego, nowocześnie urządzonego pomieszczenia pełnego monitorów.

— Pokaż.

Technik wczytał cyfrowy zapis z kamery.

— To obraz z kamery na wschodnim balkonie. Dwadzieścia sekund temu — poinformował, uruchamiając nagranie.

Anderson obserwował obraz zza jego ramienia.

Rotunda była prawie pusta, dostrzegł zaledwie kilku turystów, lecz jego wyszkolone oko natychmiast dostrzegło mężczyznę poruszającego się szybciej niż inni. Ogolona głowa. Ręka na temblaku. Zgarbiony. Rozmawiał przez komórkę.

Wyraźnie zarejestrowane echo kroków mężczyzny nagle ucichło. Stanął na środku Rotundy, przerwał rozmowę, a następnie uklęknął, jakby chciał zawiązać sznurowadło. Jednak zamiast to zrobić, wyciągnął z temblaka jakiś przedmiot i ustawił go na podłodze, a następnie wyprostował się i energicznie pokuśtykał w stronę wschodniego wyjścia.

Anderson przyjrzał się dziwnemu przedmiotowi.

Co to jest, do cholery? Przedmiot miał około dwudziestu centymetrów długości i stał pionowo na podłodze.

To niemożliwe! To nie może być to!

Kiedy łysy mężczyzna pospiesznie opuścił salę wschodnim portykiem, mały chłopiec stojący w pobliżu powiedział: „Mamusiu, ten pan coś zgubił".

Podszedł do dziwnego przedmiotu i nagle znieruchomiał. Po długiej chwili bezruchu wyciągnął rękę i zaczął przeraźliwie krzyczeć.

Anderson odwrócił się na pięcie i ruszył do drzwi, wykrzykując komendy:

— Zawiadomcie przez radio wszystkie posterunki! Mają odszukać i zatrzymać mężczyznę z ogoloną głową! Ale już!

Wypadł z centrum dowodzenia i zaczął wbiegać starymi schodami, przeskakując po trzy stopnie naraz. Z zapisu kamery wynikało, że łysy z temblakiem opuścił Rotundę wschodnim wyjściem. Najkrótsza droga do wyjścia z budynku wiodła korytarzem wschód—zachód, który był tuż przed nim.

Mogę zabiec mu drogę.

Dotarł na górę i skręcił w korytarz, czujnie lustrując otoczenie. Na końcu dreptała para staruszków, trzymając się za ręce. Tuż obok dostrzegł jasnowłosego mężczyznę w granatowej marynarce, czytającego przewodnik i studiującego mozaikę na suficie przed jedną z sal.

— Przepraszam! — warknął, biegnąc w jego kierunku. — Widział pan łysego mężczyznę z ręką na temblaku?

Mężczyzna podniósł wzrok znad książki i spojrzał na niego zdezorientowany.

— Łysego mężczyznę z ręką na temblaku! — powtórzył Anderson bardziej zdecydowanie. — Widział pan czy nie?

Turysta zawahał się i spojrzał nerwowo w kierunku wschodniej części korytarza.

— Taak... — wyjąkał. — Przebiegł obok... do tamtych schodów. — Wskazał korytarz.

Anderson wyciągnął z kieszeni krótkofalówkę i wrzasnął:

— Do wszystkich posterunków! Podejrzany kieruje się do południowo-wschodniego wyjścia. Na stanowiska! — Schował krótkofalówkę, wyciągnął pistolet i ruszył pędem do wyjścia.

Trzydzieści sekund później potężnie zbudowany blondyn w granatowej marynarce najspokojniej w świecie opuścił Kapitol wschodnim wyjściem, czując, jak owiewa go wilgotne nocne powietrze. Uśmiechnął się zadowolony, delektując się chłodem.

Zmiana wyglądu.

Prosta sprawa.

Przed minutą wychodził z Rotundy, energicznie kuśtykając, w wojskowym płaszczu z demobilu. Wystarczyło wejść do ciemnej wnęki i go zdjąć, odsłaniając granatowy garnitur, który miał pod spodem. Przed rzuceniem go na posadzkę wyjął z kieszeni jasną perukę i nasunął zręcznie na głowę, wyprostował się, wyjął z kieszeni cienki przewodnik po Waszyngtonie i wyszedł pewnym krokiem.

Przemiana. To robię doskonale. Mam dar.

Kiedy nogi Mal'akha niosły go w kierunku limuzyny, wyprostował się na pełną wysokość metra dziewięćdziesięciu. Odetchnął głęboko, pozwalając, by powietrze wypełniło mu płuca. Czuł, jak skrzydła Feniksa wytatuowanego na jego piersi rozkładają się szeroko.

Gdyby wiedzieli, jaką mam moc — pomyślał, patrząc na światła miasta. — Tej nocy moja przemiana stanie się całkowita.

Mal'akh zręcznie odegrał swoją rolę w Kapitolu, czyniąc zadość wszystkim starym zasadom etykiety.

Starożytne zaproszenie zostało dostarczone.

Jeśli tej nocy Langdon nie zrozumie, na czym polega jego rola, szybko się tego dowie.

Rozdział 13

Rotunda Kapitolu zawsze zaskakiwała go tak jak rzymska Bazylika Świętego Piotra. Oczywiście Langdon wiedział, że jest tak wielka, iż mogłaby się w niej swobodnie zmieścić Statua Wolności, lecz za każdym razem, gdy ją odwiedzał, wydawała się większa i bardziej pusta, niż się spodziewał, jakby w wypełniającym ją powietrzu unosiły są duchy. Tej nocy w Rotundzie panował nieopisany chaos.

Policjanci zamknęli salę, próbując jednocześnie zapanować nad rozhisteryzowanymi turystami, którzy się w niej znajdowali. Mały chłopiec nadal krzyczał. Błysnął flesz. Jakiś mężczyzna robił zdjęcia dłoni. Kilku strażników złapało go, odebrało aparat i wyprowadziło. Wstrząśnięty Langdon poruszał się jak w transie, przeciskając się przez tłum i zbliżając do potwornej ręki.

Odcięta dłoń Petera Solomona ustawiona była pionowo i nadziana na szpikulec przytwierdzony do małej drewnianej podstawki. Trzy palce były zaciśnięte, a kciuk i palec wskazujący wyprostowane, skierowane ku kopule.

— Cofnąć się! Wszyscy do tyłu! — krzyczał jeden ze strażników.

Langdon był tak blisko, że widział zaschniętą krew, która spłynęła po nadgarstku i zakrzepła na drewnianej podstawie.

Rany zadane po śmierci nie krwawią... zatem Peter żyje.

Nie wiedział, czy się z tego cieszyć, czy mieć mdłości.

Odcięli mu dłoń, kiedy żył?

Poczuł w ustach smak żółci. Pomyślał, ile razy jego serdeczny przyjaciel wyciągał ją do niego lub obejmował.

Przez chwilę miał pustkę w głowie, jego umysł przypominał rozstrojony telewizor, na którego ekranie widać tylko śnieżenie. Pierwszy wyłaniający się obraz był zupełnie nieoczekiwany.

Korona... i gwiazda.

Przykucnął, wpatrując się w wytatuowane opuszki palca wskazującego i kciuka.

Tatuaże?

Najwyraźniej potwór, który to zrobił, wytatuował również te maleńkie symbole.

Koronę na kciuku i gwiazdę na palcu wskazującym.

To niemożliwe.

Umysł Langdona niemal natychmiast przywołał znaczenie dwóch symboli, zmieniając przerażającą scenę, którą miał przed oczami, w scenę nie z tego świata. Symbole te wielokrotnie pojawiały się w historii, zawsze w tym samym miejscu — na czubkach palców. Był to jeden z najbardziej pożądanych i tajemnych znaków.

Dłoń Tajemnic.

Chociaż obecnie symbol ten był rzadko stosowany, w przeszłości oznaczał potężne wezwanie do działania. Langdon próbował się skupić, by zrozumieć wymowę tego, co miał przed oczami.

Czy ktoś okaleczył Petera, aby spreparować Dłoń Tajemnic?

Niemożliwe. Zwykle symbol ten rzeźbiono w kamieniu lub drewnie, niekiedy przedstawiano go też w formie rysunku. Langdon nie słyszał, by Dłoń Tajemnic była prawdziwą ludzką dłonią. Sam pomysł wydał mu się odrażający.

— Mógłby pan się cofnąć? — usłyszał za plecami głos strażnika. — Proszę się cofnąć.

Langdon prawie go nie słyszał.

Są też inne tatuaże.

Chociaż nie widział opuszek trzech zaciśniętych palców, był pewien, że również na nich umieszczono niezwykłe znaki. Tak nakazywała tradycja. Symboli powinno być pięć. W ciągu tysiącleci znaki na koniuszkach palców Dłoni Tajemnic nie zmieniały się, podobnie jak nie zmieniało się ich symboliczne przesłanie.

Dłoń symbolizowała... zaproszenie.

Langdon poczuł zimny dreszcz, przypominając sobie słowa tajemniczego mężczyzny, który go tutaj sprowadził: „To najważniejsze zaproszenie w pańskim życiu". W czasach starożytnych Dłoń Tajemnic oznaczała najbardziej pożądane zaproszenie na świecie. Otrzymanie takiego znaku było świętym zaproszeniem do elitarnej grupy tych, którzy mieli strzec tajemnic odwiecznej mądrości. Było nie tylko wielkim zaszczytem, ale oznaczało także, iż mistrz uznał obdarowanego za godnego poznania tej sekretnej wiedzy.

To dłoń mistrza wyciągnięta do adepta.

Poczuł na ramieniu czyjąś ciężką rękę.

— Proszę się natychmiast cofnąć! — powtórzył strażnik.

— Wiem, co oznaczają te znaki... — wyjąkał Langdon. — Mogę wam pomóc.

— Natychmiast! — warknął tamten.

— Mój przyjaciel znalazł się w poważnym niebezpieczeństwie. Musimy...

Langdon poczuł, jak silne ramiona odciągają go od dłoni Petera. Poddał się, zbyt wstrząśnięty, by zaprotestować. Oficjalne zaproszenie zostało dostarczone. Ktoś wzywał Langdona, aby otworzył mistyczny portal, odsłaniając starożytne tajemnice i ukrytą wiedzę.

Wszystko to wydawało się szaleństwem.

Urojeniem wariata.

Rozdział 14

Limuzyna Mal'akha ruszyła spod Kapitolu, kierując się na wschód Independence Avenue. Młoda para idąca chodnikiem odwróciła głowy, próbując dostrzec VIP-a przez przyciemnioną tylną szybę.

A ja siedzę z przodu — pomyślał Mal'akh, uśmiechając się do siebie.

Uwielbiał poczucie władzy, jakie dawało mu kierowanie tym ogromnym pojazdem. Żaden z pięciu innych samochodów, które posiadał, nie zapewniał mu tego, czego potrzebował tej nocy — prywatności. Całkowitej prywatności. Limuzyny krążące ulicami Waszyngtonu cieszyły się swoistym immunitetem — ambasady na kołach. Policjanci pełniący służbę w pobliżu Kapitolu nigdy nie byli pewni, jakiego dygnitarza przez pomyłkę wyciągną z wozu, dlatego większość wolała nie ryzykować.

Mal'akh przejechał przez rzekę Anacostia i znalazł się w stanie Maryland. Niemal czuł, jak zbliża się do Katherine, przyciągany siłą przeznaczenia.

Tej nocy zostałem powołany do wykonania jeszcze jednego zadania, zadania, którego się nie spodziewałem.

Minionej nocy, gdy Peter Solomon zdradził mu ostatni ze swoich sekretów, Mal'akh dowiedział się o istnieniu tajnego laboratorium, w którym Katherine Solomon dokonuje cudów — prowadzi przełomowe badania. Jeśli ich wyniki zostaną ujawnione, zmienią świat.

Jej prace odsłonią prawdziwą naturę wszechrzeczy.

Od stuleci „najbardziej błyskotliwe umysły" tego świata ignorowały starożytne nauki, szyderczo określając je mianem przesądów. Naukowcy uzbroili się w triumfujący sceptycyzm i olśniewające nowoczesne technologie — narzędzia, które jeszcze bardziej oddalały ich od prawdy.

Przełomowe odkrycia każdego pokolenia okazywały się fałszywe w świetle technologii kolejnych.

Tak było od wieków. Im więcej wiedziano, tym boleśniej zdawano sobie sprawę z ogromu niewiedzy.

Od tysiącleci ludzkość błąkała się w ciemnościach, lecz teraz, zgodnie z obietnicą, sytuacja miała ulec zmianie. Po gonitwie na oślep ludzkość dotarła wreszcie do rozstaju dróg. Nadejście tej chwili przepowiedziano dawno temu — mówiły o niej starożytne teksty, prastare kalendarze, a nawet gwiazdy. Nadejście tego dnia było nieuchronne, a data dobrze znana. Miała go poprzedzić olśniewająca eksplozja wiedzy, rozbłysk jasności rozpraszającej mrok, dający ludzkości ostatnią szansę odwrócenia się od otchłani i podążenia ścieżką mądrości.

Przyszedłem, aby przesłonić światło — pomyślał Mal'akh. — Na tym polega moja rola.

Los połączył go z Peterem i Katherine Solomonami. Przełomowe badania Katherine Solomon w SMSC mogły zapoczątkować nowy sposób myślenia, dać początek nowemu oświeceniu. Wyniki jej eksperymentów, gdyby zostały ujawnione, mogłyby skłonić ludzkość do odkrycia na nowo utraconej wiedzy, obdarzając ją niewyobrażalną mocą.

Przeznaczeniem Katherine jest zapalenie pochodni.

Moim jest jej zgaszenie.

Rozdział 15

W nieprzeniknionych ciemnościach Katherine Solomon dotarła do zewnętrznych, pokrytych ołowiem drzwi laboratorium. Odnalazła je i wpadła do małej poczekalni. Podróż przez otchłań zajęła jej zaledwie dziewiętnaście sekund. Jeszcze nigdy jej serce nie biło tak mocno.

Można by sądzić, że po trzech latach do tego przywyknę.

Katherine zawsze czuła ulgę, gdy opuszczała strefę mroku i wkraczała do tej jasno oświetlonej przestrzeni.

Sześcian przypominał ogromne, pozbawione okien pudełko. Każdy centymetr ścian i sufitów pokryty był siatką wykonaną z powleczonego tytanem ołowiu, co nadawało laboratorium wygląd gigantycznej klatki umieszczonej w betonowym pomieszczeniu. Ścianki działowe z matowego pleksiglasu wyznaczały granice laboratorium, pokoju kontroli, pomieszczenia technicznego, łazienki i małej podręcznej biblioteki.

Katherine weszła energicznie go głównego laboratorium. W jasnej sterylnej sali lśnił najnowocześniejszy sprzęt pomiarowy. Stały tu elektroencefalografy, femtosekundowe grzebienie częstości, pułapka magnetooptyczna i generatory zdarzeń losowych.

Chociaż noetyka posługiwała się zaawansowaną technologią, jej odkrycia były znacznie bardziej mistyczne niż chłodne, nowoczesne urządzenia, których używała. Nowe szokujące dane szybko sprawiły, że materia magii i mitu stawała się rzeczywistością, potwierdzając podstawowe twierdzenie noetyki, że potencjał ludzkiego umysłu jest nieograniczony.

Główna teza była prosta: Do tej pory wykorzystaliśmy zaledwie niewielki ułamek naszych umysłowych i duchowych możliwości. Eksperymenty przeprowadzone w takich ośrodkach, jak Instytut Badań Noetycznych w Kalifornii i Laboratorium Inżynieryjno-Badawcze Anomalii Uniwersytetu Princeton dowiodły ponad wszelką wątpliwość, że ludzka myśl, odpowiednio skoncentrowana, może wywierać wpływ na masę fizyczną i ją zmieniać. Badania te nie przypominały salonowych sztuczek z wyginaniem łyżek, lecz były eksperymentami przeprowadzanymi w ściśle kontrolowanym środowisku, które dawały zdumiewająco identyczne rezultaty: ludzkie myśli wchodziły w interakcję ze światem fizycznym — niezależnie od tego, czy osoby biorące udział w eksperymentach uświadamiały sobie ten fakt — wywołując zmiany sięgające poziomu subatomowego.

Wyższość umysłu nad materią.

W 2001 roku, kilka godzin po przerażających wydarzeniach jedenastego września, w dziedzinie noetyki nastąpił ogromny przełom. Gdy przerażony świat połączył się w smutku spowodowanym tragedią, czterej naukowcy dokonali doniosłego odkrycia: dane wyjściowe trzydziestu siedmiu różnych generatorów zdarzeń losowych na całym świecie nagle stały się mniej przypadkowe. W jakiś sposób wspólne doświadczenie, jedność milionów umysłów, wpłynęła na przypadkowość danych wyjściowych urządzeń, wydobywając z chaosu ład.

Wydawało się, że to szokujące odkrycie jest odpowiednikiem starożytnej wiedzy duchowej, postulującej istnienie „świadomości kosmicznej" — zespolenie ludzkich myśli okazało się zdolne do interakcji z materią. Niedawne badania nad zbiorową medytacją i modlitwą dały podobne wyniki, prowadząc do postawienia tezy, że ludzka świadomość, jak określiła ją Lynne McTaggart, jedna z badaczek zajmujących się noetyką, jest substancją niepodlegającą ograniczeniom ciała, wysoko zorganizowaną energią, zdolną do zmieniania świata materialnego. Katherine była zafascynowana książką McTaggart *Eksperyment intencjonalny* oraz jej globalnymi, wykorzystującymi Internet badaniami, prowadzonymi za pośrednictwem strony www.theintentionexperiment.com, których celem było ustalenie, w jaki sposób ludzkie intencje mogą wpływać na świat.

Oparte na tym założeniu badania Katherine Solomon zaczęły przynosić szybkie rezultaty, potwierdzając, że „skupiona myśl" może wywierać wpływ dosłownie na wszystko — od tempa wzrostu roślin, po kierunek, w którym porusza się ryba w naczyniu, od sposobu, w jaki dzielą się komórki na płytce Petriego, po synchronizację niezależnych systemów i reakcje chemiczne zachodzące w ludzkim organizmie. Nawet struktura krystaliczna powstającego ciała stałego okazała się podatna na działanie ludzkiego umysłu. Katherine udało się wytworzyć nacechowane symetrycznym pięknem kryształy lodu poprzez nakierowanie pełnych miłości myśli na szklankę z zamarzającą wodą. Co dziwne, równie prawdziwa okazała się sytuacja przeciwna — kiedy kierowała ku wodzie negatywne, skażone myśli, kryształki lodu zastygały w chaotycznych, pełnych załamań formach.

Ludzka myśl może dosłownie zmieniać świat materialny.

Eksperymenty Katherine stawały się coraz bardziej odważne, a ich wyniki zdumiewające. Badania laboratoryjne dowiodły bez cienia wątpliwości, że teza o „wyższości umysłu nad materią" nie była jedynie pomocną mantrą wyznawców New Age. Umysł ma zdolność zmieniania stanu materii i, co ważniejsze, zdolność ukierunkowywania zmian zachodzących w świecie fizycznym.

Jesteśmy panami naszego kosmosu.

Na poziomie subatomowym Katherine odkryła, że cząstki powstają i giną pod wpływem zamiaru ich obserwacji. Pragnienie ujrzenia cząstki sprawiało, że się pojawiała. Heisenberg zaobserwował to kilkadziesiąt lat temu, a teraz jego odkrycie stało się podstawową zasadą noetyki*. Mówiąc słowami Lynne McTaggart: *Świadomość wywiera wpływ, za którego sprawą możliwość przeradza się w rzeczywiste istnienie przedmiotu. Najbardziej istotnym elementem leżącym u podstaw stworzenia świata jest obserwująca go świadomość.*

Najbardziej zdumiewającym odkryciem Katherine było jednak to, że zdolność ludzkiego umysł do wpływania na świat fizyczny

---

* Chodzi tu o zasadę nieoznaczoności Heisenberga mówiącą, że nie można z dowolną dokładnością wyznaczyć jednocześnie położenia i pędu cząstki, gdyż każdy pomiar z samej swojej natury wpływa na badany obiekt, zmieniając jego właściwości.

można zwiększyć poprzez ćwiczenie. Intencja jest umiejętnością, której można się nauczyć. Podobnie jak w przypadku medytacji wykorzystanie pełnej mocy „myśli" wymaga ćwiczeń. Co ważniejsze, niektórzy ludzie rodzą się z większymi zdolnościami w tej dziedzinie. W dziejach była też garstka prawdziwych mistrzów.

To brakujące ogniwo łączące współczesną naukę ze starożytnym mistycyzmem.

Katherine dowiedziała się tego od swojego brata Petera. Teraz powędrowała ku niemu myślami, czując narastający niepokój. Ruszyła w stronę biblioteki i zajrzała do środka. Nikogo.

Biblioteka była też małą czytelnią — stały w niej dwa fotele, drewniany stół, dwie lampy oraz zajmujące całą ścianę mahoniowe półki z pięciuset tomami. Katherine i Peter zgromadzili tu swoje ulubione książki, od fizyki cząstek po pradawny mistycyzm. Z czasem księgozbiór zamienił się w eklektyczną kolekcję pozycji starych i nowych, poświęconych najbardziej zaawansowanym badaniom i historii. Większość książek Katherine nosiła tytuły w rodzaju *Świadomość kwantowa, Nowa fizyka, Zasady neurologii*. Książki Petera miały staromodnie brzmiące, ezoteryczne tytuły, np. *Kybalion, Zohar, Tańczący mistrzowie Wu Li* lub były tłumaczeniem treści sumeryjskich tabliczek zgromadzonych w British Museum.

„Przeszłość kryje klucz do przyszłości nauki" — powtarzał często Peter, który przez całe życie interesował się historią, nauką i mistycyzmem i zachęcił Katherine do wzbogacenia wiedzy uniwersyteckiej o informacje na temat wczesnej hermeneutyki. Miała zaledwie dziewiętnaście lat, kiedy Peter obudził w niej zainteresowanie ogniwem łączącym współczesną naukę i pradawny mistycyzm.

— Powiedz mi, Kate, jakie teksty z dziedziny fizyki teoretycznej czytacie? — spytał, kiedy będąc na drugim roku Yale, przyjechała do domu na wakacje.

Spojrzała na rodzinną bibliotekę i wyrecytowała najbardziej ambitną listę lektur.

— Jestem pod wrażeniem — odparł Peter. — Einstein, Bohr i Hawking to współcześni geniusze. Zdarzyło ci się przeczytać coś starszego?

Podrapała się w głowę.

— Chodzi ci o... Newtona?

Uśmiechnął się.

— Mów dalej.

W wieku dwudziestu siedmiu lat Peter miał wyrobioną markę w świecie akademickim, a oboje lubili takie żartobliwe intelektualne pojedynki.

Coś starszego od Newtona?

Katherine przywołała dawniejszych myślicieli: Ptolemeusza, Pitagorasa i Hermesa Trismegistosa.

Nikt nie czyta teraz takich rzeczy!

Brat przesunął palcem po długiej półce, na której stały stare zakurzone tomy oprawione w popękaną skórę.

— Naukowa wiedza starożytnych jest zdumiewająca... współczesna fizyka dopiero zaczyna ją pojmować.

— Wspomniałeś, że Egipcjanie wiedzieli, jak działa dźwignia i bloki na długo przed Newtonem. Że wiedza pierwszych alchemików mogłaby się równać osiągnięciom nowoczesnej chemii. Co z tego? Nowożytna fizyka zajmuje się problemami, które byłyby niewyobrażalne dla starożytnych.

— Na przykład?

— Cóż... na przykład teorią splątania! — Eksperymenty na poziomie subatomowym dowiodły ponad wszelką wątpliwość, że cała materia jest wzajemnie powiązana, splątana w ramach jednej wszechogarniającej sieci... swoistej uniwersalnej jedności. — Chcesz powiedzieć, że starożytni mędrcy rozprawiali o stanie splątania?

— Oczywiście! — odparł Peter, spoglądając na nią błyszczącymi oczami. — Teoria ta leży u podstaw pradawnych wierzeń. Jej nazwy są tak stare jak nasze dzieje... dharmakaja, tao, brahman... W istocie jednym z najstarszych ludzkich celów było odkrycie powiązania ze wszystkimi bytami. Człowiek zawsze pragnął stać się „jednym” z wszechświatem... osiągnąć stan „zjednoczenia”. Do dziś żydzi i chrześcijanie dążą do „pojednania”, chociaż większość zapomniała, o jakie „pojednanie” chodzi.

Katherine westchnęła, przypominając sobie, jak trudno dyskutuje się z człowiekiem tak dobrze znającym historię.

— Zgoda, mówisz jednak o ogólnikach, a ja o fizycznych konkretach.

— Mogę być bardziej konkretny. — Spojrzał na nią wyzywająco.

— Znakomicie. Co powiesz o prostym zjawisku polaryzacji, równowadze cząstek o ładunku dodatnim i ujemnym na poziomie subatomowym? To oczywiste, że starożytni nie rozumieli...

— Zaczekaj! — Peter zdjął z półki duży zakurzony tom i położył go z hukiem na stole. — Współczesne zjawisko polaryzacji to nic innego, jak „dwoisty świat" opisany przez Krysznę w *Bhagawadgicie* ponad dwa tysiące lat temu. Tuzin innych książek, które stoją na tych półkach, w tym *Kybalion*, wspominają o dwoistych systemach i przeciwstawnych siłach natury.

Katherine pozostała sceptyczna.

— Zgoda, jednak w dziedzinie najnowszych odkryć fizyki subatomowej, na przykład zasady nieoznaczoności Heisenberga...

— Skoro o tym mowa, sięgnijmy po... — Peter przeszedł wzdłuż długiego regału i sięgnął po kolejny tom. — To święte księgi wedyjskie, Upaniszady. — Głośno położył książkę na poprzednim tomie. — Heisenberg i Schrödinger studiowali te teksty, nie kryli też, że pomogły im one w sformułowaniu niektórych teorii.

Spór trwał kilka minut, a na stole piętrzyły się zakurzone tomy. W końcu Katherine podniosła ręce do góry, nie kryjąc frustracji:

— W porządku! Może i masz rację, lecz ja chcę studiować nowoczesną fizykę teoretyczną. To nauka przyszłości! Wątpię, by Kryszna lub Weda-Wjasa mieli coś do powiedzenia na temat teorii superstrun lub wielowymiarowych modeli kosmologicznych...

— Masz rację! Nie mówią o tym. — Peter przerwał, lecz po chwili na jego ustach pojawił się uśmiech. — Skoro wspomniałaś o teorii superstrun... — Podszedł do półki. — Jest o niej mowa w tej księdze. — Zdjął z regału ogromne, oprawne w skórę tomiszcze i położył je na stole. — To trzynastowieczny przekład średniowiecznego tekstu napisanego po aramejsku.

— Teoria superstrun w trzynastym wieku?! — Katherine nie miała zamiaru w to uwierzyć.

Teoria strun była zupełnie nowym modelem kosmologicznym. Opierając się na najnowszych obserwacjach naukowych, postulowała istnienie wielowymiarowego wszechświata złożonego nie z trzech, lecz z dziesięciu wymiarów, które współgrały ze sobą jak wibrujące struny, jak rezonujące struny skrzypiec.

Katherine obserwowała brata, który otworzył księgę, przesunął palcem po bogato zdobionym spisie treści i otworzył na jednej z początkowych stron.

— Przeczytaj — powiedział, wskazując wyblakły tekst z rysunkami.

Wykonała polecenie. Przekład był stary i trudny do zrozumienia, lecz ku jej zdumieniu okazało się, że tekst i rysunki to zarys identycznego modelu wszechświata, który opisywała współczesna teoria superstrun. Model dziesięciowymiarowego kosmosu utworzonego z rezonujących strun. Czytała dalej, by nagle wydać okrzyk zdumienia i cofnąć się o krok.

— Mój Boże, opisują tu nawet, jak sześć wymiarów splata się w jeden?! — Zrobiła jeszcze jeden krok do tyłu, wyraźnie przerażona. — Co to za księga?

Peter spojrzał na nią z uśmiechem.

— Mam nadzieję, że pewnego dnia ją przeczytasz. — Otworzył księgę na stronie tytułowej, na której ozdobnymi literami wypisano trzy słowa: *Pełna Księga Zohar.*

Chociaż Katherine nigdy wcześniej nie czytała tego dzieła, wiedziała, że jest ono podstawowym tekstem wczesnego żydowskiego mistycyzmu, który kiedyś uważano za tak potężny, iż wiedza w nim zawarta była zarezerwowana wyłącznie dla najbardziej uczonych rabinów.

Spojrzała na księgę.

— Chcesz powiedzieć, że wcześni mistycy wiedzieli, iż wszechświat ma dziesięć wymiarów?

— Oczywiście! — Wskazał ilustrację na karcie tytułowej, przedstawiającą dziesięć splecionych kręgów nazywanych sefirami. — Jej autorzy posługują się słownictwem ezoterycznym, lecz ich wiedza na temat fizyki jest bardzo zaawansowana.

Katherine nie wiedziała, co odpowiedzieć.

— Dlaczego w takim razie... dlaczego tak niewielu studiuje tę księgę?

Brat odpowiedział uśmiechem.

— Już niebawem będzie bardzo znana.

— Nie rozumiem.

— Katherine, żyjemy we wspaniałych czasach. Czekają nas ogromne zmiany. Ludzkość stanie na progu nowego wieku, gdy spojrzy na naturę i pradawną mądrość, sięgnie po idee zawarte w takich księgach, jak *Zohar*, i innych starożytnych tekstach istniejących na całym świecie. Potężne prawdy w nich zawarte mają ogromną siłę przyciągania, która w końcu spowoduje, że ludzie po nie sięgną. Nadejdą czasy, gdy współczesna nauka zacznie poważnie analizować mądrość starożytnych... wtedy ludzkość znajdzie odpowiedzi na odwieczne pytania, które ją nurtują.

Jeszcze tamtej nocy Katherine zaczęła czytać starożytne teksty podsunięte jej przez brata i szybko zrozumiała, że miał rację.

Starożytni posiadali głęboką wiedzę naukową.

Współczesna nauka nie tyle dokonywała odkryć, ile odkrywała na nowo rzeczy znane dawno temu. Miała wrażenie, że ludzie uchwycili niegdyś prawdziwą naturę wszechświata, lecz wypuścili ją z rąk i o niej zapomnieli.

Współczesna fizyka pomoże nam o tym pamiętać!

To dążenie stało się życiową misją Katherine — wykorzystać najnowsze zdobycze nauki do odkrycia na nowo pradawnej zapomnianej mądrości. Motywowało ją coś więcej niż akademicki dreszcz emocji. Była głęboko przekonana, że świat potrzebuje tej wiedzy bardziej niż kiedykolwiek przedtem.

Na przeciwległej ścianie laboratorium spostrzegła biały fartuch brata wiszący obok jej fartucha. Odruchowo wyjęła z kieszeni komórkę, by sprawdzić, czy dostała nową wiadomość. Nic. W jej pamięci znów rozległo się echo słów: „O tym, co zdaniem pani brata ukryto na terenie Waszyngtonu... Myślę, że możemy to odnaleźć... Bywa, że legendy żyją przez wieki... i dzieje się tak nie bez powodu”.

Rozdział 16

Szef ochrony Kapitolu, Trent Anderson, wpadł do Rotundy, wściekły z powodu poniesionej porażki. Jeden z ochroniarzy znalazł właśnie w niszy obok wschodniego portyku temblak i wojskowy płaszcz z demobilu.

Przeklęty gnojek wyszedł jak gdyby nigdy nic!

Anderson przed chwilą wyznaczył zespół ludzi, który miał się zająć przeglądaniem nagrań z kamer, wiedział jednak, że zanim cokolwiek znajdą, facet będzie już daleko.

Kiedy wszedł do Rotundy, aby ocenić rozmiar zniszczeń, okazało się, że sytuacja wygląda lepiej, niż się spodziewał. Wszystkie cztery wejścia zostały zamknięte za pomocą najbardziej dyskretnej metody kontroli tłumu, jaką dysponowała ochrona — przyjaznym strażnikiem i aksamitnym sznurem z karteczką: „Sala chwilowo zamknięta z powodu sprzątania". Kilkunastu świadków umieszczono we wschodniej części sali, gdzie strażnicy zabrali im telefony komórkowe i aparaty fotograficzne. Ostatnią rzeczą, której potrzebował, było przesłanie CNN zdjęć zrobionych komórką.

Jeden ze świadków, wysoki, ciemnowłosy mężczyzna w tweedowej sportowej marynarce, próbował odłączyć się od grupy, by porozmawiać z szefem ochrony.

— Za chwilę z nim pomówię! — zawołał Anderson do strażników. — Proszę, by na razie wszyscy pozostali w holu, dopóki nie zorientujemy się w sytuacji. — Na miły Bóg! Pracuje w ochronie Kapitolu piętnaście lat i widział różne dziwne rzeczy, lecz nigdy czegoś takiego. Lepiej niech ci od medycyny sądowej zabiorą to jak najszybciej z mojego budynku.

Anderson podszedł bliżej i zauważył, że zakrwawiony nadgarstek został nadziany na szpikulec umocowany w drewnianej podstawie tak, by dłoń mogła stać pionowo. Drewno i ciało — pomyślał. — Niewidzialne dla wykrywaczy metalu. Jedynym metalowym elementem był duży złoty pierścień. Pewnie wykryto go wykrywaczem metalu lub podejrzany po prostu ściągnął go z martwego palca.

Pochylił się, by zbadać dłoń. Wyglądała tak, jakby należała do sześćdziesięcioletniego mężczyzny. Na pierścieniu widniała ozdobna pieczęć z dwugłowym ptakiem i liczbą trzydzieści trzy. Anderson jej nie rozpoznał. Jego wzrok przykuły małe tatuaże na czubku palca wskazującego i kciuka.

Jakiś cholerny gabinet osobliwości.

— Szefie? — Jeden ze strażników podbiegł do niego z telefonem. — Telefon do pana. Przełączyli z centrali.

Anderson spojrzał na mężczyznę, jakby ten postradał zmysły.

— Nie widzisz, że jestem zajęty? — warknął.

Strażnik pobladł, zasłonił mikrofon dłonią i wyszeptał:

— To CIA.

Anderson potrzebował chwili namysłu.

Jak CIA się o tym dowiedziała?

— Dzwonią z Biura Bezpieczeństwa.

Trent Anderson zamarł.

Niech to szlag!

Spojrzał zdenerwowany na telefon w ręku strażnika.

Pośrodku ogromnego oceanu agencji wywiadowczych, mających biura na terenie Waszyngtonu, Biuro Bezpieczeństwa przypominało coś w rodzaju Trójkąta Bermudzkiego — był to tajemniczy i zdradziecki obszar, którego za wszelką cenę należało unikać. Biuro Bezpieczeństwa zostało powołane przez CIA do wykonywania pozornie autodestrukcyjnej misji — szpiegowania CIA. Ten potężny urząd wewnętrzny zajmował się obserwowaniem pracowników agencji, tropiąc wszelkie niedozwolone działania: niewłaściwe wykorzystywanie środków, sprzedawanie tajemnic państwowych, kradzież tajnych technologii i stosowanie tortur, by wymienić tylko niektóre.

Ci goście szpiegują amerykańskich szpiegów!

Z carte blanche na wszystkie dziedziny mające związek z bezpieczeństwem narodowym, ludzie z Biura Bezpieczeństwa dysponowali dużymi i rozległymi wpływami. Anderson nie miał pojęcia, dlaczego mieliby się interesować jakimś drobnym incydentem w Kapitolu ani w jaki sposób tak szybko się o nim dowiedzieli. Ludzie mówili, że mają oczy wszędzie. O ile wiedział, mogli na bieżąco śledzić obraz z kamer rozmieszczonych na terenie Kapitolu. Chociaż ostatnie zdarzenia nie miały żadnego związku z działalnością Biura Bezpieczeństwa, pora telefonu wskazywała, że musi chodzić o odrąbaną dłoń.

— Szefie? — Strażnik wyciągnął rękę z komórką, jakby trzymał gorący ziemniak. — Powinien pan odebrać. To... — Przerwał, by wypowiedzieć bezgłośnie dwie sylaby: — Sa-to.

Anderson ściągnął gniewnie brwi.

Żarty sobie robisz?!

Poczuł, że zaczynają mu się pocić dłonie.

Sato zajmuje się tym osobiście?

Udzielna władczyni Biura Bezpieczeństwa — dyrektor Inoue Sato — była żywą legendą. Urodzona po ataku na Pearl Harbor, za zasiekami japońskiego obozu internowania w kalifornijskim Mazanar, Sato była twardzielem, który nigdy nie zapomniał o okrucieństwach wojny i niebezpieczeństwach związanych z nieskutecznymi działaniami wywiadu wojskowego. Awansowawszy na jedno z najbardziej wpływowych i tajnych stanowisk w amerykańskim wywiadzie, Sato dowiodła, że jest nieugiętą patriotką i wrogiem każdego, kto wejdzie jej w drogę. Budząca powszechną trwogę dyrektorka Biura Bezpieczeństwa pływała po głębokich wodach CIA niczym lewiatan, który wynurza się tylko po to, by pożreć zdobycz.

Anderson spotkał się z nią twarzą w twarz tylko raz. Wystarczyło wspomnienie jej chłodnych czarnych oczu, aby uznał za błogosławieństwo fakt, iż odbędzie tę rozmowę przez telefon.

Wziął od strażnika aparat.

— Pani Sato, mówi Anderson. Czy mogę... — zaczął najbardziej przyjacielsko, jak potrafił.

— W Kapitolu jest człowiek, z którym muszę natychmiast mówić. — Głosu Sato nie można było pomylić z żadnym innym, brzmiał jak skrzypienie kredy przesuwanej po tablicy. Operacja, którą przeprowadzono z powodu raka krtani, sprawiła, że dźwięk był głęboko niepokojący, równie odrażający jak blizna na jej szyi. — Proszę natychmiast go odnaleźć.

Tylko tyle? Ona chce, żebym poprosił kogoś do telefonu? Anderson nagle zaczął mieć nadzieję, że pora telefonu jest przypadkowa.

— Kogo pani szuka?

— Nazywa się Robert Langdon. Sądzę, że jest teraz w Kapitolu.

Langdon? Nazwisko wydało się Andersonowi znajome, ale nie potrafił sobie przypomnieć, o kogo chodzi. Zaczął się zastanawiać, czy Sato wie o dłoni.

— Jestem w Rotundzie — wyjaśnił. — Mamy tu kilku turystów... proszę się nie rozłączać. — Opuścił rękę z telefonem i zawołał: — Jest wśród państwa ktoś o nazwisku Langdon?!

Po chwili milczenia z grupki ludzi dobiegł głęboki głos:

— Tak, nazywam się Robert Langdon.

Ten sam człowiek, który próbował odłączyć się od reszty. Wyglądał na poruszonego... a jednocześnie wydał mu się dziwnie znajomy.

Anderson zbliżył telefon do ust.

— Pan Langdon tu jest.

— Dawaj go — rzuciła oschle Sato.

Anderson westchnął głęboko.

Lepiej on niż ja.

— Proszę się nie rozłączać.

Przywołał Langdona skinieniem dłoni.

Kiedy tamten się zbliżał, Anderson nagle wszystko sobie przypomniał. Czytałem niedawno artykuł o tym facecie. Co on tu, do cholery, robi?

Mimo iż Langdon miał sto osiemdziesiąt centymetrów wzrostu i był atletycznie zbudowany, Anderson nie dostrzegł w nim chłodu i twardości, jakie spodziewał się zobaczyć u człowieka, który przeżył wybuch bomby w Watykanie i obławę na ulicach Paryża.

Ten facet miałby wodzić za nos francuską policję... w takich mokasynach?

Bardziej przypominał gościa czytającego Dostojewskiego w jednej z bibliotek Ivy League.

— Pan Langdon? — spytał, idąc w jego stronę. — Trent Anderson, szef ochrony. Ktoś chce z panem mówić.

— Ze mną? — Niebieskie oczy Langdona spojrzały na niego z niepokojem i niepewnością.

Anderson podał mu telefon.

— To szef Biura Bezpieczeństwa CIA.

— Nigdy o nim nie słyszałem.

Anderson uśmiechnął się złowróżbnie.

— Ale on o panu słyszał.

Langdon przyłożył aparat do ucha.

— Słucham.

— Robert Langdon? — W małym głośniku telefonu zagrzmiał ostry głos dyrektorki Sato. Mówiła tak głośno, że nawet Anderson ją słyszał.

— Tak, o co chodzi?

Anderson przysunął się bliżej, by śledzić rozmowę.

— Mówi dyrektor Inoue Sato. Mamy obecnie sytuację kryzysową i liczę, że pomoże mi ją pan opanować.

W oczach Langdona błysnęła nadzieja.

— Chodzi o Petera Solomona? Wie pan, gdzie jest?

— Profesorze, to ja zadaję pytania — ucięła Sato.

— Peter Solomon jest w poważnym niebezpieczeństwie! — wykrzyknął Langdon. — Jakiś szaleniec właśnie...

— Proszę posłuchać... — przerwała mu Sato.

Anderson się skulił. Fatalne posunięcie. Przerywanie jednemu z najwyższych urzędników CIA jest błędem, który może popełnić tylko cywil.

Sądził, że ten Langdon jest bardziej inteligentny.

— Niech pan słucha uważnie — ciągnęła Sato. — Nasz kraj znajduje się na krawędzi kryzysu. Powiedziano mi, że jest pan w posiadaniu informacji, które mogą pomóc w jego zażegnaniu. Jakie to informacje?

Langdon sprawiał wrażenie zagubionego.

— Panie dyrektorze, nie mam pojęcia, o czym pan mówi. Zależy mi wyłącznie na odnalezieniu Petera i...

— Nie ma pan pojęcia?

Anderson zauważył, że Langdon jest zdenerwowany.
— Nie, proszę pana — odpowiedział rozdrażniony. — Nie mam cholernego pojęcia, co tu się dzieje.
Anderson się skrzywił.
Źle, źle i jeszcze raz źle.
Robert Langdon popełnił przed chwilą bardzo poważny błąd, rozmawiając w ten sposób z dyrektorką Sato.
Nagle Anderson zdał sobie sprawę, że jest za późno. Ku jego zdumieniu dyrektor Sato pojawiła się po drugiej stronie Rotundy i szła w ich stronę szybkim krokiem, za plecami Langdona. Sato w Kapitolu! Anderson wstrzymał oddech, próbując wziąć się w garść. Langdon nie ma pojęcia, co go czeka.
Mroczna postać dyrektorki zbliżała się szybko. Trzymała telefon przy uchu, a czarne oczy świdrowały plecy Langdona jak promienie lasera.

Langdon przyciskał do ucha telefon szefa ochrony, czując, jak narasta w nim frustracja.
— Przykro mi — odparł oschle. — Nie umiem czytać w pańskich myślach. Czego pan ode mnie chce?
— Czego od pana chcę? — zgrzytliwy głos Sato zaskrzeczał w słuchawce Langdona, ostry i pusty niczym przedśmiertne rzężenie człowieka z poderżniętym gardłem.
Langdon poczuł klepnięcie w ramię. Odwrócił się i zatrzymał wzrok na twarzy drobnej Japonki. Spoglądała na niego gniewnie. Miała plamy na skórze, rzadkie włosy, zęby brązowe od tytoniu i brzydką siną bliznę biegnącą w poprzek szyi. Sękata dłoń przyciskała do ucha komórkę, a gdy jej wargi się poruszały, Langdon słyszał znajomy zgrzytliwy dźwięk w swoim telefonie.
— Czego od pana chcę, profesorze? — Spokojnie zamknęła komórkę i rzuciła mu gniewne spojrzenie. — Po pierwsze, żeby przestał pan mówić do mnie „pan".
Langdon spojrzał na nią zawstydzony.
— Przepraszam... panią. Połączenie było nie najlepsze...
— Było dobre, profesorze. Muszę dodać, że nie znoszę, kiedy ktoś wciska mi kit.

Rozdział 17

Dyrektor Sato odznaczała się niezwykle wybuchowym charakterem i budziła powszechny lęk. Ta niska, ledwie metr pięćdziesiąt wzrostu, kobieta o drobnych kościach miała nieregularne rysy twarzy i cierpiała na bielactwo nabyte, co powodowało, że jej skórę znaczyły plamy nadające wygląd chropawego granitu pokrytego porostami. Pognieciona granatowa garsonka wisiała na niej jak worek, a wcięta pod szyją bluzka ani trochę nie zasłaniała blizny biegnącej w poprzek szyi. Jej współpracownicy utrzymywali, że jedynym zewnętrznym przejawem próżności Sato są wyraźnie widoczne wąsy.

Inoue Sato kierowała Biurem Bezpieczeństwa od ponad dekady. Miała niezwykle wysoki iloraz inteligencji i przerażająco nieomylny instynkt, co w połączeniu z pewnością siebie czyniło ją dziką bestią w oczach każdego, kto nie potrafił robić rzeczy niemożliwych. Do ustąpienia nie skłoniła jej nawet ponura diagnoza złośliwego raka gardła. Walka z chorobą kosztowała ją miesiąc pracy, utratę połowy siły głosu i jednej trzeciej wagi, lecz powróciła na stanowisko, jakby nic się nie stało. Inoue Sato sprawiała wrażenie niezniszczalnej.

Robert Langdon podejrzewał, że nie on pierwszy podczas rozmowy telefonicznej wziął Sato za mężczyznę, lecz szefowa Biura Bezpieczeństwa nadal wpatrywała się w niego z wściekłością.

— Jeszcze raz przepraszam — powtórzył. — Nadal nie mogę się w tym połapać... Człowiek podający się za asystenta Petera

Solomona skłonił mnie podstępem do przyjazdu dziś wieczorem do Waszyngtonu. — Wyciągnął z kieszeni marynarki faks. — Przesłał mi to. Zapisałem numer widniejący na ogonie odrzutowca, więc jeśli zadzwonicie do FAA*...

Sato wyciągnęła drobną dłoń i błyskawicznie wyrwała mu kartkę, po czym wsunęła ją do kieszeni, nie patrząc, co na niej jest.

— Profesorze, to ja prowadzę śledztwo. Sugeruję, aby nie zabierał pan głosu bez pozwolenia, chyba że powie pan coś, czego nie wiem.

Odwróciła się do komendanta posterunku policji.

— Anderson — powiedziała, stając przed nim i podnosząc głowę, żeby spojrzeć na niego małymi ciemnymi oczami. — Co tu się dzieje, do diabła? Strażnik pilnujący wschodniej bramy zameldował mi, że znaleźliście na posadzce ludzką dłoń. Czy to prawda?

Anderson odsunął się, odsłaniając przedmiot leżący na środku sali.

— Tak, proszę pani. Znaleźliśmy to zaledwie kilka minut temu.

Spojrzała na okaleczoną dłoń, jakby to był zgubiony element garderoby.

— Dlaczego pan o tym nie wspomniał?

— Sądziłem... sądziłem, że pani wie.

— Nie kłam.

Anderson zgarbił się pod wpływem groźnego spojrzenia, choć w jego głosie nadal brzmiała pewność siebie.

— Panujemy nad sytuacją, proszę pani.

— Wątpię — odrzekła Sato równie pewnie.

— Zespół kryminalistyczny jest już w drodze. Sprawca mógł zostawić odciski palców.

Dyrektor Sato spojrzała na niego sceptycznie.

— Wątpię, by człowiek, który jest na tyle sprytny, by przejść przez bramki ochrony, zostawił odciski palców.

— Może to i prawda, ale jestem odpowiedzialny za przeprowadzenie dochodzenia.

---

* FAA — Federal Aviation Administration — Federalny Urząd Lotniczy.

— Uwalniam cię od tego przykrego obowiązku. Przejmuję sprawę.

— Czy ta sprawa wchodzi w zakres kompetencji Biura Bezpieczeństwa? — obruszył się Anderson.

— Oczywiście, chodzi o bezpieczeństwo kraju.

Dłoń Petera ma związek z bezpieczeństwem kraju? — zdziwił się Langdon, przysłuchujący się rozmowie. — Z bezpieczeństwem narodowym? Wyczuwał, że Sato nie podziela jego pragnienia jak najszybszego odnalezienia Petera. Szefowa Biura Bezpieczeństwa działała na zupełnie innej częstotliwości.

Także Anderson sprawiał wrażenie zaskoczonego.

— O bezpieczeństwo kraju? Z całym szacunkiem...

— O ile mi wiadomo, przewyższam cię rangą — przerwała mu niecierpliwie. — Radzę, abyś robił dokładnie to, co mówię. Bez zbędnych pytań.

Anderson skinął głową, głośno przełykając ślinę.

— Czy nie powinniśmy przynajmniej pobrać odcisków palców, żeby ustalić, czy ta dłoń należała do Petera Solomona?

— Potwierdzam to — wtrącił się Langdon, czując wywołującą mdłości pewność. — Rozpoznaję jego pierścień... i dłoń. — Przerwał na chwilę. — Tatuaże są świeże. Ktoś musiał je wykonać całkiem niedawno.

— Co? — Po raz pierwszy od przybycia Sato wyglądała na zdenerwowaną. — Dłoń została wytatuowana?

Langdon skinął głową.

— Na kciuku wytatuowano koronę, a na palcu wskazującym gwiazdę.

Sato wyjęła z torebki okulary i podeszła do dłoni, zataczając koło jak rekin.

— Chociaż nie widać trzech pozostałych palców — ciągnął Langdon — jestem pewien, że na ich opuszkach także są tatuaże.

Sato skinęła na Andersona, wyraźnie zaintrygowana słowami Langdona.

— Komendancie, mógłby pan sprawdzić pozostałe palce?

Anderson przykucnął obok dłoni, starając się jej nie dotknąć. Przyłożył policzek do posadzki i zajrzał pod zaciśnięte palce.

— On ma rację, proszę pani. Na czubku każdego palca jest tatuaż, chociaż nie widzę pozostałych...

— To słońce, latarnia i klucz — wyjąkał Langdon bezbarwnym głosem.

Sato odwróciła się, taksując go małymi oczkami.

— Skąd pan o tym wie?

Spojrzał jej w oczy.

— Ludzka dłoń ze znakami umieszczonymi na opuszkach palców jest bardzo starym symbolem, nazywanym Dłonią Tajemnic.

Anderson podniósł się gwałtownie.

— To coś ma nazwę?

Langdon skinął głową.

— To jeden z najtajniejszych symboli starożytnego świata.

Sato przekrzywiła głowę.

— Czy mogę spytać, co, do cholery, ta dłoń robi w Kapitolu?

Langdon marzył, żeby obudzić się z tego koszmaru.

— Zgodnie z tradycją symbol ten był rodzajem zaproszenia.

— Zaproszenia... do czego?

Langdon spojrzał na znaki umieszczone na okaleczonej dłoni przyjaciela.

— Przez całe wieki Dłoń Tajemnic pełniła funkcję mistycznego wezwania. Ogólnie mówiąc, wezwania do przyjęcia wiedzy tajemnej, sekretnej mądrości znanej jedynie garstce wybranych.

Dyrektor Sato skrzyżowała chude ręce na piersi i spojrzała na niego.

— Profesorze, jak na kogoś, kto twierdzi, że nie wie, dlaczego się tu znalazł, całkiem nieźle pan sobie radzi.

Rozdział 18

Katherine Solomon włożyła biały fartuch i przystąpiła do rutynowych działań, które jej brat określał mianem „obchodu".

Niczym podenerwowany rodzic, kontrolujący śpiące niemowlę, wetknęła głowę do pokoju technicznego. Dwie zapasowe jednostki holograficzne buczały spokojnie w pomieszczeniu o stałej temperaturze. Wyniki wszystkich moich badań — pomyślała, spoglądając przez grubą ośmiocentymetrową bezodpryskową szybę. Holograficzne urządzenia do przechowywania danych, w przeciwieństwie do swoich podobnych do lodówki przodków, przypominały raczej smukłe wieże stereo umieszczone na postumencie w kształcie kolumny.

Obywa napędy holograficzne były identyczne i zsynchronizowane i produkowały kopie zapasowe z zapisem wyników jej badań. Większość procedur bezpieczeństwa zalecała umieszczenie kopii w innym miejscu na wypadek trzęsienia ziemi, pożaru lub kradzieży, lecz Katherine i jej brat zdecydowali, że najważniejszą rzeczą jest dochowanie tajemnicy. Gdyby dane wyszły z tego budynku i znalazły się na obcym serwerze, nie mogliby mieć pewności, że wyniki badań zostaną utrzymane w sekrecie.

Zadowolona, że wszystko działa prawidłowo, ruszyła w głąb korytarza. Gdy znalazła się za rogiem, stwierdziła, że w laboratorium dzieje się coś dziwnego.

Kto tam jest?

Od urządzeń badawczych odbijało się przyćmione światło.

Popędziła przed siebie i zaskoczona stwierdziła, że za ścianą z pleksiglasu oddzielającą pomieszczenie kontrolne pali się światło.

A jednak przyjechał!

Katherine przebiegła przez laboratorium i wpadła do pomieszczenia kontroli, otwierając drzwi na oścież.

— Peter! — krzyknęła, wbiegając do środka.

Pulchna kobieta siedząca przed tablicą rozdzielczą podskoczyła na krześle.

— Boże! Katherine! Ale mnie wystraszyłaś!

Trish Dunne — jedyna osoba, która oprócz Petera i Katherine miała wstęp do laboratorium — była analitykiem metasystemów, lecz rzadko pracowała w weekendy. Ta dwudziestosześcioletnia rudowłosa kobieta była geniuszem w dziedzinie modelowania danych i podpisała zobowiązanie dochowania tajemnicy, którego nie powstydziłoby się KGB. Właśnie analizowała dane widoczne na zajmującym całą ścianę plazmowym monitorze — ogromnym płaskim ekranie podobnym do tego, który wisi w sali kontroli lotów NASA.

— Przepraszam — powiedziała. — Nie wiedziałam, że tu jesteś. Próbowałam skończyć robotę przed waszym przyjazdem.

— Rozmawiałaś z Peterem? Spóźnia się i nie odbiera telefonów.

Trish pokręciła głową.

— Założę się, że jeszcze nie rozgryzł tego, jak posługiwać się nowym iPhone'em, który mu dałaś.

Katherine lubiła jej poczucie humoru. Obecność Trish w laboratorium podsunęła jej pewien pomysł.

— Cieszę się, że tu jesteś. Może będziesz mogła mi w czymś pomóc. Co ty na to?

— Co tylko zechcesz. Jestem pewna, że będzie to lepsze od futbolu.

Katherine odetchnęła głęboko, próbując zebrać myśli.

— Nie wiem, jak to wyjaśnić... usłyszałam dzisiaj niezwykłą historię...

Chociaż Trish Dunne nie wiedziała, jaką historię usłyszała Katherine Solomon, nie miała wątpliwości, że wyprowadziła ją z równowagi. W spokojnych zazwyczaj oczach szefowej malował się niepokój, na dodatek od chwili, gdy weszła do pokoju, trzy razy założyła włosy za uszy. „Gest oznaczający zdenerwowanie", jak nazywała go Trish.

Wspaniały naukowiec i marny pokerzysta.

— Ta historia brzmi jak bajka — zaczęła Katherine. — Dawna legenda, a jednak... — urwała, po raz kolejny poprawiając włosy.

— A jednak?

Katherine westchnęła.

— A jednak dowiedziałam się dziś z wiarygodnego źródła, że ta legenda jest prawdziwa.

— Rozumiem...

Do czego ona zmierza?

— Chciałam pomówić o tym z bratem, ale pomyślałam, że warto dowiedzieć się czegoś więcej. Jestem ciekawa, czy legenda ta pojawiła się w innym momencie dziejów.

— W całej historii?

Katherine skinęła głową.

— Tak. W dowolnym miejscu na świecie, w dowolnym języku, w dowolnym momencie historii.

Dziwna prośba, lecz da się to sprawdzić — pomyślała Trish. Jeszcze dziesięć lat temu zadanie to byłoby niemożliwe do wykonania. Dzisiaj, z pomocą Internetu i World Wide Web oraz cyfrowych zbiorów wielkich światowych bibliotek i muzeów mogła spełnić prośbę Katherine, używając prostej przeglądarki wyposażonej w moduły translacyjne i wprowadzając kilka starannie wybranych słów kluczy.

— To żaden problem — powiedziała Trish. Ponieważ wiele książek znajdujących się w laboratorium spisanych było w starożytnych językach, Trish często tworzyła specjalistyczne moduły translatorskie, wykorzystujące urządzenie do optycznego rozpoznawania pisma, aby otrzymać przekład tekstu na angielski. Była jedynym na świecie specjalistą od metasystemów, który stworzył moduły translatorskie dla języka starofrygijskiego, koguryŏ (maek) i akadyjskiego.

Moduły translatorskie pomagały, lecz cały sekret skutecznej przeglądarki polegał na odpowiednim wyborze kluczowych słów. Wyjątkowych, które nie byłyby jednocześnie zbyt ograniczające.

Katherine wyprzedziła ją o krok i zaczęła wypisywać słowa na skrawku papieru.

— Gotowe — powiedziała wreszcie, podsuwając go Trish.

Ta spojrzała na słowa klucze i wytrzeszczyła oczy. O jaką zwariowaną legendę chodzi? Jednego ze słów w ogóle nie potrafiła rozpoznać. Czy to po angielsku?

— Naprawdę sądzisz, że znajdziemy te wszystkie terminy w jednym miejscu? Słowo w słowo?

— Spróbujmy.

Trish miała ochotę powiedzieć „to niemożliwe", lecz to słowo było w laboratorium zakazane. Katherine uważała, że łączy się z niebezpieczną postawą w dziedzinie badań, w której często to, co wydawało się fałszem, okazywało się dowiedzioną prawdą.

— Długo będziemy musiały czekać na rezultaty? — spytała Katherine.

— Potrzebuję kilku minut, aby napisać i uruchomić wyszukiwarkę.

— Tak szybko? — Katherine była wyraźnie zachęcona.

Trish skinęła głową. Tradycyjne wyszukiwarki potrzebowały często całego dnia, aby przebrnąć przez wszechświat Internetu, znaleźć nowe dokumenty, przeanalizować ich zawartość i dodać do bazy danych, które trzeba było przeszukać. Trish miała zamiar napisać zupełnie inny program.

— Napiszę program nazywany delegatorem — wyjaśniła. — Nie jest do końca „koszerny", lecz niezwykle szybki. Mówiąc krótko, nakazuje, by robotę wykonały za nas wyszukiwarki innych ludzi. Większość baz danych ma własne programy wyszukujące. Używają ich biblioteki, muzea, uniwersytety i rządy. Stworzę wyszukiwarkę, która zlokalizuje ich wyszukiwarki, wpisze do nich twoje kluczowe słowa i poprosi, by je odnalazły. W ten sposób wykorzystamy moc tysięcy pracujących jednocześnie wyszukiwarek.

Katherine była pod dużym wrażeniem.

— Przetwarzanie równoległe?

Swoisty metasystem.

— Zadzwonię, gdy tylko się czegoś dowiem.

— Jestem ci niewymownie wdzięczna, Trish. — Katherine poklepała ją po plecach i ruszyła do drzwi. — Będę w bibliotece.

Trish zabrała się do pisania programu. Chociaż stworzenie prostej wyszukiwarki było banalnym zadaniem znacznie poniżej jej możliwości, Trish Dunne nie miała nic przeciwko temu. Dla Katherine Solomon zrobiłaby wszystko. Czasami nie mogła uwierzyć w szczęście, które sprawiło, że się tutaj znalazła.

Przebyłaś daleką drogę, mała.

Ponad rok temu zrezygnowała z posady analityka metasystemów, pracującego w boksie jednego z licznych laboratoriów branży zaawansowanych technologii. Po godzinach pisała programy komputerowe i zajmowała się prowadzeniem blogu *Przyszłe zastosowania obliczeniowej analizy metasystemów*, choć miała wątpliwości, czy ktokolwiek go czyta. Pewnego dnia zadzwonił telefon.

— Trish Dunne? — spytał uprzejmy kobiecy głos.

— Tak, kto mówi?

— Nazywam się Katherine Solomon.

Trish o mało nie zemdlała. Katherine Solomon?

— Właśnie przeczytałam pani książkę *Noetyka: Współczesne wrota do starożytnej mądrości*. Napisałam o niej w moim blogu.

— Wiem — odpowiedziała Katherine uprzejmie. — Właśnie dlatego dzwonię.

Oczywiście! Nawet genialni naukowcy czytają o sobie w Google'u.

Trish odebrało mowę.

— Pani blog mnie zaintrygował — ciągnęła Katherine. — Nie wiedziałam, że w modelowaniu metasystemów dokonał się tak ogromny postęp.

— O, tak! — wydusiła Trish oszołomiona, że rozmawia z taką znakomitością. — Modelowanie danych to dynamicznie rozwijająca się technologia o dalekosiężnych zastosowaniach.

Przez kilka minut rozmawiały o badaniach Trish nad metasystemami, omawiając jej doświadczenie w analizie, modelowaniu i przewidywaniu przepływu ogromnych mas danych.

— Napisałaś w swoim blogu, że modelowanie metasystemów może zmienić noetykę...

— Oczywiście! Wierzę, że modelowanie metasystemów może przekształcić noetykę w prawdziwą naukę.

— Prawdziwą naukę? — Głos Katherine stał się nagle bardziej surowy. — A czym niby jest teraz?

Cholera, źle wyszło.

— Miałam na myśli to, że dzisiejsza noetyka jest... ezoteryczna.

Katherine się roześmiała.

— Niech się pani nie przejmuje. Żartowałam. Stale słyszę takie uwagi.

Nie jestem zaskoczona — pomyślała Trish. Kalifornijski Instytut Badań Noetycznych opisał tę dyscyplinę zawiłymi słowami, stwierdzając, że zajmuje się badaniem „bezpośredniego i natychmiastowego dostępu ludzkości do wiedzy w sposób przekraczający to, co jest możliwe za pomocą potocznie pojmowanych zmysłów i rozumu".

Trish dowiedziała się, że słowo „noetyka" pochodzi od starożytnego greckiego *nous*, z grubsza oznaczającego „wewnętrzną wiedzę" lub „intuicyjną świadomość".

— Jestem zainteresowana twoimi badaniami nad metasystemami — mówiła Katherine. — Interesuje mnie również ich możliwy związek z projektem, nad którym obecnie pracuję. Mogłybyśmy się spotkać? Z przyjemnością poznam twoje poglądy.

Katherine Solomon jest zainteresowana moimi poglądami?

To tak, jakby zadzwoniła do niej Maria Szarapowa, prosząc o lekcje tenisa.

Następnego dnia na podjeździe Trish zaparkowało białe volvo i wysiadła z niego atrakcyjna smukła kobieta w niebieskich dżinsach. Trish natychmiast poczuła się maleńka. *Cudownie* — jęknęła w duchu. — Inteligentna, bogata i szczupła. I jak tu uwierzyć, że Bóg jest dobry? Na szczęście bezpretensjonalny sposób bycia Katherine sprawił, że Trish natychmiast się rozluźniła.

Usiadły na tylnej werandzie domu Trish, z której rozciągał się wspaniały widok.

— Masz piękny dom — zauważyła Katherine.

— Dzięki. W college'u miałam szczęście i opatentowałam kilka programów.

— Z wykorzystaniem metasystemów?

— Nie, tamte programy były ich pierwowzorem. Po jedenastym września rząd zaczął rejestrować i przetwarzać ogromne pola danych. Pocztę elektroniczną prywatnych obywateli, rozmowy prowadzone przez telefony komórkowe, faksy, teksty prasowe, strony w Internecie. Szukali kluczowych słów, które mogłyby ich naprowadzić na trop terrorystów. Napisałam wtedy program, który pozwolił im błyskawicznie przetworzyć informacje. W ten sposób uzyskiwali dodatkowe dane wywiadowcze. — Uśmiechnęła się. — Krótko mówiąc, mój program pomógł im zmierzyć temperaturę, jaką wówczas miała Ameryka.

— Nie rozumiem.

Trish się roześmiała.

— Wiem, że to śmiesznie zabrzmiało. Chodziło mi o to, że dzięki mojemu programowi można było określić w sposób ilościowy stan emocji narodu. — Trish wyjaśniła, jak na podstawie danych zdobytych w wyniku analizy sposobu porozumiewania się amerykańskich obywateli można było określić nastrój, w jakim byli, na podstawie „gęstości występowania" wybranych słów kluczowych i wskaźników emocjonalnych. Szczęśliwe czasy — bardziej radosny język, niespokojne czasy... W przypadku ataku terrorystycznego rząd mógłby wykorzystać pola danych do mierzenia zmian w amerykańskiej *psyche* i lepiej doradzić prezydentowi w kwestii emocjonalnego oddziaływania tego wydarzenia.

— To fascynujące — powiedziała Katherine. — A zatem zajmujesz się badaniem populacji złożonej z jednostek... jakby stanowiła jeden organizm?

— Dokładnie, jakby była metasystemem. Całością zdefiniowaną przez sumę tworzących ją części. Dla przykładu, ludzkie ciało składa się z milionów pojedynczych komórek. Każda z nich ma inne cechy i inny cel, lecz wszystkie funkcjonują jako całość.

Katherine pokiwała entuzjastycznie głową.

— Jak poruszające się stado ptaków lub ławica ryb. Nazywamy to konwergencją lub spleceniem.

Trish wyczuła, że sławna kobieta, która jest jej gościem, zaczęła dostrzegać możliwe zastosowania programowania metasystemów w swojej własnej dyscyplinie, noetyce.

— Mój program — ciągnęła Trish — został stworzony, by pomóc agendom rządowym lepiej oceniać i reagować na sytuacje kryzysowe o dużym zasięgu. Pandemie, tragedie narodowe, akty terroryzmu, takie rzeczy... — Przerwała na chwilę. — Oczywiście istnieją inne możliwości zastosowań... można wykonać „fotografię" odczuć narodu i przewidzieć wynik wyborów lub zmiany na kolejnej sesji giełdy.

— Brzmi imponująco.

Trish wskazała swój wielki dom.

— Rząd był podobnego zdania.

Katherine utkwiła w niej spojrzenie.

— Czy w związku z tą pracą miałaś jakieś dylematy moralne, Trish?

— Nie rozumiem.

— Napisałaś program, z którego ktoś mógłby zrobić niewłaściwy użytek. Ludzie będący w jego posiadaniu mają dostęp do bardzo ważnych informacji, o których inni nie mają zielonego pojęcia. Nie miałaś żadnych wątpliwości, gdy go pisałaś?

Trish nawet nie mrugnęła okiem.

— Najmniejszych. Mój program nie różni się niczym od, na przykład, symulatora lotów. Niektórzy wykorzystują go, by pilotować samoloty podczas akcji humanitarnych w krajach Trzeciego Świata, a inni, by nauczyć się, jak wbić pasażerski odrzutowiec w ścianę drapacza chmur. Wiedza jest narzędziem i jak w przypadku każdego narzędzia, jej wpływ zależy do tego, w czyich rękach się znajdzie.

Katherine spojrzała na nią z podziwem.

— Pozwól, że zadam ci hipotetyczne pytanie...

Trish wyczuła, że ich pogawędka nieoczekiwanie zamieniła się w rozmowę kwalifikacyjną.

Katherine schyliła się i podniosła z podłogi ziarenko piasku.

— Mam wrażenie — powiedziała — że dzięki metasystemom można obliczyć wagę całej piaszczystej plaży, wystarczy zważyć jedno ziarnko.

— Tak, w zasadzie to prawda.

— Jak wiesz, to małe ziarenko piasku ma określoną masę. Bardzo małą, a jednak dającą się zmierzyć.

Trish skinęła głową.

— Ponieważ ziarenko ma masę, ma też pole grawitacji. Zbyt małe, by je wyczuć, a jednak faktycznie istniejące.

— To prawda.

— Jeśli weźmiemy biliony ziarenek piasku i pozwolimy, aby się wzajemnie przyciągały, tak by powstał... na przykład, Księżyc, ich łączna siła grawitacji wystarczy do przemieszczenia całych oceanów, do przesuwania fal przypływów w jedną i drugą stronę.

Choć Trish nie miała pojęcia, do czego Katherine zmierza, podobało się jej to, co usłyszała.

— Wyobraźmy sobie, całkiem hipotetycznie — kontynuowała Katherine — że myśl, najdrobniejsza myśl, która pojawia się w naszym umyśle, ma masę. Co by było, gdybym ci powiedziała, że myśl jest rzeczywistym przedmiotem, dającym się zmierzyć bytem o wymiernej masie? Bardzo znikomej, lecz mimo to masie. Jakie mogłyby być konsekwencje tego faktu?

— Hipotetycznie? Cóż, jeśli myśl miałaby masę, mogłaby wytwarzać pole grawitacji i przyciągać inne przedmioty.

Katherine się uśmiechnęła.

— Dobrze, pójdźmy krok dalej. Co by się stało, gdyby wielu ludzi zaczęło koncentrować się na tej samej myśli? Wszystkie jednostkowe przejawy myśli zaczęłyby stapiać się w jedno, a skumulowana masa wzrastałaby, powodując zwiększenie siły grawitacji.

— Rozumiem.

— Gdyby wystarczająca liczba ludzi zaczęła myśleć o tym samym, wtedy jej siła grawitacji stałaby się wymierna... namacalna. — Katherine puściła oko do Trish. — A jej skutki miałyby wymierny efekt w świecie materialnym.

Rozdział 19

Dyrektor Sato stała z rękami skrzyżowanymi na piersi i wpatrywała się z powątpiewaniem w Langdona, przetrawiając to, co przed chwilą powiedział.

— Wspomniał pan, że ten człowiek chce, aby otworzył pan jakiś starożytny portal? Jak mam to rozumieć, profesorze?

Langdon wzruszył ramionami. Znów zrobiło mu się słabo, więc odwrócił głowę, by nie patrzeć na odciętą dłoń przyjaciela.

— Powtórzyłem dokładnie to, co mi powiedział. Starożytny portal ukryty gdzieś w tym gmachu. Powiedziałem mu, że nic o nim nie wiem.

— Dlaczego w takim razie sądzi, że może go pan odnaleźć?

— To szaleniec.

Powiedział, że Peter wskaże mu drogę.

Langdon spojrzał na wyciągnięty palec Petera, czując odrazę z powodu sadystycznej gry słów zastosowanej przez porywacza. „Peter wskaże drogę". Langdon pozwolił, by jego oczy podążyły za wycelowanym w górę palcem, ku kopule nad ich głowami.

Portal? W górze? Szalony pomysł.

— Człowiek, który do mnie zadzwonił — podjął — był jedynym, który wiedział, że przyjdę dziś wieczorem do Kapitolu. Dlatego ten, kto poinformował panią, że się tutaj zjawię, musi być naszym podejrzanym. Sugeruję...

— To nie pana sprawa, skąd czerpię informacje — przerwała mu ostro Sato. — Teraz najważniejszą rzeczą jest dla mnie współdziałanie z tym człowiekiem. Zostałam poinformowana, że jest pan jedyną osobą, która może mu dostarczyć to, czego chce.

— Dla mnie najważniejsze jest odnalezienie przyjaciela — odparł zdenerwowany Langdon.

Sato odetchnęła głęboko, czując, że jej cierpliwość się wyczerpuje.

— Jest tylko jeden sposób odnalezienia Solomona, profesorze. Musimy współdziałać z jedyną osobą, która wie, gdzie on się znajduje. — Spojrzała na zegarek. — Mamy mało czasu. Powinniśmy jak najszybciej spełnić jego żądania.

— Jak? — spytał z ironią Langdon. — Odnajdując i otwierając starożytny portal? W tym gmachu nie ma żadnego portalu, pani Sato. Ten człowiek jest szaleńcem.

Podeszła bliżej, stając niecałe trzydzieści centymetrów od Langdona.

— Dziś rano ten pana szaleniec wyprowadził w pole dwóch bardzo inteligentnych facetów. — Spojrzała na Langdona, by po chwili przenieść wzrok na Andersona. — W naszej branży człowiek szybko się uczy, że istnieje cienka linia oddzielająca szaleństwo od geniuszu. Powinniśmy odnosić się do niego z nieco większym szacunkiem.

— Odciął Peterowi dłoń!

— Właśnie. Trudno uznać to za czyn człowieka niepewnego lub niezdecydowanego. Co więcej, profesorze, ten człowiek jest przekonany, że może mu pan pomóc. Sprowadził pana do Waszyngtonu. Musiał mieć ważny powód.

— Powiedział, że sądzi, iż pomogę mu otworzyć „portal", bo dowiedział się tego od Petera — przypomniał Langdon.

— Dlaczego Peter Solomon miałby powiedzieć coś takiego, skoro to nieprawda?

— Jestem pewny, że Peter niczego takiego nie powiedział, a jeśli nawet, to zrobił to pod przymusem. Musiał być zdezorientowany albo przerażony.

— Wiem. Nazywają to torturą przesłuchań. To bardzo skuteczna metoda. Tym bardziej utwierdza mnie to w przekonaniu, że pan Solomon powiedział prawdę. — Sato mówiła tak, jakby doskonale znała tę torturę. — Czy wyjaśnił, dlaczego Peter sądził, iż tylko pan może otworzyć ten portal?

Langdon pokręcił głową.

— Profesorze, mam nadzieję, że pana sława jest zasłużona. Pan i Peter Solomon interesujecie się podobnymi sprawami: tajemnicami, ezoterycznymi kartami historii, mistycyzmem i tak dalej. Czy podczas waszych licznych rozmów Peter nigdy nie wspomniał o sekretnym portalu znajdującym się w Waszyngtonie?

Langdon nie przypuszczał, że może być zapytany o coś takiego przez wysokiego funkcjonariusza CIA.

— Jestem tego pewny. Peter i ja rozmawialiśmy o różnych sprawach tajemnych, lecz zapewniam panią, że kazałbym mu się zbadać, gdyby powiedział mi, że gdzieś tu jest ukryty starożytny portal. A tym bardziej portal prowadzący do jakichś prastarych tajemnic.

— Czy ten człowiek powiedział panu, do czego konkretnie miałby on prowadzić? — drążyła Sato.

— Tak, choć nie musiał tego robić. — Langdon wskazał odciętą dłoń. — Dłoń Tajemnic jest oficjalnym zaproszeniem do przejścia przez mistyczne wrota i poznania pradawnej wiedzy tajemnej, potężnej mądrości, zagubionej pradawnej mądrości wszech czasów.

— Zatem słyszał pan o tym, co zdaniem tego człowieka miało tu zostać ukryte?

— Słyszało o tym wielu historyków.

— Jak więc może pan twierdzić, że taki portal nie istnieje?

— Z całym szacunkiem, wszyscy słyszeliśmy o źródle wiecznej młodości i Shangri-la, ale to nie znaczy, że one istnieją.

Przerwał im głośny trzask krótkofalówki Andersona.

— Jest pan tam, szefie? — spytał męski głos.

Anderson odpiął aparat od paska.

— Anderson, słucham!

— Sprawdziliśmy wszystkich gości. Nikt nie odpowiada podanemu rysopisowi. Ma pan inne polecenia?

Anderson spojrzał na Sato, jakby oczekiwał reprymendy, lecz szefowa Biura Bezpieczeństwa sprawiała wrażenie znudzonej. Anderson odszedł na bok, rozmawiając przyciszonym głosem przez krótkofalówkę i zostawiając Langdona i Sato samych.

Sato nadal mierzyła Langdona groźnym spojrzeniem.

— Sądzi pan, że legenda mówiąca, iż w Waszyngtonie coś ukryto, to wymysł?

Langdon skinął głową.

— To bardzo stary mit. Podanie o starożytnej wiedzy tajemnej pochodzi z czasów przedchrześcijańskich. Liczy tysiące lat.

— A mimo to nadal jest żywe?

— Podobnie jak wiele innych, równie nieprawdopodobnych podań.

Langdon zawsze przypominał studentom, że większość współczesnych religii zawiera elementy, które nie wytrzymałyby naukowej analizy. Od Mojżesza rozdzielającego Morze Czerwone po Josepha Smitha, używającego magicznego monokla do dokonania przekładu Księgi Mormonów, spisanej na złotych tabliczkach znalezionych w północnej części stanu Nowy Jork.

Powszechne uznawanie prawdziwości jakiejś idei nie jest dowodem na to, iż jest prawdziwa.

— Rozumiem. A cóż to takiego ta... starożytna wiedza tajemna?

Langdon odetchnął głęboko.

Ma pani kilka tygodni czasu?

— Mówiąc krótko, to wiedza tajemna zgromadzona bardzo dawno temu. Jej najbardziej intrygującą cechą jest to, iż otwiera dostęp do uśpionych zdolności ludzkiego umysłu. Oświeceni adepci, którzy ją posiedli, musieli przysiąc, że nie zdradzą jej nieoświeconym masom, bo uważano ją za zbyt potężną i groźną dla tych, którzy nie przeszli inicjacji.

— W jakim sensie groźną?

— Wiedzę ukrywano z tego samego powodu, z którego chowamy zapałki przed dziećmi. We właściwych rękach ogień dostarcza światło i ciepło, w niepowołanych może się okazać niszczycielską siłą.

Sato zdjęła okulary i uważnie mu się przyjrzała.

— Proszę mi powiedzieć, profesorze, czy naprawdę wierzy pan w istnienie tak potężnej wiedzy?

Langdon nie był pewny, co odpowiedzieć. Pradawne tajemnice były największym paradoksem w jego akademickiej karierze. Niemal każda mistyczna tradycja istniejąca na ziemi obracała się wokół wiedzy tajemnej zdolnej obdarzyć ludzi mistyczną, niemal boską potęgą. Tarot oraz I Ching pozwalały widzieć przyszłość, alchemia dawała nieśmiertelność dzięki legendarnemu kamieniowi filozoficznemu, a wyznawcy neopogańskiej religii wicca wypowiadali potężne zaklęcia. Lista nie ma końca.

Jako naukowiec Langdon nie mógł zaprzeczyć historyczności tych tradycji — istnieniu skarbnicy tekstów, przedmiotów i dzieł sztuki wyraźnie wskazujących, że starożytni posiedli potężną mądrość, którą dzielili się wyłącznie za pomocą alegorii, mitów i symboli, pilnując, by tylko wtajemniczeni mieli dostęp do władzy, jaką dawała. Z drugiej strony, jako realista i sceptyk, Langdon nie był o tym do końca przekonany.

— Powiedzmy, że jestem sceptykiem — rzekł Langdon. — Nigdy nie widziałem niczego, co potwierdzałoby, że starożytna wiedza tajemna to coś więcej niż legenda, wiecznie powracający mitologiczny archetyp. Uważam, że gdyby ludzie posiadali cudowną moc, istniałyby na to dowody. Jednak na kartach historii nie pojawia się żaden człowiek, który by nią dysponował.

Sato uniosła brwi.

— To nie do końca prawda.

Langdon się zawahał, pamiętając, że zdaniem wielu religijnych ludzi istnieli bogowie w ludzkim ciele, choćby sam Jezus.

— Muszę przyznać, że mnóstwo wykształconych ludzi wierzy, iż taka obdarzająca mocą wiedza istnieje, choć ja nie przychylam się do tej koncepcji.

— Czy Peter Solomon do nich należał? — spytała Sato, patrząc na dłoń na posadzce.

Langdon nie potrafił się zmusić do spojrzenia w tamtą stronę.

— Peter pochodzi z rodu, który od zawsze przejawiał zainteresowanie starożytnymi i tajemniczymi sprawami.

— Czy mam to uznać za potwierdzenie?

— Mogę panią zapewnić, że nawet jeśli Peter wierzył w istnienie starożytnych tajemnic, z pewnością nie wierzył, że można do nich dotrzeć przez jakiś portal ukryty gdzieś w Waszyngtonie. Peter rozumie metaforyczność symboli, czego nie można powiedzieć o człowieku, który go porwał.

Sato skinęła głową.

— Sądzi pan, że portal jest metaforą?

— Oczywiście. Przynajmniej w teorii. To bardzo rozpowszechniona metafora, mistyczne wrota, które trzeba przekroczyć, by osiągnąć oświecenie. Portale i drzwi to ogólnie stosowane symbole wskazujące na przemianę związaną z obrzędami przejścia. Szukanie realnego portalu przypominałoby poszukiwanie bram niebios.

Sato zamyśliła się na chwilę.

— Wygląda na to, że porywacz pana Solomona wierzy, iż potrafi pan otworzyć prawdziwy portal — powiedziała wreszcie.

Langdon westchnął.

— Podobny błąd popełniło wielu zelotów, mylących metaforę z dosłownie rozumianą rzeczywistością. Na tej samej zasadzie alchemicy daremnie poszukiwali sposobu przemiany ołowiu w złoto, nie rozumiejąc, że chodzi o metaforę pełnego wykorzystania ludzkiego potencjału. Wzięcia mętnego, pogrążonego w niewiedzy umysłu i przekształcenia go w jasny i oświecony.

Sato wskazała dłoń leżącą na posadzce.

— Skoro ten człowiek chce, aby otworzył pan dla niego jakiś portal, dlaczego nie powie, jak go znaleźć? Po co ta cała dramaturgia? W jakim celu zostawił tu wytatuowaną dłoń?

Langdon zadał już sobie to pytanie i doszedł do niepokojącego wniosku.

— Wygląda na to, że człowiek, z którym mamy do czynienia, jest szaleńcem, ale szaleńcem wykształconym. Dłoń jest dowodem na to, że wie dużo na temat tajemnic oraz reguł tajności. Nie wspominając o historii tej sali.

— Nie rozumiem.

— Wszystko, co zrobił, jest zgodne ze starożytnymi obrzędami. W tradycji Dłoń Tajemnic jest świętym zaproszeniem, dlatego musi zostać przekazana w uświęconym miejscu.

Sato zmrużyła oczy.

— To Rotunda w amerykańskim Kapitolu, profesorze, a nie jakiś święty przybytek pełen mistycznych starożytnych tajemnic.

— Znam wielu historyków, którzy by się z panią nie zgodzili — odparł Langdon.

W tej samej chwili, po drugiej stronie miasta, Trish Dunne siedziała przed plazmowym monitorem migoczącym na ścianie

Sześcianu. Skończyła pisać program i wprowadziła pięć kluczowych słów podanych przez Katherine.

Nic z tego nie będzie.

Mimo to z nadzieją uruchomiła wyszukiwarkę, wcisnęła pole „szukaj" i rozpoczęła ogólnoświatową grę. Program zaczął z ogromną prędkością porównywać wpisane frazy z tekstami na całym świecie, szukając idealnego odpowiednika.

Trish nie miała pojęcia, o co chodzi, lecz zdążyła już zaakceptować to, że pracując z Solomonami, człowiek nigdy nie wie wszystkiego do końca.

Rozdział 20

Robert Langdon zerknął ukradkiem na zegarek. Dziewiętnasta pięćdziesiąt osiem. Nie rozweseliła go nawet twarz Myszki Miki.

Muszę odnaleźć Petera. Tracimy czas.

Sato odeszła na bok, by odebrać telefon, lecz po chwili wróciła.

— Dokądś się pan spieszy, profesorze?

— Nie, proszę pani — odparł Langdon. — Martwię się o Petera.

— Rozumiem. Zapewniam pana, że najlepszym sposobem, by go odnaleźć, jest zrozumieć sposób myślenia człowieka, który go porwał.

Langdon nie był tego pewny, lecz wyczuwał, że nigdzie nie pójdzie, dopóki szefowa Biura Bezpieczeństwa nie dowie się wszystkiego, czego chce się dowiedzieć.

— Przed chwilą zasugerował pan, że ta Rotunda jest w jakimś sensie święta, związana ze starożytnymi tajemnicami.

— Tak.

— Proszę mi to wyjaśnić.

Langdon wiedział, że będzie musiał starannie dobierać słowa. Przez cały semestr prowadził zajęcia poświęcone mistycznym symbolom Waszyngtonu. Tylko w tym jednym gmachu kryje się mnóstwo mistycznych odniesień.

Ameryka ma ukryte dzieje.

Zawsze gdy opowiadał o amerykańskich symbolach, studenci, chcąc nie chcąc, dowiadywali się, że prawdziwe intencje Ojców

Założycieli nie miały nic wspólnego z poglądami głoszonymi przez wielu współczesnych polityków.

Przeznaczenie Ameryki zagubiło się w mroku historii.

Ojcowie Założyciele, którzy postanowili zbudować stolicę, początkowo nazwali ją „Rzym". Przepływającą przez nią rzekę ochrzcili „Tybr", a klasyczne panteony i świątynie, które wznieśli, ozdobili posągami bogów i bogiń: Apolla, Minerwy, Wenus, Heliosa, Wulkana i Jowisza. W centrum, podobnie jak w wielu innych wielkich miastach ery klasycznej, wznieśli pomnik na cześć starożytnych — egipski obelisk. Większy od znajdującego się w Kairze lub Aleksandrii, miał prawie sto siedemdziesiąt metrów wysokości, ponad trzydzieści pięter. Był dowodem wdzięczności i czci dla na wpół boskiego założyciela, od którego stolica wzięła nową nazwę.

Waszyngton.

Kilka wieków później, mimo obowiązującej w Ameryce zasady oddzielenia Kościoła od państwa, utrzymywana z publicznych środków Rotunda dosłownie lśniła od starożytnych symboli religijnych. W sali znajdowało się ponad dwanaście wizerunków różnych bóstw — więcej niż w rzymskim Panteonie.

Oczywiście w 609 roku Panteon został zamieniony w chrześcijańską świątynię, czego nie można powiedzieć o Kapitolu. Świadectwa jego prawdziwych dziejów nadal były wyraźnie widoczne.

— Być może słyszała pani — zaczął Langdon — że Rotunda została wzniesiona jako wyraz hołdu dla jednej z głównych mistycznych świątyń Rzymu, świątyni Westy.

— Tej od westalek? — Sato miała najwyraźniej wątpliwości, czy rzymskie dziewice strzegące domowego ogniska są w jakikolwiek sposób związane z amerykańskim Kapitolem.

— Rzymska świątynia Westy została zbudowana na planie okręgu i miała otwór w posadzce, w którym płonął ogień pilnowany przez westalki dziewice — wyjaśnił Langdon.

Sato wzruszyła ramionami.

— Nasza Rotunda też wznosi się na planie okręgu, lecz nie widzę otworu w posadzce.

— To prawda, już go nie ma, lecz przez wiele lat znajdował się pośrodku sali. Dokładnie tam, gdzie zostawiono dłoń Petera. — Langdon wskazał to miejsce. — Do dziś widać ślady po balustradzie chroniącej przed upadkiem.

— Co?! — wykrzyknęła Sato, przyglądając się marmurowej posadzce. — Nigdy o tym nie słyszałam.

— Wygląda na to, że ma pan rację. — Anderson wskazał krąg żelaznych nitów umieszczonych tam, gdzie kiedyś znajdowały się poprzeczki barierki. — Zauważyłem je wcześniej, ale nie miałem pojęcia, do czego służyły.

Nie ty jeden — pomyślał Langdon, wyobrażając sobie tysiące ludzi, w tym sławnych prawodawców, przechodzących codziennie przez środek Rotundy i nieprzeczuwających, że kiedyś runęliby w dół, do krypty Kapitolu, która znajduje się pod posadzką.

— Otwór został w końcu zamurowany — opowiadał Langdon — lecz przez jakiś czas goście odwiedzający Rotundę mogli rzucić okiem na ogień, który płonął poniżej.

Sato odwróciła się do niego.

— Ogień? W amerykańskim Kapitolu?

— Właściwie była to duża pochodnia, wieczny ogień palący się w krypcie tuż pod nami. Płomień miał być widoczny przez otwór w podłodze, co czyniło tę salę współczesną świątynią Westy. Gmach miał nawet własną „westalkę”... pracownika zatrudnionego przez rząd federalny, którego nazywano Strażnikiem Krypty. Dzięki niemu ogień płonął nieprzerwanie przez pięćdziesiąt lat, dopóki polityka, religia i szkody spowodowane przez dym nie doprowadziły do rezygnacji z tego pomysłu.

Anderson i Sato spojrzeli na niego zdumieni.

— Obecnie jedynym wspomnieniem ognia, który płonął kiedyś w tej sali, jest czteroramienna gwiazda w formie kompasu, wstawiona w posadzkę krypty piętro niżej. Symbol wiecznego blasku Ameryki, który opromieniał cztery krańce Nowego Świata.

— Sugeruje pan, profesorze, że człowiek, który zostawił dłoń Petera, o tym wiedział? — spytała Sato.

— Tak. Sądzę, że wie znacznie więcej. Ta sala jest pełna symboli wyrażających wiarę w tajemną starożytną mądrość.

— Wiedza tajemna — westchnęła Sato z nutką sarkazmu. — Wiedza dająca ludziom boską władzę?

— Tak.

— Nie pasuje mi to do chrześcijańskich korzeni tego kraju.

— A jednak to prawda. Przemiana człowieka w bóstwo określana jest mianem „apoteozy". Chociaż może pani o tym nie wie, motyw przemiany człowieka w boga jest głównym elementem symboliki Rotundy.

— Apoteoza? — Anderson odwrócił się, jakby coś sobie przypomniał.

— Tak. — Anderson tutaj pracuje. Powinien wiedzieć. — „Apoteoza" znaczy dosłownie „boska przemiana", przemiana człowieka w boga. Słowo to powstało z połączenia dwóch starożytnych greckich słów: *apo*, „stać się" i *theos*, „bóg".

Anderson nie krył zdumienia.

— Apoteoza oznacza „stanie się bogiem"? Nie wiedziałem.

— Czyżbym coś przeoczyła? — wtrąciła się Sato.

— Proszę pani, największe malowidło znajdujące się w tym gmachu to *Apoteoza Waszyngtona*. Fresk przedstawia przemianę Jerzego Waszyngtona w boską istotę.

Sato spojrzała na niego niepewnie.

— Nigdy czegoś takiego nie widziałam.

— Jestem pewny, że pani widziała. — Mówiąc to, Langdon uniósł palec wskazujący. — *Apoteoza Waszyngtona* znajduje się nad pani głową.

Rozdział 21

Apoteoza Waszyngtona — pokrywający sklepienie Rotundy Kapitolu fresk o powierzchni ponad czterystu metrów kwadratowych powierzchni fresk — był dziełem Constantina Brumidiego i został ukończony w roku 1865.

Nazywany Michałem Aniołem Kapitolu, Brumidi zgłosił swoje prawa do Rotundy Kapitolu w podobny sposób, w jaki Michał Anioł wziął w posiadanie Kaplicę Sykstyńską — malując fresk na sklepieniu. Podobnie jak Michał Anioł Brumidi pozostawił jedne z najwspanialszych dzieł na terenie Watykanu, jednak w odróżnieniu od swojego poprzednika w 1852 roku wyemigrował do Ameryki, rezygnując z największej świątyni bożej dla amerykańskiego Kapitolu, który lśni teraz dowodami jego kunsztu — od przykładów malarstwa iluzjonistycznego pokrywających Korytarze Brumidiego po fryzowane sklepienie Sali Wiceprezydenckiej.

Robert Langdon spojrzał w górę na ogromny fresk. Zwykle bawiło go obserwowanie zdumionych twarzy studentów oglądających dziwaczne symbole, tym razem jednak czuł się więźniem koszmaru, którego nie rozumiał.

Dyrektor Sato stanęła obok niego. Wpatrywała się w odległe sklepienie, opierając ręce na biodrach i marszcząc czoło. Langdon wyczuł, że zareagowała podobnie jak wielu innych, którzy po raz pierwszy zatrzymali się, aby przeanalizować malowidło umieszczone w samym jądrze narodu.

Była zdezorientowana.

Nie jesteś w tym odosobniona, pomyślał Langdon. Dla większości ludzi *Apoteoza Waszyngtona* staje się tym dziwniejsza, im dłużej się jej przyglądają.

— Na głównym panelu widnieje postać Jerzego Waszyngtona — wyjaśnił Langdon, wskazując środek kopuły ponad pięćdziesiąt metrów nad nimi. — Jak państwo widzą, ma na sobie białą szatę. W otoczeniu trzynastu dziewic wznosi się na obłoku ponad zwykłych śmiertelników. To chwila jego apoteozy, przemiany w bóstwo.

Sato i Anderson milczeli.

— Obok — ciągnął Langdon — widać dziwne anachroniczne postacie: starożytnych bogów symbolizujących Ojców Założycieli, posiadających ogromną wiedzę. Bogini Minerwa daje natchnienie wielkim amerykańskim wynalazcom: Beniaminowi Franklinowi, Robertowi Fultonowi i Samuelowi Morse'owi. — Langdon wskazywał ich po kolei. — A oto Wulkan, pomagający skonstruować silnik parowy. Obok nich widnieje Neptun, który pokazuje, jak położyć kabel transatlantycki. Tutaj mamy Ceres, boginię zboża. To od niej pochodzi angielskie słowo *cereal**. Bogini siedzi na żniwiarce McCormicka... maszynie, dzięki której nasz kraj stał się liderem w dziedzinie produkcji rolnej. Autor fresku zupełnie otwarcie ukazuje, że Ojcowie Założyciele otrzymali mądrość od bogów. — Langdon opuścił głowę, spoglądając na Sato. — Wiedza to potęga. Właściwa wiedza pozwala ludziom dokonywać cudów, dzieł niemal boskich.

Szefowa Biura Bezpieczeństwa też opuściła głowę i popatrzyła na Langdona, rozcierając kark.

— Położenie kabla telefonicznego na dnie Atlantyku trudno uznać za boskie dzieło — mruknęła.

— Współczesny człowiek myśli tak jak pani — odparł Langdon. — Gdyby jednak Waszyngton wiedział, że będziemy rozmawiali ze sobą przez ocean, poruszali się w powietrzu z prędkością dźwięku i postawimy stopę na Księżycu, uznałby, że naprawdę staliśmy się bogami zdolnymi czynić cuda. — Przerwał na chwilę. — Mówiąc słowami futurologa Arthura C. Clarke'a,

---

* *Cereal* (ang.) — „płatki zbożowe".

„wysoko zaawansowanej technologii nie sposób odróżnić od magii".

Sato wydęła wargi i zamyśliła się. Popatrzyła na odciętą dłoń, po czym podążyła spojrzeniem do miejsca, które wskazywał palec.

— Profesorze, ten człowiek powiedział panu: „Peter wskaże drogę". Czy tak?

— Tak, ale...

— Komendancie — Sato odwróciła się od Langdona — czy można obejrzeć fresk z bliska?

Anderson skinął głową.

— Pod kopułą biegnie pomost.

Langdon podniósł głowę, spoglądając na małą barierkę poniżej malowidła. Poczuł, że drętwieje ze strachu.

— Nie ma takiej potrzeby. — Wybrał się tam kiedyś jako gość pewnego amerykańskiego senatora i jego małżonki. O mało nie zemdlał z powodu zawrotnej wysokości i niebezpiecznej wspinaczki.

— Jak to, nie ma potrzeby? — syknęła Sato. — Profesorze, ten człowiek wierzy, że Rotunda kryje portal, dzięki któremu może stać się bogiem. Odnaleźliśmy fresk symbolizujący przemianę człowieka w bóstwo, mamy też dłoń, która go wskazuje. Wszystko wzywa nas na górę.

— Choć niewielu o tym wie — wtrącił się Anderson — w sklepieniu jest sześciokątny kaseton, który otwiera się jak... portal. Można spojrzeć przez niego w dół i...

— Chwileczkę — przerwał mu Langdon — o czymś pan zapomniał. Ten portal ma znaczenie przenośne. Żadna brama nie istnieje. Mówiąc: „Peter wskaże drogę", ten człowiek wyrażał się metaforycznie. Gest dłoni, z palcem wskazującym i kciukiem uniesionymi ku górze, jest powszechnie znanym symbolem starożytnej wiedzy tajemnej. Symbolem występującym w całej starożytnej sztuce. Ten sam gest pojawia się na trzech najsławniejszych obrazach Leonarda da Vinci, które zawierają ukryte przesłanie: *Ostatniej Wieczerzy, Pokłonie Trzech Króli* i *Janie Chrzcicielu.* To znak mistycznej więzi łączącej człowieka z bogiem.

„Jak w górze, tak i na dole". Dziwaczne słowa szaleńca zaczynały nabierać sensu.

— Nigdy wcześniej go nie widziałam — powiedziała Sato.

Wystarczy włączyć kanał sportowy ESPN — pomyślał Langdon, który zawsze z rozbawieniem obserwował, jak po przyłożeniu lub dobiegnięciu do bazy sportowcy wykonują gest w stronę nieba, chcąc okazać wdzięczność Bogu. Był ciekaw, ilu z nich wie, że uznając istnienie mistycznej siły wyższej, która na krótką chwilę przemieniła ich w bóstwo zdolne dokonywać wspaniałych czynów, kontynuują przedchrześcijańską tradycję mistyczną.

— Jeśli mogę coś dodać... — rzekł Langdon. — Dłoń Petera nie jest pierwszą, która pojawiła się w Rotundzie.

Sato spojrzała na niego, jakby zwariował.

— Przepraszam, chyba nie dosłyszałam.

Langdon wskazał jej telefon BlackBerry.

— Proszę wpisać w wyszukiwarce Google „Jerzy Waszyngton, Zeus".

Miała wątpliwości, lecz zaczęła wstukiwać litery. Anderson przysunął się bliżej, z zapartym tchem zaglądając jej przez ramię.

— Wnętrze Rotundy było kiedyś zdominowane przez potężną rzeźbę przedstawiającą Jerzego Waszyngtona z odsłoniętym torsem, ukazanego na podobieństwo boga. Siedział w tej samej pozie co Zeus w Panteonie: obnażona klatka piersiowa, miecz w lewej ręce, prawa dłoń uniesiona, z palcem wskazującym i kciukiem uniesionymi ku górze.

Sato najwyraźniej odnalazła zdjęcie w Internecie, bo Anderson zaszokowany wpatrywał się w ekran telefonu.

— Zaraz, to ma być Jerzy Waszyngton?

— Tak — odparł Langdon. — Ukazany jako Zeus.

— Spójrzcie na jego dłoń — wyjąkał Anderson, nie przestając zaglądać Sato przez ramię. — Prawa dłoń wykonuje taki sam gest jak dłoń pana Solomona.

Przecież powiedziałem, że dłoń Petera nie jest pierwszą, która pojawiła się w tej sali — pomyślał Langdon. Kiedy w Rotundzie został odsłonięty posąg dłuta Horatia Greenougha, wielu żartowało, że Waszyngton rozpaczliwie sięga do nieba w poszukiwaniu jakiegoś przyodziewku. Później amerykańskie ideały religijne się zmieniły i miejsce szyderczej krytyki zajęło zgorszenie. Rzeźba została usunięta i trafiła na wygnanie do szopy we wschodnim ogrodzie. Obecnie znajduje się w Smithsoniańskim

Muzeum Narodowym Historii Ameryki, a zwiedzający nie mieli powodu podejrzewać, że kiedyś stanowiła jedno z ostatnich ogniw łączących dzieje tego kraju z czasami, gdy Ojciec Założyciel czuwał nad amerykańskim Kapitolem niczym bóg, Zeus strzegący Panteonu.

Sato wybrała jakiś numer, najwyraźniej uznając, że nadeszła odpowiednia chwila, by skonsultować się ze swoimi ludźmi.

— Co macie? — Przez chwilę słuchała cierpliwie. — Rozumiem... — Spojrzała na Langdona, po czym przeniosła wzrok na dłoń Petera. — Jesteś pewny? — Milczała przez kilka sekund. — W porządku, dziękuję. — Rozłączyła się i znów popatrzyła na Langdona. — Moi pracownicy potwierdzili istnienie Dłoni Tajemnic. Potwierdzili wszystko, co pan powiedział: pięć znaków na czubkach palców: gwiazda, słońce, klucz, korona i latarnia. Potwierdzili również, że pełniła ona funkcję starożytnego zaproszenia do poznania wiedzy tajemnej.

— Cieszę się — mruknął Langdon.

— Za wcześnie — odpowiedziała szorstko. — Wygląda na to, że utknęliśmy w ślepej uliczce. Czy powiedział nam pan wszystko?

— Nie rozumiem.

Sato podeszła bliżej.

— Zatoczyliśmy koło, profesorze. Nie powiedział mi pan niczego, czego nie mogłabym się dowiedzieć od moich ludzi. Spytam jeszcze raz: dlaczego pana tu sprowadzono? Co sprawia, że jest pan tak wyjątkowy? O czym wie tylko pan?

— Przecież już to przerabialiśmy! — prychnął Langdon. — Nie mam pojęcia, dlaczego ten szaleniec myśli, że coś wiem!

Miał ochotę zapytać, skąd wiedziała, że będzie tej nocy w Kapitolu, lecz to również przerabiali.

Sato nic mi nie powie.

— Gdybym znał następny krok, powiedziałbym pani — zapewnił. — Ale nie znam. Zwykle to nauczyciel kieruje Dłoń Tajemnic do ucznia. Później przekazuje mu szereg poleceń wskazujących drogę do świątyni oraz imię mistrza, który go czegoś nauczy! Ten człowiek pozostawił nam tylko pięć tatuaży! Trudno sądzić... — nagle urwał.

Sato spojrzała na niego w napięciu.

— Trudno sądzić?

Langdon popatrzył na dłoń.

Pięć tatuaży.

Zrozumiał, że oprócz nich może być coś więcej.

— Profesorze?

Langdon pochylił się nad ręką. „Peter wskaże drogę".

— Przyszło mi na myśl, że ten człowiek mógł zostawić w zaciśniętej dłoni Petera jakiś przedmiot. Mapę, list, jakieś wskazówki...

— Nie zrobił tego — odparł Anderson. — Widzi pan, że palce nie są mocno zaciśnięte.

— Ma pan rację. Ale wydaje mi się... — Langdon przykucnął, próbując spojrzeć na skórę dłoni ukrytą pod palcami. — Może nie zapisano ich na papierze.

— Sądzi pan, że je wytatuował? — spytał Anderson.

Langdon skinął głową.

— Widzi pan jakieś znaki na dłoni? — dopytywała się Sato.

Langdon pochylił się jeszcze niżej, próbując zajrzeć pod lekko zakrzywione palce.

— Pod tym kątem nic nie widać. Nie mogę...

— Na Boga! — wykrzyknęła Sato, przysuwając się do niego. — Proszę odgiąć te przeklęte palce!

Anderson zastąpił jej drogę.

— Proszę pani! Powinniśmy zaczekać na przyjazd zespołu kryminalistycznego, nie wolno niczego dotykać, dopóki...

— Potrzebuję odpowiedzi. — Sato odepchnęła go, przykucnęła, odsuwając Langdona od dłoni.

Langdon wstał i patrzył, jak Sato wyjmuje długopis i wsuwa go ostrożnie pod trzy zaciśnięte palce, a następnie jeden po drugim wolno unosi do góry. Po chwili dłoń była otwarta, a jej wnętrze dobrze widoczne.

Podniosła głowę i spojrzała z uśmiechem na Langdona.

— Znów miał pan rację, profesorze.

Rozdział 22

Katherine Solomon przemierzała bibliotekę. Co chwila odsuwała rękaw fartucha i spoglądała na zegarek. Choć nie była przyzwyczajona do czekania, miała wrażenie, że cały jej świat stanął w miejscu. Czekała na wyniki poszukiwań Trish i wieści od brata. Czekała też na telefon od mężczyzny, który był odpowiedzialny za całe to zamieszanie.

Szkoda, że mi nie powiedział — pomyślała. Katherine bardzo ostrożnie nawiązywała nowe znajomości, lecz choć poznała go dopiero tego popołudnia, w ciągu zaledwie kilku minut zdobył jej zaufanie. Całkowite zaufanie.

Zadzwonił do niej w niedzielne popołudnie, kiedy jak zwykle oddawała się przyjemności przeglądania pism naukowych.

— Panna Solomon? — spytał nonszalancki głos. — Mówi doktor Christopher Abaddon. Czy mógłbym porozmawiać z panią na temat jej brata?

— Przepraszam, kto mówi? — zapytała.

Skąd ma numer mojej prywatnej komórki?

— Doktor Christopher Abaddon.

Katherine nie przypominała sobie tego nazwiska.

Mężczyzna odchrząknął, jakby sytuacja stała się niezręczna.

— Przepraszam, panno Solomon. Miałem wrażenie, że brat wspomniał pani o mnie. Jestem jego lekarzem. Otrzymałem pani numer jako osoby, z którą mam się skontaktować w razie nagłego wypadku.

Serce Katherine zabiło gwałtownie.

Nagłego wypadku?
— Czy coś się stało?
— Nie... nie sądzę. Pani brat nie przyszedł dziś rano na umówioną wizytę. Nie ma go pod żadnym z numerów. Nigdy nie opuszcza wizyty bez uprzedzenia. Jestem trochę zaniepokojony, nic więcej. Wahałem się, czy do pani zadzwonić...
— Nic się nie stało, doceniam pańską troskę. — Katherine wciąż próbowała skojarzyć nazwisko lekarza. — Nie rozmawiałam z bratem od wczoraj rana. Pewnie zapomniał włączyć komórkę.
Katherine podarowała mu niedawno nowy telefon iPhone, więc pewnie nie miał czasu się z nim zapoznać.
— Powiedział pan, że jest lekarzem Petera? — upewniła się. Czy jest chory, ale mi o tym nie powiedział?
Zapadło dłuższe milczenie.
— Strasznie mi przykro, popełniłem poważny błąd, dzwoniąc do pani. Peter powiedział mi, że wie pani, iż on się u mnie leczy, choć wyczuwam, że jest inaczej.
Mój brat miałby okłamać lekarza?
Katherine była coraz bardziej zaniepokojona.
— Czy jest chory?
— Przepraszam, panno Solomon, ale tajemnica lekarska zakazuje mi rozmawiania o stanie zdrowia pani brata. Już i tak powiedziałem za dużo, informując, że jest moim pacjentem. Muszę kończyć. Jeśli brat się dziś odezwie, proszę mu powiedzieć, żeby do mnie zadzwonił. Chciałbym wiedzieć, czy wszystko jest w porządku.
— Proszę zaczekać! — zawołała Katherine. — Co dolega Peterowi?
Doktor Abaddon odetchnął głęboko, nie kryjąc niezadowolenia z tego, iż popełnił błąd.
— Panno Solomon, słyszę niepokój w pani głosie. Nie dziwię się, ale jestem pewny, że pani bratu nic nie jest. Wczoraj u mnie był.
— Wczoraj? I umówił się na dzisiaj? Czy sprawa jest aż tak nagląca?
Abaddon westchnął.
— Myślę, że powinniśmy zaczekać, aż...

— Jestem w okolicy — rzuciła Katherine, idąc do drzwi. — Pod jakim adresem pan przyjmuje?

Milczenie.

— Doktorze Abaddon? Sama mogę znaleźć pański adres. Czy nie byłoby prościej, gdyby mi pan go podał? Tak czy owak, jadę do pana.

— Czy jeśli zgodzę się z panią spotkać, panno Solomon, wyświadczy mi pani uprzejmość i nie powie o niczym bratu, dopóki nie będę miał okazji naprawić błędu?

— Obiecuję.

— Dziękuję. Mam gabinet w Kalorama Heights.

Podał jej adres.

Dwadzieścia minut później Katherine Solomon kluczyła ulicami Kalorama Heights. Zadzwoniła pod wszystkie numery brata — bez skutku. Choć nigdy nie miała powodu, by przejmować się tym, co się dzieje z Peterem, to to, że w tajemnicy chodzi do lekarza, było niepokojące.

Kiedy w końcu znalazła właściwy adres, ze zdumienia otworzyła szeroko oczy.

To ma być gabinet lekarski?

Rozległa rezydencja otoczona była ogrodzeniem z kutego żelaza. Katherine zauważyła kamery i gęste krzaki. Zwolniła, aby jeszcze raz sprawdzić adres. Jedna z kamer skierowała się w jej stronę i brama otworzyła się na oścież. Ruszyła niepewnie podjazdem i zaparkowała obok garażu na sześć samochodów i długiej limuzyny.

Co to za lekarz?

Kiedy wysiadła z auta, drzwi frontowe się otworzyły i na podeście stanął elegancki mężczyzna. Był przystojny, bardzo wysoki i młodszy, niż się spodziewała. Mimo to zachowywał się w sposób typowy dla starszego człowieka — szarmancko i dostojnie. Miał na sobie czarny garnitur i krawat, a jego gęste jasne włosy były starannie ułożone.

— Panno Solomon, jestem doktor Christopher Abaddon — powiedział tak cicho, że był to właściwie szept. Kiedy podali sobie dłonie, wyczuła, że jego skóra jest miękka i wypielęgnowana.

— Katherine Solomon — odpowiedziała, próbując nie patrzeć na jego twarz, która była niezwykle gładka i brązowa.

Czyżby robił sobie makijaż?

Poczuła narastający niepokój, gdy weszła do pięknie urządzonego holu. Z głębi domu dobiegały dźwięki muzyki klasycznej, a unoszący się zapach przypominał woń kadzidła.

— Pięknie tu — zauważyła. — Choć muszę przyznać, że spodziewałam się czegoś bardziej przypominającego... gabinet.

— Mam szczęście pracować we własnym domu. — Gospodarz zaprowadził ją do salonu z kominkiem, w którym trzaskał ogień. — Proszę się rozgościć, zaparzę herbatę. Za chwilę ją przyniosę i będziemy mogli porozmawiać.

Zniknął za drzwiami.

Katherine Solomon nie usiadła. Kobieca intuicja to potęga, a ona nauczyła się jej ufać. Coś w tym domu sprawiało, że dostawała dreszczy. Żaden element wystroju wnętrza nie przypominał gabinetu lekarskiego. Ściany salonu umeblowanego antykami zdobiły dzieła sztuki, głównie obrazy o dziwnej mitycznej tematyce. Zatrzymała się przed dużym płótnem przedstawiającym *Trzy Gracje*, których nagie ciała namalowano żywymi barwami.

— To obraz olejny Michaela Parkesa. Oryginał. — Doktor Abaddon nagle stanął obok niej, trzymając tacę z dzbankiem parującej herbaty. — Pomyślałem, że usiądziemy przy ogniu. Nie ma powodu się denerwować.

— Nie jestem zdenerwowana — zapewniła pospiesznie Katherine.

Uśmiechnął się uspokajająco.

— Moja praca polega na tym, by wiedzieć, kiedy ludzie są zdenerwowani.

— Przepraszam.

— Jestem psychiatrą, panno Solomon. To mój zawód. Spotykam się z pani bratem prawie od roku. Jestem jego terapeutą.

Katherine spojrzała na niego zdumiona.

Mój brat poddaje się psychoterapii?

— Pacjenci często nie ujawniają bliskim, że chodzą na terapię — wyjaśnił doktor Abaddon. — Popełniłem błąd, dzwoniąc do pani. Na swoją obronę mogę tylko powiedzieć, że pani brat nie powiedział mi prawdy.

— Nie... nie miałam o niczym pojęcia.

— Przepraszam, że panią zdenerwowałem. — Lekarz wyglądał na zmieszanego. — Zauważyłem, że przyglądała się pani mojej twarzy. Tak, mam makijaż. — Z wyraźnym zażenowaniem dotknął policzka. — Cierpię na chorobę skóry. Wolę to ukrywać. Zwykle żona nakłada mi makijaż, lecz gdy jej nie ma, jestem zdany na własne niezgrabne ręce.

Katherine skinęła głową, zbyt zakłopotana, by coś powiedzieć.

— A te piękne włosy... — musnął palcami bujną jasną czuprynę — to peruka. Choroba skóry dotknęła także mieszki włosowe. Straciłem wszystkie. — Wzdrygnął się. — Obawiam się, że to jeden z przejawów mojej próżności.

— Przepraszam, że byłam nieuprzejma — wybąkała Katherine.

— Skądże. — Doktor Abaddon uśmiechnął się rozbrajająco. — W takim razie zacznijmy od początku. Mogę poczęstować panią herbatą?

Kiedy usiedli przed kominkiem, Abaddon napełnił filiżanki.

— Brat pani sprawił, że zacząłem podawać herbatę podczas naszych sesji. Powiedział, że Solomonowie są miłośnikami herbaty.

— To rodzinna tradycja — potwierdziła Katherine. — Proszę bez mleka.

Pili herbatę i rozmawiali swobodnie przez kilka minut, lecz Katherine niecierpliwiła się, bo chciała wreszcie usłyszeć coś na temat brata.

— Dlaczego Peter do pana przychodzi? — zapytała.

I dlaczego mi o tym nie wspomniał? Trzeba przyznać, że przeżył wiele tragedii. Gdy był młody, stracił ojca, a później, w ciągu zaledwie pięciu lat, pochował jedynego syna i jego matkę. Mimo to zawsze dobrze sobie radził.

Doktor Abaddon upił łyk herbaty.

— Pani brat przyszedł do mnie, ponieważ mi ufał. Spaja nas więź silniejsza od tej, która zwykle łączy pacjenta z lekarzem.

Wskazał dokument oprawiony w ramkę wiszący obok kominka. Wyglądał jak dyplom, Katherine dostrzegła jednak dwugłowego Feniksa.

— Jest pan masonem?

Z pewnością ma najwyższy stopień wtajemniczenia.

— Peter i ja jesteśmy kimś w rodzaju braci.

— Musiał pan dokonać czegoś ważnego, skoro otrzymał trzydziesty trzeci stopień wtajemniczenia.

— Niezupełnie. Odziedziczyłem spore pieniądze i ofiarowałem znaczne kwoty na działalność dobroczynną masonów.

Katherine zrozumiała, dlaczego brat zaufał temu młodemu lekarzowi.

Mason mający rodzinną fortunę, zainteresowany działalnością dobroczynną i mitologią?

Doktora Abaddona łączy z Peterem więcej, niż z początku sądziła.

— Kiedy spytałam, dlaczego brat pana odwiedza, nie miałam na myśli, dlaczego wybrał akurat pana. Chodziło mi o to, dlaczego zwrócił się o pomoc do psychiatry — wyjaśniła.

Doktor Abaddon uśmiechnął się ciepło.

— Wiem, próbowałem grzecznie uchylić się przed tym pytaniem. Nie powinienem rozmawiać z panią na ten temat. — Przerwał na chwilę. — Z drugiej strony, jestem zdumiony, że brat nie wspomniał pani o naszych rozmowach, zważywszy na to, że miały związek z pani badaniami.

— Moimi badaniami? — spytała zdezorientowana Katherine. Peter rozmawiał z nim o moich badaniach?

— Brat pani zasięgał niedawno mojej opinii w kwestii psychologicznych skutków pani przełomowych badań.

Katherine o mało nie zakrztusiła się herbatą.

— Naprawdę? Jestem... zdumiona — wyjąkała.

O co mu chodziło? Rozmawiał z psychiatrą o mojej pracy?

Zasady bezpieczeństwa, które przyjęli, zabraniały rozmawiania z kimkolwiek o tym, czym się zajmuje. Co więcej, to Peter nalegał na trzymanie wszystkiego w tajemnicy.

— Wiem, że zdaje sobie pani sprawę, iż Peter jest głęboko zatroskany tym, co się stanie, jeśli wyniki pani badań ujrzą światło dzienne. Przewidywał, że może dojść do poważnej zmiany poglądów filozoficznych na całym świecie. Odwiedzał mnie, aby rozmawiać o możliwych skutkach z punktu widzenia psychologii.

— Rozumiem — mruknęła, trzymając filiżankę w drżących dłoniach.

— Pytania, o których rozmawialiśmy, stanowiły duże wyzwanie. Czy sytuacja człowieka się zmieni, gdy zostanie wyjaśniona wielka zagadka życia? Co się stanie, gdy to, co przyjmujemy na wiarę, nagle stanie się dowiedzionym faktem? Lub zostanie uznane za mit i obalone? Ktoś może twierdzić, że istnieją pytania, które lepiej pozostawić bez odpowiedzi.

Katherine nie mogła uwierzyć własnym uszom, mimo to panowała nad emocjami.

— Mam nadzieję, że nie poczuje się pan urażony, doktorze Abaddon, jednak wolałabym nie rozmawiać o szczegółach mojej pracy. Nie zamierzam w najbliższym czasie niczego ogłaszać. Moje odkrycia pozostają bezpieczne, zamknięte za drzwiami laboratorium

— Interesujące. — Abaddon odchylił się w fotelu, na chwilę pogrążając się w zadumie. — Nawiasem mówiąc, poprosiłem pani brata, aby dzisiaj się ze mną spotkał, bo przeszedł coś w rodzaju załamania. W takich okolicznościach wolę, by pacjent...

— Załamania? — Serce Katherine zaczęło mocniej bić. — Załamania nerwowego? — Nie wyobrażała sobie, by coś takiego mogło spotkać Petera.

Abaddon pochylił się w jej stronę z wyraźną troską.

— Proszę... widzę, że jest pani zdenerwowana. Przykro mi. Zważywszy na dziwne okoliczności, rozumiem, że może pani domagać się odpowiedzi na kilka pytań.

— Czy jest tak, czy nie, Peter to jedyny członek rodziny, który mi został. Nikt nie zna go lepiej niż ja. Jeśli powie mi pan, co się tu, do cholery, dzieje, może będę mogła panu pomóc. Chcemy tego samego. Tego, co najlepsze dla Petera.

Doktor Abaddon milczał przez dłuższą chwilę, po czym zaczął powoli kiwać głową, jakby Katherine poruszyła jakąś istotną kwestię.

— Tytułem wyjaśnienia powiem, że jeśli zdecyduję się przekazać pani tę informację, zrobię to wyłącznie dlatego, że pani obserwacje mogą mi pomóc w opiece nad Peterem — odezwał się w końcu.

— To oczywiste!

Abaddon pochylił się do przodu, opierając łokcie na kolanach.

— Od początku miałem wrażenie, że pani brat zmaga się z silnym poczuciem winy. Nigdy go o to nie wypytywałem, bo nie w tym celu do mnie przyszedł. Mimo to wczoraj, z kilku powodów, go o to spytałem. — Abaddon spojrzał jej głęboko w oczy. — Peter otworzył się przede mną w sposób dramatyczny i nieoczekiwany. Wyjawił mi rzeczy, których nie spodziewałem się usłyszeć... opowiedział o tym, co wydarzyło się w noc śmierci waszej matki.

Zmarła w Boże Narodzenie, prawie dziesięć lat temu. Na moich rękach — przemknęło Katherine przez głowę.

— Powiedział mi, że pani matka została zamordowana podczas próby włamania do waszego domu. Jakiś człowiek wdarł się do środka, szukając czegoś, co Peter miał rzekomo ukryć.

— To prawda.

Abaddon wpatrywał się w Katherine.

— Peter powiedział mi, że postrzelił go w głowę.

— Tak.

Doktor Abaddon potarł brodę.

— Czy przypomina pani sobie, czego szukał włamywacz?

Od dziesięciu lat na próżno próbowała odblokować pamięć.

— Szukał jakiegoś przedmiotu. Niestety, żadne z nas nie wiedziało, o co mu chodzi. Jego żądania nie miały dła nas najmniejszego sensu.

— Dla pani brata miały.

— Tak? — Katherine wyprostowała się na krześle.

— Wnioskując z tego, co mi wczoraj wyjawił, Peter dokładnie wiedział, czego szukał włamywacz. Mimo to nie chciał mu tego dać, więc udawał, że nie rozumie.

— To jakiś absurd! Peter nie mógł wiedzieć, czego tamten chciał. Jego żądania nie miały najmniejszego sensu!

— Interesujące. — Abaddon zamilkł na chwilę, by coś zanotować. — Jak już wspomniałem, Peter powiedział mi, że wiedział, czego włamywacz szukał. Sądzi, że gdyby z nim współpracował, wasza matka by żyła. Decyzja, którą wtedy podjął, sprawiła, że wciąż ma poczucie winy.

Katherine pokręciła głową.

— To jakiś obłęd...

Abaddon wyglądał na szczerze zatroskanego.

— Panno Solomon, dziękuję za cenne informacje. Boję się, że pani brat stracił kontakt z rzeczywistością. Muszę przyznać, że się tego obawiałem. Właśnie dlatego poprosiłem, żeby do mnie przyszedł. Urojenia związane z traumatycznymi wspomnieniami nie są niczym niezwykłym.

Znów pokręciła głową.

— Peter nie ma urojeń, doktorze Abaddon...

— Byłbym skłonny się z panią zgodzić, gdyby nie...

— Gdyby nie co?

— Gdyby nie stwierdzenie, że tamta napaść była zaledwie początkiem... epizodem w długiej opowieści sięgającej daleko w przeszłość, którą był łaskaw się ze mną podzielić.

Katherine pochyliła się w fotelu.

— O czym panu powiedział?

Abaddon uśmiechnął się smutno.

— Proszę pozwolić, że o coś panią zapytam. Panno Solomon, czy brat kiedykolwiek rozmawiał z panią o tym, co jego zdaniem zostało ukryte na terenie Waszyngtonu albo o roli, jaką według niego odgrywa to w chronieniu wielkiego skarbu, zapomnianej starożytnej mądrości?

Katherine otworzyła usta ze zdumienia.

— Co pan wygaduje?

Doktor Abaddon westchnął głęboko.

— To, czego dowie się pani za chwilę, może się wydać nieco szokujące... Katherine. — Spojrzał jej w oczy. — Bardzo mi pani pomoże, dzieląc się wszystkim, co wie na ten temat. — Sięgnął po jej filiżankę. — Jeszcze herbaty?

Rozdział 23

Kolejny tatuaż.

Zdenerwowany Langdon przykucnął obok otwartej dłoni Petera, wpatrując się w siedem małych znaków ukrytych pod pozbawionymi życia, zaciśniętymi palcami.

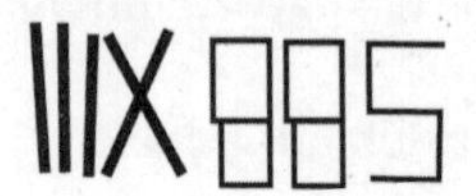

— Przypominają liczby — stwierdził zdumiony — chociaż ich nie rozpoznaję.

— Pierwszy znak wygląda jak cyfra rzymska — zauważył Anderson.

— Nie sądzę... — mruknął Langdon. — Nie istnieje cyfra rzymska, która tak wygląda. Siódemkę zapisano by jako piątkę i dwie jedynki.

— A pozostałe znaki? — chciała wiedzieć Sato.

— Nie mam pewności. Może to liczba osiemset osiemdziesiąt pięć zapisana cyframi arabskimi.

— Arabskimi? — zdziwił się Anderson. — Przypominają normalne cyfry.

— Posługujemy się właśnie cyframi arabskimi. — Langdon musiał tak często tłumaczyć to studentom, że w końcu przygotował wykład na temat odkryć naukowych dokonanych przez ludy z obszaru Bliskiego Wschodu. Jednym z nich były stosowane do dziś cyfry arabskie, przewyższające rzymskie „pozycyjnym" zapisem i cyfrą zero. Oczywiście zawsze kończył wykład przypomnieniem, że ludzkość zawdzięcza kulturze arabskiej także słowo *al-uhl*, oznaczające ulubiony napój studentów pierwszego roku, współcześnie nazywany alkoholem.

Zdumiony Langdon wpatrywał się w tatuaż.

— Nie jestem nawet pewien, czy ten znak to osiem-osiem-pięć. Nie przypomina to pisma linearnego. Te znaki mogą w ogóle nie być cyframi.

— Czym w takim razie są? — zapytała Sato.

— Nie wiem. Ten tatuaż przypomina pismo... runiczne.

— Jakie jest jego znaczenie? — drążyła Sato.

— Alfabet runiczny składa się ze znaków utworzonych z prostych linii. Litery, nazywane runami, często rzeźbiono w kamieniu. Były proste, bo krzywe trudniej wyryć.

— Jeśli to znaki runiczne, to co oznaczają?

Langdon pokręcił głową. Znał tylko podstawowy alfabet runiczny — alfabet Fupark, mający teutoński rodowód. To, co widział przed sobą, z pewnością nie zostało zapisane takimi znakami.

— Szczerze mówiąc, nie mam nawet pewności, że to runy. Trzeba zasięgnąć opinii specjalisty. Istnieje wiele rodzajów alfabetu runicznego — Hälsinge, Manx, „kropkowy" Stungnar...

— Peter Solomon jest masonem, czy tak? — spytała Sato.

Langdon zamyślił się na dłuższą chwilę.

— Tak, ale jaki to ma związek z tym napisem?

Wyprostował się i teraz górował nad drobną kobietą.

— Niech pan mi to powie. Powiedział pan przed chwilą, że alfabety runiczne stosowano, by żłobić znaki w kamieniu. O ile pamiętam, dawni masoni byli budowniczymi, wznosili kamienne budowle. Wspominam o tym tylko dlatego, że poprosiłam moich pracowników o zbadanie związków łączących Dłoń Tajemnic i Petera Solomona. Wyszukiwarka znalazła między innymi to hasło. — Przerwała, by podkreślić wagę swojego odkrycia. — „Masoni".

Langdon westchnął głęboko, zwalczając pragnienie powiedzenia Sato tego, co wciąż powtarzał studentom: „Słowo »Google« nie jest synonimem »badania naukowego«. W dzisiejszych czasach zakrojone na globalną skalę poszukiwania słów kluczy sugerują, że wszystko jest ze wszystkim powiązane. Świat stał się jedną splecioną siecią informacji, która z każdym dniem staje się coraz gęstsza.

— Nie jestem zaskoczony, że pani pracownicy dotarli do „masonów" — odparł cierpliwie. — To oczywiste ogniwo łączące Petera Solomona i wiele ezoterycznych tematów.

— Tak, dlatego tym bardziej zdumiewa mnie, że nie wspomniał pan dotąd o masonach. Mówimy w końcu o tajemnej mądrości, na której straży stoi kilku oświeconych. Czy nie kojarzy się to z masonami?

— Tak... oprócz nich także z różokrzyżowcami, kabalistami, alumbrados* i innymi ezoterycznymi grupami.

— Peter Solomon jest masonem, i to bardzo wpływowym. Rozmawiamy o tajemnicach, a wszyscy wiedzą, że masoni uwielbiają sekrety.

Wydało mu się, że słyszy w jej głosie brak zaufania, z którym nie zamierzał się konfrontować.

— Jeśli chce się pani dowiedzieć czegoś o masonach, powinna pani spytać jednego z nich.

— Wolałabym spytać kogoś, do kogo mam zaufanie — odcięła się Sato.

Langdon uznał jej słowa za obraźliwe i świadczące o ignorancji.

— Między nami mówiąc, cała filozofia masońska opiera się na prawości i uczciwości. Nie wiem, czy spotka pani kogoś bardziej godnego zaufania od nich.

— Dysponuję przekonującymi dowodami, wskazującymi na coś wręcz odwrotnego.

Langdon z każdą chwilą coraz mniej lubił dyrektor Sato. Poświęcił wiele lat badaniu bogatej masońskiej ikonografii i symboliki, wiedział więc, że wolnomularze zawsze byli jedną z najbardziej niezrozumianych i fałszywie oskarżanych organizacji na świecie. Wciąż posądzani o najróżniejsze rzeczy, od kultu szatana po dążenie do utworzenia globalnego rządu, masoni nie mieli w zwyczaju odpowiadać krytykom, co czyniło ich łatwym celem.

---

* Alumbrados (hiszp.) — „oświeceni", członkowie hiszpańskiego ruchu mistycznego z XVI i XVII wieku.

— Tak czy owak, znów jesteśmy w impasie, Langdon. Albo pan coś przeoczył, albo o czymś mi nie powiedział. Człowiek, z którym mamy do czynienia, twierdzi, że Peter Solomon wybrał właśnie pana. — Zmierzyła go lodowatym spojrzeniem. — Myślę, że pora przenieść tę rozmowę do kwatery CIA. Może tam szczęście nam dopisze.

Langdon nie zwrócił uwagi na tę groźbę, bo Sato powiedziała coś, co dało mu do myślenia. „Peter Solomon wybrał właśnie pana". Ta uwaga, w połączeniu z aluzją do masonów, wywarła na niego dziwny wpływ. Spojrzał na masoński pierścień tkwiący na palcu Petera. Był to jeden z przedmiotów szczególnie drogich Peterowi — rodzinna pamiątka z dwugłowym Feniksem. Najważniejszy mistyczny symbol wiedzy masońskiej. Złoto lśniło w świetle reflektorów, nieoczekiwanie przywołując wspomnienia.

Odetchnął gwałtownie, przypominając sobie upiorny szept porywacza: „Jeszcze pan tego nie pojął? Nie rozumie pan, dlaczego został wybrany?".

W jednej przerażającej chwili jego myśli nabrały ostrości, a mgła opadła.

Zrozumiał z krystaliczną jasnością, dlaczego się tu znalazł.

Szesnaście kilometrów dalej jadący na południe Suitland Parkway Mal'akh poczuł wibrację na fotelu. Był to iPhone Petera Solomona, który tego dnia okazał się niezwykle przydatny. Na ekranie ukazało się zdjęcie atrakcyjnej kobiety w średnim wieku o długich czarnych włosach.

POŁĄCZENIE PRZYCHODZĄCE — KATHERINE SOLOMON

Uśmiechnął się do siebie, ignorując telefon.

Przeznaczenie przyciąga mnie coraz bliżej.

Ostatniego popołudnia zwabił Katherine Solomon do swojego domu tylko z jednego powodu — by ustalić, czy ma informacje, które mogą mu pomóc, czy zna jakąś rodzinną tajemnicę, która pozwoli mu znaleźć to, czego szuka. Najwyraźniej brat nie powiedział jej, czego strzegł przez wszystkie te lata.

Mimo to zdobył kilka informacji. Dowiedział się czegoś, czemu zawdzięczała kilka dodatkowych godzin życia. Katherine potwierdziła, że wszystkie badania prowadzi w jednym miejscu, a ich wyniki są przechowywane w laboratorium.

Muszę je zniszczyć.

Eksperymenty Katherine mogą otworzyć nowe horyzonty wiedzy, a gdy drzwi zostaną choć trochę uchylone, jej śladem podążą inni. Wtedy całkowita zmiana wszystkiego będzie tylko kwestią czasu.

Nie mogę do tego dopuścić. Świat musi pozostać taki, jaki jest — pogrążony w mroku niewiedzy.

Telefon zadzwonił ponownie, sygnalizując, że Katherine zostawiła wiadomość w poczcie głosowej.

— Peter? To znowu ja. — W jej głosie brzmiała troska. — Gdzie jesteś? Ciągle myślę o mojej rozmowie z doktorem Abaddonem... bardzo się martwię. Czy nic się nie stało? Proszę, odpowiedz. Jestem w laboratorium.

Mal'akh się uśmiechnął.

Powinna martwić się o siebie.

Skręcił z Suitland Parkway w Silver Hill Road. W odległości niecałego półtora kilometra, wśród drzew po prawej stronie drogi dostrzegł blady zarys budynków SMSC. Kompleks był otoczony wysokim ogrodzeniem z drutu kolczastego.

— Bezpieczny budynek? — prychnął Mal'akh. — Znam kogoś, kto otworzy mi drzwi.

Rozdział 24

Olśnienie uderzyło Langdona jak fala.

Wiem, dlaczego się tu znalazłem.

Stojący pośrodku Rotundy Langdon poczuł przemożną chęć odwrócenia się i wybiegnięcia z sali. Pozostawienia za sobą dłoni Petera, lśniącego złotego pierścienia i podejrzliwych spojrzeń Sato i Andersona. Jednak zamiast uciec, stał jak skamieniały, trzymając kurczowo pasek skórzanej torby wiszącej na jego ramieniu.

Muszę się stąd wydostać.

Zacisnął zęby na wspomnienie sceny, która rozegrała się w Cambridge w chłodny poranek, wiele lat temu. Była szósta rano. Langdon wchodził do sali wykładowej, jak zwykle po porannym rytuale przepłynięcia pięćdziesięciu długości basenu. Przekroczył próg, czując znajomy zapach kredy. Zrobił dwa kroki w stronę tablicy i zamarł.

Ktoś na niego czekał. Elegancki dżentelmen o wyrazistej twarzy i władczych szarych oczach.

— Peter? — Langdon spojrzał na niego zdumiony.

Uśmiech Petera Solomona błysnął blado w słabo oświetlonej sali.

— Dzień dobry, Robercie. Czyżbym cię zaskoczył? — Mówił cicho, lecz w jego głosie brzmiała dziwna siła.

Langdon podbiegł i uścisnął serdecznie dłoń przyjaciela.

— Co, u licha, absolwent arystokratycznego Yale robi w kampusie pospolitego Harvardu? I to o świcie?

— Wypełniam tajną misję za linią wroga — odparł z uśmiechem Solomon. — Widzę, że trening pływacki przynosi efekty. Jesteś w znakomitej formie.

— Staram się sprawić, żebyś poczuł się stary — odpowiedział Langdon, drocząc się z przyjacielem. — Cieszę się, że cię widzę, Peterze. Z czym przybywasz?

— Krótka podróż w interesach. — Solomon rozejrzał się po pustej sali. — Przepraszam, że nachodzę cię tak niespodziewanie, lecz mam tylko kilka minut. Chciałem cię o coś poprosić... osobiście. Chodzi o przysługę.

To pierwszy taki przypadek.

Langdon był ciekaw, jaką przysługę może wyświadczyć prosty uniwersytecki wykładowca komuś, kto ma wszystko.

— Proś, o co chcesz — odrzekł, rad, że będzie mógł zrobić coś dla człowieka, który ofiarował mu tak wiele. Dla człowieka, na którego życiu położyło się cieniem tyle tragedii.

— Pomyślałem, że mógłbyś coś dla mnie przechować — powiedział Solomon bardzo cicho.

Langdon przewrócił oczami.

— Mam nadzieję, że nie chodzi o Herculesa. — Langdon zgodził się kiedyś zaopiekować osiemdziesięciokilogramowym mastifem Solomona, kiedy ten był w podróży. Zwierzak najwyraźniej tęsknił za domem i ulubioną skórzaną zabawką, bo znalazł w gabinecie Langdona godny substytut tego przedmiotu — oryginalny egzemplarz ręcznie kaligrafowanej iluminowanej welinowej Biblii z XVII wieku. Określenie „zły pies" wydało się Langdonowi eufemizmem.

— Jak wiesz, nadal szukam egzemplarza, który zrekompensowałby ci stratę. — Solomon uśmiechnął się nieśmiało.

— Zapomnij o tym. Jestem rad, że Hercules zasmakował w religii.

Peter zachichotał, lecz sprawiał wrażenie zdenerwowanego.

— Robercie, przyjechałem, bo chciałem, abyś zaopiekował się czymś, co jest dla mnie niezwykle cenne. Odziedziczyłem ten przedmiot jakiś czas temu, lecz niezręcznie mi przechowywać go w domu lub w biurze.

Langdon poczuł się nieswojo. To, co w świecie Petera Solomona uchodziło za „niezwykle cenne", musiało być warte fortunę.

— Nie pomyślałeś o skrytce w banku?

Czy jego rodzina nie ma udziałów w połowie amerykańskich banków?

— Wymagałoby to papierkowej roboty i udziału urzędników bankowych. Wolę zaufanego przyjaciela. Wiem, że potrafisz dochować tajemnicy.

Solomon sięgnął do kieszeni, wyjął z niej mały pakunek i wręczył go Langdonowi.

Po tak dramatycznym wstępie Langdon spodziewał się czegoś bardziej imponującego, tymczasem trzymał w rękach małe kwadratowe pudełko o boku długości ośmiu centymetrów, owinięte w brązowy wyblakły papier i przewiązane szpagatem. Sądząc po dużym ciężarze, w środku musiał znajdować się kamień lub metalowy przedmiot. To wszystko? Langdon odwrócił paczkę, dostrzegając, że szpagat niczym dawny edykt został starannie zabezpieczony wytłaczaną woskową pieczęcią. Widniał na niej dwugłowy Feniks z liczbą trzydzieści trzy na piersi — tradycyjny symbol najwyższego stopnia masońskiego wtajemniczenia.

— Peterze, jesteś czcigodnym mistrzem loży masońskiej, a nie papieżem — zauważył Langdon, uśmiechając się krzywo. — Pieczętujesz przesyłki swoim pierścieniem?

Solomon spojrzał na pierścień i zachichotał.

— Nie zapieczętowałem tej paczki, Robercie. Zrobił to mój pradziadek. Prawie sto lat temu.

Langdon podniósł głowę.

— Co?!

Solomon pokazał palec z pierścieniem.

— Ten pierścień masoński był jego własnością. Później odziedziczył go mój ojciec... i w końcu ja.

— Twój dziadek zapieczętował tę paczkę sto lat temu i do tej pory nikt jej nie otworzył?

— Tak.

— Ale... dlaczego?

Peter uśmiechnął się szeroko.

— Bo nie nadszedł czas.

Langdon spojrzał na niego zdumiony.

— Na co?

— Robercie, wiem, że to, co powiem, zabrzmi dziwnie, lecz

im mniej wiesz, tym lepiej. Schowaj tę paczkę w bezpiecznym miejscu i, proszę, nie mów nikomu, że ci ją dałem.

Langdon patrzył w oczy swojego mentora, szukając w nich błysku wesołości. Solomon uwielbiał dramatyczne sceny, więc Langdon zastanawiał się, czy udaje.

— Peterze, czy nie jest to jakiś chytry podstęp? Może chcesz, żebym pomyślał, iż powierzyłeś mi jakąś starożytną masońską tajemnicę? Żebym się nią zainteresował i zdecydował się do was przyłączyć?

— Masoni nie rekrutują członków, Robercie. Dobrze o tym wiesz. W dodatku powiedziałeś mi kiedyś, że nie masz zamiaru wstępować do loży.

Fakt. Chociaż Langdon darzył filozofię i symbole masońskie wielkim szacunkiem, postanowił, że nigdy nie stanie się jednym z nich. Przysięgi masońskie uniemożliwiłyby mu dyskutowanie ze studentami o wolnomularstwie. Z podobnego powodu Sokrates odmówił udziału w misteriach eleuzyńskich.

Myśląc o tajemniczym małym pudełku i masońskiej pieczęci, która na nim widniała, nie mógł się powstrzymać i spytał:

— Dlaczego nie powierzyłeś tej paczki jednemu z braci?

— Poprzestańmy na tym, że instynkt podpowiedział mi, iż będzie bezpieczniejsza poza lożą. Niech nie zwiedzie cię jej rozmiar. Jeśli to, co powiedział mi ojciec, jest prawdą, zawiera przedmiot mający ogromną moc. To coś w rodzaju talizmanu.

Czy wspomniał o talizmanie?

Talizmany z definicji były przedmiotami posiadającymi magiczną siłę. Zwykle używano ich, aby zjednać sobie przychylny los, odpędzić złe duchy lub skorzystać z ich pomocy podczas odprawiania jakiegoś pradawnego rytuału.

— Czy zdajesz sobie sprawę, że talizmany wyszły z mody już w średniowieczu?

Peter cierpliwie położył dłoń na ramieniu Langdona.

— Wiem, że zabrzmiało to dziwnie, Robercie. Przyjaźnimy się od dawna. Choć sceptycyzm jest zaletą u naukowca, stanowi twoją największą wadę. Znam cię zbyt dobrze, dlatego nie proszę, abyś uwierzył, lecz... zaufał. Zaufaj, że ten talizman ma potężną moc. Powiedziano mi, że może obdarzyć posiadacza zdolnością wydobycia porządku z chaosu.

Langdon słuchał zdumiony. Idea wywiedzenia „porządku z chaosu" była jednym z masońskich aksjomatów. *Ordo ab chao.* Z drugiej strony, twierdzenie, że talizman mógłby dać jakąkolwiek władzę, wydawało się absurdalne, a jeszcze większym nonsensem było to, że może wyprowadzić ład z chaosu.

— Talizman ten — ciągnął Solomon — stałby się bardzo groźny, gdyby trafił w niepowołane ręce. Niestety, mam powody sądzić, że potężni ludzie chcą mi go wykraść. — Patrzył na Langdona tak poważnie jak nigdy wcześniej. — Przechowasz mi go przez jakiś czas? Możesz to dla mnie zrobić?

Tej nocy Langdon siedział przy kuchennym stole, wpatrując się w paczkę Solomona i zastanawiając, co jest w środku. W końcu przypisał wszystko ekscentrycznemu usposobieniu Petera i umieścił pudełko w ściennym sejfie w bibliotece, by po pewnym czasie zapomnieć o całej sprawie.

Zapomnieć... aż do tego ranka.

Do telefonu mężczyzny mówiącego z południowym akcentem.

— Profesorze, byłbym zapomniał! — wykrzyknął asystent, przekazawszy Langdonowi szczegóły dotyczące jego podróży do Waszyngtonu. — Pan Solomon prosił o jeszcze jedno.

— Słucham? — spytał Langdon, myśląc o wykładzie, który zgodził się wygłosić.

— Pan Solomon zostawił dla pana krótką notatkę. — Mężczyzna zaczął dukać, jakby starał się odczytać gryzmoły Petera. — „Poproś Roberta... żeby przywiózł... małą, zapieczętowaną paczkę, którą dałem mu wiele lat temu". — Urwał na chwilę. — Czy ma to dla pana jakiś sens?

Langdon przypomniał sobie małe pudełko, które przez cały czas leżało bezpiecznie w jego sejfie.

— Tak, wiem, o co chodzi.

— Może pan to przywieźć?

— Tak, proszę powiedzieć Peterowi, że to zrobię.

— Wspaniale. — Asystent odetchnął z wyraźną ulgą. — Życzę udanego wykładu i bezpiecznej podróży.

Przed opuszczeniem domu Langdon wyjął paczkę z tylnej części sejfu i umieścił w torbie podróżnej.

Teraz stał w Kapitolu pewny tylko jednego: Peter Solomon byłby przerażony, gdyby dowiedział się, jak bardzo go zawiódł.

Rozdział 25

Boże, Katherine jak zwykle miała rację.

Trish Dunne patrzyła zdumiona, jak na monitorze materializują się wyniki jej poszukiwań. Choć z początku wątpiła, czy cokolwiek znajdzie, miała ponad dwanaście trafień, a kolejne były w drodze.

Szczególnie obiecujące wydało się jedno z haseł.

Trish odwróciła się od ekranu i zawołała w kierunku biblioteki:

— Katherine?! Myślę, że chciałabyś to zobaczyć!

Choć od czasu, gdy stworzyła pierwszą wyszukiwarkę, minęło kilka lat, wyniki, które otrzymała tej nocy, wprawiły ją w zdumienie.

Jeszcze parę lat temu takie poszukiwania nie dałyby żadnego rezultatu.

Miała wrażenie, że ilość danych cyfrowych, które można przeszukiwać, urosła do takich rozmiarów, iż dałoby się znaleźć informacje dosłownie o wszystkim. Chociaż jedno ze słów kluczy było jej nieznane... wyszukiwarka je odnalazła.

Katherine wbiegła do pokoju Trish.

— Co masz?

— Kilku kandydatów. — Trish wskazała ścianę z monitorem. — Każdy z tych dokumentów zawiera wszystkie słowa klucze, które zapisałaś.

Katherine założyła włosy za uszy i przebiegła wzrokiem listę.

— Zanim zaczniesz się cieszyć — dodała Trish — muszę zaznaczyć, że większość tych dokumentów nie jest tym, czego szukasz. Nazywamy je czarnymi dziurami. Spójrz na wielkość tych plików. Są ogromne. Mogą to być skompresowane archiwa zawierające miliony e-maili, gigantyczne pełne wydania encyklopedii oraz globalne fora internetowe z wpisami z wielu lat, i tym podobne. Z powodu swojej wielkości i zróżnicowanej treści zawierają tak wiele potencjalnych słów kluczy, że „wsysają" każdą wyszukiwarkę, która znajdzie się w ich pobliżu.

Katherine wskazała jeden z wyników na początku listy.

— Co powiesz o tym?

Trish się uśmiechnęła. Katherine wyprzedziła ją o krok, odnalazłszy jedyny plik, który miał małą objętość.

— Masz dobre oko. Taak, jak na razie to twój jedyny kandydat. Plik jest tak mały, że może zawierać niewiele ponad stronę.

— Otwórzmy go — powiedziała Katherine, a w jej głosie słychać było napięcie.

Trish nie potrafiła sobie wyobrazić jednostronicowego dokumentu zawierającego wszystkie dziwne klucze, które zapisała Katherine. Mimo to, gdy kliknęła na dokument, hasła stały się dobrze widoczne i łatwe do wyśledzenia.

Katherine podeszła do ściany, nie odrywając oczu od ogromnego monitora.

— Czy ten dokument został zredagowany?

Trish skinęła głową.

— Witaj w świecie tekstów cyfrowych.

Automatyczne redagowanie tekstu stało się standardową praktyką stosowaną podczas udostępniania cyfrowej wersji dokumentów. Dzięki temu serwer pozwalał użytkownikowi przeszukać cały tekst, lecz udostępniał jedynie — niczym łamigłówkę — małą jego część, słowa bezpośrednio sąsiadujące z wprowadzonymi kluczami. Opuszczając większą część tekstu, unikano naruszenia praw autorskich, a jednocześnie przesyłano użytkownikowi intrygującą wiadomość: „Mam informacje, których poszukujesz, lecz jeśli chcesz dowiedzieć się więcej, musisz je ode mnie kupić".

— Jak widzisz — Trish przewinęła dokument pełen skrótów — są tu wszystkie kluczowe słowa, które wypisałaś.

Katherine spoglądała w milczeniu na zredagowany plik.

Trish dała jej chwilę, po czym przewinęła tekst do początku

strony. Każde z kluczowych słów Katherine było napisane dużymi podkreślonymi literami, a przed nim i za nim widniały po dwa wyrazy, co przypominało szaradę.

ukryte miejsce PODZIEMNE, w którym ... na terenie WASZYNGTONU, o współrzędnych ... odsłonięto starożytny PORTAL, który prowadził ... ostrzegając, że PIRAMIDA kryje niebezpieczne ... rozszyfrować WYRYTY SYMBOL, by odsłonić

Trish nie miała zielonego pojęcia, o co chodzi.

Co to, u licha, za symbol?

Katherine podeszła energicznie do ekranu.

— Skąd pochodzi ten dokument? Kto jest jego autorem?

Trish już nad tym pracowała.

— Daj mi chwilę. Próbuję zlokalizować źródło.

— Muszę wiedzieć, kto to napisał — powtórzyła Katherine poważnie. — Muszę poznać resztę tekstu.

— Właśnie próbuję to ustalić — odrzekła Trish, zdumiona tonem jej głosu.

O dziwo, adres pliku nie był zapisany w formie tradycyjnego adresu Web, lecz w postaci numerycznego protokołu internetowego.

— Nie potrafię rozszyfrować protokołu komunikacyjnego. Nie pojawia się nazwa domeny. Zaczekaj. — Trish ściągnęła okno terminalowe. — Uruchomię traceroute*.

Wpisała szereg komend, by zlokalizować wszystkie „przeskoki" na drodze łączącej serwer w pokoju kontroli z urządzeniem, w którego pamięci przechowywany był tajemniczy dokument.

— Spróbuję go zlokalizować — wyjaśniła, uruchamiając komendę.

Traceroutery są bardzo szybkie, więc na ogromnym ekranie niemal natychmiast ukazała się długa lista serwerów sieciowych. Trish przejrzała ją, badając rozsyłacze i opcje poleceń łączące ich serwer z maszyną, na której...

Co, do cholery?

Ścieżka urywała się przed dotarciem do nieznanego komputera. Z jakiegoś powodu jej ping** został wchłonięty przez nieznane urządzenie sieciowe, zamiast się od niego odbić.

— Nasz tracerouter został zablokowany — oznajmiła, zastanawiając się, czy coś takiego jest w ogóle możliwe.

— Spróbuj jeszcze raz.

Trish uruchomiła inny program, lecz rezultat był taki sam.

— Nic. Ślepa uliczka. Wygląda na to, że twój dokument został umieszczony na serwerze, którego nie można wyśledzić. — Spojrzała na kilka ostatnich „przeskoków" przed dotarciem do martwego punktu. — Mogę ci jednak powiedzieć, że ta maszyna znajduje się w Waszyngtonie.

— Żartujesz?!

— Nie ma w tym niczego zaskakującego. Wyszukiwarki prowadzą poszukiwania ruchem spiralnym, rozchodzącym się na zewnątrz. Pierwsze dane pochodzą zawsze z najbliższej okolicy. Oprócz tego jednym z twoich słów kluczy był „Waszyngton".

---

* Traceroute — program wykorzystywany do badania trasy pakietów w sieci IP.

** Ping — program służący do diagnozowania połączeń sieciowych w Internecie.

— A może wpisać do wyszukiwarki słowa „kto jest"? — podsunęła Katherine. — Czy nie dostarczy nam to wskazówki na temat właściciela domeny?

Trochę to prymitywne, ale właściwie dlaczego nie spróbować?

Trish wprowadziła słowa „kto jest" do bazy i zaczęła szukać adresu IP, mając nadzieję, że uda jej się połączyć tajemnicze numery z nazwą domeny. Miejsce początkowej frustracji zajęła rosnąca ciekawość.

Do kogo należy ten dokument?

Rezultaty ukazały się na ekranie, nie wskazując żadnego powiązania. Trish uniosła ręce w geście kapitulacji.

— Wygląda na to, że taki adres IP nie istnieje. Nie mogę uzyskać żadnych informacji na jego temat.

— Musi istnieć! Przed chwilą odnalazłyśmy dokument, który się tam znajdował!

Fakt. A jednak ten, kto jest w jego posiadaniu, najwyraźniej wolał ukryć swoją tożsamość.

— Nie wiem, co ci odpowiedzieć. Systemy trasowania nie są moją specjalnością. Bez hakera nie dam rady.

— Znasz jakiegoś?

Trish odwróciła się i spojrzała na szefową.

— Chyba żartujesz! Cóż to za pomysł?

— Możesz to załatwić?

Katherine spojrzała na zegarek.

— Taak... jasne. Z technicznego punktu widzenia to banalnie proste.

— Kogo znasz?

— Masz na myśli hakerów? — Trish roześmiała się nerwowo. — To połowa facetów z mojej starej roboty.

— Znasz kogoś godnego zaufania?

Pytasz poważnie?

Trish wiedziała, że Katherine nie żartuje.

— Znalazłby się jeden taki — odparła pospiesznie. — Znam gościa, do którego moglibyśmy zadzwonić. Pracował w firmie jako specjalista od bezpieczeństwa systemów. Maniak komputerowy. Chciał się ze mną umówić, co było do kitu, lecz w sumie to dobry chłopak. Mogłabym mu zaufać. Na dodatek robi zlecenia na boku.

— Umie zachować dyskrecję?
— Pewnie, że tak. Facet jest hakerem, jego robota polega na dyskrecji. Jestem pewna, że zażąda co najmniej tysiąc dolców za samo rzucenie okiem...
— Zadzwoń do niego. Zaproponuj podwójną stawkę, jeśli szybko do czegoś dojdzie.
Trish nie była pewna, co jest trudniejsze: pomoc Katherine Solomon w zatrudnieniu hakera czy zadzwonienie do faceta, który pewnie nadal nie może uwierzyć, że pulchna rudowłosa analityczka metasystemów odrzuciła jego zaloty.
— Jesteś pewna?
— Zadzwoń z telefonu w bibliotece — poleciła Katherine. — Ma zastrzeżony numer. Oczywiście nie podawaj mojego nazwiska.
— Jasne.
Trish pobiegła do drzwi, lecz stanęła, słysząc dzwonek iPhone'a Katherine. Jeśli dopisze jej szczęście, otrzymana wiadomość uwolni ją od przykrego zadania. Zamarła, obserwując, jak Katherine wyjmuje telefon z kieszeni fartucha i spogląda na ekran.

Katherine Solomon poczuła falę ulgi, gdy na ekranie iPhone'a ukazało się nazwisko brata.
Nareszcie!
— To wiadomość tekstowa od mojego brata — wyjaśniła, podnosząc głowę i spoglądając na Trish.
Ta popatrzyła na nią z nadzieją.
— Może powinnyśmy go spytać, zanim zatrudnimy hakera?
Katherine rzuciła okiem na dokument na monitorze i w jej głowie rozległ się głos doktora Abaddona: „O tym, co zdaniem pani brata ukryto na terenie Waszyngtonu". Nie wiedziała już, komu wierzyć, a ten dokument zawierał informacje na temat naciąganych teorii, które najwyraźniej stały się obsesją Petera.
Pokręciła głową.
— Chcę wiedzieć, kto to napisał i na jakim serwerze znajduje się ten dokument. Dzwoń!
Trish zmarszczyła czoło i ruszyła do drzwi.

Niezależnie od tego, czy ten dokument wyjaśni zagadkę, o której jej brat opowiedział Abaddonowi, tego dnia została wyjaśniona przynajmniej jedna tajemnica. Peter w końcu nauczył się wysyłać wiadomości tekstowe za pomocą iPhone'a, który mu podarowała.

— I zawiadom media! — zawołała za Trish. — Wielki Peter Solomon właśnie przesłał swoją pierwszą wiadomość tekstową.

Po drugiej stronie ulicy, naprzeciwko SMSC, znajdował się parking centrum handlowego. Mal'akh stanął obok swojej limuzyny i rozprostował kości, czekając, aż zadzwoni telefon. Deszcz przestał padać i przez chmury zaczął się przebijać zimowy księżyc. Ten sam księżyc, który trzy miesiące temu oświetlał Mal'akha przez otwór w sklepieniu świątyni podczas obrzędu inicjacji.

Tej nocy wszystko wygląda inaczej.

Kiedy czekał, jego żołądek jęknął. Dwudniowy post, chociaż przykry, był najważniejszym elementem przygotowań. Tak postępowali starożytni. Już wkrótce fizyczne dolegliwości przestaną mieć jakiekolwiek znaczenie.

Czekając w chłodnym nocnym powietrzu, zachichotał na myśl o tym, co zgotuje mu los. Jak na ironię, zatrzymał się przed wejściem do małej kaplicy.

„Dom Chwały Bożej".

Spojrzał na okno, w którym umieszczono wyznanie wiary zgromadzenia: *Wierzymy, że Jezus Chrystus został poczęty przez Ducha Świętego i narodził się z Maryi Dziewicy jako prawdziwy człowiek i prawdziwy Bóg.*

Uśmiechnął się do siebie.

Tak, Jezus naprawdę jest Bogiem i człowiekiem, lecz narodziny z dziewicy nie są warunkiem boskości. Nie tak to było.

Ciszę nocy przerwał dzwonek telefonu, ożywiając jego puls. Aparat, który zadzwonił, był jego własnością — tanie jednorazowe urządzenie, które kupił przedwczoraj. Spojrzał na ekran, upewniając się, że to telefon, na który czeka.

Rozmowa miejscowa — pomyślał rozbawiony, spoglądając na drugą stronę Silver Hill Road, na niewyraźny zarys zygzakowatego dachu, widoczny ponad czubkami drzew i oświetlony promieniami księżyca.

— Mówi doktor Abaddon — powiedział, modulując głos.

— Tu Katherine. Brat w końcu się odezwał.

— Ulżyło mi. Jak się miewa?

— Jest w drodze do laboratorium. Zasugerował, żeby pan się do nas przyłączył.

— Przepraszam? — Mal'akh udał, że się waha. — Mam się z państwem spotkać w... laboratorium?

— Musi mieć do pana ogromne zaufanie. Nigdy nikogo tu nie zapraszał.

— Może uznał, że ta wizyta pomoże nam w naszych rozważaniach? Nie mogę pozbyć się wrażenia, że byłoby to z mojej strony najście...

— Jeśli brat pana o to poprosił, to znaczy, że jest pan zaproszony. Napisał mi, że ma nam dwojgu dużo do powiedzenia. Chciałabym wreszcie usłyszeć, co się święci.

— Zgoda. Gdzie jest to laboratorium?

— W Smithsonian Museum Support Center. Zna pan adres?

— Nie. — Spojrzał na kompleks budynków. — Jestem w samochodzie. Mam GPS. Proszę podać adres.

— Silver Hill Road czterdzieści dwa dziesięć.

— W porządku, proszę się nie rozłączać. Wprowadzę go. — Mal'akh odczekał dziesięć sekund, po czym powiedział: — Wspaniale, wygląda na to, że jestem bliżej, niż myślałem. Urządzenie poinformowało mnie, że będę u pani za dziesięć minut.

— Świetnie. Uprzedzę strażników, że pan przyjedzie.

— Dziękuję.

— Do zobaczenia wkrótce.

Wsunął telefon do kieszeni i popatrzył na budynki SMSC. Czy postąpiłem niegrzecznie, zapraszając samego siebie?

Uśmiechnął się, wyciągając iPhone'a Petera Solomona i z podziwem odczytując wiadomość tekstową, którą przed chwilą przesłał Katherine.

Dostałem twoją wiadomość. Wszystko w porządku. Miałem mnóstwo zajęć. Zapomniałem o spotkaniu z doktorem Abaddonem. Przepraszam, że ci o nim nie powiedziałem. Jadę do laboratorium. Zaproś Abaddona, jeśli będzie miał czas. Ufam mu. Mam wam obojgu dużo do powiedzenia. Peter.

Nie był zaskoczony, że iPhone Petera wydał dźwięk informujący o nadejściu odpowiedzi od Katherine.

Peterze, widzę, że nauczyłeś się pisać wiadomości tekstowe! Moje gratulacje. Cieszę się, że wszystko u ciebie w porządku. Rozmawiałam z doktorem A. Przyjedzie do laboratorium. Do zobaczenia wkrótce! K.

Przykucnął, wsuwając telefon Solomona pod przednie koło limuzyny. Bardzo mu się przydał, lecz nikt nie może go namierzyć. Usiadł za kierownicą, uruchomił silnik i ruszył do przodu, słysząc ostrzy trzask pękającego iPhone'a. Zgasił silnik i spojrzał na daleki zarys SMSC. Dziesięć minut. Wielkie magazyny Petera Solomona kryją ponad trzydzieści milionów drogocennych eksponatów, lecz tej nocy Mal'akh przybył, aby zniszczyć tylko dwa najcenniejsze.

Wszystkie wyniki badań Katherine Solomon i ją samą.

Rozdział 26

— Co się stało, profesorze Langdon? — spytała Sato. — Wygląda pan, jakby zobaczył ducha. Nic panu nie jest?

Langdon poprawił torbę na ramieniu i oparł dłoń na jej klapie, jakby w ten sposób mógł lepiej ukryć kwadratowy pakunek. Czuł, że zbladł.

— Martwię się... o Petera.

Sato przekrzywiła głowę, świdrując go wzrokiem.

Langdon zaniepokoił się nagle, że obecność Sato może mieć jakiś związek z małą paczką, którą Solomon powierzył jego opiece. Przypomniał sobie ostrzeżenie przyjaciela: „Potężni ludzie chcą mi go wykraść. Stałby się bardzo groźny, gdyby trafił w niepowołane ręce". Langdon nie miał pojęcia, dlaczego CIA miałoby zależeć na małym pudełku z talizmanem ani nawet jaki talizman się w nim znajduje. *Ordo ab chao?*

Sato przysunęła się bliżej, przewiercając go spojrzeniem czarnych oczu.

— Mam wrażenie, że wpadł pan na jakiś trop.

Langdon poczuł, że zaczyna się pocić.

— Nie, nic podobnego.

— O czym pan pomyślał?

— Jak by to ująć... — zawahał się, nie wiedząc, co odpowiedzieć. Nie miał zamiaru wspominać o paczce, którą miał w torbie, choć gdyby Sato zabrała go do siedziby CIA, jego torba zostałaby pewnie przeszukana. — Przyszedł mi do głowy pomysł innego odczytania cyfr wytatuowanych na dłoni Petera — powiedział i zaczął pleść trzy po trzy.

Sato nie okazała entuzjazmu.

— Tak? — Spojrzała na Andersona witającego się z członkami zespołu dochodzeniowego, którzy przed chwilą przyjechali.

Langdon przełknął głośno ślinę i przykucnął obok dłoni, starając się coś wymyślić.

Przecież jesteś nauczycielem, Robercie! Improwizuj!

Spojrzał jeszcze raz na siedem małych symboli, mając nadzieję, że dostarczą mu natchnienia.

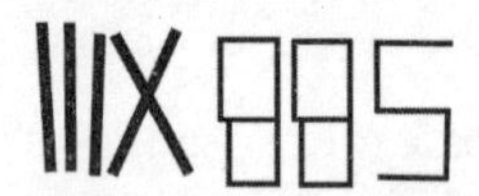

Nic. Pustka.

Pamięć eidetyczna, która przeczesała encyklopedię symboli w głowie Langdona, podsunęła mu tylko jeden punkt zaczepienia. Pomyślał o tym już wcześniej, lecz uznał to za zbyt nieprawdopodobne. W tej chwili chodziło jednak wyłącznie o to, by zyskać na czasie.

— Pierwszym sygnałem wskazującym, że odczytujący znaki i zaszyfrowane przesłanie znalazł się na niewłaściwym tropie — zaczął — jest interpretowanie ich za pomocą wielorakich języków symbolicznych. Na przykład, popełniłem błąd, mówiąc, że tekst został zapisany znakami rzymskimi i arabskimi. Pomyliłem się, ponieważ użyłem różnych systemów symbolicznych. Można byłoby powiedzieć to samo, gdybym wspomniał o znakach rzymskich i runach.

Sato skrzyżowała ręce na piersi i uniosła brwi, jakby chciała rzucić: „Mów dalej".

— Ogólnie przekaz odbywa się w jednym języku, zamiast w wielu. Głównym zadaniem interpretatora symboli jest znalezienie jednego spójnego systemu symbolicznego, który można by zastosować do całego tekstu.

— Dostrzegł pan taki?

— Prawdę powiedziawszy... nie. — Analizując rotacyjną symetrię ambigramów Langdon odkrył, że czasami symbole mają różne znaczenie w zależności od kąta, pod jakim się na nie patrzy. Nagle zdał sobie sprawę, że faktycznie istnieje sposób odczytania wszystkich siedmiu symboli w jednym języku. — Gdybyśmy przekręcili dłoń, język znaków stałby się bardziej zrozumiały. — Co osobliwe, czynność, którą Langdon zamierzał wykonać, wydawała się zasugerowana przez porywacza: przytoczył on starożytny hermetyczny aforyzm. „Jak w górze, tak i na dole".

Langdon poczuł zimny dreszcz, dotykając drewnianej podstawy, na której umieszczono dłoń. Odwrócił ją ostrożnie tak, by palce skierowane były ku dołowi. Znaki wypisane na dłoni uległy natychmiastowej przemianie.

— Znaki oglądane pod tym kątem dają rzymski zapis liczby trzynaście — wyjaśnił. — Co więcej, także pozostałe mogą zostać odczytane z zastosowaniem rzymskiego alfabetu jako „SBB". — Langdon sądził, że jego analiza wywoła obojętne wzruszenie ramion, lecz wyraz twarzy Andersona nagle się zmienił.

— SBB? — powtórzył.

Sato spojrzała na Andersona.

— Jeśli mnie pamięć nie myli, przypomina to system numeracji w Kapitolu.

Anderson zbladł.

— Faktycznie.

Dyrektor Sato uśmiechnęła się ponuro i skinęła głową w stronę policjanta.

— Niech pan pozwoli na stronę, chciałabym zamienić z panem słówko.

Langdon patrzył zdumiony, jak odchodzą tak daleko, by nie mógł ich usłyszeć.

Co się tu dzieje, do diabła? Co za napis?

Komendant Anderson był ciekaw, czy tej nocy może się wydarzyć coś jeszcze dziwniejszego.

Na dłoni wytatuowano SBB13?

Był zdumiony, że ktoś z zewnątrz w ogóle słyszał o SBB... a tym bardziej o SBB13. Wydawało się, że palec Petera Solomona nie prowadzi ich w górę, jak wcześniej sądzili, lecz w zupełnie odwrotnym kierunku.

Dyrektor Sato i Anderson zatrzymali się w cichej części sali, obok odlanego z brązu posągu Thomasa Jeffersona.

— Komendancie, mam nadzieję, że wiecie, gdzie jest sektor SBB-trzynaście.

— Oczywiście.

— Wie pan, co się tam znajduje?

— Nie. Musielibyśmy to sprawdzić. Myślę, że tamta część gmachu nie była używana od dziesiątków lat.

— Cóż, trzeba będzie otworzyć to pomieszczenie.

Anderson nie był zadowolony, że ktoś mówi mu, co ma robić.

— Może być z tym problem, proszę pani. Muszę wcześniej zajrzeć do instrukcji. Jak pani zapewne wie, większość dolnych poziomów to pomieszczenia prywatne lub magazyny. Mamy specjalną procedurę bezpieczeństwa dotyczącą prywatnych...

— Otworzy pan dla mnie to pomieszczenie, czy mam zadzwonić po jednostkę specjalną, która przyjedzie z taranem? — wycedziła Sato.

Anderson patrzył na nią przez dłuższą chwilę, po czym rzucił do krótkofalówki:

— Mówi Anderson. Niech któryś otworzy SBB. Wyślijcie tam kogoś za pięć minut.

— Powiedział pan „SBB", szefie? — zapytał funkcjonariusz, nie kryjąc zdumienia.

— Potwierdzam. SBB. Wyślij tam kogoś natychmiast. Będę też potrzebował latarki. — Przypiął krótkofalówkę do paska, czując, że wali mu serce. Sato podeszła bliżej, jeszcze bardziej zniżając głos.

— Mamy mało czasu, komendancie — szepnęła. — Proszę zaprowadzić nas do SBB-trzynaście tak szybko, jak to możliwe.

— Tak, proszę pani.

— Będę potrzebowała od pana czegoś jeszcze.

Oprócz włamania i bezprawnego wtargnięcia?

Anderson zaprotestował, choć nie uszło jego uwagi, że Sato przyjechała w ciągu dziesięciu minut od pojawienia się dłoni Solomona w Rotundzie i wykorzystała sytuację, by wejść do części Kapitolu, gdzie znajdowały się prywatne pomieszczenia. Tej nocy złamała obowiązujące procedury, więcej, praktycznie określiła je na nowo.

Wskazała głową profesora.

— Torba Langdona?

Anderson spojrzał w tamtą stronę.

— Coś z nią nie tak?

— Zakładam, że wasi ludzie prześwietlili ją promieniami rentgenowskimi, kiedy wchodził do budynku.

— Oczywiście. Prześwietlamy wszystkie bagaże.

— Chcę zobaczyć obraz. Muszę wiedzieć, co jest w środku.

Anderson spojrzał na torbę, z którą Langdon nie rozstawał się ani na chwilę.

— Czy nie byłoby łatwiej zwyczajnie go poprosić?

— Której części polecenia pan nie zrozumiał?

Anderson znów wziął krótkofalówkę i przekazał jej prośbę. Sato podała komendantowi adres swojego blackberry, prosząc, aby jego ludzie przesłali jej niezwłocznie e-mail z cyfrową kopią skanu rentgenowskiego. Anderson niechętnie się zgodził.

Ludzie z zespołu kryminalistycznego przystąpili do oględzin dłoni dla potrzeb posterunku policji w Kapitolu, lecz Sato poleciła, aby odesłali ją jej zespołowi w Langley. Anderson był zbyt zmęczony, by protestować. Drobna Japonka rozjechała go jak walec drogowy.

— Dajcie mi pierścień! — krzyknęła do ludzi z ekipy kryminalistycznej.

Jej szef już chciał zaprotestować, lecz w porę się opamiętał. Zdjął złoty pierścień z palca Petera i podał dyrektor Sato, która wsunęła go do kieszeni żakietu, a następnie zwróciła się do Langdona:

— Wychodzimy, profesorze. Proszę zabrać swoje rzeczy.

— Dokąd idziemy? — zapytał.

— Proszę iść za panem Andersonem.

Lepiej trzymaj się blisko — pomyślał Anderson. Sektor SBB był częścią gmachu Kapitolu, którą odwiedzali nieliczni. Aby do niego dotrzeć, trzeba było przejść przez labirynt małych pomieszczeń i wąskich korytarzy biegnących pod kryptą. Najmłodszy syn Abrahama Lincolna, Tad, kiedyś się tam zgubił i omal nie zginął. Anderson zaczął podejrzewać, że gdyby Sato mogła załatwić to po swojemu, Roberta Langdona spotkałby podobny los.

Rozdział 27

Mark Zoubianis, specjalista od bezpieczeństwa systemów, zawsze był dumny z tego, że potrafi robić kilka rzeczy naraz. Siedział właśnie na futonie z pilotem od telewizora, bezprzewodowym telefonem, laptopem, palmtopem i dużą miską chrupek marki Pirate's Booty. Śledził przebieg meczu Redskinsów na ekranie telewizora, rozmawiając jednocześnie przez słuchawki z mikrofonem podłączone do komputera za pomocą bluetootha. Rozmawiał z kobietą, która nie odezwała się do niego od roku.

Zostaw sprawy w rękach Trish Dunne, a zadzwoni w wieczór spotkań barażowych.

Jego dawna koleżanka potwierdziła raz jeszcze, że jest społecznie nieprzystosowana, dzwoniąc podczas meczu Redskinsów, żeby poprosić go o przysługę. Po krótkiej gadce o starych czasach i tym, jak bardzo brakuje jej wspaniałych dowcipów Zoubianisa, Trish przeszła do sedna sprawy: stara się dotrzeć do utajnionego adresu IP, który przypuszczalnie znajduje się na bezpiecznym serwerze gdzieś w Waszyngtonie. Na wspomnianym serwerze jest mały plik tekstowy, do którego chciałaby się dostać, a przynajmniej dowiedzieć się, do kogo należy.

— Właściwy facet, niewłaściwa pora — powiedział jej.

Wtedy zaczęła trajkotać, jaki to on jest wspaniały — co w zasadzie było prawdą — i zanim Zoubianis zdążył się zorientować, już zaczął wystukiwać dziwny adres IP na swoim laptopie.

Gdy tylko spojrzał na ciąg cyfr, poczuł się nieswojo.

— Słuchaj, Trish, ten IP ma dziwną postać. Napisano go

w protokole, który nie jest jeszcze powszechnie dostępny. Podejrzewam, że ten adres należy do rządu lub wojska.

— Wojska? — roześmiała się Trish. — Właśnie ściągnęłam zredagowany dokument z ich serwera. Zapewniam cię, że nie było tam żadnych wojskowych informacji.

Zoubianis ściągnął okno terminalowe i uruchomił traceroute.

— Mówisz, że program się zawiesił?

— Taak, dwa razy. Ten sam przeskok.

— U mnie też. — Wyciągnął sondę diagnostyczną i ją uruchomił. — Co jest tak intrygującego w tym adresie IP?

— Włączyłam delegator, który uruchomił wyszukiwarkę pod tym adresem IP. W ten sposób dotarłam do zredagowanego dokumentu. Muszę mieć go w całości. Chętnie zapłacę, ale nie mogę dojść, do kogo należy IP i jak do niego dotrzeć.

Zoubianis spojrzał na ekran i ściągnął brwi.

— Jesteś pewna? Uruchomiłem urządzenie diagnostyczne, zapory sieciowe wyglądają... całkiem okazale.

— Można zarobić niezłą forsę.

Zoubianis rozważył tę propozycję. Właściwie czemu nie, skoro chcą mu za to słono zapłacić?

— Mam tylko jedno pytanie, Trish. Dlaczego to jest dla ciebie takie ważne?

— Wyświadczam przysługę przyjacielowi — odparła po chwili wahania.

— To musi być wyjątkowy przyjaciel.

— To kobieta.

Zoubianis ugryzł się w język i zachichotał.

Wiedziałem!

— Słuchaj, Mark, jesteś na tyle dobry, by rozszyfrować ten adres? Tak czy nie? — spytała niecierpliwie.

— Tak, jestem na tyle dobry. Dodam, że grasz na mnie jak na skrzypcach.

— Ile czasu ci to zajmie?

— Niedużo — odparł, stukając w klawiaturę. — Powinienem włamać się do ich sieci w ciągu dziesięciu minut. Oddzwonię, gdy będę w środku i czegoś się dowiem.

— Będę zobowiązana. A w ogóle, co u ciebie słychać?

Teraz o to pyta?

— Trish, zmiłuj się, na Boga, dzwonisz do mnie w wieczór baraży i chcesz pogadać? Mam namierzyć ten adres czy nie?

— Dzięki, Mark. Doceniam to. Będę czekała na telefon.

— Piętnaście minut — rzucił Zoubianis, rozłączając się, biorąc miskę z chrupkami i zwiększając siłę głosu.

Ach, te kobiety!

Rozdział 28

Dokąd mnie prowadzą?

Pędząc za Andersonem i Sato korytarzami Kapitolu, Langdon czuł, że serce z każdym krokiem wali mu coraz mocniej. Wyszli zachodnim portykiem, zbiegli marmurowymi schodami, a następnie przez szerokie drzwi wkroczyli do słynnej sali pod posadzką Rotundy.

Krypta Kapitolu.

Powietrze było tu cięższe i Langdon poczuł, że odzywa się jego klaustrofobia. Niskie sklepienie i przyćmione górne światło wydobywały na pierwszy plan czterdzieści masywnych doryckich kolumn, wspierających kamienny sufit nad ich głowami.

Uspokój się, Robercie.

— Tędy. — Anderson przyspieszył kroku, skręcając w lewo, i wszedł do szerokiego okrągłego pomieszczenia.

Na szczęście w krypcie nie było żadnych ciał. Zamiast nich znajdowały się posągi, makieta Kapitolu i niska wnęka na drewniany katafalk, na którym podczas pogrzebów państwowych stawiano trumnę. Przebiegli obok, nie zwracając uwagi na marmurowy kompas o czterech wierzchołkach, umieszczony pośrodku posadzki, w miejscu, gdzie kiedyś płonął wieczny ogień.

Anderson wyraźnie się spieszył, a Sato znów wetknęła nos w swój telefon BlackBerry. Langdon słyszał, że operatorzy telefonii komórkowej pokryli zasięgiem cały Kapitol, aby móc obsługiwać setki służbowych rozmów, które prowadzono tu każdego dnia.

Przeciąwszy kryptę, weszli do słabo oświetlonego holu i zaczęli posuwać się zygzakiem przez szereg korytarzy i zaułków. Nad drzwiami, do których prowadził labirynt korytarzy, widniały oznaczenia. Langdon odczytywał je, gdy podążali przed siebie krętą drogą: „S154”... „S153”... „S152”...

Nie miał pojęcia, co się znajduje za drzwiami, lecz przynajmniej jedno było jasne: znaczenie tatuażu na dłoni Petera Solomona. Wyglądało na to, że SBB13 to numer drzwi gdzieś w przepastnych trzewiach amerykańskiego Kapitolu.

— Co jest za tymi drzwiami? — spytał, przyciskając do siebie torbę i zastanawiając się, czy mały pakunek Solomona może mieć coś wspólnego z pomieszczeniem oznaczonym symbolem SBB13.

— To biura i magazyny — odpowiedział Anderson. — Prywatne biura i magazyny — zaznaczył, spoglądając na Sato.

Lecz ona nawet nie oderwała wzroku od ekranu blackberry.

— Wyglądają na małe — zauważył Langdon.

— W większości to niewielkie pomieszczenia, choć należą do najbardziej poszukiwanych lokali w Waszyngtonie. To serce pierwotnego Kapitolu. Sala dawnego Senatu znajduje się dwa piętra nad nami.

— A SBB-trzynaście? — spytał Langdon. — Do kogo należy ten gabinet?

— Do nikogo. SBB to prywatny magazyn. Jestem ciekawy, w jaki sposób...

— Komendancie Anderson — przerwała mu Sato, nie odrywając oczu od telefonu — proszę nas tam tylko zaprowadzić.

Anderson zacisnął zęby i poprowadził ich w milczeniu przez coś, co wydawało się połączeniem magazynu z ogromnym labiryntem. Prawie na każdej ścianie znajdowały się znaki kierujące naprzód i do tyłu, najwyraźniej pomagające zlokalizować konkretne sektory rozległej sieci korytarzy.

S142 do S152...

ST1 do ST70...

H1 do H166 i HT1 do HT67...

Langdon zaczął wątpić, czy sam odnalazłby drogę.

To istny labirynt. Zauważył, że numery pomieszczeń rozpoczynają się literą S lub H w zależności od tego, czy znajdują się po stronie Senatu czy Izby Reprezentantów. Sektory oznaczone ST i HT były najwyraźniej położone na poziomie, który Anderson nazwał poziomem tarasu.

Nadal żadnych znaków prowadzących do SBB.

Wreszcie dotarli do ciężkich stalowych drzwi z czytnikiem na kartę magnetyczną.

Poziom SB

Langdon wyczuł, że są blisko.

Anderson sięgnął z wahaniem po kartę magnetyczną, wyraźnie skrępowany poleceniem Sato.

— Komendancie, nie mamy do dyspozycji całej nocy — ponagliła go.

Niechętnie wsunął kartę do czytnika. Stalowe drzwi się otworzyły. Pchnął je i weszli do holu. Ciężkie drzwi zamknęły się za nimi z charakterystycznym szczękiem.

Choć Langdon nie wiedział, czego się spodziewać, to, co ujrzał, go zaskoczyło. Stanęli przed biegnącymi w dół schodami.

— Znowu w dół? — Zawahał się. — Czy pod kryptą znajduje się kolejny poziom?

— Tak. — Anderson skinął głową. — Symbol SB oznacza „Piwnicę Senatu".

Langdon jęknął.

Wspaniale.

Rozdział 29

Światła poruszające się krętym leśnym podjazdem prowadzącym do kompleksu SMSC były pierwszymi, które strażnik zobaczył od godziny. Posłusznie ściszył głos przenośnego odbiornika telewizyjnego i wsunął jedzenie pod pulpit. W najgorszym momencie! Redskinsi przeprowadzali pierwszą akcję, a on nie chciał tego przegapić.

Kiedy wóz się zbliżył, strażnik sprawdził nazwisko w notatniku, który miał przed sobą.

„Doktor Christopher Abaddon".

Katherine Solomon zadzwoniła przed chwilą, uprzedzając ochronę, że przybędzie gość. Strażnik nie miał pojęcia, kim jest ten doktor, lecz musiał dobrze znać się na swojej robocie, skoro przyjechał czarną limuzyną. Ogromny lśniący pojazd stanął obok budki, a przyciemniana szyba po stronie kierowcy opuściła się bezgłośnie.

— Dobry wieczór — przywitał się szofer. Potężnie zbudowany mężczyzna z ogoloną głową słuchał transmisji meczu nadawanej przez radio. — Wiozę doktora Christophera Abaddona do panny Katherine Solomon.

— Proszę pokazać dokument tożsamości — powiedział strażnik.

Szofer sprawiał wrażenie zaskoczonego.

— Czy panna Solomon nie uprzedziła o naszym przybyciu?

Strażnik kiwnął głową, rzucając okiem na ekran telewizora.

— Mimo to muszę zeskanować dokument i wprowadzić nazwisko do książki gości. Przepraszam, takie są przepisy. Będę potrzebował dokumentu tożsamości pana doktora.

— Nie ma problemu. — Szofer odwrócił się w stronę tylnego siedzenia i wymienił szeptem kilka słów przez taflę z pleksi, oddzielającą część pasażerską. Strażnik rzucił ukradkowe spojrzenie na telewizor. Redskinsi właśnie skończyli naradę i szykowali się do wznowienia gry. Miał nadzieję, że zdąży odprawić limuzynę, zanim na boisku zacznie się coś dziać.

Szofer odwrócił się do niego, trzymając prawo jazdy.

Strażnik odebrał je i szybko zeskanował, wprowadzając do systemu. Prawo jazdy wystawiono na nazwisko Christophera Abaddona zamieszkałego w Kalorama Heights. Zdjęcie przedstawiało przystojnego jasnowłosego dżentelmena w niebieskiej marynarce z atłasową chusteczką w kieszonce i w krawacie.

Kto, u diabła, wkłada chusteczkę do kieszonki, kiedy robi sobie zdjęcie do prawa jazdy? — pomyślał strażnik.

Usłyszał stłumione okrzyki i odwrócił się w samą porę, by zobaczyć, jak jeden z graczy Redskinsów wykonuje taniec zwycięstwa na końcowym polu, kierując palec w niebo.

— Przegapiłem akcję — jęknął. — W porządku, może pan jechać — powiedział, oddając szoferowi prawo jazdy.

Limuzyna ruszyła, a strażnik wbił wzrok w telewizor, mając nadzieję na powtórkę.

Mal'akh, jadąc krętym podjazdem, nie mógł powstrzymać uśmiechu. Dostanie się do tajnego muzeum Petera Solomona okazało się dziecinnie proste. Jeszcze przyjemniejsze było to, że tej nocy, po raz drugi w ciągu dwudziestu czterech godzin, wtargnął w prywatną przestrzeń Solomona. Ostatniej nocy złożył podobną wizytę w jego domu.

Chociaż Peter Solomon miał wspaniałą wiejską rezydencję nad Potomakiem, bawiąc w mieście, większość czasu spędzał w luksusowym apartamencie na terenie ekskluzywnego Dorchester Arms. Jego dom, podobnie jak większość domów należących do ludzi bogatych, przypominał twierdzę. Wysokie mury.

Bramy strzeżone przez ochroniarzy. Lista gości. Bezpieczny podziemny parking.

Mal'akh podjechał tą samą limuzyną do bramki, uchylił czapkę, odsłaniając ogoloną głowę, i oznajmił takim tonem, jakby ogłaszał przybycie księcia Yorku:

— Wiozę doktora Christophera Abaddona. Przybywa na zaproszenie pana Petera Solomona. — Strażnik zajrzał do książki gości, po czym obejrzał prawo jazdy Abaddona.

— Zgadza się, pan Solomon oczekuje doktora Abaddona. — Wcisnął przycisk i brama się otworzyła. — Pan Solomon jest w swoim apartamencie. Proszę skorzystać z ostatniej windy po prawej stronie. Wjeżdża na samą górę.

— Dziękuję. — Mal'akh dotknął palcami daszka czapki i odjechał.

Wjechał do głębokiego podziemnego garażu, rozglądając się za kamerami bezpieczeństwa. Ani jednej. Najwyraźniej ci, którzy tu mieszkają, nie włamują się do cudzych samochodów ani nie lubią być obserwowani.

Zaparkował w ciemnym kącie niedaleko wind, opuścił szybę oddzielającą kierowcę od części pasażerskiej i przesunął się do tyłu między fotelami. Zdjął czapkę szofera, założył jasną perukę, wygładził marynarkę i krawat, a następnie spojrzał w lustro, by upewnić się, że nie rozmazał makijażu. Nie chciał niczego pozostawiać przypadkowi. Nie tej nocy.

Zbyt długo czekałem na tę chwilę.

Kilka sekund później Mal'akh był już w prywatnej windzie. Jazda na górę odbywała się cicho i płynnie. Kiedy drzwi się otworzyły, Mal'akh wszedł do eleganckiego holu w prywatnym apartamencie. Gospodarz już na niego czekał.

— Witam, doktorze Abaddon.

Mal'akh spojrzał w szare oczy sławnego człowieka i poczuł, że wali mu serce.

— Panie Solomon, dziękuję, że zechciał się pan ze mną spotkać.

— Proszę mówić mi Peter. — Mężczyźni uścisnęli sobie dłonie. Ująwszy dłoń starszego mężczyzny, Mal'akh dostrzegł na jednym z jego palców złoty pierścień masoński. Na dłoni, która kiedyś trzymała pistolet wymierzony w niego. Usłyszał głos dolatujący z zamierzchłej przeszłości: „Jeśli pociągniesz za spust, będę cię prześladował przez wieki".

— Niech pan wejdzie — zaprosił go Solomon, wprowadzając do eleganckiego salonu o ogromnych oknach, za którymi widać było wspaniałą panoramę Waszyngtonu.

— Czyżbym wyczuł zapach świeżo zaparzonej herbaty? — spytał Mal'akh, wchodząc do salonu.

Solomon był pod wrażeniem.

— Moi rodzice zawsze podejmowali gości herbatą. Podtrzymuję tę tradycję. — Mówiąc to, zaprowadził Mal'akha do kominka, przed którym na stoliku czekały dzbanek i filiżanki. — Z mlekiem i cukrem?

— Poproszę czarną.

Znów zrobił wrażenie na Solomonie.

— Widzę, że jest pan prawdziwym koneserem — zauważył gospodarz, napełniając obie filiżanki. — Wspomniał pan, że chce pomówić ze mną o sprawie delikatnej natury, o której można rozmawiać tylko w cztery oczy.

— Jestem wdzięczny, że poświęcił mi pan swój czas.

— Obaj jesteśmy masonami. Łączy nas braterska więź. Czym mogę służyć?

— Po pierwsze, chciałbym podziękować za zaszczyt, jakim jest dopuszczenie do trzydziestego trzeciego stopnia wtajemniczenia. To dla mnie ogromnie ważne.

— Ja również jestem rad z tego powodu, choć nie była to wyłącznie moja decyzja. Sprawę przesądziły głosy członków najwyższej rady.

— Oczywiście. — Mal'akh podejrzewał, że Peter Solomon głosował przeciwko jego kandydaturze, lecz wśród masonów, podobnie jak gdzie indziej, pieniądze są potęgą. Miesiąc po uzyskaniu trzydziestego drugiego stopnia wtajemniczenia w swojej loży Mal'akh przekazał wiele milionów dolarów na cele dobroczynne, czyniąc to w imieniu Wielkiej Loży Masońskiej. Tak jak oczekiwał, ten akt bezinteresowności wystarczył, by zaproszono go do elitarnej grupy ludzi posiadających trzydziesty trzeci stopień wtajemniczenia.

Nie poznałem jednak żadnych sekretów.

Mimo powtarzanych od wieków plotek, że po osiągnięciu

trzydziestego trzeciego stopnia wtajemniczenia człowiek poznaje wszystkie masońskie tajemnice, Mal'akh nie dowiedział się niczego nowego, niczego, co pomogłoby mu w jego poszukiwaniach. Oczywiście wcale tego nie oczekiwał. W wewnętrznym kręgu masonów kryły się mniejsze kręgi, a w nich kolejne, do których mógłby nie zostać dopuszczony przez całe lata. Może nawet nigdy nie dostąpiłby takiego zaszczytu. Było mu to obojętne. Najwyższa inicjacja służyła innemu celowi. W sali świątyni wydarzyło się coś wyjątkowego, co dało Mal'akhowi władzę nad nimi wszystkimi.

Nie muszę dłużej grać, trzymając się waszych zasad.

— Czy pan wie, że poznaliśmy się dawno temu? — zaczął Mal'akh, popijając herbatę.

Solomon wyglądał na zdumionego.

— Naprawdę? Nie przypominam sobie.

— Od tamtej chwili upłynęło dużo czasu.

Nie nazywam się Christopher Abaddon.

— Przepraszam, widać się starzeję. Mam coraz gorszą pamięć. Proszę mi przypomnieć, w jakich okolicznościach się poznaliśmy.

Mal'akh uśmiechnął się po raz ostatni do człowieka, którego nienawidził bardziej niż kogokolwiek na świecie.

— To bardzo niefortunne, że pan nie pamięta.

Płynnym ruchem wyjął z kieszeni małe urządzenie i przyłożył je do klatki piersiowej Solomona. Błysnęła niebieska iskra i w salonie rozległ się przenikliwy trzask paralizatora oraz jęk bólu, gdy ładunek o sile jednego miliona woltów przeszedł przez ciało Petera Solomona. Mężczyzna wytrzeszczył oczy i opadł na fotel. Mal'akh stanął nad nim, śliniąc się jak lew szykujący się do pożarcia upolowanej zdobyczy.

Solomon dyszał ciężko, próbując nabrać powietrza.

Mal'akh dostrzegł lęk w oczach ofiary. Był ciekaw, ilu ludzi widziało strach wielkiego Petera Solomona. Rozkoszował się tą sceną przez kilka długich sekund, popijając herbatę i czekając, aż tamten dojdzie do siebie.

Solomon dygotał, próbując przemówić.

— Dla... dlaczego? — wycharczał wreszcie.

— A jak ci się wydaje? — spytał Mal'akh.

Peter wyglądał na zdezorientowanego.

— Chcesz... pieniędzy?

Pieniędzy? Mal'akh zaśmiał się, upijając kolejny łyk herbaty.

— Przekazałem masonom miliony dolarów. Nie potrzebuję bogactw.

Przyszedłem po mądrość, a on proponuje mi bogactwo.

— W takim razie czego chcesz?

— Poznać pewną tajemnicę. Zdradzisz mi ją tej nocy.

Solomon próbował unieść głowę, by spojrzeć Mal'akhowi w oczy.

— Nie... nie rozumiem.

— Przestań kłamać! — krzyknął Mal'akh, przysuwając się do sparaliżowanego Petera. — Wiem, co ukryto na terenie Waszyngtonu.

W oczach Solomona pojawił się sprzeciw.

— Nie mam pojęcia, o czym mówisz!

Mal'akh napił się herbaty, po czym odstawił filiżankę na talerzyk.

— Powiedziałeś mi to samo dziesięć lat temu, w noc śmierci twojej matki.

Solomon wytrzeszczył oczy.

— To ty...?

— Nie musiała umrzeć. Gdybyś mi dał to, o co prosiłem...

Twarz starego mężczyzny wykrzywiło straszne wspomnienie... i niedowierzanie.

— Ostrzegłem cię — przypomniał Mal'akh — że jeśli pociągniesz za spust, będę cię prześladował przez wieki.

— Ale...

Mal'akh zaśmiał się, znów przykładając paralizator do klatki piersiowej Solomona. Błysnęło sine światło i Peter Solomon osunął się bezwładnie na fotel.

Mal'akh wsunął urządzenie do kieszeni i spokojnie dopił herbatę. Kiedy skończył, wytarł usta płócienną chusteczką z monogramem i spojrzał na swoją ofiarę.

— Pójdziemy?

Solomon ani drgnął, ale jego oczy były szeroko otwarte i czujne.

Mal'akh pochylił się nad nim i szepnął mu do ucha:

— Zabiorę cię do miejsca, w którym nie ma nic prócz prawdy.

Bez słowa złożył chusteczkę i wetknął ją Solomonowi do ust. Zarzucił sobie bezwładne ciało na ramiona i ruszył do windy, po drodze zabierając iPhone'a oraz klucze.

Tej nocy zdradzisz mi wszystkie swoje sekrety — pomyślał. — Także to, dlaczego wiele lat temu zostawiłeś mnie na pewną śmierć.

Rozdział 30

„Poziom SB".

Piwnica Senatu.

Robert Langdon czuł, jak paraliżujący atak klaustrofobii nasila się z każdym krokiem w dół. W miarę jak schodzili coraz głębiej, ku pierwotnym fundamentom gmachu, powietrze stawało się coraz cięższe i wydawało się, że klimatyzacja w ogóle nie działa.

Dyrektor Sato wpisywała jakąś wiadomość na klawiaturze blackberry, nie zatrzymując się ani na chwilę. W jej zachowaniu Langdon wyczuł podejrzliwość, która szybko została odwzajemniona. Nadal nie zdradziła, skąd wiedziała, że Langdon będzie tu dziś wieczorem.

A bezpieczeństwo narodowe?

Nie pojmował, jaki związek może łączyć bezpieczeństwo narodowe ze starożytnym mistycyzmem. W ogóle niewiele z tego wszystkiego rozumiał.

Peter Solomon powierzył mi talizman. Jakiś szaleniec skłonił mnie podstępem do przyjazdu do Kapitolu, abym otworzył dla niego mistyczny portal. Może to właśnie pomieszczenie oznaczone symbolem SBB13?

Wszystko to jest takie zagmatwane!

Podczas marszu Langdon próbował zapomnieć o strasznym widoku wytatuowanej dłoni Petera zamienionej w Dłoń Tajemnic. Ponuremu obrazowi towarzyszyły słowa przyjaciela: „Starożytne tajemnice, Robercie, doprowadziły do powstania wielu mitów, nie oznacza to jednak, że same są czystym wymysłem".

Mimo długoletnich badań nad dziejami mistycyzmu i jego

symboli, Langdon wciąż zmagał się z koncepcją pradawnych tajemnic i obietnicą przemiany.

Bez wątpienia dokumenty historyczne potwierdzały, że wiedza tajemna była przekazywana od pokoleń i że przypuszczalnie nauczano jej w szkołach tajemnych w starożytnym Egipcie. Później zeszła do „podziemia", by wyłonić się w dobie europejskiego oświecenia. Według większości źródeł została powierzona wybranej grupie badaczy wywodzących się z czołowego ośrodka naukowego Europy — londyńskiego Royal Society — nazywanej Invisible College.

Niebawem tajemniczy „college" skupiał najbardziej oświecone umysły, a wśród nich Isaaca Newtona, Francisa Bacona, Roberta Boyle'a i Beniamina Franklina. Współczesna lista jego członków jest równie imponująca: Einstein, Hawking, Bohr i Celsjusz... Wielcy myśliciele dokonali ogromnego przełomu, jeśli chodzi o poszerzanie ludzkiej wiedzy — postępu, który, jak sądzono, był wynikiem poznania starożytnej wiedzy tajemnej przechowywanej w Invisible College. Langdon miał co do tego wątpliwości, chociaż w murach tej instytucji prowadzono ogromną ilość „badań mistycznych".

Odkrycie prywatnych notatek Newtona w 1936 roku ujawniło jego zainteresowanie starożytną alchemią i wiedzą tajemną. Znalazł się wśród nich list do Roberta Boyle'a, w którym Newton wzywał go do utrzymania „w największej tajemnicy" tajemnej wiedzy, którą posiedli. *Nie można jej ujawnić bez wyrządzenia ogromnej szkody światu* — pisał.

Do dziś trwają spory na temat sensu tego dziwnego ostrzeżenia.

— Profesorze — odezwała się nagle dyrektor Sato, podnosząc głowę znad blackberry — może mimo iż zapewnia pan, że nie wie, dlaczego się tu znalazł, mógłby pan rzucić odrobinę światła na pierścień Petera Solomona?

— Spróbuję — odparł Langdon.

Sato podała mu plastikową torbę z dowodem rzeczowym.

— Proszę mi powiedzieć, co to za symbole.

Langdon oglądał znajomy pierścień, gdy kluczyli pustymi korytarzami. Widniał na nim dwugłowy Feniks trzymający wstęgę, na której wypisano słowa *Ordo ab chao*. Na piersi ptaka wyryto liczbę trzydzieści trzy.

— Dwugłowy Feniks i liczba trzydzieści trzy to symbol najwyższego masońskiego stopnia wtajemniczenia. — Technicznie rzecz biorąc, ta wysoka godność istniała wyłącznie w ramach rytu szkockiego. Chociaż ryty i stopnie masońskie tworzyły złożoną hierarchię, tej nocy Langdon nie zamierzał wdawać się w szczegóły. — Trzydziesty trzeci stopień wtajemniczenia to wielki zaszczyt zarezerwowany dla małej grupy najwybitniejszych masonów. Pozostałe stopnie można osiągnąć, pokonawszy poprzednie, lecz to, czy ktoś osiągnie ten właśnie stopień, zależy od wielu czynników. Mogą go otrzymać wyłącznie osoby, które zostaną zaproszone.

— Wiedział pan, że Peter Solomon był członkiem wewnętrznego elitarnego kręgu masonów?

— Oczywiście, to nie sekret.

— I wie pan, że zajmuje najwyższą pozycję?

— Tak. Peter przewodniczy radzie masońskiej, której członkowie mają trzydziesty trzeci stopień wtajemniczenia, co oznacza, że stoi na czele wolnomularstwa rytu szkockiego w Ameryce.

Langdon lubił odwiedzać ich siedzibę, świątynię, klasyczne arcydzieło, którego symboliczne zdobienia dorównują szkockiej kaplicy Rosslyn.

— Profesorze, czy zauważył pan, co wyryto na obrączce? Jak rozumieć słowa: *Osiągnięcie trzydziestego trzeciego stopnia odsłania wszystkie tajemnice.*

Langdon skinął głową.

— To znany motyw tradycji masońskiej.

— Czy znaczy to, że gdy członek loży osiągnie trzydziesty trzeci stopień, pozna jakieś dobrze strzeżone tajemnice?

— Tak mówi tradycja, choć w rzeczywistości może być inaczej. Zawsze istniała teoria spiskowa, że w gronie najważniejszych członków loży istnieje grupa, której powierzono pieczę nad wielkimi mistycznymi sekretami. Myślę, że prawda jest nieco mniej dramatyczna.

Chociaż Peter Solomon często żartobliwie nawiązywał do bezcennych masońskich tajemnic, Langdon zawsze podejrzewał, że była to jedynie próba wzbudzenia jego ciekawości i skłonienia, by wstąpił do loży. Niestety, wydarzenia tej nocy trudno było uznać za wesołe, nie było też niczego zabawnego w powadze, z jaką Peter poprosił go, by przechował pakunek, który miał teraz w torbie.

Langdon spojrzał ze smutkiem na plastikową torebkę ze złotym pierścieniem Solomona.

— Pani dyrektor, czy nie miałaby pani nic przeciwko temu, abym zaopiekował się tym przedmiotem? — spytał.

Spojrzała na niego.

— Dlaczego?

— Ten pierścień miał dla Petera ogromną wartość. Chciałbym zwrócić mu go osobiście.

Sato popatrzyła na Langdona z powątpiewaniem.

— Miejmy nadzieję, że będzie pan miał okazję to zrobić.

— Dziękuję. — Wsunął pierścień do wewnętrznej kieszeni marynarki.

— Mam jeszcze jedno pytanie. — Sato przyspieszyła kroku. — Moi ludzie zestawili „trzydziesty trzeci stopień" z „portalem" i „masonerią". Wyszukiwarka pokazała im setki odnośników do „piramidy".

— Nie jestem zaskoczony. Egipscy budowniczowie piramid byli przodkami nowożytnych masonów, a piramida, obok innych egipskich symboli, w masońskiej symbolice pojawia się bardzo często.

— Co oznacza?

— Zwykle jest symbolem oświecenia. Jej konstrukcja obrazuje zdolność starożytnego człowieka do oderwania się od ziemskiej rzeczywistości i wzniesienia ku niebu, do złocistego słońca, a w końcu do najwyższego źródła oświecenia.

Sato odczekała chwilę.

— I nic więcej?

Nic więcej?! Langdon opisał właśnie dzieje jednego z najbardziej wzniosłych symboli. Budowlę, dzięki której człowiek dostał się do krainy bogów.

— Moi ludzie wskazują na związki, które wydają się bardziej znaczące w świetle wydarzeń tej nocy — powiedziała. — Twierdzą, że istnieje znana legenda o piramidzie znajdującej się w Waszyngtonie, związanej z masonami i starożytnymi tajemnicami.

Langdon domyślił się, o co jej chodzi, i podjął próbę zakończenia tych jałowych rozważań, by nie tracili czasu.

— Znam to podanie, dyrektor Sato. To bajki. Masońska piramida w Waszyngtonie to jeden z najbardziej żywotnych mitów, lecz uważam go za czystą fikcję. Być może jego źródłem jest piramida z wielkiej pieczęci Stanów Zjednoczonych.

— Dlaczego nie wspomniał pan o niej wcześniej?

Langdon wzruszył ramionami.

— Bo nie ma żadnego oparcia w faktach. Jak powiedziałem, to czysty mit. Jeden z wielu, które ludzie łączą z masonami.

— A jednak ten mit jest bezpośrednio związany ze starożytnymi tajemnicami?

— Jak wiele innych. Pradawne tajemnice są źródłem niezliczonych legend, które przetrwały przez wieki. Opowieści o wiedzy będącej źródłem wielkiej mocy, pilnowanej przez strażników takich jak templariusze, różokrzyżowcy, zakon iluminatów czy alumbrados. Ta lista nie ma końca. Wszystkie podania nawiązują do pradawnych tajemnic, a piramida masońska jest tylko jednym z wielu przykładów.

— Rozumiem. — Sato pokiwała głową. — O czym mówi ta legenda?

Langdon szedł przez chwilę w milczeniu, zanim udzielił odpowiedzi:

— Nie jestem specjalistą od teorii spiskowych, choć dobrze znam mitologię. Główna wersja jest następująca: starożytne tajemnice, zapomniana mądrość wieków, od dawien dawna uważane były za najświętsze dziedzictwo i jak wszystkie cenne skarby, dobrze strzeżone. Oświeceni mędrcy, którzy zdawali sobie sprawę z ich prawdziwej mocy, lękali się ich przerażających możliwości. Wiedzieli, że gdyby dostały się w niepowołane ręce, mogłyby spowodować ogromne szkody. Wcześniej wspomniałem, że potężne narzędzie można wykorzystać, służąc dobru lub złu. A zatem, by chronić starożytne tajemnice i ludzkość, wcześni wyznawcy zakładali tajemne bractwa. Dzielili się mądrością tylko z tymi, którzy przeszli inicjację, przekazując ją kolejnym mędrcom. Wielu uważa, że możemy spojrzeć w przeszłość i wskazać tych, którzy byli mistrzami wiedzy tajemnej... w opowieściach o czarnoksiężnikach, magach i uzdrowicielach.

— A piramida masońska? Jak do tego wszystkiego pasuje? — chciała wiedzieć Sato.

— Właśnie w tym punkcie historia i mity zaczynają się zlewać — odpowiedział Langdon, krocząc energicznie, by nie zostać z tyłu. — Według niektórych źródeł w szesnastowiecznej Europie nie istniały już prawie żadne tajne bractwa. Większość została wytępiona przez narastającą falę religijnych prześladowań. Wolnomularze mieli stać się ostatnimi ocalałymi strażnikami pradawnych tajemnic. Dlatego obawiali się, iż jeśli pewnego dnia ich organizacja przestanie istnieć, starożytne tajemnice zaginą na zawsze.

— A piramida? — drążyła Sato.

Langdon od początku do tego zmierzał.

— Legenda o masońskiej piramidzie jest bardzo prosta. Głosi ona, że masoni, pragnąc wypełnić misję ocalenia pradawnej mądrości dla przyszłych pokoleń, postanowili ukryć ją w wielkiej twierdzy. — Langdon próbował przypomnieć sobie wszystko, co wie na ten temat. — Mit mówi, że masoni przywieźli swoją wiedzę tajemną ze Starego do Nowego Świata, do Ameryki, ziemi, która miała być wolna od religijnej tyranii. Zbudowali niezdobytą twierdzę, ukrytą piramidę, mającą chronić starożytne tajemnice do czasu, aż ludzkość będzie gotowa przyjąć tę niezwykłą wiedzę. Jak głosi legenda, masoni pokryli wielką piramidę litym złotem, będącym symbolem ogromnego skarbu, który znajduje się w środku: starożytnej mądrości, mogącej sprawić, że ludzkość zrealizuje swój pełny potencjał. Inaczej mówiąc, by mogła przejść przemianę.

— Intrygujące — mruknęła Sato.

— Na temat masonów krąży wiele legend.

— Widzę, że nie wierzy pan w istnienie piramidy.

— Oczywiście, że nie. Do tej pory nie natrafiono na żaden dowód, że przodkowie współczesnych masonów zbudowali w Ameryce jakąś piramidę, a tym bardziej że wznieśli ją w Waszyngtonie. Trudno byłoby ukryć piramidę, a szczególnie tak dużą, by zdołała pomieścić w sobie całą zaginioną pradawną mądrość.

O ile pamiętał, legenda ta nie wyjaśniała, co konkretnie ma się znajdować w piramidzie — starożytne teksty, pisma okultystyczne, odkrycia naukowe lub coś znacznie bardziej tajemniczego. Z drugiej strony mówiła, że drogocenne informacje zostały pomysłowo zaszyfrowane i są zrozumiałe jedynie dla najbardziej oświeconych.

— W każdym razie — ciągnął Langdon — opowieść ta zalicza się do kategorii, którą specjaliści od symboli określają mianem „hybryd archetypowych", klasycznych legend, w których jest tyle zapożyczeń z popularnej mitologii, że mogą być wytworem fikcji, a nie źródłem dla historyków.

Wygłaszając wykład na temat hybryd archetypowych, Langdon często posługiwał się przykładem baśni przekazywanych z pokolenia na pokolenie, które z upływem czasu były coraz bardziej ubarwiane. Baśni tak pełnych zapożyczeń, że w końcu stały się jednorodnymi opowieściami o wyraźnym przesłaniu moralnym, z identycznymi elementami symbolicznymi — dziewicami w opałach, przystojnymi książętami, niezdobytymi twierdzami i potężnymi czarnoksiężnikami. Za pomocą takich baśni opowiadano dzieciom o pradawnej walce dobra ze złem, czego przykładem jest opowieść o Merlinie, zmagającym się z wróżką Morganą le Fay, o świętym Jerzym walczącym ze smokiem, o Dawidzie stającym do pojedynku z Goliatem, królewnie Śnieżce i czarownicy, a nawet Luke'u Skywalkerze i Darcie Vaderze.

Sato podrapała się w głowę, skręcając za róg i schodząc krótkimi schodami w ślad za Andersonem.

— Może mi pan wyjaśnić coś jeszcze? Czy to prawda, że piramidy uważano za mistyczne portale, przez które zmarli faraonowie wchodzili do krainy bogów?

— Tak.

Dyrektor Sato przystanęła i złapała Langdona za ramię, a w jej oczach widać było zaskoczenie i niedowierzanie.

— Powiedział pan, że porywacz Petera Solomona kazał panu odnaleźć ukryty portal. Nie przyszło panu do głowy, że mogło mu chodzić o masońską piramidę z tej legendy?

— Masońska piramida to właśnie legenda. Czysta fikcja.

Sato przysunęła się tak blisko, że Langdon wyczuł zapach tytoniu w jej oddechu.

— Rozumiem pańskie stanowisko, profesorze, lecz w kontekście naszego dochodzenia trudno przeoczyć tak wyraźną paralelę.

Portal prowadzący do tajemnej wiedzy? Moim zdaniem to bardzo przypomina coś, co zdaniem porywacza tylko pan może otworzyć.

— Trudno mi uwierzyć, że...

— To, w co pan wierzy, jest bez znaczenia. Niezależnie od tego, jakie ma pan poglądy, musi pan przyznać, że ten człowiek uważa, iż piramida masońska istnieje.

— Mamy do czynienia z szaleńcem! Ten człowiek może sądzić, że SBB-trzynaście to ukryte wejście do podziemnej piramidy, zawierającej zaginioną starożytną wiedzę!

Sato stała nieruchomo, patrząc na niego gniewnie.

— Zapewniam pana, że kryzys, z którym muszę się uporać, jest realny. To nie bajka.

Zapadło lodowate milczenie.

— Proszę pani — Anderson wskazał kolejne stalowe drzwi znajdujące się w odległości trzech metrów od nich — jesteśmy na miejscu.

Dyrektor Sato wreszcie odwróciła wzrok i dała znak Andersonowi, by szedł dalej.

Za drzwiami znajdowało się wąskie przejście. Langdon spojrzał w lewo i w prawo.

To jakieś żarty.

Nigdy w życiu nie widział tak długiego korytarza.

Rozdział 31

Trish Dunne poczuła znajomy przypływ adrenaliny, opuszczając jasno oświetlony Sześcian i wkraczając w mroczną pustkę. Strażnik przy głównej bramie powiadomił ich o przyjeździe gościa, doktora Abaddona, którego trzeba było zaprowadzić do Sektora 5. Wiedziona ciekawością Trish zaproponowała, że to zrobi. Katherine powiedziała bardzo niewiele o mężczyźnie, który miał ich odwiedzić, więc Trish była zaintrygowana. Widać Peter Solomon ma do niego ogromne zaufanie. Solomonowie nigdy nie zapraszali nikogo do Sześcianu. Ten jest pierwszy.

Mam nadzieję, że poradzi sobie z ciemnością — pomyślała, przedzierając się przez lodowaty mrok. Ostatnią rzeczą, jakiej potrzebowała, była paniczna reakcja ważnego gościa Katherine na ciemność, którą należało pokonać, by dotrzeć do laboratorium.

Pierwszy raz jest najtrudniejszy.

Przekonała się o tym rok temu. Przyjęła ofertę pracy złożoną przez Katherine, podpisała zobowiązanie do dochowania tajemnicy, a następnie udała się z nią do SMSC, aby obejrzeć laboratorium. Przeszły Ulicą, docierając do stalowych drzwi z napisem „Sektor 5". Chociaż Katherine próbowała ją przygotować, opisując położenie odległego laboratorium, Trish nie była gotowa na to, co zobaczyła, gdy drzwi zamknęły się z sykiem.

Pustka.

Katherine przekroczyła próg i zrobiła kilka kroków w zupełnej ciemności, po czym dała znak, by Trish ruszyła za nią.

— Zaufaj mi. Nie zgubisz się.

Trish wyobraziła sobie, jak kroczy przez czarne niczym smoła pomieszczenie wielkości boiska futbolowego i na samą myśl oblała się potem.

— Zainstalowaliśmy system naprowadzania, żeby się nie zgubić — wyjaśniła Katherine, wskazując podłogę. — To bardzo stare rozwiązanie.

Trish zmrużyła oczy, wpatrując się w betonową posadzkę. Po chwili dostrzegła wąski, biegnący prosto chodnik. Rozciągał się przed nią jak droga, niknąc w ciemności.

— Patrz stopami — powiedziała Katherine, odwracając się i ruszając dalej. — Idź za mną po prawej stronie.

Kiedy znikła w mroku, Trish opanowała strach i poszła jej śladem.

To jakiś obłęd!

Zrobiła kilka kroków po dywanie, gdy drzwi Sektora 5 zamknęły się za jej plecami, gasząc ostatnie słabe promienie światła. Czując, jak wali jej serce, Trish skupiła całą uwagę na dywanie pod stopami. Zrobiła tylko kilka kroków, kiedy pod prawym butem poczuła beton. Instynktownie skręciła w lewo, stawiając obie stopy na miękkim chodniku.

Z ciemności doleciał głos Katherine. Słowa niemal całkowicie pochłonęła pozbawiona akustyki otchłań.

— Ludzkie ciało jest zdumiewające! Jeśli pozbawisz je któregoś ze zmysłów, pozostałe niemal natychmiast przejmują jego funkcję. W tej chwili zakończenia nerwowe w twoich stopach dosłownie „dostrajają się" do większej wrażliwości.

Niezłe — pomyślała Trish, znów korygując kierunek.

Szły w milczeniu, a dziewczyna miała wrażenie, że wędrówka nigdy się nie skończy.

— Daleko jeszcze? — spytała w końcu.

— Jesteśmy w połowie drogi. — Teraz głos Katherine wydawał się bardziej odległy.

Trish przyspieszyła kroku, próbując nad sobą zapanować, lecz ciemna przestrzeń zaciskała się wokół niej, jakby chciała ją pochłonąć.

Nie widzę na milimetr od twarzy!

— Katherine? Skąd będziesz wiedziała, że trzeba się zatrzymać?

— Za chwilę sama się dowiesz.

Tej nocy Trish znów znalazła się w próżni, tym razem idąc w przeciwnym kierunku, do holu, aby przyprowadzić gościa szefowej. Nagła zmiana faktury chodnika ostrzegła ją, że do wyjścia pozostały trzy metry. Peter Solomon, wielki entuzjasta baseballu, nazywał go „odcinkiem ostrzegawczym". Trish zatrzymała się, wyjęła z kieszeni fartucha kartę magnetyczną i namacała ścianę, szukając wypukłego czytnika.

Drzwi otworzyły się z sykiem.

Z radością zmrużyła oczy, witając światła korytarza SMSC.

Udało się... po raz kolejny.

Idąc pustymi korytarzami, Trish myślała o dziwnym pliku, który odnalazły w zabezpieczonej sieci. Starożytny portal? Ukryte podziemne pomieszczenie? Była ciekawa, czy Markowi Zoubianisowi dopisze szczęście i zdoła ustalić, skąd pochodzi tajemniczy dokument.

Katherine stała w pomieszczeniu kontroli, wpatrując się w migoczący monitor, na którym widniał enigmatyczny dokument. Myśląc o oderwanych frazach, czuła coraz większą pewność, że dokument ten mówi o tej samej fantastycznej legendzie, o której jej brat wspomniał doktorowi Abaddonowi.

...ukryte miejsce PODZIEMNE, w którym...
...na terenie WASZYNGTONU, o współrzędnych...
...odsłonięto starożytny PORTAL, który prowadził...
...ostrzegając, że PIRAMIDA kryje niebezpieczne...
...rozszyfrować WYRYTY SYMBOL, by odsłonić...

Muszę poznać resztę tego pliku — uznała.

Po chwili wyłączyła monitor. Zawsze go wyłączała, bo zużywał dużo energii, a trzeba było oszczędzać rezerwy wodorowego ogniwa.

Patrzyła, jak kluczowe słowa powoli blakną, zamieniając się w mały biały punkt, wiszący pośrodku ściany, by w końcu zniknąć.

Odwróciła się i ruszyła do swojego gabinetu. Doktor Abaddon miał się zjawić lada chwila, a ona chciała, by czuł, że jest tu mile widziany.

Rozdział 32

— Wkrótce będziemy na miejscu — oznajmił Anderson, prowadząc Langdona i Sato długim korytarzem biegnącym wzdłuż wschodniej podstawy Kapitolu. — W czasach Lincolna było tu klepisko. Aż się roiło od szczurów...

Langdon poczuł wdzięczność, że podłogę wyłożono płytami, bo nie należał do szczególnych miłośników tych gryzoni. Szli szerokim korytarzem, w którym odbijało się echo ich nierównych kroków. Na jednej ścianie znajdował się szereg w większości otwartych drzwi. Pomieszczenia, do których prowadziły, sprawiały wrażenie opuszczonych. Langdon pomyślał, że malejące numery niebawem się skończą.

SB4... SB3... SB2... SB1...

Kiedy minęli nieoznaczone drzwi, Anderson nagle przystanął, widząc, że numery znów rosną.

HB1... HB2...

— Przepraszam — mruknął — musiałem pomylić drogę. Rzadko schodzę tak głęboko.

Cofnęli się kilka metrów do starych metalowych drzwi. Langdon dopiero teraz zauważył, że znajdują się one dokładnie pośrodku korytarza — na południku dzielącym piwnicę Senatu (SB) i piwnicę Izby Reprezentantów (HB). Widniało na nich oznaczenie, lecz wyryty znak tak pociemniał, że stał się prawie niewidoczny.

SBB

— Jesteśmy na miejscu — oznajmił Anderson. — Za chwilę przyniosą klucze.
Sato zmarszczyła czoło i zerknęła na zegarek.
Langdon spojrzał na litery SBB i spytał Andersona:
— Dlaczego to pomieszczenie przydzielono do części senackiej, skoro znajduje się pośrodku?
Komendant spojrzał na niego zdziwiony.
— Nie rozumiem, o co panu chodzi.
— Pomieszczenie oznaczono literami SBB, a nie SH.
Anderson pokręcił głową.
— S w SBB nie oznacza Senatu, ale...
— To pan, szefie?! — dobiegło z oddali wołanie strażnika. Mężczyzna biegł truchtem w ich stronę, niosąc klucz. — Przepraszam, że zajęło to kilka minut. Nie mogliśmy znaleźć klucza do SBB. Trzeba było wziąć zapasowy.
— Oryginał zginął? — zdziwił się Anderson.
— Najprawdopodobniej — wysapał strażnik, stając obok nich. — Od wieków nikt tu nie schodził.
Anderson wziął klucz.
— Więc nie ma zapasowego klucza do SBB-trzynaście?
— Przykro mi. Nie znaleźliśmy klucza do żadnego z pomieszczeń w sektorze SBB. MacDonald ciągle szuka — wyjaśnił strażnik, po czym odezwał się do mikrofonu krótkofalówki: — Bob? Jestem z szefem. Znalazłeś zapasowy klucz do SBB-trzynaście?
Rozległ się trzask i z głośnika dobiegł głos:
— Taak. Dziwna sprawa. Od czasu wprowadzenia systemu komputerowego nikt tam nie był. Z ksiąg wynika, że pomieszczenia magazynowe w sektorze SBB zostały uprzątnięte i opuszczone ponad dwadzieścia lat temu. Oznaczono tę część jako przestrzeń niewykorzystaną. — Przerwał na chwilę. — Z wyjątkiem pomieszczenia SBB-trzynaście.
Anderson wyrwał strażnikowi krótkofalówkę.
— Mówi komendant. Co to znaczy „z wyjątkiem pomieszczenia SBB-trzynaście”?
— Widzę tutaj sporządzoną odręcznie notatkę, że SBB-trzynaście to pomieszczenie „prywatne”, szefie. Wpisu dokonano dawno temu, lecz rozpoznaję charakter pisma i inicjały architekta.

Langdon wiedział, że nie chodzi o człowieka, który zaprojektował Kapitol, lecz tego, który zarządza gmachem. Podobnie jak menedżer nieruchomości, architekt Kapitolu był odpowiedzialny za naprawy, bezpieczeństwo, personel i przydział biur.

— Dziwna sprawa... — ciągnął strażnik. — Z notatki architekta wynika, że „pomieszczenie prywatne" zostało oddane do użytku Peterowi Solomonowi.

Langdon, Sato i Anderson wymienili zdumione spojrzenia.

— Domyślam się, że to pan Solomon ma oryginały kluczy do sektora SBB i pomieszczenia SBB-trzynaście — dodał.

Langdon nie wierzył własnym uszom.

Peter ma prywatne pomieszczenie w piwnicy Kapitolu?

Zdawał sobie sprawę, że Peter miewa sekrety, lecz ta wiadomość zaskoczyła nawet jego.

— W porządku — odparł Anderson, najwyraźniej niezbyt uszczęśliwiony tą informacją. — Chcemy wejść do pomieszczenia SBB-trzynaście, więc szukaj duplikatu.

— Tak, szefie. Pracujemy również nad cyfrowym zdjęciem, o które pan prosił...

— Dziękuję — przerwał mu Anderson. — To wszystko. Prześlij niezwłocznie plik na blackberry dyrektor Sato.

— Zrozumiałem, szefie.

Rozmowa się skończyła i Anderson zwrócił krótkofalówkę strażnikowi.

Mężczyzna wyjął z kieszeni kserokopię planu i podał ją szefowi.

— Sektor SBB zaznaczono szarym kolorem. Symbol X oznacza SBB-trzynaście. Powinniście odnaleźć go bez trudu. To małe pomieszczenie.

Anderson podziękował strażnikowi i rzucił okiem na plan. Langdon też spojrzał na kartkę i ku swojemu zdumieniu zobaczył mnóstwo pomieszczeń tworzących osobliwy labirynt pod Kapitolem.

Komendant analizował przez chwilę plan, po czym skinął głową i wsunął go do kieszeni. Skierował się do drzwi oznaczonych symbolem SBB i zawahał się, mając wątpliwości, czy powinien je otworzyć. Langdon też żywił obawy. Choć nie wiedział, co jest za drzwiami, był pewny, że Peter chciał, aby pozostało to tajemnicą. Wielką tajemnicą.

Sato odchrząknęła, dając tym sygnał Andersonowi. Komendant odetchnął głęboko, wsunął klucz do otworu i chciał przekręcić, lecz ten ani drgnął. Przez ułamek sekundy Langdon miał nadzieję, że przyniesiono niewłaściwy klucz. Za drugim razem zamek jednak zgrzytnął i Anderson pchnął ciężkie drzwi.

Otworzyły się, skrzypiąc, i korytarz wypełniło wilgotne powietrze.

Langdon zajrzał do środka, lecz ciemność była tak nieprzenikniona, że niczego nie dostrzegł.

— Wracając do pańskiego pytania, profesorze — powiedział Anderson, szukając po omacku włącznika światła — S w SBB nie oznacza Senatu, lecz część podziemną.

— Część podziemną? — spytał zdumiony Langdon.

Anderson skinął głową, przekręcając włącznik znajdujący się po wewnętrznej stronie obok drzwi. Samotna żarówka oświetliła strome schody niknące w gęstym mroku.

— SBB to podziemia pod piwnicami Kapitolu.

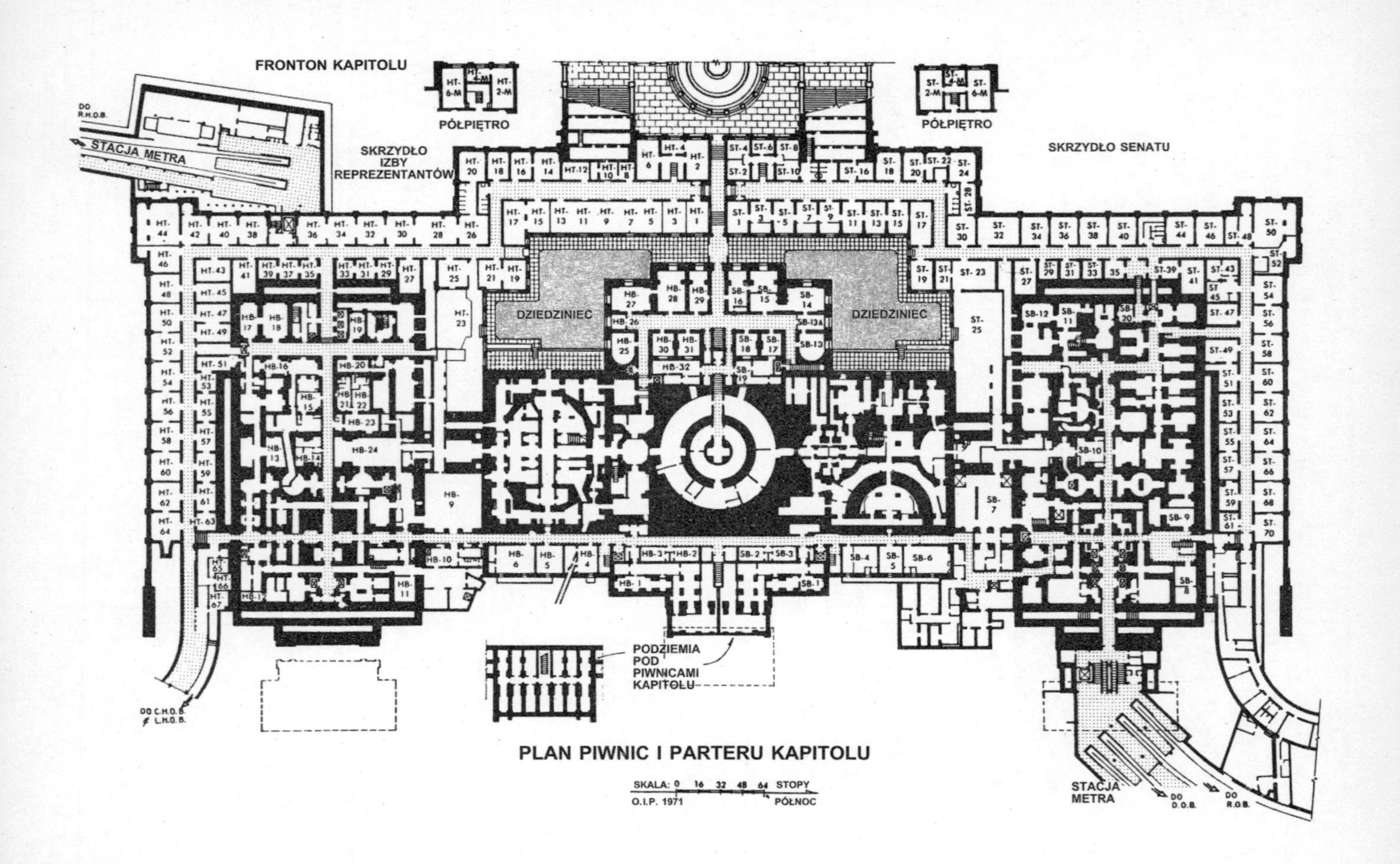

PLAN PIWNIC I PARTERU KAPITOLU

Rozdział 33

Specjalista od bezpieczeństwa systemów, Mark Zoubianis, rozparł się wygodnie, śledząc informacje wyświetlające się na ekranie laptopa.

Co to za adres?

Najlepsze hakerskie narzędzia, którymi dysponował, nie pozwoliły mu dotrzeć do dokumentu ani rozszyfrować tajemniczego adresu, który dostał od Trish. Minęło dziesięć minut, a program Zoubianisa nadal odbijał się jak piłka od zapór sieciowych. W końcu zaczął tracić nadzieję, że uda mu się wedrzeć do środka.

Nic dziwnego, że tyle mi płacą.

Już miał zamiar sięgnąć po nowe narzędzie i spróbować innego sposobu podejścia, gdy zadzwonił telefon.

Daj spokój, Trish, przecież powiedziałem, że zadzwonię.

Ściszył telewizor i podniósł słuchawkę.

— Taak?

— Pan Mark Zoubianis? — spytał męski głos. — Zamieszkały przy Kingston Drive trzysta pięćdziesiąt siedem w Waszyngtonie?

Zoubianis usłyszał w tle przytłumione rozmowy.

Telemarketer dzwoniący w porze rozgrywek barażowych? Do reszty powariowali?

— Niech zgadnę, wygrałem tydzień wakacji w Anguilli?

— Nie — odparł poważny głos. — Dzwonię z działu bezpieczeństwa systemów Centralnej Agencji Wywiadowczej. Dlaczego próbuje się pan włamać do naszej tajnej bazy danych?

Trzy piętra nad podziemiami Kapitolu, w holu centrum dla zwiedzających, strażnik Nuñez jak co wieczór zamknął główne drzwi. Krocząc po marmurowej posadzce, myślał o wytatuowanym mężczyźnie w płaszczu z demobilu.

Wpuściłem go.

Nuñez był ciekaw, czy jutro będzie jeszcze miał pracę. Spojrzał za siebie, na główne wejście, i dostrzegł stojącego na zewnątrz starszego Afroamerykanina, który walił w szybę i dawał znaki, żeby go wpuścić.

Nuñez pokręcił głową, wskazując zegarek.

Mężczyzna zapukał ponownie i stanął w świetle. Miał krótkie siwiejące włosy i nieskazitelny granatowy garnitur. Serce Nuñeza stanęło. Niech to szlag! Rozpoznał go nawet z tej odległości. Podbiegł do drzwi i otworzył.

— Przepraszam pana. Proszę, proszę wejść.

Warren Bellamy, architekt Kapitolu, wszedł i podziękował Nuñezowi uprzejmym skinieniem głowy. Był szczupły i energiczny, a jego wyprostowana postawa i przeszywające spojrzenie zdradzały pewność siebie człowieka mającego kontrolę nad otoczeniem. Przez ostatnich dwadzieścia pięć lat Bellamy pełnił funkcję nadzorcy amerykańskiego Kapitolu.

— Czym mogę służyć? — spytał Nuñez.

— Dziękuję, rzeczywiście możesz mi pomóc — odpowiedział Bellamy. Studiował na uniwersytecie należącym do Ivy League i miał taką dykcję, że można go było wziąć za Anglika. — Dowiedziałem się o incydencie, który miał tu miejsce dziś wieczorem. — Był wyraźnie zaniepokojony.

— Tak, proszę pana. To było...

— Gdzie komendant Anderson?

— Na dole, z dyrektor Sato z Biura Bezpieczeństwa CIA.

Bellamy wytrzeszczył oczy.

— CIA tutaj?

— Tak, proszę pana. Dyrektor Sato przybyła niemal natychmiast po zdarzeniu.

— Po co?

Nuñez wzruszył ramionami.

Też chciałbym wiedzieć.

Bellamy skierował się do wind.

— Gdzie oni są?

— Poszli do piwnic — odrzekł Nuñez, podążając w pośpiechu za Bellamym.

Architekt spojrzał na niego zdezorientowany.

— Schodami? Dlaczego?

— Nie wiem. Słyszałem, jak rozmawiali przez krótkofalówkę.

Bellamy przyspieszył kroku.

— Natychmiast mnie do nich zaprowadź.

— Tak, proszę pana.

Kiedy przechodzili przez hol, Nuñez zauważył na palcu Bellamy'ego duży złoty pierścień.

— Uprzedzę szefa, że do niego idziemy — powiedział, odpinając od paska krótkofalówkę.

— Nie. — Bellamy spojrzał na niego z groźnym błyskiem w oczach. — Wolę zjawić się bez zapowiedzi.

Tego wieczoru Nuñez zdążył popełnić kilka poważnych błędów, wiedział więc, że jeśli nie zawiadomi Andersona o przybyciu architekta, będzie to jego ostatnie uchybienie.

— Proszę pana, wiem, że komendant Anderson wolałby... — zaczął niepewnie.

— Wiesz, że to ja zatrudniam pana Andersona? — przerwał mu Bellamy.

Nuñez skinął głową.

— W takim razie będzie zadowolony, że wykonałeś moje polecenie.

Rozdział 34

Trish Dunne weszła do holu SMSC i spojrzała zdumiona na gościa, który na nią czekał. Nie przypominał moli książkowych i „flanelowych" doktorów, którzy zwykle odwiedzali ten gmach, nie wyglądał jak typowy naukowiec zajmujący się antropologią, oceanografią, geologią lub innymi podobnymi dziedzinami. Doktor Abaddon w nieskazitelnie skrojonym garniturze wyglądał jak arystokrata. Był wysoki, miał szeroki tors, opaloną twarz i starannie ułożone włosy, co nasunęło Trish myśl, że bardziej przywykł do luksusów niż do pracy w laboratorium.

— Doktor Abaddon? — zapytała, wyciągając rękę.

Spojrzał niepewnie, lecz ujął jej pulchną dłoń w swoją szeroką prawicę.

— Tak, a pani?

— Trish Dunne. Jestem asystentką Katherine. Poprosiła, żebym zaprowadziła pana do laboratorium.

— Rozumiem. — Twarz mężczyzny się rozpogodziła. — Miło mi panią poznać, Trish. Przepraszam, jeśli wyglądałem na zmieszanego. Sądziłem, że tego wieczoru Katherine będzie sama. — Wskazał korytarz. — Jestem do pani dyspozycji. Ruszajmy.

Chociaż szybko się opanował, Trish dostrzegła w jego oczach rozczarowanie. Zaczęła się domyślać, dlaczego Katherine nie wspomniała wcześniej o doktorze Abaddonie.

Może mają romans?

Katherine nigdy nie rozmawiała z nią o swoim życiu prywatnym, lecz doktor Abaddon był atrakcyjny i elegancko ubrany.

Chociaż wydawał się młodszy od Katherine, pochodził z tego samego kręgu ludzi cieszących się bogactwem i przywilejami. Mimo to, niezależnie od jego wieczornych planów, obecność Trish najwyraźniej nie została wzięta pod uwagę.

Strażnik przy bramie w holu szybko zdjął słuchawki i Trish usłyszała ryk kibiców. Strażnik rutynowo sprawdził doktora Abaddona wykrywaczem metalu i wręczył mu tymczasowy identyfikator.

— Kto wygrywa? — spytał przyjaźnie doktor Abaddon, wyjmując z kieszeni telefon komórkowy, klucze i zapalniczkę.

— Skinsi prowadzą trzema punktami — odpowiedział strażnik, chcąc jak najszybciej wrócić do telewizora. — Znakomity mecz.

— Pan Solomon przyjedzie niebawem — poinformowała go Trish. — Byłbyś łaskaw skierować go do laboratorium, gdy tylko się zjawi?

— Oczywiście. — Spojrzał na nich, mrugając porozumiewawczo. — Dzięki, że mnie uprzedziliście. Będę udawał zajętego.

Trish zapowiedziała przybycie Solomona nie tylko ze względu na strażnika, lecz również na Abaddona. Dała mu w ten sposób do zrozumienia, że nie tylko ona zakłóci jego wieczorne spotkanie z Katherine.

— Skąd pan zna Katherine? — spytała, spoglądając kątem oka na tajemniczego gościa.

Doktor Abaddon zaśmiał się krótko.

— Och, to długa historia. Wspólnie nad czymś pracowaliśmy.

Rozumiem — pomyślała Trish. — Nie mój interes.

— To zdumiewający kompleks — zauważył gość, rozglądając się, gdy szli szerokim korytarzem. — Nigdy wcześniej tu nie byłem.

Jego nonszalancki ton z każdym krokiem stawał się coraz bardziej uprzejmy. Trish zauważyła, że wszystkiemu uważnie się przygląda. W jasnym świetle korytarza spostrzegła również, że opalenizna na jego twarzy wygląda nienaturalnie.

Dziwne.

Mimo to, klucząc pustymi korytarzami, przedstawiła mu pokrótce cele i rolę SMSC, opowiadając o poszczególnych budynkach i ich przeznaczeniu.

Gość był pod wrażeniem.

— To miejsce jest istną skarbnicą bezcennych eksponatów. Powinno się tu roić od strażników.

— Nie ma takiej potrzeby — odparła Trish, wskazując rząd kamer pod sufitem. — System bezpieczeństwa jest całkowicie zautomatyzowany. Każdy metr tego korytarza jest filmowany przez dwadzieścia cztery godziny na dobę, siedem dni w tygodniu. Ten korytarz to kręgosłup całego kompleksu. Nie można wejść z niego do żadnego z pomieszczeń bez karty magnetycznej i kodu PIN.

— Skuteczne wykorzystanie kamer.

— Proszę odpukać w niemalowane drewno. Do tej pory nie mieliśmy żadnego włamania. Dodam, że nie jest to muzeum, które ktoś chciałby obrabować. Nie istnieje czarny rynek na wymarłe gatunki kwiatów, kajaki Inuitów lub ciało ogromnej kałamarnicy.

Doktor Abaddon znów się zaśmiał.

— Ma pani rację.

— Największym zagrożeniem są gryzonie i owady. — Trish wyjaśniła, w jaki sposób chroni się kompleks SMSC przed owadami, zamrażając odpadki oraz za pomocą architektonicznego rozwiązania nazywanego „martwą strefą" — niegościnną przestrzenią między podwójnymi murami, otaczającą cały kompleks niczym powłoka ochronna.

— Niewiarygodne. — Abaddon pokręcił głową. — A gdzie jest laboratorium Katherine i Petera?

— W Sektorze Piątym. Na samym końcu korytarza.

Abaddon nagle przystanął, odwracając się w prawo i zaglądając przez małe okienko.

— Mój Boże! Niech pani spojrzy!

— Taak, to Sektor Trzeci. Nazywają go „wilgotnym sektorem" — odrzekła Trish z uśmiechem.

— Wilgotnym? — zdziwił się Abaddon, przyciskając twarz do szyby.

— Jest tam ponad trzy tysiące galonów ciekłego etanolu. Przypomina pan sobie ogromną kałamarnicę, o której wspominałam?

— Kałamarnicę? — Doktor Abaddon jeszcze raz zajrzał przez okienko, wybałuszając oczy ze zdumienia. — Jest naprawdę olbrzymia!

— To samica z gatunku *Architeuthis* — wyjaśniła Trish. — Ma ponad dwanaście metrów długości.

Doktor Abaddon wyglądał na oczarowanego widokiem kałamarnicy, nie mógł oderwać od niej oczu. Przez chwilę ten dorosły mężczyzna przypominał Trish małego chłopca stojącego przed wystawą sklepu zoologicznego, pragnącego wejść do środka i wybrać sobie szczeniaka. Pięć sekund później nadal tęsknie patrzył przez szybkę.

— W porządku, wejdźmy do środka — powiedziała w końcu Trish, wsuwając kartę magnetyczną do czytnika i wprowadzając numer PIN. — Pokażę panu kałamarnicę.

Kiedy weszli do skąpo oświetlonego Sektora 3, Mal'akh rozejrzał się w poszukiwaniu kamer. Pulchniutka mała asystentka Katherine zaczęła trajkotać o zgromadzonych tu okazach. Mal'akh odwrócił się w jej stronę. Nie interesowały go ogromne kałamarnice, szukał tylko mrocznego, odludnego miejsca, by rozwiązać nieoczekiwany problem.

Rozdział 35

Langdon nigdy wcześniej nie schodził równie stromymi i wąskimi drewnianymi schodami jak te, które prowadziły do podziemi Kapitolu. Jego oddech stał się szybszy, było mu duszno. Chłodne i wilgotne powietrze przypomniało podobne schody, którymi kilka lat wcześniej zstępował do nekropolii Watykanu. Do miasta umarłych.

Idący przodem Anderson wskazywał drogę latarką, a podążająca tuż za Langdonem Sato co chwila opierała się o niego drobnymi dłońmi.

Szybciej nie mogę!

Langdon odetchnął głęboko, próbując zignorować ściany, które otaczały go ze wszystkich stron. Jego ramiona ledwie mieściły się na schodach, a torba ocierała o ścianę.

— Może powinien pan zostawić torbę na górze? — zasugerowała Sato.

— Wszystko w porządku. — Langdon nie miał zamiaru spuścić jej z oczu. Nie mógł przestać myśleć o tym, jaki paczka w jego torba może mieć związek z tym, co znajduje się w podziemiach Kapitolu.

— Jeszcze kilka stopni i będziemy na miejscu — oznajmił Anderson. — Prawie dotarłem do końca.

Cała trójka znalazła się w ciemności, poza zasięgiem pojedynczej żarówki palącej się na schodach. Langdon zszedł z ostatniego drewnianego stopnia i poczuł pod stopami płaski grunt. Podróż do wnętrza Ziemi.

Sato stanęła tuż za nim.

Anderson uniósł latarkę, oświetlając pomieszczenie. Podziemie nie przypominało piwnicy, lecz bardzo wąski korytarz prowadzący ostro w dół ku schodom. Anderson skierował promień w lewo i w prawo. Langdon zauważył, że przejście ma zaledwie piętnaście metrów długości, a po obu stronach znajdują się małe drewniane drzwi, usytuowane tak blisko siebie, że pomieszczenia nie mogły mieć więcej niż trzy metry szerokości.

Połączenie magazynu ACME z katakumbami Domiceli — pomyślał Langdon, gdy Anderson studiował plan. Małe pomieszczenie w podziemiach oznaczono symbolem X, aby wskazać położenie SBB13. Langdon zauważył, że jego układ jest identyczny jak mauzoleum mieszczącego czternaście grobowców. Właściwie trzynaście.

Pomyślał, że zwolennicy teorii spiskowej związanej z „trzynastką" nie będą posiadali się z radości, gdy usłyszą, że pod amerykańskim Kapitolem znajduje się przestrzeń z trzynastoma pomieszczeniami. Niektórzy uważali za podejrzane, że Wielka Pieczęć Stanów Zjednoczonych ma trzynaście gwiazd, trzynaście strzał, piramidę o trzynastu stopniach, trzynaście pasów na tarczy, trzynaście liści oliwnych, trzynaście liter w *Annuit coeptis**, trzynaście liter w *E pluribus unum*** i tak dalej.

— To pomieszczenie wygląda na nieużywane — stwierdził Anderson, kierując promień latarki na drzwi znajdujące się naprzeciwko nich. Ciężkie drewniane odrzwia były otwarte na oścież. Promień latarki oświetlił wąską kamienną komorę o szerokości trzech i głębokości dziewięciu metrów. Przypominała

* *Annuit coeptis* (łac.) — „Pobłogosław naszemu przedsięwzięciu".
** *E pluribus unum* (łac.) — „Jedno uczynione z wielu".

korytarz prowadzący donikąd. W środku znajdowało się kilka starych drewnianych skrzynek i zmięty papier pakowy.

Anderson oświetlił latarką miedzianą tabliczkę na drzwiach. Choć była zaśniedziała, nadal można było odczytać:

SBB IV

— SBB-cztery — odczytał Anderson.

— Która z nich to SBB-trzynaście? — spytała Sato, a z jej ust uniósł się obłok pary, bo pod ziemią było chłodno.

Anderson skierował latarkę na południowy koniec korytarza.

— Tam.

Langdon spojrzał na wąskie przejście i zadrżał, czując, że pomimo zimna się poci.

Mijając szereg drzwi, mieli wrażenie, że wszystkie pomieszczenia wyglądają identycznie. Drzwi były otwarte, jakby ktoś odwiedzał je dawno temu. Gdy dotarli do końca, Anderson uniósł latarkę, aby oświetlić wnętrze SBB13. Na drodze snopowi światła stanęły ciężkie drewniane drzwi.

W przeciwieństwie do pozostałych drzwi z tabliczką SBB13 były zamknięte.

Wyglądały tak jak pozostałe — solidne zawiasy, żelazna klamka, zaśniedziała miedziana tabliczka z numerem. Widniały na niej identyczne znaki, jak na dłoni Petera, która została w Rotundzie:

SBB XIII

Powiedz, że są zamknięte, błagam — pomyślał Langdon.

— Otwórz drzwi — rozkazała bez wahania Sato.

Komendant policji najwyraźniej nie był przekonany o słuszności tego kroku, lecz nacisnął żelazną klamkę. Drzwi ani drgnęły. Anderson oświetlił ciężki stary zamek i dziurkę od klucza.

— Spróbuj kluczem głównym — zasugerowała Sato.

Anderson wyjął z kieszeni klucz do drzwi wejściowych na górze, lecz okazało się, że nie pasuje.

— Czy na wypadek sytuacji awaryjnej ochrona nie powinna

mieć dostępu do wszystkich pomieszczeń w tym gmachu? — zapytała sarkastycznie Sato.

Komendant westchnął głęboko, po czym spojrzał jej w oczy.

— Moi ludzie szukają zapasowego klucza, proszę pani, ale...

— Niech pan przestrzeli zamek — poleciła, wskazując głową otwór na klucz znajdujący się poniżej dźwigni.

Langdon poczuł, że jego puls przyspieszył.

Anderson odchrząknął, nie wiedząc, co powinien zrobić.

— Czekam na wiadomość w sprawie duplikatu klucza. Nie czuję się komfortowo, wchodząc w taki sposób...

— A poczuje się pan bardziej komfortowo w więzieniu? Za utrudnianie pracy CIA?

Anderson spojrzał na Sato z niedowierzaniem. Po dłuższej chwili wahania podał jej latarkę i sięgnął do kabury.

— Poczekajcie! — wykrzyknął Langdon, nie mogąc dłużej patrzeć bezczynnie na to, co się dzieje. — Zastanówmy się. Peter wolał poświęcić własną rękę, niż ujawnić to, co może znajdować się za tymi drzwiami. Jesteście pewni, że chcecie to zrobić? Otworzenie tych drzwi to spełnienie żądań terrorysty.

— Chce pan uratować Solomona? — zapytała Sato.

— Oczywiście, ale...

— W takim razie sugeruję, aby spełnił pan żądanie porywacza.

— Mam otworzyć starożytny portal? Sądzi pani, że to w ogóle jest portal?

Sato oświetliła latarką twarz Langdona.

— Profesorze, nie mam zielonego pojęcia, co to takiego! Zamierzam otworzyć te przeklęte drzwi niezależnie od tego, czy prowadzą do magazynu, czy pradawnej piramidy! Wyraziłam się jasno?

Langdon zmrużył oczy i skinął głową.

Dyrektor Sato opuściła latarkę i skierowała promień na stary zamek.

— Na co pan czeka, komendancie? Do roboty!

Anderson wyjął powoli pistolet, w dalszym ciągu przeciwny planowi Sato, i spojrzał niepewnie na zamek.

— Na Boga! — Sato wyciągnęła drobną dłoń i odebrała mu broń, wciskając do ręki latarkę. — Poświeć!

Trzymała pistolet pewnie, jak osoba nawykła do posługiwania

się nim. W jednej chwili odbezpieczyła go, odwiodła kurek i wycelowała.

— Poczekaj! — krzyknął Langdon, lecz było za późno.

W korytarzu rozległy się trzy strzały. Oszalała? Huk, który wstrząsnął małym pomieszczeniem, był ogłuszający.

Anderson również wyglądał na przerażonego. Drżącą ręką oświetlił podziurawione kulami drzwi.

Zamek był roztrzaskany, a otaczające go drewno w drzazgach. Zapadka puściła i drzwi lekko się uchyliły.

Sato pchnęła lufą drzwi, odsłaniając wnętrze, w którym panował nieprzenikniony mrok.

Langdon zajrzał do środka, lecz w ciemności niczego nie dostrzegł.

Co to za zapach?

Z mroku zaczął się wydobywać cuchnący odór.

Anderson stanął w progu i poświecił w dół, stąpając ostrożnie po gołej ziemi. Było to pomieszczenie podobne do innych — długie i wąskie. Boczne ściany zrobiono z kamienia, co nadawało temu miejscu wygląd starożytnej celi więziennej. Tylko ten smród...

— Niczego tu nie ma — oznajmił Anderson, oświetlając ziemię. Uniósł latarkę, by oświetlić najbardziej oddaloną ścianę. — Boże! — krzyknął.

Cofnęli się na widok tego, co zobaczyli.

Langdon spoglądał w głąb pomieszczenia, nie mogąc uwierzyć własnym oczom.

Ku jego przerażeniu, coś na niego patrzyło.

Rozdział 36

— Rany boskie, co to takiego? — wyjąkał stojący na progu pomieszczenia SBB13 Anderson, opuszczając latarkę i cofając się o krok.

Langdon i Sato także się cofnęli. Po raz pierwszy tej nocy dyrektor Sato wyglądała na przestraszoną.

Podniosła pistolet i dała znak Andersonowi, by oświetlił ścianę. Promień, który do niej dotarł, był słaby, wystarczył jednak, aby wydobyć z mroku pobladłą, upiorną twarz, spoglądającą na nich otworami pustych oczodołów.

Ludzka czaszka.

Spoczywała na stole ustawionym pod ścianą w głębi. Obok leżały kości nóg oraz kilka innych starannie ułożonych przedmiotów, które nadawały temu miejscu wygląd grobowca. Były wśród nich stara klepsydra, kryształowa butelka, świeczka, dwa naczynia z jasną sproszkowaną substancją i kartka. Obok stołu o ścianę oparto długą kosę. Jej zakrzywione ostrze przywodziło na myśl ponurego żniwiarza.

— Wygląda na to, że Peter Solomon znał więcej tajemnic, niż sądziłam — powiedziała Sato, wchodząc do środka.

Anderson skinął głową, idąc krok za nią.

— A co ze szkieletami w waszych szafach? — zażartował. Uniósł latarkę, oświetlając pozostałą część pomieszczenia. — Co to za zapach? — Zmarszczył nos. — Cóż to takiego?

— Siarka — odparł spokojnie Langdon, stając za jego plecami. — Na biurku powinny stać dwa naczynia. W prawym jest sól, w lewym siarka.

Sato odwróciła się do niego.

— Skąd pan wie? — spytała zdumiona.

— Na całym świecie jest wiele podobnych pomieszczeń, proszę pani.

Piętro wyżej strażnik Nuñez prowadził architekta Kapitolu, Warrena Bellamy'ego, długim korytarzem biegnącym wzdłuż wschodniej podstawy gmachu. Alfonso Nuñez był pewny, że przed chwilą usłyszał trzy stłumione wystrzały dobiegające z podziemi.

Nie mogłem się pomylić.

— Drzwi do podziemi są otwarte — zauważył Bellamy, mrużąc oczy i patrząc z oddali na uchylone drzwi.

Dziwny wieczór — pomyślał Nuñez. — Przecież nikt tam nie schodzi.

— Spytam, co się dzieje — powiedział, sięgając po krótkofalówkę.

— Wracaj do swoich obowiązków — polecił Bellamy. — Sam sobie poradzę.

Nuñez spojrzał na niego zdezorientowany.

— Jest pan pewien?

Warren Bellamy przystanął, kładąc silną dłoń na ramieniu strażnika.

— Synu, pracuję tu od dwudziestu pięciu lat. Myślę, że znajdę drogę.

Rozdział 37

Mal'akh widział w swoim życiu sporo upiornych miejsc, lecz niewiele mogłoby się równać z nieziemskim światem Sektora 3. Wilgotny sektor. Ogromna sala wyglądała tak, jakby jakiś szalony naukowiec zajął całą przestrzeń handlową Walmartu, stawiając na każdym regale i półce słoje z okazami różnego kształtu i wielkości. Pomieszczenie, oświetlone jak fotograficzna ciemnia, było skąpane w czerwonej poświacie „bezpiecznego światła" rozchodzącego się z reflektorów umieszczonych nad regałami, przenikającej ku górze i oświetlającej wypełnione etanolem pojemniki. Kliniczny zapach substancji konserwujących przyprawiał o mdłości.

— W tym sektorze znajduje się ponad dwadzieścia tysięcy okazów — oznajmiła pulchna dziewczyna. — Ryby, gryzonie, ssaki i gady.

— Mam nadzieję, że wszystkie są martwe — mruknął Mal'akh, udając, że jest zdenerwowany.

Dziewczyna się roześmiała.

— Zapewniam pana, że nie żyją. Muszę przyznać, że odważyłam się tu wejść dopiero po sześciu miesiącach pracy.

Mal'akh potrafił zrozumieć dlaczego. Wszędzie stały słoje z martwymi salamandrami, meduzami, szczurami, insektami, ptakami i innymi okazami, których nie potrafił rozpoznać. Jakby zebrane okazy były nie dość niepokojące, oświetlono je mglistym czerwonawym światłem, chroniącym wrażliwe eksponaty przed promieniowaniem, co sprawiało, że goście mieli wrażenie, jakby znaleźli się w ogromnym akwarium, w którym jakimś sposobem zebrały się pozbawione życia organizmy, by przypatrywać im się w mroku.

— To latimeria. — Dziewczyna wskazała duży pojemnik z pleksiglasu, w którym znajdowała się najobrzydliwsza ryba, jaką Mal'akh kiedykolwiek widział. — Sądzono, że wyginęła razem z dinozaurami, lecz kilka lat temu złowiono ją u wybrzeży Afryki.

Szczęściara z ciebie — pomyślał Mal'akh. Prawie nie słuchał Trish, pochłonięty wypatrywaniem kamer. Zauważył tylko jedną — umieszczoną nad wejściem — co nie było niczym dziwnym, bo wejście przypuszczalnie pełniło także funkcję jedynego wyjścia.

— A tutaj mamy okaz, który tak bardzo chciał pan zobaczyć... — powiedziała, prowadząc go do ogromnego zbiornika. — To nasz najdłuższy okaz. — Niczym gospodarz teleturnieju prezentujący nowy samochód zamaszystym gestem wskazała potworne stworzenie. — *Architeuthis*.

Zbiornik z kałamarnicą przypominał szereg budek telefonicznych, które połączono. W długiej przezroczystej trumnie unosił się chorobliwie blady, nieokreślony kształt. Mal'akh spojrzał na potężną, przypominającą worek głowę i oczy wielkości piłki baseballowej.

— Przy niej nawet latimeria jest przystojna.

— Niech pan poczeka, aż zapalę światło.

Trish uchyliła długą pokrywę zbiornika. Opary etanolu poruszyły się, gdy sięgnęła do środka i wcisnęła przełącznik znajdujący się tuż pod powierzchnią płynu. U podstawy błysnęło fosforyzujące światło. Kałamarnica zalśniła w całej swojej krasie — ogromna głowa przytwierdzona do oślizgłej masy rozpadających się macek i ostrych jak brzytwa przyssawek.

Trish zaczęła opowiadać o tym, w jaki sposób kałamarnica może pokonać kaszalota.

Mal'akh słyszał jej trajkotanie, lecz nie rozróżniał słów.

Nadszedł czas.

Trish Dunne zawsze czuła się nieswojo w Sektorze 3, lecz tym razem zimny dreszcz, który ją przeszedł, był zupełnie inny.

Sięgający trzewi. Pierwotny.

Próbowała go zignorować, lecz nasilił się, zamykając ją w swych szponach. Chociaż nie potrafiła określić źródła niepokoju, instynkt podpowiedział jej, że pora iść.

— Zobaczył pan kałamarnicę. — Sięgnęła do wnętrza zbiornika i zgasiła światło. — Powinniśmy już iść do Katherine...

Nagle szeroka dłoń zasłoniła jej usta i odchyliła głowę do tyłu. Potężne ramiona oplotły się wokół tułowia Trish, przyciskając ją do twardej jak skała klatki piersiowej. Szok sprawił, że na ułamek sekundy zamarła.

Po chwili ogarnęło ją przerażenie.

Mężczyzna przesunął rękę i zerwał kartę magnetyczną z jej szyi. Zanim linka pękła, poczuła pieczenie na karku. Klucz magnetyczny upadł na podłogę u ich stóp. Trish próbowała się obrócić, lecz nie dorównywała siłą rosłemu mężczyźnie. Chciała krzyczeć, ale dłoń tamtego zasłaniała jej usta. Pochylił się, szepcząc jej do ucha:

— Nie krzycz, kiedy zabiorę rękę. Zrozumiałaś?

Pokiwała energicznie głową, czując, że za chwilę się udusi.

Nie mogę oddychać!

Kiedy cofnął rękę, Trish odetchnęła głęboko.

— Puszczaj! — wysapała.

— Jaki masz PIN? — spytał.

Poczuła się bezsilna.

Katherine! Pomocy! Co to za człowiek?

— Strażnik cię widzi! — powiedziała, zdając sobie sprawę, że są poza zasięgiem kamer.

I tak nikt nie zwróciłby uwagi.

— Numer PIN — powtórzył. — Ten, który pasuje do karty magnetycznej.

Przeszedł ją lodowaty dreszcz. Odwróciła się gwałtownie, wyrwała z oplatającego ją ramienia i rzuciła naprzód, próbując wydrapać mężczyźnie oczy. Rozorała mu policzek, a na skórze pojawiły się cztery ciemne rany. Chwilę później uświadomiła sobie, że to nie ślady krwi. Zdrapała tylko ciemną warstwę pudru, odsłaniając tatuaż, który się pod nim znajdował.

Co to za potwór?!

Mężczyzna obrócił ją z nadludzką siłą i uniósł w górę, wpychając głowę Trish pod pokrywę zbiornika, tak że jej twarz znalazła się ponad powierzchnią etanolu. Poczuła, jak opary drażnią jej nos.

— Jaki masz PIN? — powtórzył.

Oczy zaczęły ją szczypać. W dole widziała blade cielsko kałamarnicy.

Poczuła pieczenie w gardle.

— Gadaj! — warknął, przysuwając jej twarz do powierzchni płynu. — Jaki masz PIN?

— Zero-osiem-zero-cztery! — wybełkotała, ledwie mogąc oddychać. — Puszczaj! Zero-osiem-zero-cztery!

— Kłamiesz — wycedził, naciskając jej głowę tak, że włosy dotknęły etanolu.

— Nie! — Zakrztusiła się. — Czwartego sierpnia mam urodziny!

— Dziękuję, Trish.

Potężne dłonie chwyciły jej głowę jeszcze mocniej, zanurzając twarz w zbiorniku. Poczuła przeszywające pieczenie oczu. Mężczyzna wzmocnił uścisk, pchając ją w dół i zanurzając głowę w etanolu. Trish poczuła, że jej twarz dotyka łba kałamarnicy.

Zebrała siły i rzuciła się do tyłu, próbując wyciągnąć głowę ze zbiornika, lecz potężne ręce nie ustąpiły.

Muszę oddychać!

Trwała zanurzona, starając się nie otwierać oczu ani ust. Poczuła pieczenie w płucach, opierając się potężnemu impulsowi, by odetchnąć.

Nie! Nie rób tego!

W końcu uległa odruchowi i otworzyła usta, a jej płuca rozszerzyły się gwałtownie, próbując wciągnąć powietrze, którego tak rozpaczliwie potrzebowała. Etanol wdarł się do gardła. Kiedy substancja chemiczna wypełniła przełyk, poczuła silny ból, którego wcześniej nie zdołałaby sobie wyobrazić. Na szczęście trwał zaledwie kilka sekund. Po chwili jej świat spowił mrok.

Mal'akh stał obok zbiornika, próbując złapać oddech i ocenić wyrządzone szkody.

Kobieta wisiała bezwładnie na krawędzi zbiornika z twarzą zanurzoną w etanolu. Widząc ją, przypomniał sobie jedyną kobietę, którą zabił oprócz niej.

Isabel Solomon.

Dawno temu. Inne życie.

Spojrzał na zwiotczałe zwłoki, złapał je za biodra i zaczął pchać do góry, aż ześlizgnęły się do zbiornika z kałamarnicą. Trish Dunne z głośnym chlupotem pogrążyła się w etanolu. Po chwili płyn znieruchomiał, a ręce i nogi Trish zawisły bezwładnie nad cielskiem ogromnego morskiego stwora. Kiedy jej ubranie nasiąkło wodą, zaczęła tonąć. Centymetr po centymetrze opadała na grzbiet martwej bestii.

Mal'akh wytarł ręce o spodnie i przykrył pojemnik wiekiem z pleksiglasu.

W „mokrym sektorze" jest nowy okaz.

Podniósł z podłogi kartę magnetyczną Trish i wsunął ją do kieszeni. Zero-osiem-zero-cztery.

Widząc Trish w holu, w pierwszej chwili uznał to za dodatkowe utrudnienie. Później zrozumiał, że jej karta magnetyczna i hasło stanowią jego zabezpieczenie. Jeśli wyniki badań Katherine przechowywane są w zamkniętym pomieszczeniu, jak sugerował Peter, Mal'akh miałby pewien problem ze skłonieniem Katherine, by je otworzyła.

Teraz mam własny klucz.

Był rad, że nie będzie musiał tracić czasu na zmuszanie jej, by uległa jego woli.

Wyprostował się i zobaczył swoje odbicie w szybie. Zauważył, że podkład na twarzy miejscami jest starty, lecz teraz nie miało to większego znaczenia. Kiedy Katherine się połapie, będzie już za późno.

Rozdział 38

— Czy to pomieszczenie masonów? — spytała Sato, odwracając się od czaszki i spoglądając w ciemności na Langdona.

Robert pokiwał powoli głową.

— Nazywają je komnatą zadumy. To chłodne surowe pomieszczenia, w których masoni mogą rozmyślać o własnej śmiertelności. Medytując nad nieuchronnością śmierci, uzyskują cenny wgląd w ulotną i przemijającą naturę życia.

Sato rozejrzała się po upiornym pomieszczeniu, jakby nie była o tym do końca przekonana.

— To ma być komnata zadumy?

— Tak. W miejscach tego rodzaju zawsze znajdują się identyczne symbole: ludzka czaszka, skrzyżowane kości, kosa, klepsydra, siarka, sól, biały pieprz, świeczka... Znaki te skłaniają masonów do rozmyślań o tym, jak lepiej wieść ziemski żywot.

— Na mój gust bardziej przypomina to świątynię śmierci — wtrącił Anderson.

Słuszna obserwacja.

— Większość moich studentów w pierwszej chwili ma podobne wrażenie — odrzekł Langdon, który zwykle kazał im przeczytać książkę *Symbols of Freemasonry** Beresniaka, w której znajdowały się piękne zdjęcia komnat zadumy.

— Czy pańskich studentów nie denerwuje to, że masoni medytują nad czaszką i kosą? — zainteresowała się Sato.

---

* *Symbols of Freemasonry* — Symbole masońskie.

— Nie mniej niż chrześcijan, którzy modlą się u stóp człowieka przybitego do krzyża lub hindusa wykonującego śpiewny recytatyw przed Ganeszem o czterech rękach i głowie słonia. Niezrozumienie symboli innych kultur jest powszechną przyczyną wzajemnych uprzedzeń.

Sato odwróciła się, najwyraźniej nie mając ochoty słuchać wykładu. Podeszła do stołu. Anderson próbował oświetlić jej drogę, lecz promień latarki zaczął słabnąć. Uderzył w jej tylną część, żeby paliła się jaśniej.

Kiedy weszli głębiej do niewielkiego pomieszczenia, nos Langdona wypełniła gryząca woń siarki. W podziemiach Kapitolu było wilgotno, a woda wchodziła w reakcję z siarką w naczyniu. Sato stanęła nad stołem, wpatrując się w czaszkę i towarzyszące jej przedmioty. Anderson zatrzymał się obok, próbując oświetlić blat słabnącym światłem latarki.

Sato przyjrzała się wszystkim przedmiotom, oparła ręce na biodrach i westchnęła:

— A cóż to za śmiecie?

Langdon wiedział, iż wszystko, co znajduje się w pomieszczeniu, zostało starannie wybrane i ułożone.

— To symbole przemiany — wyjaśnił, czując, że im bliżej stołu podchodzi, tym przestrzeń ciaśniej się wokół niego zamyka. — Czaszka, *caput mortuum*, symbolizuje ostateczną przemianę człowieka w wyniku rozpadu ciała. Stanowi przypomnienie, że pewnego dnia wszyscy zrzucimy śmiertelną powłokę. Siarka i sól to alchemiczne substancje przyspieszające transformację. Klepsydra symbolizuje moc czasu, który prowadzi do przemiany wszystkiego. — Wskazał niezapaloną świeczkę. — A ten przedmiot symbolizuje pierwotny stwórczy ogień i przebudzenie człowieka ze snu niewiedzy, przemianę dokonującą się poprzez oświecenie.

— A... to? — Sato wskazała kąt pomieszczenia.

Anderson skierował słabnący promień na ogromną kosę opartą o ścianę.

— Kosa nie jest znakiem śmierci, jak sądzi większość ludzi, lecz symbolem transformującej mocy pokarmu, którego dostarcza przyroda, zbierania darów natury.

Sato i Anderson zamilkli, próbując oswoić się z tym osobliwym pomieszczeniem.

W odróżnieniu od nich Langdon pragnął jak najszybciej opuścić to miejsce.

— Rozumiem, że ta komnata może się wydać niezwykła — dodał — lecz nie ma tu niczego, co byłoby warte oglądania. Pomieszczenie wygląda całkiem normalnie. Wiele lóż masońskich ma podobne.

— Nie jesteśmy w domu loży masońskiej! — zauważył Anderson. — To gmach amerykańskiego Kapitolu. Chciałbym się dowiedzieć, kto urządził tę osobliwą komnatę w moim budynku.

— Czasami masoni urządzają takie pokoje w swoich biurach lub domach, wykorzystując je do medytacji. To dość powszechne. Langdon znał pewnego kardiochirurga z Bostonu, który zamienił jedno z pomieszczeń obok swojego gabinetu w masońską komnatę zadumy, aby przed operacją móc rozmyślać o ludzkiej śmiertelności.

Sato wyglądała na zaniepokojoną.

— Chce pan powiedzieć, że Peter Solomon schodził tu, by rozmyślać o śmierci?

— Nie mam pojęcia — odparł szczerze Langdon. — Może to pomieszczenie miało pełnić funkcję duchowego sanktuarium dla braci masońskich pracujących w Kapitolu, dostarczając duchowego schronienia przed chaosem materialnego świata, być miejscem, w którym potężni prawodawcy mogliby rozmyślać przed podjęciem decyzji mających wpływ na bliźnich.

— To urocze — zauważyła Sato z sarkazmem — choć mam wrażenie, że Amerykanie mogliby nie odnieść się z sympatią do tego, że ich przywódcy modlą się w ukryciu w otoczeniu kos i ludzkich czaszek.

A nie powinni — pomyślał Langdon. Wyobraził sobie, jak wyglądałby świat, gdyby więcej przywódców rozmyślało o nieuchronności śmierci przed wypowiedzeniem kolejnej wojny.

Sato wydęła wargi, uważnie badając pomieszczenie oświetlone coraz bledszym promieniem latarki.

— Musi być tu coś jeszcze oprócz ludzkich szczątków i naczyń z substancjami chemicznymi, profesorze. Ktoś zadał sobie sporo trudu, by sprowadzić tu pana z Cambridge.

Langdon mocniej ścisnął pasek torby, nie mając pojęcia, jaki związek z komnatą może mieć paczka, która w niej jest.

— Przykro mi, ale nie dostrzegam tu niczego niezwykłego.

Langdon miał nadzieję, że wreszcie pozwolą mu rozpocząć poszukiwania Petera.

Latarka Andersona znów zamigotała. Sato odwróciła się do niego.

— Na Boga, nie macie nawet porządnej latarki!

Sięgnęła do kieszeni i wyjęła zapalniczkę. Zapaliła ją i przytknęła płomień do świecy stojącej na stole. Knot zatrzeszczał, by po chwili zapłonąć, rozjaśniając ciasną przestrzeń upiornym światłem. Na kamiennych ścianach położyły się długie cienie. Kiedy płomień stał się jaśniejszy, ich oczom ukazał się nieoczekiwany widok.

— Spójrzcie! — wykrzyknął Anderson, wskazując przed siebie.

W świetle świeczki zamigotał fragment wyblakłego graffiti — siedem wielkich liter wypisanych na ścianie:

VITRIOL

— Osobliwy dobór liter — zauważyła Sato, kiedy płomień świecy rzucił na nie przerażający cień czaszki.

— To akronim — wyjaśnił Langdon. — Podobny napis znajdował się na ścianach większości sal tego rodzaju. To skrócona wersja masońskiej formuły powtarzanej podczas medytacji: *Visita interiora terrae, rectificando invenies occultum lapidem*.

Sato spojrzała uważnie na Roberta, jakby te słowa wywarły na niej duże wrażenie.

— Co to oznacza?

— „Odwiedź głębię ziemi, a dzięki oczyszczeniu znajdziesz tam ukryty kamień".

— Czy ukryty kamień ma jakiś związek z ukrytą piramidą? — spytała, patrząc na niego przenikliwie.

Langdon wzruszył ramionami, nie chcąc jej zachęcać do dalszych porównań.

— Ludzie, którzy lubią rozprawiać o ukrytych piramidach Waszyngtonu, powiedzieliby, że słowa *occultum lapidem* odnoszą się do kamiennej piramidy. Inni orzekliby, że to aluzja do kamienia filozoficznego, substancji, która zdaniem alchemików miała zapewniać życie wieczne lub zamieniać ołów w złoto. Jeszcze inni uznaliby, że to nawiązanie do Świętego Świętych, ukrytej kamiennej komnaty znajdującej się pośrodku żydowskiej świątyni. Niektórzy badacze utrzymują, że to chrześcijańskie odniesienie do ukrytych nauk świętego Piotra, którego imię znaczy „skała". Każda ezoteryczna tradycja interpretuje „kamień" na swój sposób, lecz *occultum lapidem* jest niezmiennie źródłem mocy i oświecenia.

Anderson odchrząknął.

— Czy to możliwe, że Solomon oszukał tego człowieka? Może powiedział mu, że coś tu jest, podczas gdy w rzeczywistości nie ma niczego.

Langdon miał podobne podejrzenia.

Nagle płomyk świeczki zamigotał, jakby poruszył nim nagły podmuch. Przygasł na chwilę, by znów jasno zapłonąć.

— To dziwne — mruknął Anderson. — Mam nadzieję, że nikt nie zamknął drzwi na górze. — Wyszedł na pogrążony w mroku korytarz. — Jest tam kto?!

Langdon nie zwrócił uwagi na jego wyjście. Spojrzał na tylną ścianę.

Co się z nią stało?

— Widział pan? — zapytała Sato, wpatrując się w ścianę z wyraźnym niepokojem.

Langdon skinął głową, czując, jak wali mu serce.

Co przed chwilą zobaczyłem?

Przed sekundą ściana zadrgała, jakby przepłynęła przez nią fala energii.

Anderson wrócił.

— Nikogo tam nie ma. — Kiedy wszedł, ściana znów zadrżała. — Niech to szlag! — krzyknął, odskakując.

Cała trójka zamarła w milczeniu, nie mogąc oderwać wzroku od ściany. Langdon poczuł lodowaty dreszcz, gdy uświadomił sobie, co widzą. Ostrożnie wyciągnął rękę, dotykając ciemnej powierzchni.

— To nie ściana — stwierdził.

Anderson i Sato podeszli bliżej, wytężając wzrok.

— To płótno.

— Poruszyło się — zauważyła szybko Sato.

Tak, i to w bardzo dziwny sposób.

Langdon dokładniej zbadał powierzchnię tkaniny, która wydęła się na zewnątrz, w kierunku rzekomej tylnej ściany.

Langdon ostrożnie dotknął tkaniny czubkami palców. Zdumiony cofnął dłoń. Tam jest otwór!

— Odsuń ją — poleciła Sato.

Serce Langdona biło jak oszalałe. Chwycił brzeg tkaniny, po czym wolno ją odsunął. To, co ujrzał, wprawiło go w zdumienie.

Dobry Boże!

Sato i Anderson zamarli, spoglądając w otwór ziejący w tylnej ścianie.

Wreszcie Sato odzyskała głos:

— Wygląda na to, że odnaleźliśmy naszą piramidę.

Rozdział 39

Robert Langdon wpatrywał się w tylną ścianę komnaty. Za płócienną zasłoną znajdował się idealnie kwadratowy otwór, mający około metra szerokości. Przypuszczalnie został zrobiony przez usunięcie kilku sąsiednich cegieł. Początkowo, w ciemnościach, Langdon pomyślał, że to okno, przez które można zajrzeć do kolejnego pomieszczenia.

Okazało się, że jest inaczej.

Nisza miała zaledwie kilkadziesiąt centymetrów głębokości. Wyglądała jak prymitywnie wykuta skrytka i przypominała Langdonowi muzealną niszę, w której ustawiono posążek. I rzeczywiście, w niszy stał niewielki przedmiot.

Miał około dwudziestu centymetrów wysokości i wykonano go z kawałka granitu. Jego powierzchnia była gładka, o czterech bokach lśniących w płomieniu świeczki.

Langdon nie miał pojęcia, co to jest.

Kamienna piramida?

— Sądząc po pana zaskoczonej minie, nie jest to przedmiot, który zwykle znajdował się w komnacie zadumy — zauważyła z zadowoleniem Sato.

Langdon pokręcił głową.

— Może w takim razie zrewiduje pan swoje wcześniejsze twierdzenia na temat masońskiej piramidy ukrytej na terenie Waszyngtonu? — W jej głosie pojawiła się nuta triumfu.

— Pani dyrektor, ta mała piramida nie jest piramidą masońską.

— Twierdzi pan, że to czysty przypadek, iż znaleźliśmy

piramidę ukrytą w podziemiach Kapitolu? W tajnym pomieszczeniu należącym do jednego z masońskich przywódców?

Langdon przetarł oczy, próbując trzeźwo myśleć.

— Ta piramida pod żadnym względem nie pasuje do masońskiego mitu. Piramida masońska została opisana jako ogromna, mająca zwieńczenie z litego złota.

Co więcej, mała piramida, którą znaleźli, nie była prawdziwą piramidą. Pozbawiona wierzchołka, stawała się zupełnie innym symbolem. Nazywana „niedokończoną piramidą", stanowiła symboliczne przypomnienie, że osiągnięcie przez człowieka pełni możliwości jest procesem ciągłym. Chociaż niewielu o tym wiedziało, znak ten był najbardziej znanym symbolem na ziemi. Ponad dwadzieścia miliardów wydrukowanych egzemplarzy. Niedokończona piramida, zdobiąca każdy jednodolarowy banknot znajdujący się w obiegu, cierpliwie czekała na swoje lśniące zwieńczenie, które unosiło się nad nią niczym przypomnienie o niezrealizowanym dotąd posłannictwie Ameryki i pracy, którą trzeba jeszcze wykonać w wymiarze ogólnym i jednostkowym.

— Ustaw ją tutaj — poleciła Sato Andersonowi. — Chcę obejrzeć ją z bliska.

Zaczęła robić miejsce na stole, bez najmniejszego skrępowania odsuwając na bok czaszkę i kości.

Langdon poczuł się tak, jakby byli pospolitymi rabusiami grobowców, profanującymi miejsce czyjegoś spoczynku.

Anderson ominął Langdona i sięgnął do niszy, kładąc ręce na bokach piramidy. Nie mogąc jej wysunąć, pochylił ją w swoją stronę i z głośnym stuknięciem postawił na stole. Następnie usunął się na bok, robiąc miejsce Sato.

Dyrektorka przysunęła świeczkę do piramidy, przyglądając się jej gładkim powierzchniom. Powoli przesunęła drobnymi palcami po ściankach, badając każdy centymetr, a następnie po płaskim wierzchołku. Pomacała tylną część i zmarszczyła czoło w wyrazie rozczarowania.

— Profesorze, wspomniał pan, że masońska piramida została wzniesiona, by chronić starożytne tajemnice.

— Tak mówi legenda.

— A zatem, tak hipotetycznie, ten, kto uprowadził Petera, wierzy, że to właśnie ten przedmiot jest masońską piramidą.

Langdon skinął z rezygnacją głową.

— Tak, choć nawet gdyby ją odnalazł, przypuszczalnie nie potrafiłby niczego odczytać. Legenda mówi, że zawarte w niej informacje są zaszyfrowane, że mogą je zrozumieć tylko ci, którzy są tego godni.

— Słucham?

Chociaż Langdon był coraz bardziej zniecierpliwiony, odpowiedział spokojnie:

— Na straży mitologicznych skarbów zawsze stała próba prawości. Czy pamięta pani legendę o mieczu w kamieniu? Kamień oddał ostrze dopiero Arturowi, który okazał się przygotowany duchowo do dzierżenia oręża o tak potężnej mocy. Podanie o masońskiej piramidzie opiera się na tym samym motywie. Tutaj, według legendy, skarbem jest wiedza, spisana w zaszyfrowanym języku, mistycznym języku złożonym ze słów o zapomnianym znaczeniu, zrozumiałym jedynie dla tych, którzy okażą się godni.

Na wargach Sato zaigrał słaby uśmiech.

— Może właśnie dlatego został pan wezwany.

— Co?

Sato powoli obróciła piramidę o sto osiemdziesiąt stopni. Czwarty bok błysnął w płomieniu świeczki.

Robert Langdon spojrzał na niego zdumiony.

— Wygląda na to, że ktoś uznał pana za godnego — stwierdziła Sato.

Rozdział 40

Co zajmuje Trish tyle czasu?

Katherine Solomon spojrzała na zegarek. Chociaż zapomniała ostrzec doktora Abaddona o dziwnej drodze, którą trzeba pokonać, by dotrzeć do laboratorium, nie sądziła, by przejście przez ciemne pomieszczenie mogło trwać tak długo.

Powinni już tu być.

Uchyliła obite ołowiem drzwi, spoglądając w mrok. Nasłuchiwała przez chwilę, lecz do jej uszu nie doleciał żaden dźwięk.

— Trish! — zawołała, czując, jak mroczna przestrzeń pochłania jej głos.

Cisza.

Zdezorientowana zamknęła drzwi, wyjęła z kieszeni fartucha komórkę i zadzwoniła do holu.

— Mówi Katherine, czy Trish tam jest?

— Nie, proszę pani — odparł strażnik. — Trish Dunne i pani gość wyruszyli dziesięć minut temu.

— Naprawdę? Nie dotarli do Sektora Piątego.

— Proszę się nie rozłączać, zaraz sprawdzę. — Katherine usłyszała klikanie komputerowej klawiatury. — Ma pani rację, sprawdziłem logowania kartą magnetyczną panny Dunne. Nie otworzyła jeszcze drzwi Sektora Piątego. Osiem minut temu... weszła do Sektora Trzeciego. Myślę, że po drodze postanowiła pokazać pani gościowi to i owo.

Katherine zmarszczyła czoło.

Najwyraźniej.

Trochę ją to zdziwiło, ale wiedziała przynajmniej, że Trish długo tam nie zabawi.

W Sektorze 3 okropnie śmierdzi.

— Dziękuję. Czy mój brat już przyjechał?

— Jeszcze nie, proszę pani.

— Dzięki.

Kiedy odłożyła słuchawkę, ogarnęła ją dziwna trwoga. Przystanęła na chwilę. Podobny niepokój czuła, wchodząc do domu doktora Abaddona. Wtedy, o dziwo, kobieca intuicja ją zawiodła. I to jak!

Nic złego się nie dzieje — powiedziała sobie.

Rozdział 41

Robert Langdon przyglądał się kamiennej piramidzie.

To niemożliwe.

— Wiadomość zapisana w nieznanym starożytnym języku — stwierdziła Sato, nie podnosząc głowy. — Niech pan mi powie, czy to jest właśnie to?

Na odsłoniętej powierzchni piramidy widniało szesnaście znaków wyrytych starannie w gładkim kamieniu.

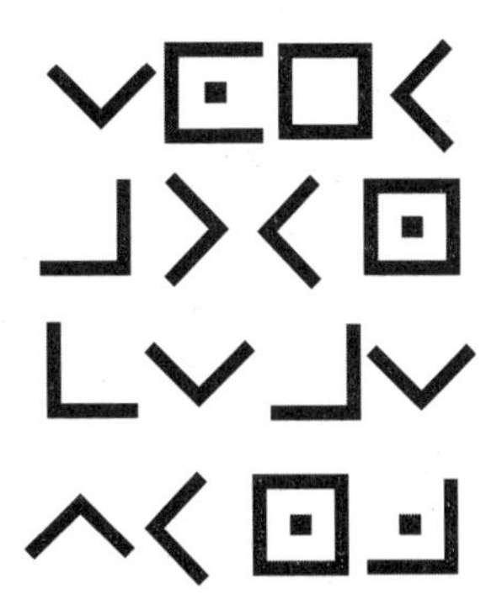

Anderson stanął obok Langdona, otwierając usta ze zdumienia, równie zaszokowany jak on. Wyglądał tak, jakby przed chwilą zobaczył znaki używane przez kosmitów.

— Potrafi pan to odczytać, profesorze? — zapytała Sato.

Langdon odwrócił się w jej stronę.

— Dlaczego pani tak sądzi?

— Ponieważ pana tutaj sprowadzono. Został pan wybrany. Ta

inskrypcja wygląda na jakiś szyfr. Zważywszy na pana reputację, wydaje się oczywiste, że został pan wezwany, aby go odczytać.

Langdon musiał przyznać, że od czasu przygód w Rzymie i Paryżu wciąż dostaje listy z prośbami o pomoc w odczytaniu jakiegoś dawnego szyfru: dysku z Fajstos, szyfru Dorabella czy zagadkowego manuskryptu Voynicha.

Sato przesunęła palcem po znakach.

— Potrafi pan rozszyfrować znaczenie tych ikon?

To nie ikony — pomyślał Langdon. — To symbole. Od razu rozpoznał szyfr pochodzący z XVII wieku. Dobrze wiedział, jak go złamać.

— Droga pani — zaczął z wahaniem — ta piramida jest prywatną własnością Petera.

— To bez znaczenia. Jeśli sprowadzono pana do Waszyngtonu z jej powodu, nie dam panu wyboru. Chcę wiedzieć, jakie jest znaczenie tej inskrypcji.

Zadzwonił jej blackberry. Wyjęła aparat z kieszeni i przeczytała wiadomość. Langdon był zdumiony, że sieć bezprzewodowa Kapitolu ma tak duży zasięg.

Sato odchrząknęła, uniosła brwi i spojrzała dziwnie na Langdona.

— Komendancie Anderson, chciałabym zamienić z panem słówko na osobności — powiedziała. Skinęła ręką i oboje znikli w ciemnym jak smoła korytarzu, zostawiając Langdona w komnacie zadumy Petera oświetlonej chybotliwym płomieniem świeczki.

Komendant Anderson był ciekaw, jak skończy się ta noc. Odcięta dłoń w mojej Rotundzie? Świątynia śmierci w podziemiach mojego gmachu? Dziwne znaki wyryte na kamiennej piramidzie? Mecz Redskinsów nagle przestał być ważny.

Zapalił latarkę, podążając w ciemności za Sato. Promień był słaby, ale lepsze to niż nic. Odeszli na odległość kilku metrów, by znaleźć się poza zasięgiem słuchu Langdona.

— Proszę spojrzeć — szepnęła, wciskając mu do ręki blackberry.

Anderson wziął urządzenie i zmrużył oczy, wpatrując się

w ekran. Widniało na nim czarno-białe zdjęcie rentgenowskie torby Langdona, o które poprosił w imieniu Sato. Podobnie jak na wszystkich zdjęciach tego rodzaju przedmioty o największej gęstości były intensywnie jasne. W torbie Langdona znajdował się jeden przedmiot, który przewyższał jasnością pozostałe. Musiał odznaczać się niezwykłą gęstością, ponieważ błyszczał jak olśniewający klejnot wśród szarej mieszaniny innych rzeczy. Jego kształtu nie można było pomylić z niczym innym.

Ma to przy sobie przez cały czas?

Anderson spojrzał zdumiony na Sato.

— Dlaczego nam o tym nie powiedział?

— Dobre pytanie — szepnęła Sato.

— Ten kształt... to nie może być przypadek.

— Nie — prychnęła gniewnie Sato. — Nie sądzę.

Uwagę Andersona zwrócił cichy szmer dochodzący z głębi korytarza. Skierował promień latarki w stronę mrocznego przejścia. W słabnącym świetle ukazał się pusty korytarz i szereg otwartych drzwi.

— Halo? Jest tam kto?! — zawołał.

Cisza.

Sato popatrzyła na niego dziwnie, jakby niczego nie usłyszała.

Anderson nasłuchiwał przez chwilę i wzruszył ramionami.

Powinienem się stąd wynosić.

Langdon przesunął palcami po ostrych krawędziach kamiennej inskrypcji, stojąc samotnie w oświetlonym świecą pomieszczeniu. Był ciekaw, jakie przesłanie zawiera, choć nie zamierzał jeszcze bardziej naruszać prywatności Petera Solomona.

Dlaczego temu szaleńcowi miałoby zależeć na jakiejś małej piramidzie?

— Mamy problem, profesorze — usłyszał za plecami donośny głos Sato. — Przed chwilą otrzymałam nowe informacje. Mam dość pańskich kłamstw.

Langdon odwrócił głowę i zobaczył dyrektorkę Biura Bezpieczeństwa wchodzącą z telefonem BlackBerry w ręku i błyskiem gniewu w oczach. Zaskoczony spojrzał na Andersona, szukając pomocy, lecz komendant stanął w drzwiach, spoglądając na niego w sposób, który trudno było uznać za przyjazny. Sato przysunęła telefon do twarzy Langdona.

Oszołomiony spojrzał na ekran, na którym widniał odwrócony czarno-biały obraz, przypominający jakiś upiorny fotograficzny negatyw. Wśród mnóstwa przedmiotów spostrzegł jeden, który promieniował jasnym światłem. Chociaż leżał na boku i był przekrzywiony, nie ulegało wątpliwości, że to mała, ostro zakończona piramida.

Mała piramida?

Langdon spojrzał na Sato.

— Co to takiego?

Pytanie Langdona rozdrażniło ją jeszcze bardziej.

— Proszę nie udawać, że pan nie wie!

Langdon nie wytrzymał.

— Niczego nie udaję! W życiu tego nie widziałem!

— Akurat! — prychnęła Sato, a jej głos dosłownie przeciął zatęchłe powietrze. — Przez cały czas nosi pan to w torbie!

— Ja... — Langdon urwał, nie dokończywszy zdania. Wolno opuścił głowę, zatrzymując wzrok na swojej torbie. Następnie znów spojrzał na ekran blackberry.

Boże... paczka. Przyjrzał się obrazowi. Teraz widział wyraźnie upiorny sześcian otaczający piramidę. Skamieniał, rozumiejąc, że ma przed sobą rentgenowskie zdjęcie własnej torby... i tajemniczej kwadratowej paczki Petera. Sześcian okazał się pudełkiem zawierającym małą piramidę.

Otworzył usta, by przemówić, ale nie mógł wydobyć głosu. Stracił oddech, gdy do głowy przyszła mu nowa myśl.

Prosta, czysta i druzgocąca.

Dobry Boże!

Spojrzał na piramidę stojącą na stole — piramidę o ściętym wierzchołku. Jej płaskie zwieńczenie tworzyło mały kwadrat, puste miejsce, symbolicznie oczekujące na brakujący element... część, która przekształci niedokończoną piramidę w piramidę prawdziwą.

Zrozumiał, że mały przedmiot, który przez cały czas miał przy sobie, wcale nie jest piramidą.

To jej zwieńczenie. Nagle zrozumiał, dlaczego tylko on może rozwikłać zagadkę tej piramidy.

Mam brakujący element.

To prawdziwy talizman...

Kiedy Peter oznajmił, że mała paczka zawiera talizman, Langdon wybuchnął śmiechem. Teraz uświadomił sobie, że przyjaciel miał rację. Maleńkie zwieńczenie to talizman, lecz nie magiczny. Jest bardzo stary. Na długo, zanim słowo „talizman" zaczęło kojarzyć się z magią, miało inne znaczenie: „dopełnienie". Pochodzący od greckiego słowa *telesma*, „dopełniać", talizman był dowolną ideą lub przedmiotem, który dopełniał inny, czyniąc go pełnym. Dopełniający element. Zwieńczenie, mówiąc symbolicznie, było talizmanem przekształcającym niedokończoną piramidę w symbol pełni i doskonałości.

Langdon zaczął dostrzegać dziwną zbieżność faktów, która zmusiła go do przyjęcia bardzo osobliwej prawdy: z wyjątkiem wielkości kamienna piramida odnaleziona w komnacie zadumy Petera zaczynała stopniowo przeradzać się w coś w niejasny sposób przypominającego legendarną piramidę masońską.

Sądząc po tym, jak zwieńczenie lśniło w promieniach rentgenowskich, Langdon podejrzewał, że zostało wykonane z metalu o dużym ciężarze właściwym. Nie mógł stwierdzić, czy zrobiono je z litego złota, a nie chciał, by rozum zaczął płatać mu figle.

Ta piramida jest zbyt mała, szyfr zbyt łatwy do odczytania. Na miły Bóg, przecież to wszystko jest legendą!

Sato obserwowała go uważnie.

— Jak na inteligentnego człowieka, dokonał pan dziś kilku głupich wyborów, profesorze. Okłamał pan dyrektora agencji wywiadu, celowo utrudniał dochodzenie CIA...

— Jeśli pani pozwoli, wszystko wyjaśnię.

— Będzie się pan tłumaczył w biurze CIA. Jest pan zatrzymany.

Langdon zesztywniał.

— Żartuje pani?

— Bynajmniej, mówię jak najbardziej poważnie. Dałam wyraźnie do zrozumienia, że chodzi o sprawę wagi państwowej, a pan odmówił współpracy. Proszę zastanowić się poważnie nad odczytaniem tej inskrypcji, bo gdy dotrzemy do biura CIA — uniosła blackberry i zrobiła zdjęcie inskrypcji wyrytej na bocznej ścianie piramidy — moi analitycy będą już nad tym pracowali.

Langdon otworzył usta, by zaprotestować, lecz Sato odwróciła się do pilnującego drzwi Andersona.

— Komendancie, proszę włożyć kamienną piramidę do torby Langdona i się nią zaopiekować. Odprowadzę pana profesora do aresztu. Mogę prosić o pańską broń?

Anderson z kamienną twarzą wszedł do środka, otwierając kaburę. Podał pistolet Sato, która natychmiast wycelowała go w Langdona.

Wydawało mu się, że śni.

To nie może dziać się naprawdę.

Anderson podszedł do niego, zdjął mu torbę z ramienia i postawił ją na krześle. Odsunął zamek błyskawiczny i włożył do środka ciężką kamienną piramidę, która spoczęła obok notatek Langdona i małego pakunku.

Nagle w korytarzu coś się poruszyło. W ciemnym otworze drzwi stanął jakiś mężczyzna. Wszedł do środka i ruszył w kierunku Andersona, który go nie zauważył. Nieznajomy pchnął go w plecy. Komendant poleciał do przodu, uderzając głową w krawędź kamiennej niszy. Osunął się ciężko na ziemię, przewracając stół z kośćmi i innymi przedmiotami. Klepsydra się rozbiła, a świeca upadła na ziemię, nie przestając płonąć.

Sato zachwiała się i uniosła broń, lecz intruz złapał kość udową i uderzył ją w ramię. Sato jęknęła z bólu i runęła do tyłu, upuszczając pistolet. Mężczyzna kopnął go i podbiegł do Langdona. Był wysokim, szczupłym i eleganckim Afroamerykaninem, którego Langdon nigdy wcześniej nie widział.

— Zabierz piramidę! — polecił. — Za mną!

Rozdział 42

Czarnoskóry mężczyzna prowadzący Langdona przez labirynt podziemnych korytarzy Kapitolu był najwyraźniej ważną osobistością. Znał drogę wiodącą bocznymi korytarzami i przez różne pomieszczenia, miał też kółko z kluczami otwierającymi wszystkie drzwi, które pojawiły się na ich drodze.

Langdon ruszył za nim, wbiegając szybko po nieznanych schodach. Czuł, jak skórzany pasek torby wpija mu się w ramię. Kamienna piramida była tak ciężka, że Langdon bał się, iż pasek nie wytrzyma.

Wydarzenia ostatnich kilku minut przeczyły wszelkiej logice, więc Langdon zaczął się kierować czystym instynktem. Wewnętrzny głos podpowiadał mu, że może zaufać temu nieznajomemu. Oprócz tego, że ocalił go przed aresztowaniem, podjął ryzykowne kroki, by chronić tajemniczą piramidę Petera Solomona.

Niezależnie od tego, co może się w niej kryć.

Chociaż Langdon nie znał motywów działania mężczyzny, dostrzegł charakterystyczny złoty błysk na jego palcu — masoński pierścień z głową Feniksa i liczbą trzydzieści trzy. Nieznajomy był kimś więcej niż zaufanym przyjacielem Petera Solomona. Byli masońskimi braćmi, mającymi najwyższy stopień wtajemniczenia.

Langdon wbiegł za nim na górę i po pokonaniu kolejnego korytarza dotarł do nieoznaczonych drzwi prowadzących do holu gospodarczego. Przebiegli obok pudeł i worków ze śmieciami, by wejściem dla personelu dostać się do zaskakującego świata — luksusowej sali kinowej. Starszy mężczyzna pobiegł przez boczne przejście do głównych drzwi wychodzących na duży oświetlony przedsionek. Langdon spostrzegł, że są w centrum dla zwiedzających, przez które wszedł do Kapitolu.

Niestety, był tam również ochroniarz.

Kiedy do niego dotarli, przystanęli i spojrzeli na siebie. Langdon rozpoznał młodego Latynosa obsługującego wykrywacz metali.

— Policjancie Nuñez, ani słowa! Za mną — rzucił czarnoskóry Amerykanin.

Strażnik spojrzał na niego niepewnie, lecz natychmiast wykonał polecenie.

Co to za człowiek?

Pobiegli w kierunku południowo-wschodniego sektora, do małego holu i ciężkich drzwi obramowanych pomarańczowym pylonem. Były oklejone taśmą, która najwyraźniej chroniła centrum turystyczne przed pyłem i kurzem z zewnątrz. Mężczyzna zerwał taśmę, wsunął klucz do drzwi i powiedział do strażnika:

— Komendant Anderson jest w piwnicy. Może być ranny. Proszę się nim zająć.

— Tak, proszę pana.

Nuñez sprawiał wrażenie równie zdumionego, co przestraszonego.

— I najważniejsze, nie widział nas pan. — Mężczyzna włożył do zamka właściwy klucz i odsunął ciężką zasuwę. Otworzył stalowe drzwi i rzucił kółko z kluczami strażnikowi. — Proszę zamknąć za nami i zakleić drzwi taśmą najlepiej, jak pan potrafi, a następnie włożyć klucze do kieszeni i nic nie mówić. Nikomu. Także komendantowi. Czy wyraziłem się jasno, policjancie Nuñez?

Strażnik spojrzał na klucz, jakby powierzono mu drogocenny klejnot.

— Tak, proszę pana.

Mężczyzna wybiegł na zewnątrz, a Langdon podążył jego śladem. Nuñez zamknął za nimi ciężkie drzwi. Langdon usłyszał, jak zakleja je taśmą.

— Profesorze Langdon, nazywam się Warren Bellamy — przedstawił się nieznajomy, idąc energicznym krokiem przez nowoczesny korytarz, który był jeszcze w budowie. — Peter Solomon to mój bliski przyjaciel.

Langdon spojrzał zdumiony na dostojnego mężczyznę.

Pan Warren Bellamy? Langdon nigdy nie poznał osobiście architekta Kapitolu, choć dużo o nim słyszał.

— Peter jest w poważnych tarapatach. Jego dłoń...

— Wiem — westchnął ponuro Bellamy. — Obawiam się, że to nie wszystko.

Dotarli do końca oświetlonej części korytarza, który skręcił ostro w lewo. Dalszy odcinek niknął w ciemności.

— Proszę zaczekać — powiedział Bellamy, znikając w pomieszczeniu, z którego rozchodziły się pomarańczowe kable, ginąc w mrocznym korytarzu. Langdon przystanął, czekając na niego. Warren Bellamy musiał znaleźć przełącznik, który kierował prąd do przewodów, bo nagle w korytarzu rozbłysło światło.

Langdon zaniemówił ze zdumienia.

Waszyngton — podobnie jak Rzym — był miastem pełnym sekretnych przejść i podziemnych tuneli. Korytarz, który zobaczył przed sobą, przypominał tunel łączący Watykan z zamkiem Świętego Anioła — długi, mroczny i wąski. W przeciwieństwie do starożytnego *passetto* był nowoczesny i nieukończony. Wąski plac budowy był tak długi, że wydawało się, iż niknie w dali. Jedynym oświetleniem okazał się rząd żarówek, które podkreślały jego niewyobrażalną długość.

Bellamy ruszył przodem.

— Proszę za mną. Niech pan patrzy pod nogi.

Langdon szedł krok za nim, zastanawiając się, dokąd ich ten tunel zaprowadzi.

W tym samym czasie Mal'akh wyszedł z Sektora 3 i ruszył energicznie pustym korytarzem SMSC w kierunku Sektora 5. Ściskał w ręku kartę magnetyczną Trish i powtarzał cicho: „Zero-osiem-zero-cztery".

Jedna myśl nie dawała mu spokoju. Przed chwilą dostał wiadomość z Kapitolu: „Mój kontakt natrafił na nieprzewidziane trudności". Mimo to wiadomość była zachęcająca: Robert Langdon ma piramidę i jej zwieńczenie. Mimo dziwnego sposobu, w jaki do tego doszło, wszystkie najważniejsze elementy układanki znalazły się na swoim miejscu. Zupełnie jakby samo przeznaczenie kierowało ostatnimi wydarzeniami, prowadząc Mal'akha do zwycięstwa.

Rozdział 43

Langdon musiał przyspieszyć kroku, żeby nadążyć za milczącym Warrenem Bellamym, który energicznie pokonywał długi tunel. Architekt Kapitolu zachowywał się tak, jakby ważniejsze było zwiększenie odległości dzielącej Sato od kamiennej piramidy niż wyjaśnienie Langdonowi, co się dzieje. Robert zaczął przeczuwać, że dzieje się znacznie więcej, niż potrafi sobie wyobrazić.

CIA? Architekt Kapitolu? Dwóch masonów z trzydziestym trzecim stopniem wtajemniczenia?

Powietrze przeciął przenikliwy dźwięk komórki. Langdon wyjął aparat z kieszeni marynarki.

— Słucham? — rzucił niepewnie.

W odpowiedzi usłyszał znajomy upiorny szept.

— Profesorze, słyszałem, że ma pan nieoczekiwane towarzystwo.

Langdon poczuł lodowaty dreszcz.

— Gdzie jest Peter?! — spytał, słysząc, jak jego słowa odbijają się echem w tunelu. Warren Bellamy odwrócił się zaniepokojony, dając znak, by nie przystawał.

— Nie martw się o niego — odpowiedział głos. — Powiedziałem przecież, że Peter jest bezpieczny.

— Na Boga, odciąłeś mu dłoń! Potrzebuje lekarza!

— Potrzebuje księdza. Możesz go jednak ocalić. Jeśli zrobisz to, co powiem, Peter będzie żył. Masz na to moje słowo.

— Słowo szaleńca nic dla mnie nie znaczy.

— Szaleńca? Profesorze, jestem pewien, że zauważył pan,

z jaką pieczołowitością odniosłem się tej nocy do pradawnych zwyczajów. Dłoń Tajemnic wskazała panu drogę do portalu piramidy, która obiecuje odsłonić pradawną mądrość. Wiem, że pan ją ma.

— Sądzi pan, że to piramida masońska? — zapytał Langdon. — To tylko kawałek skały.

Na drugim końcu linii zapadła cisza.

— Panie Langdon, jest pan zbyt inteligentny, by udawać głupca. Wiem doskonale, co odkrył pan tej nocy. Kamienną piramidę schowaną w sercu Waszyngtonu przez wpływowego masona.

— Goni pan za mitem! Nie wiem, co Peter panu powiedział, ale zrobił to ze strachu. Legenda o masońskiej piramidzie to fikcja. Masoni nie zbudowali żadnej piramidy, by chronić tajemną wiedzę. A nawet gdyby to zrobili, ta jest zbyt mała, aby być tą, za którą ją pan uważa.

Mężczyzna zachichotał.

— Widzę, że Peter niewiele panu powiedział. Mimo to proszę zrobić, co powiem, niezależnie od tego, co pan sądzi o przedmiocie, który znalazł się w pańskim posiadaniu. Wiem, że ta piramida zawiera zaszyfrowaną wiadomość. Odczyta ją pan dla mnie. Wtedy i tylko wtedy zwrócę panu Petera Solomona.

— Nie mam pojęcia, jakie przesłanie zawiera, lecz z pewnością nie są to żadne starożytne tajemnice.

— Oczywiście. Starożytna wiedza tajemna jest zbyt obszerna, by można ją było spisać na jednym z boków małej kamiennej piramidy.

Ta odpowiedź zaskoczyła Langdona.

— Skoro inskrypcja nie zawiera starożytnych tajemnic, to piramida nie jest piramidą masońską. Legenda mówi wyraźnie, że piramida masońska została wzniesiona, by chronić pradawne tajemnice.

Ton mężczyzny stał się protekcjonalny.

— Panie Langdon, piramida masońska została wzniesiona, by chronić starożytne tajemnice, lecz miała to czynić w sposób, którego najwyraźniej pan jeszcze nie pojął. Czy Peter nigdy o tym nie wspomniał? Moc tej piramidy nie polega na tym, że odsłania pradawne tajemnice, lecz wskazuje sekretne miejsce, w którym je ukryto.

Langdon musiał to przemyśleć.

— Proszę rozszyfrować przesłanie — ciągnął mężczyzna — a wskaże panu miejsce, w którym ukryto największy skarb ludzkości. — Zaśmiał się. — Peter nie powierzył panu samego skarbu, profesorze.

Langdon zatrzymał się gwałtownie.

— Zaraz, chce pan powiedzieć, że ta piramida to... mapa?

Bellamy również przystanął, a na jego twarzy malowały się strach i szok. Najwyraźniej dzwoniący trafił w czuły punkt.

Piramida jest mapą.

— Ta mapa — szepnął rozmówca Petera — piramida lub portal, jakkolwiek zechce pan to nazwać, została stworzona dawno temu, aby zagwarantować, że miejsce ukrycia starożytnych tajemnic nigdy nie zostanie zapomniane, że nie zaginie w mroku dziejów.

— Inskrypcja złożona z szesnastu symboli nie przypomina mapy.

— Pozory bywają zwodnicze, profesorze. Tak czy owak, tylko pan może ją odczytać.

— Jest pan w błędzie. — Langdon przypomniał sobie prosty szyfr. — Każdy może ją odczytać, to nie jest szczególnie skomplikowane.

— Podejrzewam, że piramida kryje w sobie coś więcej, a poza tym tylko pan ma jej zwieńczenie.

Langdon pomyślał o małym przedmiocie spoczywającym w jego torbie.

Porządek z chaosu?

Nie wiedział, w co ma wierzyć, lecz kamienna piramida w jego torbie z każdym krokiem stawała się coraz cięższa.

Mal'akh przycisnął słuchawkę do ucha, z zadowoleniem słuchając przyspieszonego oddechu Langdona.

— Czeka mnie teraz robota, profesorze. Podobnie jak pana. Proszę zadzwonić, gdy rozszyfruje pan mapę. Pójdziemy razem do kryjówki i dokonamy wymiany. Życie Petera za ukrytą mądrość wieków.

— Nie zrobię niczego, jeśli nie otrzymam dowodu, że Peter żyje — oświadczył Langdon.

— Radzę, by nie wystawiał mnie pan na próbę. Jest pan maleńkim trybikiem w ogromnej maszynie. Jeśli pan nie posłucha lub będzie próbował mnie odnaleźć, Peter umrze. Przysięgam.

— O ile wiem, Peter już nie żyje.

— Żyje i rozpaczliwie potrzebuje pańskiej pomocy.

— Czego pan naprawdę szuka?! — wykrzyknął Langdon.

Mal'akh odpowiedział po dłuższej chwili:

— Wielu ludzi poszukiwało starożytnych tajemnic i rozprawiało o ich mocy. Dziś dowiodę, że naprawdę istnieją.

Langdon milczał.

— Proszę przystąpić do odczytywania mapy — powiedział Mal'akh. — Potrzebuję tej informacji jeszcze dziś.

— Dziś?! Minęła dwudziesta pierwsza!

— Właśnie. *Tempus fugit*.

Rozdział 44

Kiedy zadzwonił telefon, nowojorski wydawca, Jonas Faukman, gasił światła w swoim biurze na Manhattanie. Nie miał zamiaru odbierać o tak później porze... ale zobaczył, kto dzwoni. Musi mieć coś naprawdę dobrego — pomyślał, sięgając po słuchawkę.

— Czyżbyśmy nadal wydawali twoje książki? — zażartował.

— Jonas! — W głosie Roberta Langdona brzmiał dziwny niepokój. — Dobrze, że cię zastałem. Potrzebuję twojej pomocy.

Nastrój Faukmana wyraźnie się poprawił.

— Masz dla mnie tekst do redakcji, Robercie?

Nareszcie!

— Nie, potrzebuję informacji. Rok temu skontaktowałem cię z pewnym naukowcem, Katherine Solomon, siostrą Petera Solomona.

Faukman zmarszczył czoło.

Nie dostanę żadnego tekstu.

— Szukała wydawcy swojej książki z dziedziny noetyki. Pamiętasz?

Faukman przewrócił oczami.

— Jasne, że tak. Dzięki, że nas sobie przedstawiłeś. Nie pozwoliła mi się zapoznać z wynikami swoich badań i nie chciała niczego opublikować przed jakąś magiczną datą.

— Posłuchaj, Jonasie, nie mam czasu. Potrzebuję numeru telefonu Katherine. Natychmiast. Masz go gdzieś?

— Muszę cię ostrzec... chyba jesteś zdesperowany. Babka jest super, ale nie zaimponujesz jej swoim...

— To nie żarty, Jonasie. Muszę natychmiast mieć jej numer.

— W porządku... nie rozłączaj się. — Faukman i Langdon przyjaźnili się wystarczająco długo, by Faukman wiedział, że Langdon nie żartuje. Wpisał nazwisko Katherine Solomon w pole wyszukiwania i zaczął sprawdzać na serwerze obsługującym firmową pocztę elektroniczną. — Już szukam. Pamiętaj, żeby nie dzwonić do niej z pływalni. Twój głos brzmi wtedy tak, jakbyś był w zakładzie dla obłąkanych.

— Nie jestem na pływalni, lecz w tunelu pod Kapitolem.

Faukman wyczuł, że Langdon nie żartuje.

Co mu się stało?

— Robercie, dlaczego nie możesz siedzieć w domu i pisać? — Komputer wydał dźwięk zakończenia wyszukiwania. — Czekaj... mam! — Zaznaczył myszką stary e-mail. — Wygląda na to, że mam tylko numer komórki.

— Dawaj!

Faukman podyktował numer.

— Dzięki, Jonasie. — Langdon odetchnął z ulgą. — Jestem ci winien przysługę.

— Wisisz mi tekst, Robercie. Wiesz, ile to jeszcze...

Langdon się rozłączył.

Faukman popatrzył na słuchawkę i pokręcił głową. Bez autorów wydawanie książek byłoby znacznie łatwiejsze.

Rozdział 45

Katherine Solomon zawahała się, gdy na ekranie telefonu mignął identyfikator dzwoniącego. Sadziła, że to Trish, która chce wyjaśnić, dlaczego dotarcie do laboratorium zajęło im tyle czasu. Jednak to nie była ona.

Uśmiechnęła się.

Cóż to za dziwna noc? — pomyślała, otwierając klapkę telefonu.

— Tylko mi nie mów, że samotny mól książkowy poszukuje panny zajmującej się badaniami noetycznymi — zagadnęła żartobliwie.

— Katherine! — Głęboki głos należał niewątpliwie do Roberta Langdona. — Dzięki Bogu, nic ci nie jest!

— Jasne, że nic mi nie jest — odparła zdumiona. — Nic się nie stało poza tym, że nie dzwoniłeś od czasu przyjęcia u Petera ostatniego lata.

— Posłuchaj uważnie... dziś w nocy coś się stało. — Przemawiający zwykle gładkimi zdaniami Langdon teraz mówił chaotycznie. — Przykro mi, ale... Peter znalazł się w poważnych tarapatach.

Katherine przestała się uśmiechać.

— O czym ty mówisz?

— Peter... — Langdon zawahał się, jakby szukał właściwych słów. — Nie wiem, jak to powiedzieć... został porwany. Nie wiem jak ani przez kogo, ale...

— Porwany? — powtórzyła Katherine. — Przerażasz mnie, Robercie. Dokąd...

— Uprowadzono go. — Głos Langdona zaczął się łamać, jakby był przytłoczony tym, co się stało. — Wczoraj lub dziś rano.
— To nie jest zabawne — prychnęła gniewnie. — Mój brat czuje się znakomicie. Rozmawiałam z nim przed piętnastoma minutami!
— Naprawdę?!
— Tak! Przed chwilą wysłał mi wiadomość, że jedzie do laboratorium.
— Wysłał wiadomość... — powtórzył Langdon. — Nie słyszałaś jego głosu?
— Nie, ale...
— Posłuchaj uważnie. To nie jest wiadomość od twojego brata. Jego telefon ma pewien człowiek. Jest bardzo niebezpieczny. Dziś w nocy ściągnął mnie podstępem do Waszyngtonu.
— Podstępem? Mówisz bez sensu!
— Wiem, przepraszam. — Langdon był bardzo zdenerwowany. — Katherine, możesz być w śmiertelnym niebezpieczeństwie.
Katherine Solomon wiedziała, że Langdon nigdy nie żartowałby w ten sposób, a jednak mówił tak, jakby postradał rozum.
— Nic mi nie jest — zapewniła. — Jestem w chronionym budynku.
— Przeczytaj mi wiadomość, którą dostałaś od Petera. Błagam!
Zdumiona otworzyła wiadomość i odczytała ją Langdonowi, czując, jak przenika ją lodowaty dreszcz, gdy doszła do końcowej części odnoszącej się do doktora Abaddona.
— „Zaproś Abaddona, jeśli będzie miał czas. Ufam mu...".
— Boże... — w głosie Langdona słychać było strach. — Zaprosiłaś tego człowieka do laboratorium?
— Tak! Moja asystentka poszła do holu, żeby go przyprowadzić. Spodziewam się go lada chwila...
— Katherine, uciekaj! — krzyknął Langdon. — Natychmiast!

W innej części SMSC, w pokoju ochrony, dzwonek telefonu zagłuszały odgłosy meczu Redskinsów. Strażnik niechętnie wyjął słuchawki z uszu.

— Posterunek w holu, mówi Kyle.
— Tu Katherine Solomon, Kyle! — W jej głosie brzmiał niepokój. Była zdyszana.
— Pani brat jeszcze nie...
— Gdzie jest Trish? Widzisz ją na którymś z monitorów?
Strażnik przesunął krzesło, by spojrzeć na ekrany.
— Nie dotarła jeszcze do Sześcianu?
— Nie! — krzyknęła Katherine.
Strażnik zdał sobie sprawę, że Katherine Solomon nie może złapać tchu, jakby biegła.
Co tam się dzieje?
Poruszył dżojstikiem, przeglądając zapis wideo.
— Sprawdzam nagranie... Widzę, jak Trish wychodzi z pani gościem... idą Ulicą... — Włączę szybkie przewijanie. — W porządku... wchodzą do „wilgotnego sektora"... Trish otwiera drzwi kartą magnetyczną... tak, opuścili ten sektor przed minutą... idą dalej... — Przechylił głowę, zwalniając prędkość nagrania. — Zaraz... to dziwne...
— Tak?
— Pani gość opuścił „wilgotny sektor".
— Trish została w środku?
— Na to wygląda... widzę, jak idzie korytarzem... sam.
— Gdzie jest Trish? — spytała przerażona Katherine.
— Nie widzę jej — odparł mężczyzna z nutą niepokoju w głosie. Spojrzał na ekran i zauważył, że rękawy marynarki mężczyzny wyglądają, jakby były mokre... po łokcie.
Co facet robił w „wilgotnym sektorze"?
Patrzył, jak tamten idzie głównym korytarzem, zmierzając zdecydowanym krokiem w stronę Sektora 5 i ściskając w ręku coś przypominającego... kartę magnetyczną.
Poczuł, jak jeżą mu się włosy na karku.
— Panno Solomon, mamy poważny problem.

Tej nocy Katherine Solomon wiele rzeczy zrobiła po raz pierwszy.
Pierwszy raz użyła telefonu komórkowego, idąc mrocznym i pustym korytarzem. I pierwszy raz pokonała tę odległość, pędząc

na złamanie karku. Teraz przyciskała komórkę do ucha i gnała na oślep po niekończącym się dywanie. Kiedy czuła, że jej stopy zbaczają z miękkiego chodnika, korygowała kierunek, biegnąc w ciemności.

— Gdzie teraz jest? — spytała ochroniarza, ciężko dysząc.

— Już sprawdzam. Porusza się szybko... widzę, idzie korytarzem... w stronę Sektora Piątego...

Katherine przyspieszyła, mając nadzieję, że zdąży dotrzeć do wyjścia, zanim znajdzie się w pułapce.

— Ile mu zostało do drzwi?

Strażnik odpowiedział po krótkiej chwili:

— Nie zrozumiała pani. Oglądam taśmę na szybkim przewijaniu. To zapis tego, co już się wydarzyło. — Urwał. — Proszę się nie rozłączać, sprawdzę na monitorze rejestrującym wejścia. — Po chwili podjął: — Z danych wynika, że jakąś minutę temu otworzono Sektor Piąty kluczem panny Dunne!

Katherine stanęła pośrodku mrocznej otchłani.

— Wszedł do Sektora Piątego? — wyszeptała do telefonu.

Strażnik zaczął pisać coś szybko na klawiaturze.

— Wygląda na to, że wszedł... dziewięćdziesiąt sekund temu.

Zesztywniała. Wstrzymała oddech. Wtem otaczająca ją ciemność ożyła.

Jest tutaj.

Nagle zdała sobie sprawę, że jedynym źródłem światła w pomieszczeniu jest ekran komórki, wydobywający z mroku połowę jej twarzy.

— Wezwij posiłki — szepnęła do strażnika — i biegnij do Sektora Trzeciego, żeby pomóc Trish. — Rozłączyła się i cicho zamknęła telefon.

Ogarnęła ją ciemność.

Stała nieruchomo, oddychając tak cicho, jak to możliwe. Po kilku sekundach poczuła ostrą woń etanolu, która się nasilała. Wyczuła, że Abaddon stoi na dywanie w odległości kilku metrów od niej. Pomyślała, że jej serce wali tak głośno, iż może zdradzić miejsce, w którym się znajduje. Zdjęła buty i zeszła z chodnika, czując pod stopami chłodną posadzkę. Zrobiła kolejny krok, aby oddalić się od dywanu.

Kostka jednego z jej palców trzasnęła.

W grobowej ciszy zabrzmiało to jak wystrzał z pistoletu.

Nagle usłyszała przed sobą szelest ubrania. Uskoczyła sekundę za późno. Poczuła, jak oplata ją silne ramię. Jakieś ręce próbowały wyszarpnąć jej torebkę. Wyrwała się, gdy przypominające imadło ramiona chwyciły fartuch, ciągnąc ją w tył i oplatając.

Wyszarpnęła ramiona z rękawów, wyślizgnęła się z fartucha i zaczęła uciekać. Nie mając pojęcia, gdzie są drzwi, Katherine Solomon pędziła na oślep przez niekończącą się czarną otchłań.

Rozdział 46

Chociaż wielu ludzi nazywa Bibliotekę Kongresu najpiękniejszą salą świata, bardziej znana jest ze swych ogromnych zbiorów. Łączna długość regałów, sięgająca ponad ośmiuset kilometrów — wystarczająca do połączenia Waszyngtonu z Bostonem — sprawiała, że może rościć sobie prawo do miana największej biblioteki na świecie. W dodatku wciąż się powiększa w tempie ponad dziesięciu tysięcy woluminów dziennie.

Będąc strażniczką prywatnej biblioteki Thomasa Jeffersona z dziełami przyrodniczymi i filozoficznymi, Biblioteka Kongresu pełniła również funkcję symbolu amerykańskiej misji upowszechniania wiedzy. Była jednym z pierwszych gmachów w Waszyngtonie, w którym zainstalowano oświetlenie elektryczne, i w dosłownym sensie zapłonęła niczym latarnia morska w mroku Nowego Świata.

Jak wskazywała jej nazwa, Biblioteka Kongresu miała służyć członkom amerykańskiego parlamentu, którzy pracowali po drugiej stronie ulicy, w Kapitolu. Dawna więź łącząca bibliotekę z Kapitolem została niedawno wzmocniona fizycznym połączeniem: długim tunelem biegnącym pod Independence Avenue.

Tej nocy Robert Langdon podążał za Warrenem Bellamym słabo oświetlonym, nieukończonym korytarzem, coraz bardziej niepokojąc się o los Katherine.

Ten szaleniec jest w jej laboratorium?

Langdon nie miał pojęcia, po co tam poszedł. Zanim się rozłączyli, wyjaśnił jej dokładnie, gdzie się spotkają.

Jak długo będziemy jeszcze szli tym przeklętym tunelem?!

Od natłoku myśli zaczęła go boleć głowa. Katherine, Peter, masoni, Bellamy, piramidy, starożytne proroctwo... a na dodatek mapa.

Langdon przyspieszył kroku.

Bellamy obiecał, że odpowie na moje pytania.

Kiedy dotarli do końca tunelu, Bellamy przeprowadził Langdona przez podwójne nieukończone drzwi. Nie mogąc ich za sobą zamknąć, Bellamy podniósł aluminiową drabinę i oparł o framugę, umieszczając na jej szczycie metalowe wiadro. Jeśli ktoś otworzy drzwi, wiadro runie z hukiem na podłogę.

To ma być nasz system alarmowy? — pomyślał Langdon, który liczył, że Bellamy ma bardziej wyrafinowany plan zapewnienia im bezpieczeństwa. Wszystko stało się tak szybko, że Langdon dopiero teraz zaczął analizować konsekwencje ucieczki z tym człowiekiem.

Jestem zbiegiem poszukiwanym przez CIA.

Bellamy skręcił za róg i dwaj mężczyźni zaczęli wchodzić szerokimi schodami, ze szpalerem pomarańczowych pylonów po obu stronach.

— Kamienna piramida... — zaczął Langdon. — Nadal nie rozumiem...

— Nie tutaj — przerwał mu Bellamy. — Obejrzymy ją przy świetle. Znam bezpieczne miejsce.

Langdon miał wątpliwości, czy człowiek, który zaatakował dyrektorkę Biura Bezpieczeństwa CIA, może liczyć na to, że takie miejsce znajdzie.

Dotarli do szczytu schodów i weszli do szerokiego korytarza ozdobionego włoskimi marmurami, sztukateriami i złotem. Pod ścianami stało osiem par posągów przedstawiających boginię Minerwę. Bellamy parł przed siebie, prowadząc Langdona na wschód, przez sklepione wejście do znacznie większego pomieszczenia.

Nawet w przyćmionym świetle, palącym się po zamknięciu gmachu, wielka sala Biblioteki Kongresu lśniła klasyczną wielkością bogatego europejskiego pałacu. Ponad dwadzieścia metrów nad ich głowami błyszczały świetliki z witraży wstawione między belki pokryte listkami z folii aluminiowej, uważanej niegdyś za cenniejszą od złota. Na poziom drugiego balkonu, z szeregiem majestatycznych kolumn, wiodły kręte schody, u których podstawy stały dwa odlane z brązu posągi przedstawiające kobiety z pochodniami symbolizującymi oświecenie.

W dziwacznym dążeniu do wyrażenia idei nowożytnego oświecenia w sposób, który pozostałby zgodny z duchem renesansowej architektury, poręcze schodów ozdobiono postaciami nowożytnych naukowców, ukazanych jako przypominające kupidyna putta.

Anielski elektryk z telefonem? Cherubin entomolog z pudłem na okazy?

Langdon był ciekaw, o co chodziło Berniniemu.

— Porozmawiamy tutaj — powiedział Bellamy, prowadząc Langdona za gabloty z kuloodpornego szkła, w których znajdowały się dwa najcenniejsze eksponaty: Wielka Biblia z Moguncji, spisana w latach pięćdziesiątych XV wieku, i amerykańska kopia Biblii Gutenberga, jeden z trzech welinowych egzemplarzy na świecie. Na sklepionym suficie ponad gablotami widniało składające się z sześciu paneli malowidło Johna White'a Alexandra o stosownym tytule *Ewolucja Księgi*.

Bellamy podszedł wprost do eleganckich podwójnych drzwi pośrodku wschodniej ściany. Langdon wiedział, co się za nimi znajduje, choć stwierdził, że to osobliwe miejsce na rozmowę. Pomijając ironię prowadzenia konwersacji w pomieszczeniu z tabliczkami „Prosimy o zachowanie ciszy", trudno było uznać je za „bezpieczne". Zlokalizowane pośrodku gmachu wzniesionego na planie krzyża, pełniło funkcję jego serca. Ukrycie się tu przypominało wtargnięcie do katedry i schowanie się za ołtarzem.

Mimo to Bellamy otworzył drzwi i wszedł do ciemnego pomieszczenia, macając w ciemności w poszukiwaniu włącznika światła. Kiedy go znalazł, w jednej chwili w rozrzedzonym powietrzu zmaterializowało się jedno z największych dzieł amerykańskiej architektury.

Słynna czytelnia była prawdziwą ucztą dla zmysłów. Ogromna ośmioboczna sala miała prawie pięćdziesiąt metrów wysokości, a osiem ścian zdobiły czekoladowobrązowe marmury z Tennessee, kremowe marmury ze Sieny i czerwony jak jabłko marmur algierski. Ponieważ światło padało z ośmiu stron, nigdzie nie było cienia, co dawało wrażenie, że cała sala lśni.

— Niektórzy mówią, że to najbardziej niezwykła budowla Waszyngtonu — rzekł Bellamy, wprowadzając Langdona do środka.

Może nawet na całym świecie — pomyślał Langdon, przechodząc przez próg. Jak zawsze jego wzrok powędrował w stronę kopuły, z której arabeski kasetonów opadały ku wyższemu balkonowi. Salę otaczało szesnaście posągów z brązu, spoglądających w dół z balustrady. Biegnące poniżej imponujące arkadowe łuki tworzyły niższy balkon. Na poziomie podłogi od masywnego ośmiobocznego biurka, przy którym wydawano książki, rozchodziły się promieniście trzy koncentryczne kręgi stolików z brązowego drewna.

Langdon spojrzał na Bellamy'ego, który otworzył szeroko podwójne drzwi.

— Sądziłem, że chcemy się ukryć — powiedział Langdon, nie kryjąc zdumienia.

— Chcę usłyszeć, gdy ktoś wejdzie do środka — wyjaśnił Bellamy.

— Czy nie znajdą nas tu od razu?

— Znajdą nas wszędzie, niezależnie od tego, gdzie się ukryjemy. Jeśli nas osaczą, będzie pan zadowolony, że wybrałem tę salę.

Langdon nie miał pojęcia dlaczego, lecz Bellamy nie sprawiał wrażenia, jakby chciał przedyskutować ten temat. Skierował się na środek sali, wybrał jeden ze stolików, przysunął krzesło i zapalił lampkę do czytania. Kiedy wszystko było gotowe, wskazał głową torbę Langdona.

— W porządku, profesorze, przyjrzyjmy się temu dokładniej.

Langdon postawił torbę na blacie i odsunął zamek. Ich oczom ukazała się piramida. Warren Bellamy poprawił lampkę i przyjrzał się jej uważnie, przesuwając palcami po dziwnych znakach.

— Rozpoznaje pan ten język? — spytał.

— Oczywiście — odparł Langdon, patrząc na szesnaście symboli.

Tajemny język, nazywany szyfrem masońskim, używany był przez pierwszych masonów do prywatnej korespondencji. Szyfr został porzucony dawno temu z jednego prostego powodu — był zbyt łatwy do złamania. Większość studentów uczestniczących w seminarium Langdona poświęconym językowi symboli potrafiła go odczytać w pięć minut. Dysponując kartką i ołówkiem, Langdon mógł to zrobić w sześćdziesiąt sekund.

Powszechnie znana prostota tego liczącego kilkaset lat szyfru zrodziła kilka paradoksów. Po pierwsze, absurdalne było twierdzenie, że tylko Langdon potrafi go odczytać. Po drugie, sugestia Sato, że szyfr masoński ma związek z bezpieczeństwem narodowym, przypominała twierdzenie, że hasła pozwalające wystrzelić rakiety z pociskami nuklearnymi zostały zaszyfrowane za pomocą kodu umieszczonego w chrupkach marki Cracker Jack. Langdonowi trudno było uwierzyć w jedno i drugie.

Ta piramida ma być mapą? Mapą wskazującą miejsce ukrycia zagubionej pradawnej mądrości?

— Robercie, czy dyrektor Sato powiedziała panu, dlaczego interesuje się tym przedmiotem? — spytał Bellamy.

Langdon pokręcił głową.

— Niezupełnie. Ciągle powtarzała, że chodzi o sprawę związaną z bezpieczeństwem narodowym. Sądzę, że kłamała.

— Być może — mruknął Bellamy, drapiąc się w kark, jakby zmagał się z jakąś myślą. — Istnieje bardziej niepokojąca możliwość. — Odwrócił się i spojrzał Langdonowi prosto w oczy. — Możliwe, że dyrektor Sato dowiedziała się o ukrytej mocy piramidy.

Rozdział 47

Katherine Solomon ze wszystkich stron otaczał nieprzenikniony mrok.

Opuściła bezpieczny chodnik i zaczęła biec na oślep. Wyciągała ręce, lecz przed nią była tylko pusta przestrzeń. Chwiejnym krokiem zmierzała coraz głębiej w niekończącą się pustkę. Pod stopami w pończochach czuła chłodną betonową posadzkę, przypominającą powierzchnię zamarzniętego jeziora. Nieprzyjazne środowisko, które powinna czym prędzej opuścić.

Nie czując zapachu etanolu, przystanęła w ciemności. Zamarła, nasłuchując i pragnąc, aby jej serce przestało tak głośno walić. Odniosła wrażenie, że ciężkie kroki za jej plecami ucichły.

Czyżbym go zgubiła?

Katherine zamknęła oczy, próbując wyobrazić sobie, gdzie jest.

W jakim kierunku pobiegłam? Gdzie są drzwi?

Zrobiła tyle zwrotów, że wyjście mogło znajdować się wszędzie.

Słyszała kiedyś, że strach działa pobudzająco, wyostrza zdolność myślenia. Okazało się, że zamienił jej umysł w gwałtowny potok uczuć zdominowanych przez panikę i zagubienie.

Nawet jeśli dotrę do wyjścia, nie będę mogła się wydostać.

Klucz magnetyczny jest w fartuchu, który został w rękach Abaddona. Jedyną nadzieją było to, że jej tropienie stanie się przysłowiowym szukaniem igły w stogu siana. Mimo przytłaczającego pragnienia ucieczki, analityczny umysł Katherine podpowiedział jej, by wykonała jedyne logiczne posunięcie: przestała się poruszać.

Nie ruszaj się. Nie wydawaj żadnych dźwięków.

Strażnik jest już w drodze, a napastnik z nieznanego powodu intensywnie pachnie etanolem.

Jeśli za bardzo się zbliży, będę o tym wiedziała.

Gorączkowo rozmyślała o tym, czego dowiedziała się od Langdona. „Twój brat... został porwany”. Poczuła na ramieniu kroplę chłodnego potu spływającą na telefon zaciśnięty w prawej ręce. Zapomniała o nim. Jeśli zadzwoni, zdradzi jej pozycję, a bez otworzenia i zapalenia monitora nie może go wyłączyć.

Połóż go na podłodze... i odejdź jak najdalej.

Niestety, było już na to za późno. Z prawej strony doleciał zapach etanolu, który po chwili się nasilił. Z całych sił próbowała zachować spokój, zmuszając się do przezwyciężenia chęci ucieczki. Ostrożnie zrobiła krok w lewo. Cichy szelest ubrania najwyraźniej wystarczył napastnikowi. Usłyszała, jak skoczył do przodu. Poczuła falę etanolu i silną dłoń łapiącą ją za ramię. Wyrwała się przerażona. Zapomniała o matematycznym prawdopodobieństwie i zaczęła biec na oślep co sił w nogach. Ostro skręciła w lewo, gnając w mroczną otchłań.

Nagle wpadła na ścianę.

Uderzyła w nią z całej siły, głośno wypuszczając powietrze. Paraliżujący ból przeszył rękę i bark, zdołała jednak utrzymać się na nogach. Na szczęście wpadła na nią bokiem, dzięki czemu siła uderzenia była mniejsza, choć stanowiło to marne pocieszenie. Dźwięk rozszedł się echem po całej sali.

Wie, gdzie jestem.

Skuliła się z bólu i odwróciła, próbując przebić wzrokiem ciemność i czując, że napastnik ją obserwuje.

Uciekaj! Natychmiast!

Zaczęła posuwać się wzdłuż ściany, próbując złapać oddech i lewą ręką dotykając wystających stalowych śrub.

Trzymaj się ściany. Prześlizgnij się obok, zanim cię osaczy.

Zacisnęła rękę na telefonie, gotowa rzucić go jak pocisk, jeśli zajdzie potrzeba.

Nie była przygotowana na dźwięk, który usłyszała w pobliżu... szelest ubrania tuż za nią... ubrania trącego o ścianę. Zamarła, wstrzymując oddech.

Jakim cudem tak szybko tu dotarł?

Poczuła słaby ruch powietrza i odór etanolu.
Idzie w moją stronę przy ścianie!
Cofnęła się kilka kroków, po czym cicho odwróciła o sto osiemdziesiąt stopni i zaczęła szybko iść w przeciwną stronę. Kiedy pokonała kilka metrów, stało się coś nieprawdopodobnego: znów usłyszała przed sobą szelest ubrania trącego o ścianę. Poczuła ten sam powiew powietrza i etanol. Zamarła przerażona.
Boże, on jest wszędzie!

Mal'akh stał z nagim torsem, wpatrując się w mrok.
Zapach etanolu, który początkowo wydawał się utrudnieniem, okazał się przewagą. Zajął koszulę i marynarkę, by użyć ich do osaczenia zdobyczy. Rzucił marynarką o ścianę, z prawej strony Katherine Solomon. Usłyszał, że przystanęła i zmieniła kierunek. Teraz cisnął koszulę po lewej. Kolejne kroki. Przyparł ją do ściany, wyznaczając punkty, których nie ośmieli się przekroczyć.
Czekał, nasłuchując.
Może uciekać tylko w jedną stronę — do mnie.
A jednak niczego nie usłyszał. Albo sparaliżował ją strach, albo zdecydowała się czekać bez ruchu, aż nadejdzie pomoc. Tak czy owak przegra.
W najbliższym czasie nikt nie wejdzie do Sektora 5. Mal'akh uszkodził zewnętrzną klawiaturę w bardzo prymitywny, choć skuteczny sposób. Po przesunięciu karty Trish wsunął do czytnika dziesięć centów, by nie można było użyć innego klucza bez rozmontowania całego urządzenia.
Będziemy sami, Katherine... tyle czasu, ile trzeba.
Mal'akh, nasłuchując, zrobił krok do przodu. Katherine Solomon umrze tej nocy w ciemnościach muzeum jej brata. Cóż za poetyczne zakończenie. Nie mógł się doczekać chwili, gdy mu o tym powie. To będzie zemsta, na którą tak długo czekał.
Nagle, ku swemu zaskoczeniu, ujrzał w oddali słabe światełko. Zrozumiał, że Katherine popełniła śmiertelny błąd.
Dzwoni po pomoc?!
Monitor zabłysnął na wysokości pasa, w odległości dwudziestu metrów od niego, niczym światło latarni pośrodku oceanu czerni.

Mal'akh był gotów przetrzymać Katherine, lecz już nie musiał tego robić.

Ruszył pędem przed siebie, kierując się w stronę zawieszonego w ciemności światełka, wiedząc, że musi ją dopaść, zanim skończy rozmawiać. Dotarł na miejsce w ciągu kilku sekund, szeroko rozpościerając ramiona i otaczając światełko komórki, by pochwycić Katherine.

Nagle jego palce uderzyły o ścianę i wygięły się, niemal pękając. Głowa grzmotnęła o stalową belkę. Krzyknął z bólu, kuląc się przy ścianie. Po chwili dźwignął się na nogi, głośno przeklinając. Podciągnął się na poziomej rozpórce, na której Katherine Solomon sprytnie umieściła otwartą komórkę.

Znów zaczęła biec, tym razem nie przejmując się dźwiękiem, jaki wydaje ręka trąca o równo rozmieszczone metalowe śruby w ścianie Sektora 5. Uciekaj! Wiedziała, że jeśli będzie się posuwała wzdłuż ściany, wcześniej czy później natrafi na drzwi wejściowe.

Gdzie, do cholery, jest strażnik?

Wyczuwała śruby, biegnąc przed siebie z lewą ręką przy ścianie i prawą wyciągniętą do przodu, dla ochrony.

Kiedy dotrę do rogu?

Boczna ściana wydawała się nie mieć końca, lecz nagle rozmieszczenie śrub się zmieniło. Przez kilka długich kroków lewa ręka nie natrafiła na żadne łebki. Po chwili znów je namacała. Przystanęła i cofnęła się, przesuwając ręką po gładkiej metalowej powierzchni.

Dlaczego nie ma śrub?

Usłyszała głośne człapanie napastnika, dotykającego ściany i zmierzającego w jej stronę. Nagle inny dźwięk przestraszył ją jeszcze bardziej — daleki odgłos walenia do drzwi, jakby strażnik uderzał latarką o drzwi Sektora 5.

Nie może się dostać do środka?

Chociaż ta myśl ją przeraziła, miejsce, z którego dochodziło walenie — na prawo od niej — pozwoliło jej określić, gdzie jest. Bez trudu wyobraziła sobie, w której części sektora się znajduje. Obraz przemykający przez jej głowę przywołał nieoczekiwaną myśl. Nagle zdała sobie sprawę, czym jest metalowy panel, którego dotyka.

W każdym sektorze znajdowały się ogromne drzwi, przypominające te w hangarach lotniczych, które można było przesunąć, aby przenieść duży eksponat. Katherine nawet w najśmielszych marzeniach nie wyobrażała sobie, że będzie musiała je otworzyć. Teraz uznała, że to jej jedyna nadzieja.

Ale czy się otworzą?

Zaczęła macać w ciemności, szukając drzwi, aż wyczuła dużą metalową rączkę. Chwyciła ją i naparła całym ciężarem ciała. Ani drgnęły. Spróbowała jeszcze raz. Nic.

Usłyszała, że napastnik przyspieszył kroku, zaniepokojony tym, co robi.

Drzwi są zamknięte! W panice przesunęła dłońmi ponad rączką, szukając zasuwy lub dźwigni. Nagle wyczuła pionowy pręt. Przesunęła rękę w dół, przykucając i macając miejsce, w którym zagłębiał się w podłodze.

Blokada bezpieczeństwa!

Podniosła się, chwyciła pręt i zaparła się nogami, unosząc go i wyjmując z otworu.

Za chwilę tu będzie!

Jeszcze raz namacała rączkę i naparła z całej siły. Ogromny panel drgnął prawie niezauważalnie, a do Sektora 5 przeniknął słaby promień księżycowego światła. Szarpnęła znowu. Promień światła stał się nieco szerszy.

Jeszcze odrobinę!

Szarpnęła ostatni raz, czując, że napastnik jest kilka metrów od niej.

Skoczyła w stronę światła, przeciskając się przez szparę w drzwiach. Z mroku wyłoniła się ręka, łapiąc ją i próbując wciągnąć do środka. Przepchnęła się na zewnątrz, ścigana przez potężne nagie ramię pokryte przypominającym łuskę tatuażem. Wiło się jak rozwścieczony wąż, próbując ją pochwycić.

Katherine odwróciła się i ruszyła wzdłuż długiej zewnętrznej ściany. Luźne kamyki, którymi wysypano ścieżkę otaczającą budynki SMSC, raniły jej stopy, ale biegła dalej, do głównego wejścia. Noc była ciemna, lecz jej źrenice, rozszerzone z powodu ciemności panujących w Sektorze 5, powodowały, że widziała doskonale, prawie jak w dzień. Usłyszała za plecami dźwięk otwieranych masywnych drzwi i ciężkie kroki biegnące coraz szybciej, niewyobrażalnie szybko.

Nie zdołam dotrzeć do głównego wejścia.

Wiedziała, że jej volvo jest bliżej, lecz nawet ono było za daleko.

Nie uda się!

Wtedy zrozumiała, że ma w rękawie ostatnią kartę. Zbliżając się do rogu Sektora 5, usłyszała, że dobiegający z ciemności odgłos kroków zbliża się do niej coraz szybciej.

Teraz albo nigdy. Zamiast skręcić za róg, Katherine wykonała nagły skręt w lewo, wbiegając na trawnik i oddalając się od budynku. Zamknęła oczy, zasłoniła rękami twarz i zaczęła biec na oślep przez trawę.

Uruchomiony przez detektor ruchu system alarmowy Sektora 5 nagle ożył, w jednej chwili zamieniając noc w dzień. Do uszu Katherine dotarł okrzyk bólu, gdy jasne światło reflektorów uderzyło w rozszerzone źrenice Abaddona z mocą ponad dwudziestu pięciu milionów kandeli. Usłyszała, jak mężczyzna potyka się o kamienie.

Nie otwierając oczu, wciąż biegła. Kiedy wyczuła, że jest wystarczająco daleko od budynku i świateł reflektorów, otworzyła oczy i skorygowała kierunek, pędząc w ciemnościach.

Kluczyki od volvo znajdowały się tam, gdzie zawsze — na środkowej półce. Złapała je bez tchu i drżącymi palcami namacała stacyjkę. Silnik ożył, reflektory się zapaliły, ukazując przerażający widok.

Potworna postać biegła w jej stronę.

Katherine zamarła.

Mężczyzna, który ukazał się w świetle reflektorów, przypominał łyse zwierzę o obnażonej piersi, ze skórą pokrytą tatuażem przedstawiającym łuskę, dziwne symbole i teksty. Ryknął z bólu, stając w promieniach reflektorów i zasłaniając oczy, jak zamieszkująca jaskinię bestia, która pierwszy raz ujrzała słońce. Sięgnęła do dźwigni zmiany biegów, lecz tamten znalazł się nagle obok niej, wybijając łokciem szybę po stronie pasażera i zasypując jej kolana odłamkami szkła.

Silne, pokryte łuską ramię wsunęło się przez okno, macając na ślepo w poszukiwaniu szyi. Cofnęła wóz, lecz napastnik złapał ją za gardło z niewyobrażalną siłą. Odwróciła głowę, próbując wyrwać się z uścisku. Nagle zobaczyła jego twarz. Trzy ciemne pasy, niczym ślady pozostawione przez paznokcie, odsłaniały tatuaże ukryte pod makijażem. Oczy mężczyzny był dzikie i bezlitosne.

— Powinienem był cię zabić dziesięć lat temu! — ryknął. — Tej nocy, gdy zabiłem twoją matkę!

Te słowa przywołały przerażające wspomnienie. Dziki błysk oczu, który wtedy widziała. To on! Krzyknęłaby, gdyby na jej szyi nie zacisnęły się dłonie przypominające imadło.

Wdepnęła pedał gazu. Wóz szarpnął do tyłu, omal nie miażdżąc jej karku, gdy wlekła napastnika za samochodem. Volvo przechyliło się na bok. Katherine czuła, że za chwilę mężczyzna złamie jej kark. Nagle o bok auta otarły się gałęzie, uderzając o szyby. Ciężar znikł.

Kiedy samochód wypadł z krzaków na górny parking, Katherine wcisnęła hamulec. W dole podnosił się na nogi półnagi mężczyzna, patrząc prosto w reflektory. Z przerażającym spokojem uniósł groźne wytatuowane łuską ramię i wskazał na nią.

Czując nienawiść i strach, skręciła kierownicę i dodała gazu. Po chwili mknęła Silver Hill Road.

Rozdział 48

Działając pod wpływem chwili, funkcjonariusz Nuñez nie widział powodu, by nie pomóc w ucieczce architektowi Kapitolu i Robertowi Langdonowi. Teraz, w piwnicy posterunku, poczuł, że nad jego głową gromadzą się chmury.

Komendant Anderson przykładał do głowy woreczek z lodem, a inny policjant opatrywał rany dyrektor Sato. Oboje stali obok zespołu przeglądającego taśmy wideo, analizującego zapis z kamer, by zlokalizować Langdona i Bellamy'ego.

— Sprawdźcie zapis ze wszystkich kamer monitorujących korytarze i wyjścia! — poleciła Sato. — Chcę wiedzieć, którędy wyszli!

Nuñezowi zrobiło się słabo, gdy to oglądał. Wiedział, że za kilka minut dotrą do zapisu wideo i poznają prawdę.

Pomogłem im w ucieczce.

Jego sytuację pogorszyło dodatkowo przybycie czterech agentów CIA, którzy czekali w pobliżu, gotowi rzucić się w pościg za Langdonem i Bellamym. Nie przypominali policjantów z posterunku w Kapitolu, lecz komandosów: ciemne kombinezony, noktowizory, broń o futurystycznym kształcie.

Poczuł, że za chwilę zwymiotuje. Podjął decyzję i skinął dyskretnie na komendanta Andersona.

— Mógłbym zamienić z panem słówko, szefie?

— O co chodzi? — spytał Anderson, wychodząc na korytarz.

— Popełniłem straszny błąd, szefie — wydukał, czując, że oblewa go zimny pot. — Przepraszam. Składam rezygnację.

I tak za chwilę mnie wylejesz.

— Co?!

Nuñez przełknął ślinę.

— Byłem w centrum dla zwiedzających... widziałem, jak Langdon i architekt Bellamy wychodzą z budynku.

— Jak to?! — ryknął Anderson. — Dlaczego mi nie powiedziałeś?!

— Pan Bellamy mi zabronił.

— Mam to gdzieś! Pracujesz dla mnie! — Głos Andersona poniósł się echem po korytarzu. — Na Boga! Bellamy wyrżnął moją głową o ścianę!

Nuñez podał Andersonowi klucz, który dostał od architekta.

— A to co? — prychnął Anderson.

— Klucz do nowego tunelu pod Independence Avenue. Miał go architekt Bellamy. Uciekli tamtędy.

Anderson patrzył na klucz, nie mogąc wydusić słowa.

Sato wystawiła głowę na korytarz, mierząc ich wzrokiem.

— Co tu się dzieje?

Nuñez poczuł, że blednie. Anderson trzymał klucz, a Sato wyraźnie go widziała. Kiedy ta odrażająca drobna kobieta do nich podeszła, Nuñez zaczął improwizować, mając nadzieję, że zdoła ochronić przełożonego.

— Znalazłem ten klucz na podłodze w podziemiach. Spytałem komendanta Andersona, czy wie, do czego służy.

Sato stanęła obok, wpatrując się w klucz.

— I co? Wiedział?

Nuñez spojrzał na Andersona, zastanawiając się, co odpowiedzieć. Komendant pokręcił głową.

— Nie mam pojęcia. Będę musiał sprawdzić...

— Proszę się nie kłopotać — przerwała mu Sato. — To klucz do tunelu w centrum dla zwiedzających.

— Naprawdę? — zdziwił się Anderson. — Po czym pani poznała?

— Znaleźliśmy nagranie. Funkcjonariusz Nuñez pomógł Langdonowi i Bellamy'emu w ucieczce, a następnie zamknął za nimi drzwi. Nuñez dostał ten klucz od Bellamy'ego.

Anderson spojrzał z wściekłością na Nuñeza:

— Czy to prawda?

Nuñez skinął energicznie głową, odgrywając swoją rolę najlepiej, jak potrafił.

— Przepraszam, szefie. Architekt polecił, abym nikomu nie mówił!

— Mam gdzieś, co mówi architekt! — krzyknął Anderson. — Oczekuję pańskiej...

— Zamknij się, Trent — prychnęła Sato. — Marni z was kłamcy. Zachowajcie te bajeczki na dochodzenie CIA. — Wyrwała Andersonowi klucz. — Nie macie tu czego szukać.

Rozdział 49

Robert Langdon schował komórkę, czując coraz większy niepokój.

Dlaczego Katherine nie odbiera?

Obiecała, że do niego zadzwoni, gdy tylko opuści laboratorium i wyruszy na umówione miejsce spotkania, lecz do tej pory tego nie zrobiła.

Bellamy siedział przy biurku obok Langdona. On też przed chwilą zadzwonił do kogoś, kto miał im udzielić bezpiecznego schronienia. Niestety, tamten nie odebrał, więc Bellamy zostawił mu wiadomość, każąc zadzwonić niezwłocznie na komórkę Langdona.

— Będę próbował dalej — zapewnił — ale teraz jesteśmy zdani wyłącznie na siebie. Musimy obmyślić plan, co zrobić z piramidą.

Piramidy!

Wspaniała sala czytelni nagle przestała się liczyć, a cały świat skurczył się do tego, co znajdowało się przed oczami Langdona: kamiennej piramidy, paczki zawierającej jej zwieńczenie oraz dystyngowanego czarnoskórego Amerykanina, który wyłonił się z ciemności, ratując go przed przesłuchaniem w kwaterze CIA.

Chociaż Langdon oczekiwał, że architekt Kapitolu wykaże się odrobiną rozsądku, wydawało się, że Warren Bellamy postępuje równie nieracjonalnie, jak szaleniec twierdzący, że Peter przebywa w czyśćcu. Bellamy upierał się, iż kamienna piramida jest legendarną piramidą masonów.

Starożytną mapą, która ma nas doprowadzić do pełnej mocy mądrości?

— Panie Bellamy — zaczął uprzejmie Langdon — nie mogę traktować poważnie podania głoszącego, że istnieje jakaś pradawna wiedza, mogąca dać człowiekowi wielką moc...

W oczach Bellamy'ego pojawiło się rozczarowanie, co sprawiło, że sceptyczna postawa Langdona wydała się jeszcze bardziej dziwaczna.

— Podejrzewałem, że może pan tak sądzić, profesorze. Nie powinienem być zaskoczony. W końcu jest pan kimś z zewnątrz. To zrozumiałe, że fakty, o których mówią masoni, muszą wydać się panu mitem, bo nie przeszedł pan inicjacji i nie jest przygotowany do ich zrozumienia.

Langdon stwierdził, że architekt traktuje go protekcjonalnie.

Nie byłem członkiem załogi Odyseusza, ale jestem pewny, że opowieść o cyklopach to mit.

— Panie Bellamy, nawet gdyby to nie była legenda, lecz prawda, ta piramida nie może być piramidą masońską.

— Czyżby? — Bellamy przesunął palcem po inskrypcji. — Według mnie idealnie pasuje do opisu. Kamienna piramida o lśniącym metalowym zwieńczeniu, które według Sato jest tym, co Peter powierzył pana opiece.

Bellamy podniósł paczuszkę, ważąc ją w dłoni.

— Ta kamienna piramida nie ma nawet trzydziestu centymetrów wysokości — zauważył Langdon. — We wszystkich wersjach opowieści, które znam, piramida masońska jest ogromna.

Bellamy najwyraźniej spodziewał się, że to usłyszy.

— Jak pan wie, legenda głosi, że piramida wznosi się tak wysoko, że sam Bóg może sięgnąć z nieba i jej dotknąć.

— Właśnie.

— Rozumiem pański dylemat, profesorze. Z drugiej strony, starożytne misteria i nauka masońska wskazują na boski potencjał ukryty w każdym z nas. Mówiąc symbolicznie: wszystko, co znajduje się w zasięgu oświeconego człowieka, jest w zasięgu Boga.

Langdona nie przekonała ta gra słów.

— Nawet Biblia to potwierdza — ciągnął Bellamy. — Jeśli zgodzimy się ze słowami Księgi Rodzaju: *Stworzył więc Bóg* *człowieka na swój obraz**, musimy zaakceptować konsekwencje faktu, że człowiek nie został stworzony jako istota niższa od Boga. W siedemnastym rozdziale i dwudziestym pierwszym wierszu Ewangelii świętego Łukasza czytamy: *Oto bowiem Królestwo Boże pośród was jest.*

— Pan wybaczy, lecz nie znam chrześcijan, którzy uważaliby się za równych Bogu.

— Oczywiście! — przytaknął Bellamy bardziej stanowczo. — Większość chrześcijan pragnie, aby było i tak, i tak. Z dumą oświadczają, że wierzą w Biblię, a jednocześnie ignorują te fragmenty, które wydają się zbyt trudne lub niewygodne.

Langdon milczał.

— W każdym razie — kontynuował Bellamy — dawny opis masońskiej piramidy tak wysokiej, że mogłaby zostać dotknięta przez Boga, doprowadził do wysnucia wielu błędnych hipotez na temat jej wielkości. Akademikom pańskiego pokroju pozwala to trwać na stanowisku, że opowieść o piramidzie jest legendą, więc nikt jej nie szukał.

Langdon spojrzał na kamienny blok.

— Proszę wybaczyć, że pana zdenerwowałem — powiedział. — Zawsze byłem przekonany, że opowieść o masońskiej piramidzie jest mitem.

— Czy nie wydaje się panu logiczne, że wolnomularze wyryli mapę w kamieniu? W całych dziejach najważniejsze wskazówki wykuwano właśnie w kamieniu. Nawet Bóg przekazał Mojżeszowi dekalog spisany na kamiennych tablicach.

— Rozumiem, choć opowieść tę zawsze nazywano legendą o masońskiej piramidzie. Słowo „legenda" sugeruje, że mamy do czynienia z czymś wymyślonym, z mitem.

— Słusznie wspomniał pan o legendzie — zachichotał Bellamy. — Obawiam się, że ma pan ten sam problem, co Mojżesz.

— Nie rozumiem.

Bellamy wyglądał na rozbawionego. Odwrócił się i spojrzał na drugi balkon, z którego patrzyło na nich szesnaście posągów z brązu.

---

* Rdz. 1,27 — Ten i inne cytaty pochodzą z: Biblia Tysiąclecia, Pismo Święte Starego i Nowego Testamentu, Wydawnictwo Pallottinum, Poznań 2003.

— Widzi pan Mojżesza?

Langdon podniósł głowę i skierował wzrok na słynną rzeźbę.

— Tak.

— Ma rogi.

— Wiem.

— A wie pan dlaczego?

Jak większość nauczycieli, Langdon nie lubił słuchać cudzych wykładów. Ta rzeźba Mojżesza miała rogi z tego samego powodu, z którego miały je tysiące innych chrześcijańskich przedstawień tego patriarchy — z powodu błędnego przekładu tekstu z Księgi Wyjścia. W tekście hebrajskim napisano *karan 'ohr panav*, sugerując, że „twarz Mojżesza promienieje". Kiedy Kościół rzymskokatolicki przygotował oficjalną łacińską wersję tekstu, tłumacz spartaczył opis Mojżesza, przekładając wspomniany fragment tak: *cornuta esset facies sue*, co znaczy „jego twarz była rogata". Od tego momentu malarze i rzeźbiarze, bojąc się zarzutu, że nie są wierni Pismu Świętemu, zaczęli przedstawiać Mojżesza z rogami.

— Z powodu banalnego błędu — odparł Langdon. — Niewłaściwego przekładu dokonanego przez świętego Hieronima około czterechsetnego roku naszej ery.

Bellamy spojrzał na niego z podziwem.

— Właśnie. Z powodu błędnego przekładu. W rezultacie nieszczęsny Mojżesz został na zawsze zdeformowany.

„Zdeformowany" było dobrym określeniem. W dzieciństwie Langdon przeraził się na widok diabolicznego „rogatego Mojżesza" Michała Anioła — głównego elementu rzymskiej bazyliki Świętego Piotra w Okowach.

— Wspomniałem o rogatym Mojżeszu — mówił dalej Bellamy — by pokazać, jak jedno słowo, niewłaściwie zrozumiane, może zmienić całą historię.

Przekonujesz przekonanego — pomyślał Langdon, który kilka lat temu osobiście przerobił tę lekcję podczas pobytu w Paryżu. SansGreal: święty Graal. SangReal: królewska krew.

— W przypadku piramidy masońskiej — tłumaczył Bellamy — ludzie słyszeli pogłoski o „legendzie". I tak już zostało. Legenda o masońskiej piramidzie brzmi jak mit, lecz słowo „legenda" odnosiło się do czegoś innego, co zostało opacznie zrozumiane. Podobnie jak słowo „talizman" — zauważył z uśmiechem. — Język często bardzo skutecznie przesłania prawdę.

— Ma pan rację, choć muszę przyznać, że trochę się pogubiłem.

— Piramida masońska jest mapą, Robercie. I tak jak każda mapa ma legendę objaśniającą, jak należy ją odczytywać. — Bellamy wziął pudełko i uniósł je w górę. — Nie rozumie pan? To zwieńczenie jest legendą objaśniającą piramidę. Stanowi klucz do odczytania najpotężniejszego przedmiotu na ziemi, mapy wskazującej miejsce ukrycia największego skarbu ludzkości, pradawnej zaginionej mądrości.

Langdon słuchał w milczeniu.

— Przyznaję, że pańska ogromna masońska piramida jest zaledwie niepozornym kamieniem, którego złote zwieńczenie sięga tak wysoko, iż mogłoby zostać dotknięte przez Boga. Tak wysoko, aby mógł go dosięgnąć jedynie człowiek, który osiągnął oświecenie — zakończył Bellamy.

Na chwilę zapadła cisza.

Langdon poczuł falę podniecenia, spoglądając na piramidę i widząc ją w nowym świetle. Jego wzrok znów spoczął na inskrypcji.

— Przecież ten szyfr... jest tak...

— Prosty?

Langdon skinął głową.

— Niemal każdy może go odczytać.

Bellamy uśmiechnął się, wyjmując z kieszeni kartkę i ołówek.

— Mógłby pan nas zatem oświecić? — spytał.

Langdon czuł się niezręcznie na myśl o tym, że ma odczytać inskrypcję, choć w zaistniałych okolicznościach wydawało się to niewielkim naruszeniem zaufania przyjaciela. Co więcej, niezależnie od sensu inskrypcji, nie potrafił sobie wyobrazić, aby ujawniała miejsce ukrycia czegokolwiek, a tym bardziej jednego z największych skarbów w dziejach.

Wziął ołówek z rąk Bellamy'ego i przytknął go do brody, studiując szyfr. Był tak prosty, że właściwie nie potrzebował kartki i ołówka. Mimo to chciał się upewnić, że nie popełni błędu, więc posłusznie zapisał najbardziej znany masoński klucz deszyfrujący. Składał się on z czterech kratek — dwóch zwykłych i dwóch oznaczonych kropkami — z kolejnymi literami alfabetu. Każda z liter znalazła się wewnątrz własnego niepowtarzalnego „ogrodzenia" lub „zagrody". Kształt „ogrodzenia" każdej z liter stawał się jej symbolem.

Schemat był tak prosty, że wydawał się niemal dziecinny.

A	B	C
D	E	F
G	H	I

J	K	L
M	N	O
P	Q	R

S
T U
V

W
X Y
Z

Langdon rzucił krytycznym okiem na swoje dzieło. Przekonany, że klucz deszyfrujący został sporządzony poprawnie, spojrzał na inskrypcję. Aby ją odczytać, musi tylko znaleźć odpowiedni kształt w kluczu deszyfrującym i wpisać obok niego właściwą literę.

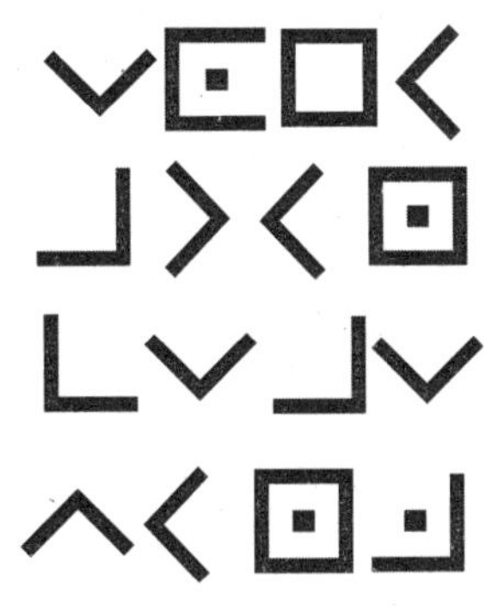

Pierwszy znak inskrypcji przypominał zwrócony ku dołowi grot strzały lub kielich mszalny. Langdon szybko odnalazł odpowiadający mu fragment klucza deszyfrującego. Była to „zagroda" otaczająca literę S.

Langdon zapisał S.

Kolejnym znakiem inskrypcji był kwadrat z kropką pozbawiony prawego boku. W kluczu deszyfrującym odpowiadała mu litera O.

Zapisał O.

Trzeci znak okazał się zwyczajnym kwadratem z literą E w środku.

Langdon zaznaczył E.

SOE...

Kontynuował pracę, aż wszystkie znaki zastąpił literami.

Spojrzał na otrzymany tekst i westchnął zdumiony. Trudno byłoby powitać tę chwilę okrzykiem „eureka!".

Na twarzy Bellamy'ego pojawił się cień uśmiechu.

— Jak pan wie, profesorze, starożytne tajemnice są zarezerwowane tylko dla naprawdę oświeconych.

— Racja — mruknął Langdon, ściągając brwi.

Najwyraźniej ja do nich nie należę.

Rozdział 50

W głębokich podziemiach kwatery głównej CIA w Langley, w Wirginii, identyczna, złożona z szesnastu znaków masońska inskrypcja lśniła na komputerowym monitorze o wysokiej rozdzielczości. Starsza analityczka Biura Bezpieczeństwa, Nola Kaye, siedziała sama w pokoju, analizując inskrypcję, którą przed dziesięcioma minutami otrzymała od swojej szefowej, dyrektor Sato.

Czy to jakiś żart?

Oczywiście Nola wiedziała, iż żadne żarty nie wchodzą w grę. Dyrektor Sato nie miała za grosz poczucia humoru, a wydarzenia ostatniej nocy trudno było uznać za zabawne. Wysoki kod dostępu do tajemnic wszechwiedzącego Biura Bezpieczeństwa CIA otworzył Noli oczy na mroczny świat polityki. Jednak to, czego była świadkiem w ciągu ostatnich dwudziestu czterech godzin, na zawsze zmieniło jej zdanie na temat tajemnic możnych tego świata.

— Tak, pani dyrektor — odparła, podtrzymując słuchawkę ramieniem. — Ta inskrypcja to faktycznie masoński szyfr, lecz rozszyfrowana wiadomość nie ma sensu. Wygląda na przypadkowy ciąg liter. — Spojrzała jeszcze raz na rozszyfrowany tekst.

S	O	E	U
A	T	U	N
C	S	A	S
V	U	N	J

— Musi coś znaczyć — upierała się Sato.

— Nie, jeśli nie istnieje inny kod deszyfrujący, o którym nie mam pojęcia.

— Jakieś domysły? — rzuciła Sato.

— To szyfr kratkowy, więc mogę nałożyć na niego kilka siatek, jednak niczego nie gwarantuję, jeśli użyto go tylko raz.

— Zrób, co możesz. Pospiesz się. A zdjęcie rentgenowskie?

Nola przysunęła fotel do innego komputera, na którego monitorze widać było czyjąś torbę prześwietloną promieniami rentgena. Sato zapytała, czym jest przedmiot przypominający małą piramidę, znajdujący się w kwadratowym pudełku. W normalnych okolicznościach coś, co ma wysokość pięciu centymetrów, nie zagrażałoby bezpieczeństwu narodowemu, chyba że zostałoby wykonane ze wzbogaconego plutonu. W tym przypadku tak nie było, choć piramidę zrobiono z czegoś równie zdumiewającego.

— Analiza gęstości materiału dała rozstrzygający rezultat — powiedziała Nola. — Dziewiętnaście i trzy setne grama na centymetr sześcienny. To czyste złoto. Ten przedmiot jest bardzo cenny.

— Coś jeszcze?

— Tak. Skan gęstości ujawnił małe nierówności na powierzchni złotej piramidy. Wygląda na to, że wyryto na niej jakiś tekst.

— Naprawdę? — W głosie Sato zabrzmiała nadzieja. — Jaki?

— Nie mogę tego jeszcze ustalić. Inskrypcja jest bardzo niewyraźna. Próbuję ją wzmocnić przy użyciu filtrów, lecz rozdzielczość zdjęcia rentgenowskiego nie jest zbyt duża.

— W porządku, próbuj dalej. Zadzwoń, jeśli czegoś się dowiesz.

— Tak, proszę pani.

— Słuchaj, Nola — ton głosu Sato stał się złowrogi — przypominam ci, że wszystko, co widziałaś w ciągu ostatnich dwudziestu czterech godzin: zdjęcia kamiennej piramidy i złotego zwieńczenia, jest objęte najściślejszą tajemnicą. Nie wolno ci z nikim o tym rozmawiać. Będziesz składała sprawozdania tylko mnie. Czy to jasne?

— Tak jest, proszę pani.

— Znakomicie. Zawiadamiaj mnie o postępach. — Sato zakończyła rozmowę.

Nola przetarła oczy i spojrzała znużonym wzrokiem na ekrany komputerów. Nie spała od trzydziestu sześciu godzin, a doskonale wiedziała, że nie zmruży oka, dopóki ten cholerny kryzys nie zostanie zażegnany.

W centrum dla zwiedzających w Kapitolu czterech agentów operacyjnych CIA w czarnych kombinezonach stało przy wejściu do tunelu, spoglądając niecierpliwie w głąb słabo oświetlonego korytarza, niczym sfora psów gotowych do rozpoczęcia polowania.

Sato zakończyła rozmowę i podeszła do nich.

— Panowie, czy cel waszej misji jest jasny? — spytała, trzymając w ręku klucz architekta.

— Tak — odparł agent dowodzący. — Mamy dwa cele. Pierwszym jest kamienna piramida z wyrytymi znakami, o wysokości około trzydziestu centymetrów. Drugim mniejszy, kwadratowy pakunek o wysokości pięciu centymetrów. Oba przedmioty widziano ostatnio w torbie Roberta Langdona.

— Doskonale. Trzeba jak najszybciej odzyskać te przedmioty w nienaruszonym stanie. Jakieś pytania?

— Użycie siły?

Sato nadal czuła ból ramienia po tym, jak Bellamy grzmotnął ją kością.

— Najważniejsze jest odzyskanie przedmiotów, już to powiedziałam.

— Zrozumiałem.

Czterej mężczyźni odwrócili się i znikli w ciemnym tunelu. Sato zapaliła papierosa, patrząc, jak się oddalają.

Rozdział 51

Katherine Solomon była ostrożnym kierowcą, lecz tym razem gnała na złamanie karku, jadąc Suitland Parkway z prędkością ponad stu trzydziestu kilometrów na godzinę. Jej drżąca stopa wciskała pedał gazu przez kilka dobrych kilometrów, dopóki fala paniki nie zaczęła opadać. Dopiero wtedy Katherine zdała sobie sprawę, że nie drży tylko ze strachu.

Zmarzłam na kość.

Nocne zimowe powietrze wdzierało się do środka przez rozbitą szybę, smagając jej ciało niczym arktyczny wiatr. Stopy w pończochach były odrętwiałe. Katherine sięgnęła po zapasową parę butów, które woziła pod fotelem pasażera. Nachylając się, poczuła ból posiniaczonej szyi w miejscu, gdzie złapała ją potężna dłoń.

Mężczyzna, który rozbił szybę, nie przypominał jasnowłosego dżentelmena przedstawiającego się jako doktor Christopher Abaddon. Gęste włosy i gładka opalona skóra znikły. Ogolona głowa, obnażony tors i twarz były pokryte przerażającymi tatuażami.

Znów usłyszała jego głos szepczący wśród wycia wiatru: „Powinienem był cię zabić dziesięć lat temu... Tej nocy, gdy zabiłem twoją matkę!”.

Katherine zadrżała. Nie miała cienia wątpliwości: to on. Nie zapomniała diabelskiej wściekłości w jego oczach. Nie zapomniała też dźwięku pojedynczego wystrzału, którym jej brat go zabił, strącając z wysokiej skalnej półki do zamarzniętej rzeki. Pogrążył się w jej wodach i nigdy nie wynurzył. Śledczy przeszukiwali tamto miejsce całymi tygodniami, chcąc odnaleźć ciało.

W końcu orzekli, że zwłoki zostały porwane przez nurt do zatoki Chesapeake.

Teraz wiedziała, że się mylili.

On żyje.

Wrócił.

Fala wspomnień sprawiła, że poczuła niepokój.

Tamte wydarzenia rozegrały się niemal dokładnie dziesięć lat temu, w dzień Bożego Narodzenia. Katherine, Peter i ich matka — cała rodzina — zebrali się w dużej kamiennej rezydencji nad Potomakiem, położonej na mającej dwieście akrów zalesionej działce, przez którą przepływał strumień.

Zgodnie z rodzinną tradycją matka krzątała się w kuchni, ciesząc się ze świątecznego zwyczaju, nakazującego własnoręczne przyrządzanie posiłku dla dzieci. Mimo swoich siedemdziesięciu pięciu lat, Isabel Solomon była wspaniałą kucharką. Tego dnia w całym domu unosił się apetyczny zapach pieczonej sarniny, sosu z pasternakiem i tłuczonych ziemniaków z czosnkiem. Kiedy matka przygotowywała świąteczną ucztę, Katherine i jej brat odpoczywali w oranżerii, rozmawiając o najnowszej fascynacji Katherine, noetyce. Nauka ta, stanowiąca niezwykłe połączenie współczesnej fizyki cząstek ze starożytnym mistycyzmem, pochłonęła ją bez reszty.

Drogi fizyki i filozofii się spotkały.

Widząc iskrę zainteresowania w jego oczach, Katherine opowiadała bratu o eksperymentach, które ma zamiar przeprowadzić. Była rada, że podczas świąt może podsunąć Peterowi interesujący temat do rozmyślań, Boże Narodzenie bowiem było dla niego przypomnieniem strasznej tragedii

Śmierci jego syna Zachary'ego.

Ostatni raz Katherine widziała Zachary'ego w jego dwudzieste pierwsze urodziny. Cała rodzina przeżyła istny koszmar, a Katherine miała wrażenie, że dopiero teraz brat znów zaczął się śmiać.

Zachary był późnym, kruchym i niezdarnym dzieckiem, a potem zbuntowanym i gniewnym nastolatkiem. Mimo miłości i dostatku, chłopak postanowił odciąć się od „establishmentu", którego ucieleśnieniem był dla niego Solomon. Kiedy wyrzucono go z prywatnej szkoły, balował w towarzystwie „sław" i wprawiał w zakłopotanie rodziców, którzy wychowywali go z miłością, lecz jednocześnie surowo.

Złamał Peterowi serce.

Wkrótce po osiemnastych urodzinach Zachary'ego Katherine usiadła razem z matką i bratem, słuchając, jak zastanawiają się nad tym, czy opóźnić przekazanie mu części rodzinnego majątku do czasu, aż stanie się bardziej dojrzały. W rodzinie Solomonów — zgodnie z liczącą setki lat tradycją — gdy dzieci kończyły osiemnaście lat, przekazywano im znaczną część majątku. Solomonowie wierzyli, że rodzinny majątek przyda się bardziej na początku niż na końcu życia. Co więcej, przekazanie dużej części fortuny w ręce entuzjastycznych młodych potomków było sposobem na powiększanie rodowego majątku.

Matka Katherine uważała za nierozsądne przekazanie zbuntowanemu synowi Petera znacznej kwoty pieniędzy. Peter był innego zdania.

— Przekazywanie rodowego dziedzictwa jest naszą tradycją — upierał się. — Nie powinniśmy od niej odstępować. Pieniądze zmuszą Zachary'ego do większej odpowiedzialności.

Niestety, okazało się, że był w błędzie.

Kiedy Zachary dostał pieniądze, zerwał z rodziną. Wyprowadził się z domu, zostawiając wszystkie swoje rzeczy. Kilka miesięcy później jego nazwisko pojawiło się w nagłówkach brukowców. *Playboy, żyjący z funduszów powierniczych, wiedzie rozrzutne życie w Europie.*

Tabloidy rozpisywały się o ekscesach Zachary'ego. Solomonowie z bólem oglądali zdjęcia z dzikich orgii organizowanych na jachtach i libacji w dyskotekach. Później zdjęcia krnąbrnego nastolatka z tragicznych zamieniły się w przerażające, gdy pojawiły się doniesienia, że Zachary został aresztowany podczas próby przemytu narkotyków. *Spadkobierca milionowej fortuny Solomonów w tureckim więzieniu.*

Dowiedzieli się, że chodzi o Soganlik — ciężkie więzienie w regionie Kartal, niedaleko Istambułu. Peter Solomon, obawiając się o bezpieczeństwo syna, poleciał do Turcji, aby zabiegać o jego uwolnienie. Wrócił zrozpaczony, niczego nie osiągnąwszy. Nie pozwolono mu nawet syna odwiedzić. Jedyne zachęcające wieści nadeszły od znajomego z amerykańskiego Departamentu Stanu, który podjął starania o jego szybką ekstradycję.

Niestety, dwa dni później Peter otrzymał przerażający telefon zza oceanu. Następnego dnia nagłówki gazet krzyczały: *Dziedzic Solomonów zamordowany w tureckim więzieniu!*

Zdjęcia z więzienia były przerażające, lecz media bezdusznie je opublikowały, chociaż zrobiły to długo po prywatnej uroczystości pogrzebowej. Żona Petera nigdy mu nie wybaczyła, że nie zdołał uwolnić syna. Sześć miesięcy później ich małżeństwo się rozpadło. Od tego czasu Peter był sam.

Wiele lat później Katherine, Peter i ich matka, Isabel, zebrali się, by spokojnie spędzić Boże Narodzenie. Nadal odczuwali ból, który na szczęście z każdym rokiem był mniej dotkliwy. Z kuchni dobiegało miłe dla ucha pobrzękiwanie garnków i patelni. Peter i Katherine siedzieli w oranżerii, skubiąc pieczony ser brie i gawędząc.

— Witajcie, Solomonowie! — usłyszeli nagle za plecami pogardliwy głos.

Odwrócili się i ujrzeli potężnie zbudowanego mężczyznę wchodzącego do oranżerii. Miał na głowie czarną kominiarkę, zasłaniającą całą twarz z wyjątkiem oczu, które płonęły dziką wściekłością.

Peter zerwał się na równe nogi.

— Kim pan jest? Jak pan się tu dostał?

— W pudle poznałem waszego synusia, Zachary'ego. Powiedział mi, gdzie ukryto ten klucz... — Uniósł stary klucz i uśmiechnął się jak bestia. — Zanim zatłukłem go na śmierć.

Peter stał z otwartymi ustami.

Mężczyzna wycelował pistolet w jego pierś.

— Siadaj!

Peter opadł na fotel.

Katherine zamarła bez ruchu, obserwując, jak intruz chodzi po pokoju. W otworach w czapce błyszczały dzikie oczy przypominające ślepia wściekłego zwierzęcia.

— Słuchaj! — krzyknął Peter, próbując ostrzec matkę, która krzątała się w kuchni. — Nie wiem, kim jesteś, ale bierz, co chcesz, i się wynoś!

Mężczyzna skierował lufę w jego stronę.

— Czego, twoim zdaniem, chcę?

— Powiedz ile. Nie trzymamy pieniędzy w domu, mogę jednak...

Potwór wybuchnął śmiechem.

— Nie obrażaj mnie! Nie przyszedłem po pieniądze, ale po inną schedę Zachary'ego. — Zachichotał. — Powiedział mi o piramidzie.

Piramidzie? — pomyślała przerażona Katherine. — Jakiej piramidzie?

Peter spojrzał na niego wyzywająco.

— Nie wiem, o czym mówisz.

— Nie udawaj durnia! Zachary powiedział mi, że przechowujesz ją w swoim gabinecie. Chcę ją mieć! Ale już!

— Nie wiem, co ci powiedział Zachary, ale był w błędzie. Nie mam pojęcia, o co ci chodzi!

— Nie? — Intruz wymierzył pistolet w twarz Katherine. — A co powiesz na to?

W oczach Petera błysnęło przerażenie.

— Uwierz mi! Nie wiem, o czym mówisz!

— Jeśli okłamiesz mnie jeszcze raz — powiedział, wciąż celując w Katherine — przysięgam, że stracisz ją na zawsze. — Uśmiechnął się. — Zachary wspominał, że twoja mała siostrzyczka jest dla ciebie cenniejsza niż wszystkie...

— Co tu się dzieje! — krzyknęła Isabel, wchodząc do pokoju z dubeltówką marki Browning Citori należącą do Petera, mierząc w pierś mężczyzny. Ten odwrócił się do niej, lecz krewka siedemdziesięciopięciolatka nie traciła czasu. Broń wypaliła z ogłuszającym hukiem. Napastnik zachwiał się i cofnął, strzelając na oślep we wszystkie strony. Upadając, wypuścił pistolet i rozbił szklane drzwi.

Peter skoczył do broni leżącej na podłodze. Katherine upadła, a pani Solomon podbiegła i uklękła przy niej.

— Mój Boże, jesteś ranna?

Katherine pokręciła głową, nie mogąc wydusić słowa. Była w szoku. Mężczyzna leżący na dworze wśród rozbitego szkła dźwignął się na nogi i zaczął biec w kierunku drzew, trzymając się za bok. Peter Solomon spojrzał za siebie, by sprawdzić, czy matka i siostra są bezpieczne, po czym złapał pistolet i ruszył w pogoń za napastnikiem.

Matka wzięła rękę Katherine w swoją drżącą dłoń.

— Bogu dzięki, nic ci się nie stało. — Nagle matka ją odepchnęła. — Katherine! Ty krwawisz! Jesteś ranna!

Katherine spostrzegła krew. Dużo krwi. Chociaż była cała zakrwawiona, nie czuła bólu.

Matka zaczęła rozpaczliwie obmacywać jej ciało, szukając rany.

— Powiedz, gdzie cię boli!

— Nie wiem, mamusiu. Nic nie czuję!

Dopiero wtedy Katherine zauważyła źródło krwi i poczuła zimny dreszcz.

— Mamusiu, to nie ja... — Wskazała bok białej satynowej bluzki. Isabel. Po tkaninie spływały strużki krwi, widać też było małą poszarpaną ranę. Matka spojrzała w dół, wyraźnie zdezorientowana. Wtem wykrzywiła się i skurczyła, jakby dopiero teraz poczuła ból.

— Katherine? — powiedziała spokojnie, czując nagle ciężar swoich siedemdziesięciu pięciu lat. — Musisz wezwać karetkę.

Katherine pobiegła, by zadzwonić z telefonu w holu. Kiedy wróciła do oranżerii, matka leżała nieruchomo w kałuży krwi. Przykucnęła nad nią i wzięła ją w ramiona.

Nie miała pojęcia, ile czasu upłynęło, zanim usłyszała daleki huk wystrzału dolatujący od strony lasu. Wreszcie drzwi oranżerii się otworzyły i do środka wpadł Peter z pistoletem w ręku. Kiedy zobaczył szlochającą Katherine, tulącą nieruchome ciało matki, jego twarz wykrzywiło cierpienie. Katherine Solomon nigdy nie zapomniała echa jego przeraźliwego krzyku, który rozległ się w oranżerii.

Rozdział 52

Mal'akh czuł ruch mięśni wytatuowanych pleców, gdy biegł wokół budynku w stronę otwartych drzwi Sektora 5.

Muszę się dostać do laboratorium.

Ucieczka Katherine była nieoczekiwana i przysporzyła mnóstwa problemów. Ta kobieta nie tylko zna miejsce zamieszkania Mal'akha, lecz jego prawdziwą tożsamość. Wie również, że to on wdarł się do ich posiadłości dziesięć lat temu.

On także nie zapomniał tamtej nocy. Zaledwie krok dzielił go od zdobycia piramidy, lecz przeznaczenie pokrzyżowało jego plany.

Nie byłem gotowy.

Teraz jest. Jest silniejszy. Bardziej wpływowy. Pokonał niewyobrażalne przeciwności, czyniąc przygotowania do powrotu, i tej nocy był wreszcie gotowy do spełnienia swojego przeznaczenia.

Miał pewność, że zanim ta noc dobiegnie końca, spojrzy w oczy umierającej Katherine Solomon.

Kiedy dotarł do drzwi, był przekonany, że Katherine nie uciekła, a tylko odwlekła to, co nieuchronne. Wślizgnął się przez otwór i szedł przed siebie, aż wyczuł pod stopami chodnik. Skręcił w prawo i zaczął szybko iść w stronę Sześcianu. Ponieważ walenie do drzwi Sektora 5 ustało, Mal'akh uznał, że strażnik próbuje usunąć monetę, którą zblokował zamek magnetyczny.

Po dotarciu do drzwi Sześcianu namacał klawiaturę i wsunął do zamka klucz Trish. Panel rozbłysnął. Wprowadził PIN Trish i wszedł do sterylnego pomieszczenia rozjarzonego światłami. Zmrużył oczy, patrząc ze zdumieniem na niezwykłe urządzenia, chociaż znał się na nowoczesnych technologiach i przeprowadzał własne eksperymenty w piwnicy swojej rezydencji. Ostatniej nocy wiedza ta okazała się przydatna.

Prawda.

Cela Petera Solomona — teraz uwięzionego w przestrzeni „pomiędzy" — ujawniła wszystkie jego sekrety. Widzę jego duszę.

Niektóre z sekretów okazały się zgodne z jego przewidywaniami, inne go zaskoczyły, na przykład informacje o laboratorium Katherine i jej szokujących odkryciach.

Nauka przybliża się do poznania prawdy — pomyślał. — Nie pozwolę, aby oświetliła drogę niegodnym.

Katherine rozpoczęła badania od wykorzystania zdobyczy nowoczesnej nauki do odpowiedzi na starożytne pytania natury filozoficznej: „Czy ktoś wysłuchuje naszych modlitw?", „Czy istnieje życie po śmierci?", „Czy ludzie mają duszę?". Znalazła odpowiedzi na wszystkie. Więcej, odpowiedzi były naukowe i przekonujące. Stosowała metody, których nie można było zakwestionować. Rezultaty eksperymentów przekonałyby nawet największego sceptyka. Gdyby wyniki jej badań zostały opublikowane i rozpowszechnione, doprowadziłyby do przełomowej zmiany w ludzkiej świadomości.

Zaczęliby odnajdywać drogę.

Ostatnim zadaniem Mal'akha przed jego transformacją było zadbanie o to, by do tego nie doszło.

Idąc korytarzem, odnalazł pomieszczenie z komputerami z danymi, o których powiedział mu Peter. Spojrzał przez ściany z grubego szkła na dwie jednostki holograficzne służące do zapisu danych.

Dokładnie tam, gdzie powiedział.

Trudno mu było uwierzyć, że te małe pudełka mogą zmienić kierunek rozwoju ludzkości, choć prawda zawsze była najpotężniejszym katalizatorem przemian.

Spoglądając na holograficzne dyski z danymi, wyciągnął kartę magnetyczną Trish i wsunął ją do elektronicznego zamka. Ku jego zaskoczeniu, panel się nie zapalił. Najwyraźniej Trish Dunne nie miała dostępu do tego pomieszczenia. Sięgnął po kartę, którą znalazł w kieszeni fartucha Katherine. Tym razem panel ożył.

Mal'akh miał jeszcze jeden problem: nie znał PIN-u Katherine. Wprowadził PIN Trish, lecz na nic się to nie zdało. Pogładził brodę, cofając się i badając drzwi z dziewięciocentymetrowego pleksiglasu. Wiedział, że nawet gdyby miał siekierę, nie zdołałby się włamać i zabrać dysków, które zamierzał zniszczyć.

Był jednak przygotowany na taką ewentualność.

Peter powiedział mu, że w pomieszczeniu z urządzeniami zasilającymi znajduje się kilka metalowych cylindrów przypominających duże butle z tlenem używane przez nurków. Widnieją na nich litery LH oraz cyfra 2, powszechny symbol oznaczający substancje wybuchowe. W jednym z cylindrów znajduje się ogniwo wodorowe, zaopatrujące laboratorium w energię elektryczną.

Zostawił ogniwo podłączone do urządzeń, ostrożnie umieszczając jeden z zapasowych pojemników na wózku obok stojaka. Wytoczył go z pokoju i przejechał korytarzem do drzwi z pleksiglasu, za którymi znajdowały się urządzenia do przechowywania danych. Kiedy zbliżył się do drzwi, dostrzegł słaby punkt w masywnych drzwiach — małą szparę między dolną krawędzią i ościeżnicą.

Położył zbiornik na boku, wsuwając gumową rurkę pod drzwi. Potrzebował chwili, by zdjąć zabezpieczenia i dostać się do zaworu. Przekręcił go ostrożnie. Przez warstwę pleksiglasu zobaczył, jak bulgoczący płyn zaczyna przedostawać się do pokoju. Obserwował powiększającą się kałużę, jak rozlewa się na posadzce i coraz głośniej bulgocze. Schłodzony wodór ma postać ciekłą, lecz gdy temperatura wzrasta, zaczyna się gotować. Gaz, który w efekcie powstaje, jest bardziej łatwopalny od cieczy.

Pamiętasz, co się stało z „Hindenburgiem"?

Mal'akh wpadł do laboratorium i sięgnął po pojemnik na paliwo do palnika Bunsena — groźną, łatwopalną substancję, bez właściwości wybuchowych. Zaniósł go pod drzwi, z zadowoleniem obserwując, jak ciekły wodór nadal wypływa z pojemnika do pomieszczenia z danymi, pokrywając niemal całą podłogę i otaczając stojaki z dyskami holograficznymi. Biała mgiełka unosiła się nad kipiącą kałużą, gdy ciekły wodór zamieniał się w gaz, wypełniając małą przestrzeń.

Uniósł pojemnik z paliwem i wylał je na butlę ciekłego wodoru, gumową rurę i małą szparę pod drzwiami. Następnie zaczął bardzo ostrożnie wycofywać się z laboratorium, wylewając paliwo, które utworzyło lśniącą wstęgę.

Dyspozytorka przyjmująca zgłoszenia na numer dziewięćset jedenaście była tej nocy bardzo zajęta. Rozgrywki barażowe, piwo i pełnia księżyca — pomyślała, gdy na ekranie pojawiło się kolejne zawiadomienie, tym razem z budki telefonicznej na stacji benzynowej przy Suitland Parkway w Anacostii.

Pewnie wypadek samochodowy.

— Tu numer dziewięćset jedenaście, słucham — powiedziała do słuchawki.

— Zostałam zaatakowana w Smithsonian Museum Support Center — usłyszała przerażony kobiecy głos. — Proszę wysłać tam policję! Silver Hill Road numer cztery tysiące dwieście dziesięć!

— Proszę się uspokoić — odpowiedziała spokojnie dyspozytorka. — Musi pani...

— Proszę też, żebyście wysłali radiowóz do rezydencji w Kalorama Heights, gdzie może być przetrzymywany mój brat!

Dyspozytorka westchnęła.

Pełnia księżyca.

Rozdział 53

— Próbowałem panu powiedzieć, że ta piramida kryje w sobie coś więcej — powiedział Bellamy do Langdona.

Najwyraźniej.

Langdon musiał przyznać, że kamienna piramida spoczywająca na dnie jego torby coraz bardziej go intryguje. Po odszyfrowaniu masońskiej inskrypcji otrzymał pozornie bezsensowny ciąg liter.

Chaos.

S	O	E	U
A	T	U	N
C	S	A	S
V	U	N	J

Przez chwilę przypatrywał się literom, próbując odnaleźć w nich jakiś sens — ukryte słowa, anagramy, wskazówki — lecz niczego nie znalazł.

— Piramida masońska ma strzec tajemnic ukrytych za wieloma zasłonami — wyjaśnił Bellamy. — Kiedy odsuniesz jedną, natychmiast pojawia się następna. Odsłoniłeś te litery, lecz niczego ci nie wyjawią, dopóki nie dotrzesz do kolejnego poziomu. Oczywiście potrafi to zrobić tylko ten, kto ma zwieńczenie.

Podejrzewam, że znajduje się na nim inskrypcja tłumacząca, jak rozszyfrować napis na piramidzie.

Langdon spojrzał na kwadratowy pakunek leżący na stoliku. Z tego, co powiedział Bellamy, wynikało, że zwieńczenie i piramida są „szyfrem podzielonym" — kodem w częściach. Współcześni kryptografowie często posługiwali się szyframi podzielonymi, chociaż wymyślono je w starożytnej Grecji. Kiedy Grecy chcieli utajnić jakąś wiadomość, spisywali ją na glinianej tabliczce, a następnie rozbijali ją na kawałki i umieszczali poszczególne elementy w różnych miejscach. Zaszyfrowany tekst można było odczytać dopiero po zgromadzeniu wszystkich części. Od takiej glinianej tabliczki, nazywanej *symbolonem*, pochodzi współczesne słowo „symbol".

— Robercie, ta piramida i zwieńczenie były przechowywane oddzielnie od pokoleń, aby uniemożliwić poznanie tajemnicy. — Nagle jego głos stał się ponury. — Tej nocy znalazły się niebezpiecznie blisko siebie. Jestem pewien, że nie muszę tego mówić, ale naszym obowiązkiem jest dopilnowanie, aby ta piramida nie została złożona.

Langdon wyczuł nutę dramatyzmu w słowach Bellamy'ego. Opisuje zwieńczenie i piramidę czy detonator i bombę atomową?

Wciąż nie mógł zaakceptować twierdzeń Bellamy'ego, lecz wydawało się, że nie ma to większego znaczenia.

— Nawet jeśli ten przedmiot jest masońską piramidą, a inskrypcja wskazuje miejsce ukrycia starożytnej wiedzy, czy może przekazywać tak niezwykłą moc, jak głosi legenda?

— Peter powtarzał, że jest pan człowiekiem, którego trudno przekonać, akademikiem żądającym twardych dowodów...

— Chce pan powiedzieć, że w to wierzy? — spytał Langdon, czując coraz większe zniecierpliwienie. — Z całym szacunkiem... przecież jest pan nowoczesnym, wykształconym człowiekiem. Jak to możliwe, że daje pan wiarę takim opowieściom?

Bellamy uśmiechnął się wyrozumiale.

— Wiedza masońska nauczyła mnie głębokiego szacunku dla tego, co przekracza ludzkie poznanie. Nauczyłem się nie zamykać umysłu na jakąś ideę tylko dlatego, że zawiera element cudu.

Rozdział 54

Strażnik pilnujący kompleksu SMSC pędził jak szalony żwirową ścieżką okalającą budynki. Przed chwilą dostał wezwanie od kolegi, który zawiadomił go, że uszkodzono zamek magnetyczny Sektora 5, a światełko alarmowe wskazywało, że drzwi techniczne zostały otwarte.

Co się tam, do cholery, dzieje?

Kiedy dotarł na miejsce, okazało się, że boczne drzwi są uchylone na szerokość kilkudziesięciu centymetrów.

Dziwne — pomyślał. — Przecież można je otworzyć tylko od środka.

Odpiął latarkę od pasa i skierował promień w atramentową czerń. Nic. Nie mając zamiaru wkraczać w nieznane, stanął na progu i wetknął latarkę przez otwór, obracając ją w lewo...

Nagle potężne dłonie chwyciły go za nadgarstek i wciągnęły w mrok. Poczuł, jak obróciła go niewidoczna siła. Wyczuł woń etanolu. Wypuścił latarkę i zanim zrozumiał, co się stało, twarda jak skała pięść grzmotnęła go mostek. Bezwładnie osunął się na betonową posadzkę. Zwinął się z bólu, widząc, jak oddala się od niego duża ciemna postać.

Leżał skulony na boku, ciężko dysząc i próbując złapać powietrze. Latarka leżała w pobliżu, a jej promień oświetlał posadzkę i coś, co przypominało metalowy pojemnik. Nie potrafił go nazwać, wiedział jednak, że jest w nim paliwo do palnika Bunsena.

W ciemności błysnął płomień zapalniczki, odsłaniając kształt nieprzypominający człowieka. Jezu Chryste!

Strażnik ledwie zdążył zrozumieć, co się dzieje, gdy postać z nagim torsem przyklęknęła, podpalając ciecz rozlaną na posadzce.

Nagle z mroku wyłoniła się wstęga ognia, oddalając się od nich i sunąc w pustkę. Zdumiony strażnik spojrzał za siebie, lecz upiorna postać prześlizgnęła się już przez szparę w drzwiach i znikła w mroku.

Strażnik usiadł, krzywiąc się z bólu i podążając wzrokiem za cienką wstążką ognia.

Co się, do diabła, dzieje?!

Płomień wyglądał na zbyt mały, aby stanowił zagrożenie, a mimo to, nie wiedzieć czemu, był dziwnie przerażający. Przestał oświetlać jedynie mroczną pustkę, dopełzł do tylnej ściany i oczom strażnika ukazało się duże pomieszczenie z pustaków. Chociaż nigdy nie pozwolono mu wejść do Sektora 5, doskonale wiedział, co to takiego.

Sześcian.

Laboratorium Katherine Solomon.

Płomień wpełzł do środka przez otwarte drzwi. Mężczyzna dźwignął się na nogi, domyślając się, że wstążka ognia biegnie do wnętrza laboratorium i może spowodować pożar. Odwrócił się, by ruszyć po pomoc, gdy poczuł nieoczekiwane uderzenie powietrza.

W jednej chwili cały Sektor 5 rozbłysnął światłem.

Ognista kula wodoru wystrzeliła w niebo, zrywając dach i sięgając kilkadziesiąt metrów w górę. Strażnik nigdy czegoś takiego nie widział, nie widział również, by z nieba sypały się na ziemię fragmenty tytanowej siatki, sprzętu elektronicznego oraz krople stopionego sylikonu z holograficznych dysków, na których przechowywano dane.

Katherine Solomon jechała na północ, gdy we wstecznym lusterku zobaczyła nagły rozbłysk światła. Potężny huk wstrząsnął nocnym powietrzem, wprawiając ją w osłupienie.

Sztuczne ognie? — pomyślała. — Czyżby w przerwie meczu Redskinsów urządzono pokaz?

Skupiła uwagę na drodze, ciągle myśląc o rozmowie z numerem dziewięćset jedenaście, którą odbyła z budki telefonicznej na stacji benzynowej.

Przekonała dyspozytorkę, żeby posłała policyjny radiowóz do SMSC, by zatrzymać wytatuowanego napastnika i odnaleźć jej asystentkę, Trish. Oprócz tego zasugerowała przeszukanie rezydencji doktora Abaddona w Kalorama Heights, gdzie według niej może być przetrzymywany Peter.

Niestety, nie udało jej się uzyskać zastrzeżonego numeru komórki Roberta Langdona. Nie mając wyboru, pędziła w kierunku Biblioteki Kongresu, do której miał się udać.

Przerażające ujawnienie prawdziwej tożsamości doktora Abaddona zmieniło wszystko. Katherine nie wiedziała już, komu wierzyć. Wiedziała tylko, że człowiek, który wiele lat temu zabił jej matkę i bratanka, a teraz porwał Petera, przyjechał do SMSC, aby ją zamordować.

Kim jest ten szaleniec? Czego chce?

Jedyna odpowiedź, która przychodziła jej do głowy, nie miała najmniejszego sensu.

Piramida?

Równie niejasny był powód, dla którego zjawił się dziś wieczorem w laboratorium. Skoro chciał wyrządzić jej krzywdę, dlaczego nie zrobił tego wcześniej, w swojej rezydencji? Dlaczego zadał sobie trud napisania SMS-a i ryzykował włamanie do laboratorium?

Nagle blask sztucznych ogni we wstecznym lusterku stał się jaśniejszy. Po pierwszej eksplozji nastąpiła kolejna — Katherine zobaczyła pomarańczową kulę ognia, która uniosła się ponad linią drzew.

A cóż to takiego?

Ognistej kuli towarzyszył smolisty dym. Z pewnością do eksplozji nie doszło w pobliżu FedEx Field Redskinsów. Oszołomiona próbowała sobie przypomnieć, jakie fabryki znajdują się po tamtej stronie, na południowy wschód od alei.

Nagle, niczym nadjeżdżająca z przeciwka ciężarówka, uderzyła ją przerażająca myśl.

Rozdział 55

Warren Bellamy wciskał pospiesznie klawisze telefonu komórkowego, próbując skontaktować się z człowiekiem, który mógł im pomóc.

Langdon obserwował go uważnie, myśląc jednocześnie o Peterze i zastanawiając się, jak go odnaleźć. „Odczytaj zaszyfrowaną wiadomość — zażądał porywacz — a wskaże ci miejsce, w którym ukryto największy skarb ludzkości... Udamy się tam razem i dokonamy wymiany".

Bellamy odłożył komórkę, marszcząc czoło. Nadal bez odpowiedzi.

— Czegoś tu nie rozumiem — odezwał się Langdon. — Nawet gdybym uwierzył, że ta ukryta wiedza naprawdę istnieje, a piramida wskazuje podziemne miejsce, w którym się znajduje, czego mam szukać? Krypty? Bunkra?

Bellamy siedział przez chwilę w milczeniu, po czym westchnął i rzekł ostrożnie:

— Robercie, z tego, co mi wiadomo, piramida wskaże wejście do spiralnych schodów.

— Schodów?

— Tak. Schodów prowadzących w głąb ziemi, wiele metrów w dół.

Langdon nie mógł uwierzyć własnym uszom. Przysunął się bliżej.

— Słyszałem, że starożytną wiedzę ukryto u ich podstawy — dodał Bellamy.

Robert wstał i zaczął chodzić w kółko.

Spiralne stopnie schodzące wiele metrów pod ziemię... w Waszyngtonie?

— I nikt ich nigdy nie widział?

— Wejście zamknięto podobno ogromnym głazem.

Langdon westchnął. Grobowiec zamknięty kamieniem pasował do biblijnego opisu grobu Jezusa. Ten archetypiczny obraz był przodkiem wielu kolejnych.

— Warrenie, naprawdę wierzysz w istnienie tajnych mistycznych schodów, prowadzących w głąb ziemi?

— Nigdy ich nie widziałem, lecz znam kilku starych masonów, którzy przysięgają, że one istnieją. Przed momentem próbowałem się skontaktować z jednym z nich.

Langdon nie przestawał chodzić. Nie wiedział, co powiedzieć.

— Robercie, dałeś mi trudne zadanie do rozwiązania. — Spojrzenie Warrena Bellamy'ego stwardniało w przyćmionym świetle lampy. — Nie wiem, jak zmusić człowieka, by uwierzył, jeśli sam tego nie chce. Mam jednak nadzieję, że rozumiesz, na czym polega twój obowiązek wobec Petera Solomona.

Tak, moim obowiązkiem jest mu pomóc — pomyślał Langdon.

— Nie musisz wierzyć w moc, którą może ujawnić ta piramida. Nie musisz być też przekonany o istnieniu schodów do niej prowadzących. Musisz jedynie wierzyć w to, że jesteś moralnie zobowiązany do chronienia tej tajemnicy, czymkolwiek jest. — Mówiąc to, Bellamy wskazał małą kwadratową paczkę. — Musisz to zrobić, nawet gdyby oznaczało to poświęcenie życia Petera.

Langdon przystanął i odwrócił się na pięcie.

— Co?!

Bellamy nadal siedział ze zbolałym, a jednocześnie zdeterminowanym wyrazem twarzy.

— On by tego chciał. Musisz o nim zapomnieć. Nie ma go już wśród nas. Wypełnił swoją misję, zrobił, co mógł, by chronić piramidę. My musimy się postarać, aby jego wysiłki nie poszły na marne.

— I pan to mówi?! — wykrzyknął gniewnie Langdon. — Nawet jeśli ta piramida jest taka, jak pan sądzi, Peter to pański brat mason. Przysiągł pan go chronić mimo wszystko, choćby było to sprzeczne z dobrem kraju!

— Nie, Robercie. Mason ma obowiązek chronić innego masona mimo wszystko, ale nie wtedy, gdy chodzi o wielką tajemnicę, której nasze bractwo strzeże dla dobra całej ludzkości. Niezależnie od tego, czy wierzę, że ta zaginiona mądrość posiada moc, jak to sugerują teksty historyczne, muszę dochować tajemnicy i trzymać ją z dala od rąk niegodnych. Nie dałbym jej nikomu, nawet w zamian za życie Petera Solomona.

— Znam wielu masonów, nawet tych z najwyższym stopniem wtajemniczenia, ale byłbym gotów się założyć, iż żaden nie przysięgał, że odda życie za jakąś kamienną piramidę. Jestem też przekonany, że ani jeden z nich nie wierzy w tajemne schody prowadzące do skarbu ukrytego w głębi ziemi.

— Są kręgi wewnątrz kręgów, Robercie. Nikt nie wie wszystkiego.

Langdon wciągnął powietrze, próbując zapanować nad emocjami. Podobnie jak wszyscy słyszał plotki o elitarnych kręgach masońskich. W obecnej sytuacji nie miało to jednak żadnego znaczenia.

— Warrenie, jeśli ta piramida i jej zwieńczenie naprawdę odsłaniają największą z masońskich tajemnic, dlaczego Peter mnie w to wciągnął? Nie jestem nawet jednym z was, nie wspominając o tym, że nie należę do wewnętrznego kręgu.

— Wiem, podejrzewam, że właśnie dlatego Peter wybrał cię na strażnika. Piramida ta była poszukiwana w przeszłości nawet przez tych, którzy przeniknęli do naszego bractwa z niskich pobudek. Jego decyzja o ukryciu jej poza organizacją masońską była bardzo sprytnym posunięciem.

— Wiedziałeś, że mam zwieńczenie? — spytał Langdon.

— Nie. Gdyby Peter komuś o tym wspomniał, byłby to tylko jeden człowiek. — Bellamy wyjął komórkę i znów wybrał numer. — Niestety, do tej pory nie udało mi się z nim skontaktować. — Usłyszał nagrane powitanie i rozłączył się. — Cóż, Robercie, wygląda na to, że możemy liczyć wyłącznie na siebie. Musimy podjąć decyzję.

Langdon spojrzał na swój zegarek z Myszką Miki. Była dwudziesta pierwsza czterdzieści dwie.

— Czy wiesz, że porywacz chce, abym odczytał inskrypcję tej nocy i podał mu jej znaczenie?

Bellamy zmarszczył gniewnie czoło.

— Wielcy mężowie z przeszłości składali wielkie ofiary, by chronić starożytne tajemnice. Ty i ja musimy uczynić podobnie. — Wstał. — Chodźmy. Sato wkrótce odkryje, gdzie jesteśmy.

— A Katherine?! — spytał Langdon, nie mając zamiaru dokądkolwiek iść. — Nie mogę się do niej dodzwonić, nie daje znaku życia.

— Najwyraźniej coś się stało.

— Nie mogę jej tak zostawić!

— Zapomnij o Katherine! — powiedział Bellamy rozkazującym tonem. — Zapomnij o Peterze! Zapomnij o wszystkich! Czy nie rozumiesz, że powierzono ci rzecz większą od nas wszystkich? Od ciebie, Petera, Katherine i mnie? — Spojrzał mu prosto w oczy. — Musimy znaleźć bezpieczne miejsce, aby ukryć piramidę przed...

Nagle usłyszeli głośny metaliczny brzęk.

Bellamy odwrócił się do Langdona z lękiem w oczach.

— Są szybcy.

Robert ruszył do drzwi. Dźwięk był najwyraźniej odgłosem uderzenia o podłogę metalowego wiadra, które Bellamy umieścił na szczycie drabiny opartej o drzwi tunelu.

Idą po nas.

Po chwili, nieoczekiwanie, odgłos rozległ się ponownie.

I jeszcze raz.

I jeszcze...

Bezdomny siedzący na ławce przed gmachem Biblioteki Kongresu przetarł oczy, obserwując dziwną scenę.

Białe volvo zatrzymało się z piskiem opon przy krawężniku, naprzeciwko pustej alejki, u stóp głównego wejścia do biblioteki. Wyskoczyła z niego atrakcyjna czarnowłosa kobieta i zaczęła się niespokojnie rozglądać. Widząc bezdomnego, zawołała:

— Masz telefon?!

Paniusiu, nie mam nawet lewego buta.

Najwyraźniej to zauważyła, bo wbiegła po schodach do głównych drzwi. Dotarłszy na miejsce, nacisnęła z całych sił klamkę, rozpaczliwie próbując otworzyć jedno z trzech gigantycznych skrzydeł.

Biblioteka zamknięta, paniusiu.

Ale kobiety najwyraźniej to nie obchodziło. Uniosła jedną z ciężkich kołatek w kształcie pierścienia i uderzyła z hukiem o drzwi. Uderzyła ponownie. I jeszcze raz. Uderzała raz za razem.

Kurczę, musi naprawdę potrzebować tej książki — pomyślał bezdomny.

Rozdział 56

Kiedy masywne, odlane z brązu drzwi w końcu się otworzyły, Katherine Solomon poczuła się tak, jakby otwarto bramy wezbranych emocji — lęku i zagubienia — które nagromadziły się w niej w ciągu tej nocy.

W drzwiach biblioteki stał Warren Bellamy, przyjaciel i powiernik jej brata. Jednak najbardziej ucieszyła się, że widzi mężczyznę stojącego za nim. Radość ta była najwyraźniej odwzajemniona. Robert Langdon z ulgą zobaczył, że wbiega do środka i rzuca się w jego ramiona.

Kiedy skryła się w bezpiecznych objęciach przyjaciela, Bellamy zamknął drzwi. Usłyszała ciężki metaliczny odgłos i się uspokoiła. Do jej oczu napłynęły łzy, lecz je powstrzymała.

Langdon nadal ją obejmował.

— Już dobrze — wyszeptał. — Nic ci nie grozi.

„Ocaliłeś mnie — chciała powiedzieć. — Ten człowiek zniszczył laboratorium... całą moją pracę. Lata badań... poszły z dymem". Chciała, by to wiedział, lecz z trudem oddychała, nie mogąc wykrztusić słowa.

— Znajdziemy Petera — poczuła, jak głęboki pocieszający głos Langdona rezonuje w jej piersi. — Obiecuję.

„Wiem, kto to zrobił! — miała ochotę krzyknąć. — Ten sam człowiek, który zabił moją matkę i bratanka!".

Zanim zdołała to zrobić, w ciszy wypełniającej bibliotekę rozległ się nieoczekiwany dźwięk.

Głośny huk doleciał z dołu, z klatki schodowej w przedsionku.

Jakby jakiś duży metalowy przedmiot upadł na wyłożoną płytami podłogę. Katherine poczuła, jak mięśnie Langdona się napinają.

Bellamy ruszył naprzód z ponurym wyrazem twarzy.

— Musimy iść. Natychmiast.

Zdumiona, pobiegła za architektem i Langdonem w poprzek wielkiego holu do słynnej czytelni Biblioteki Kongresu, w której paliły się wszystkie światła. Bellamy błyskawicznie zamknął za nimi dwie pary drzwi — zewnętrznych i wewnętrznych.

Patrzyła otępiała, jak prowadzi ich na środek sali. Zatrzymali się przed stolikiem do czytania, na którym pod lampą stała skórzana torba. Obok leżało małe kwadratowe pudełko, które Bellamy podniósł i umieścił w torbie...

Katherine stanęła jak wryta.

Piramida?

Chociaż nigdy nie widziała tego pokrytego inskrypcjami kamienia, od razu go rozpoznała. Jej ciało w jakiś sposób odgadło prawdę. Katherine Solomon ujrzała przedmiot, który ściągnął na nią tyle nieszczęść.

Piramida.

Bellamy zamknął torbę i podał ją Langdonowi.

— Nie spuszczaj jej z oczu!

Nagle rozległ się huk i eksplozja rozerwała zewnętrzne drzwi, czemu towarzyszył brzęk tłuczonego szkła.

— Za mną! — Bellamy spojrzał na nich przerażony i ruszył w kierunku miejsca, przy którym wydawano książki. Zaprowadził ich za kontuar i wskazał wnękę w gablocie.

— Do środka!

— Tutaj? — zdziwił się Langdon. — Od razu nas znajdą!

— Zaufaj mi. To co innego, niż sądzisz.

Rozdział 57

Mal'akh jechał limuzyną na północ, w stronę Kalorama Heights. Wybuch w laboratorium Katherine okazał się silniejszy, niż oczekiwał. Miał szczęście, że udało mu się uciec bez szwanku. Chaos, który zapanował w SMSC, sprawił, że bez trudu wyjechał przez bramę, dodając gazu i przemykając obok zdezorientowanego strażnika krzyczącego coś do telefonu.

Muszę skręcić w boczną drogę — pomyślał. Jeśli Katherine nie zawiadomiła jeszcze policji, z pewnością wybuch zwróci ich uwagę. Na pewno nie przeoczą mężczyzny bez koszuli prowadzącego limuzynę.

Po wielu latach przygotowań Mal'akh nie mógł uwierzyć, że ta noc wreszcie nadeszła. Podróż, którą musiał odbyć, była długa i trudna.

To, co rozpocząłem wiele lat temu w nędzy... zakończę tej nocy w chwale.

Tamtej nocy, gdy wszystko się zaczęło, nie nazywał się Mal'akh. Właściwie nie miał żadnego imienia. Więzień numer trzydzieści siedem. Jak większość osadzonych w zakładzie karnym Soganlik pod Istambułem, więzień numer trzydzieści siedem trafił tam z powodu narkotyków.

Leżał w ciemności na pryczy, w betonowej celi, głodny i zmarznięty, zastanawiając się, ile czasu będzie musiał tu spędzić. Nowy towarzysz z celi, którego poznał zaledwie dwadzieścia cztery godziny temu, spał na górnej pryczy. Dyrektor więzienia, otyły alkoholik, który nienawidził swojej pracy i wyżywał się na więźniach, przed chwilą kazał zgasić wszystkie światła.

Dochodziła dwudziesta druga, gdy przez tunel wentylacyjny podsłuchał rozmowę. Pierwszy głos był wyraźny i charakterystyczny — przeszywający, agresywny ton naczelnika więzienia, który najwyraźniej nie był rad z późnej wizyty.

— Wiem, że przyjechał pan z daleka — mówił — ale podczas pierwszego miesiąca nie ma odwiedzin. Takie są przepisy. Żadnych wyjątków.

Głos, który mu odpowiedział, był spokojny i przepełniony cierpieniem.

— Czy mój syn jest bezpieczny?

— To narkoman.

— Czy jest dobrze traktowany?

— Znośnie. To nie hotel.

Kolejna bolesna pauza.

— Czy wie pan, że amerykański Departament Stanu zażąda ekstradycji?

— Tak, zawsze to robią. Wyrazimy zgodę, choć papierkowa robota może nam zająć kilka tygodni, a nawet miesiąc... to zależy.

— Od czego?

— Cóż, mamy mało ludzi — powiedział naczelnik. — Oczywiście, czasem zainteresowani przekazują dotację dla personelu więziennego, aby pomóc przyspieszyć formalności.

Gość nie odpowiedział.

— Panie Solomon — ciągnął dyrektor, ściszając głos — tak zamożny człowiek jak pan zawsze ma jakieś możliwości. Znam ludzi w rządzie. Jeśli połączymy siły, być może uda nam się wyciągnąć pańskiego syna już... jutro. Wycofamy wszystkie zarzuty. Nie będzie musiał nawet stawać przed sądem w Ameryce.

Odpowiedź była natychmiastowa:

— Zapomnę o prawnych konsekwencjach tego, co mi pan przed chwilą powiedział. Nie chcę, żeby syn się nauczył, że pieniądze rozwiązują wszystkie problemy ani że nie trzeba ponosić za nic odpowiedzialności, szczególnie w tak poważnej sprawie jak ta.

— Woli go pan tu zostawić?

— Chciałbym z nim pomówić. Natychmiast.

— Powiedziałem, że mamy przepisy. Nie zostanie pan dopuszczony do syna... chyba że zechce pan negocjować jego natychmiastowe uwolnienie.

Chłodne milczenie trwało kilka sekund.

— Departament Stanu skontaktuje się z panem w ciągu tygodnia. Proszę zadbać o bezpieczeństwo Zachary'ego. Mam nadzieję, że wkrótce znajdzie się na pokładzie samolotu lecącego do domu. Życzę spokojnej nocy.

Odgłos zamykanych drzwi.

Więzień numer trzydzieści siedem nie mógł uwierzyć własnym uszom.

Jaki ojciec zostawiłby syna w takim piekle, żeby go czegoś nauczyć?

Peter Solomon odrzucił nawet ofertę wyczyszczenia jego konta.

Jeszcze tej nocy, leżąc na pryczy, więzień numer trzydzieści siedem obmyślił sposób ucieczki. Jeśli od wolności oddzielają go tylko pieniądze, już jest wolnym człowiekiem. Może Peter Solomon nie ma ochoty rozstawać się z pieniędzmi, lecz każdy czytelnik brukowców wie, że jego syn, Zachary, ma ich w bród. Następnego dnia odbył rozmowę z dyrektorem i przedstawił mu plan — śmiałą, pomysłową intrygę, która miała dać im to, czego pragnęli.

— Aby nasz plan się powiódł, Zachary Solomon musi umrzeć — wyjaśnił więzień numer trzydzieści siedem. — Później obaj powinniśmy zniknąć. Pan przejdzie na emeryturę i wyjedzie na jedną z greckich wysp. Nie będzie pan już musiał oglądać tego miejsca.

Po omówieniu szczegółów podali sobie ręce.

Niebawem Zachary Solomon będzie martwy — pomyślał więzień numer trzydzieści siedem, uśmiechając się na myśl o tym, jak łatwo będzie to zaaranżować.

Dwa dni później Departament Stanu przekazał rodzinie Solomonów przerażającą wiadomość. Na zdjęciach z więzienia widać było ciało ich syna zatłuczonego na śmierć, leżące na posadzce celi. Jego głowa została zmiażdżona o stalowe kraty, a tułów w niewyobrażalny sposób poraniony i wykręcony. Wydawało się, że przed śmiercią był torturowany. Głównym podejrzanym był naczelnik więzienia, który znikł z pieniędzmi zamordowanego. Zachary podpisał polecenie przelewu swoich środków na prywatne konto, które zostało opróżnione zaraz po jego śmierci. Nikt nie miał pojęcia, gdzie są pieniądze.

Peter Solomon poleciał do Turcji prywatnym odrzutowcem i wrócił z ciałem syna, by pochować go na rodzinnym cmentarzu Solomonów. Naczelnika więzienia nie odnaleziono. Więzień numer trzydzieści siedem wiedział, że nigdy się to nie stanie. Ciało otyłego Turka spoczywało na dnie morza Marmara, karmiąc kraby migrujące przez cieśninę Bosfor. Ogromna fortuna należąca do Zachary'ego Solomona została ulokowana na tajnym koncie. Więzień numer trzydzieści siedem znów był człowiekiem wolnym i bardzo bogatym.

Wyspy greckie przypominały niebo: słońce, woda, kobiety...

Za pieniądze mógł mieć wszystko — nową tożsamość, nowe paszporty, nową nadzieję. Wybrał sobie greckie nazwisko Andros Dareios. Słowo *andros* oznaczało „wojownik", a *dareios* „bogaty". Mroczne więzienne noce przeraziły go. Andros przysiągł sobie, że nigdy tam nie wróci. Zgolił gęste włosy i skończył z narkotykami. Zaczął nowe życie, sycąc się zmysłowymi rozkoszami, o których istnieniu wcześniej nie miał pojęcia. Spokój samotnego żeglowania po granatowych jak atrament wodach Morza Egejskiego zastąpił heroinowy trans. Zmysłowość *arni souvlakia*, jedzonych wprost z rożna, zastąpiła ecstasy, a przypływ adrenaliny wywołany skokami z urwiska w spienione wody wąwozów Mikonos stał się jego nową kokainą.

Narodziłem się na nowo.

Andros kupił dużą willę na wyspie Siros i osiedlił się wśród *bella gente* w ekskluzywnej miejscowości Possidonia. Jego nowy świat był nie tylko wspólnotą bogactwa, lecz również kultury i fizycznej doskonałości. Sąsiedzi Androsa byli dumni ze swych ciał i umysłów, co było zaraźliwe. Nowy przybysz zaczął biegać po plaży, opalać blady tułów i czytać książki. Wertował *Odyseję* Homera, oczarowany obrazem silnych opalonych wojowników, którzy niegdyś toczyli walki na tych wyspach. Później zaczął ćwiczyć podnoszenie ciężarów i ze zdumieniem stwierdził, że jego klatka piersiowa i ramiona stały się umięśnione. Czuł na sobie spojrzenia kobiet, a ich podziw go upajał. Chciał być jeszcze silniejszy. Udało się. Z pomocą sterydów, kupowanych na czarnym rynku hormonów wzrostu i niekończących się ćwiczeń z ciężarami, Andros zamienił się w kogoś, kim nigdy nie zamierzał być — w mężczyznę idealnego. Stał się wyższy, zbudował idealne mięśnie klatki piersiowej, miał masywne muskularne nogi i dbał o to, by zawsze były idealnie opalone. .

Tak jak go ostrzegano, sterydy i hormony zmieniły nie tylko jego ciało, lecz również timbre głosu, nadając mu niesamowity, lekko chropawy odcień, co czyniło go jeszcze bardziej tajemniczym. Taki głos, w połączeniu z doskonałym ciałem, pieniędzmi i tajemniczą przeszłością działał na kobiety jak kocimiętka. Były chętne, a on zaspokajał je wszystkie — od modelek przyjeżdżających na sesje zdjęciowe, po ponętne amerykańskie studentki na wakacjach i samotne żony sąsiadów, a czasami nawet młodych mężczyzn. Nie mogli się nim nacieszyć.

Jestem dziełem sztuki.

Jednak z upływem czasu erotyczne przygody coraz mniej go ekscytowały. Tak jak wszystko. Wspaniała grecka kuchnia straciła smak, książki zaczęły go nudzić i nawet oszałamiające zachody słońca oglądane z tarasu willi stały się nijakie.

Jak to możliwe?

Miał dwadzieścia kilka lat, a czuł się stary.

Czy w życiu jest coś więcej?

Sprawił, że jego ciało stało się dziełem sztuki, nasycił umysł kulturą, zamieszkał w raju i uprawiał miłość z każdą, której zapragnął.

A jednak, co niewiarygodne, czuł się tak pusty, jak wtedy, gdy siedział w tureckim więzieniu.

Czego mi brak?

Odpowiedź znalazł kilka miesięcy później. Była noc. Siedział sam w swojej willi, skacząc po kanałach telewizyjnych, aż natrafił na program o masońskich tajemnicach. Film był kiepski, jego autorzy stawiali więcej pytań, niż udzielali odpowiedzi, a mimo to zaintrygowały go spiskowe teorie otaczające tę organizację. Narrator opowiadał jedną legendę po drugiej.

„Masoni i nowy porządek świata...".

„Masońska Wielka Pieczęć Stanów Zjednoczonych...".

„Włoska loża masońska P2...".
„Zapomniane tajemnice masonów...".
„Masońska piramida...".
Andros wyprostował się, zdumiony. Piramida! Narrator zaczął opowiadać o tajemniczej kamiennej piramidzie, na której widniała inskrypcja, mająca prowadzić do prastarej wiedzy i niewyobrażalnej mocy. Legenda, choć pozornie absurdalna, obudziła w nim odległe wspomnienie... z mroku przeszłości wyłonił się niewyraźny obraz. Andros przypomniał sobie, co Zachary Solomon usłyszał od ojca na temat tajemniczej piramidy.
Czy to możliwe?
Skupił się, próbując przypomnieć sobie wszystkie szczegóły.
Kiedy program dobiegł końca, wyszedł na balkon, pozwalając, by chłodny wiatr oczyścił jego umysł. Wszystko sobie przypomniał i doszedł do wniosku, że w legendzie, którą usłyszał, kryje się ziarnko prawdy. A jeśli tak jest, Zachary Solomon — choć nie żyje od wielu lat — na coś się przyda.
Co mam do stracenia?
Trzy tygodnie później Andros stanął w chłodzie przed oranżerią w rezydencji Solomonów nad Potomakiem. Widział przez szybę, jak Peter Solomon rozmawia i śmieje się ze swoją siostrą Katherine. Wygląda na to, że szybko zapomnieli o Zacharym — pomyślał.
Zanim naciągnął kominiarkę na twarz, po raz pierwszy od lat wziął kokainę. Poczuł znajomy przypływ odwagi. Wyjął pistolet, otworzył drzwi starym kluczem i wszedł do środka.
— Witajcie, Solomonowie!
Niestety, tamtej nocy wypadki nie potoczyły się tak, jak to sobie zaplanował. Zamiast zdobyć piramidę, został postrzelony ze śrutówki i musiał uciekać przez pokryty śniegiem trawnik do lasu. Tam zaskoczony stwierdził, że ściga go Peter Solomon z pistoletem w ręku. Andros wpadł między drzewa i ruszył ścieżką biegnącą wzdłuż głębokiego wąwozu. W dole, w rześkim zimowym powietrzu słychać było szum wodospadu. Minął dęby i skręcił w lewo. Po chwili poślizgnął się na zalodzonej ścieżce, ledwie unikając śmierci.
Mój Boże!

Ścieżka kończyła się tuż przed nim, opadając stromo ku skutej lodem rzece. Na dużym głazie z boku niewprawna dziecięca ręka wyryła napis:

Most Zacha

Po drugiej stronie potoku dostrzegł ścieżkę.
Gdzie ten most?!
Kokaina przestała działać.
Jestem w pułapce.
Czując, że ogarnia go paniczny strach, odwrócił się, by ruszyć z powrotem, lecz wtedy ujrzał przed sobą Petera Solomona, stojącego bez ruchu naprzeciwko niego z pistoletem w ręku.
Andros spojrzał na broń i cofnął się o krok. Piętnaście metrów w dole była skuta lodem rzeka. Otoczyła ich mgiełka z wodospadu, powodując, że Andros zmarzł na kość.
— Most Zacha rozpadł się dawno temu — powiedział Solomon, ciężko dysząc. — Tylko on zapuszczał się tak daleko. — Trzymał pistolet bardzo pewnie. — Dlaczego zabiłeś mojego syna?
— Był zerem — warknął Andros. — Narkomanem. Wyświadczyłem mu przysługę.
Solomon podszedł bliżej, mierząc w jego pierś.
— Może i ja powinienem wyświadczyć ci przysługę. Zatłukłeś mojego syna na śmierć. Jak człowiek mógł zrobić coś takiego?
— Człowiek przyparty do muru jest zdolny do niewiarygodnych rzeczy.
— Zabiłeś mojego syna!
— Nie! — krzyknął Andros. — Sam go zabiłeś. Jaki człowiek zostawiłby syna w więzieniu, mimo że mógł go wyciągnąć! To ty go zamordowałeś, nie ja!
— O niczym nie wiesz! — Głos Solomona był przepełniony bólem.
Mylisz się, wiem wszystko — pomyślał Andros.
Peter Solomon zrobił kolejny krok i wycelował. Stał w odległości zaledwie pięciu metrów od niego. Andros czuł pieczenie w piersi, wiedział, że krwawi. Jego brzuch zalała fala ciepła. Spojrzał przez ramię na urwisko i powiedział:

— Wiem więcej, niż sądzisz. Wiem, że nie jesteś człowiekiem, który potrafi zabić z zimną krwią.

Solomon podszedł bliżej, szykując się do strzału.

— Ostrzegam cię — powiedział Andros — jeśli pociągniesz za spust, będę cię prześladował przez wieki.

— Już mnie prześladujesz — wycedził Peter i strzelił.

Pędząc czarną limuzyną do Kalorama Heights, przypomniał sobie cudowne zdarzenia, które wybawiły go od pewnej śmierci w skutym lodem wąwozie. Przeszedł przemianę. Chociaż echo wystrzału słychać było tylko przez kilka sekund, jego skutki naznaczyły całe dekady. Tamtej nocy jego niegdyś opalone, doskonałe ciało zostało oszpecone bliznami... bliznami, które ukrył pod wytatuowanymi symbolami nowej tożsamości.

Jestem Mal'akh.

Było mi to przeznaczone od samego początku.

Przeszedł przez ogień i zamienił się w popiół, a później ukazał się ponownie, gdy dokonała się kolejna przemiana. Tej nocy miał zrobić ostatni krok w swojej długiej i wspaniałej podróży.

Rozdział 58

Materiał wybuchowy o niepozornej nazwie Key4 został stworzony na potrzeby Sił Specjalnych do otwierania zamkniętych drzwi tak, by zminimalizować straty. Substancja składająca się z cyklotrimetylenotrinitroaminy oraz pełniącego funkcję zmiękczacza dietyloheksylu została sprasowana w cienką bibułkę, którą można było wetknąć w szparę w drzwiach. W przypadku drzwi prowadzących do czytelni Biblioteki Kongresu Key4 sprawdził się znakomicie.

Dowodzący grupą agent Turner Simkins wszedł przez wyrwane drzwi i powiódł wzrokiem po ogromnej ośmiobocznej sali. Nic. Żadnego ruchu.

— Wyłączyć światło — polecił.

Jeden z agentów odnalazł wyłącznik i ogromne pomieszczenie pogrążyło się w mroku. Czterej mężczyźni nasunęli na oczy noktowizory. Stali nieruchomo, lustrując czytelnię, która teraz spowita była zielonkawą poświatą.

Bez zmian.

Mimo ciemności, nikt nie rzucił się do ucieczki.

Choć zbiegowie przypuszczalnie nie byli uzbrojeni, agenci wkroczyli do sali z bronią gotową do strzału. Ciemność przecięły cztery złowrogie promienie lasera. Mężczyźni penetrowali mrok, kierując broń we wszystkie strony, przesuwając wiązki światła po posadzce, wzdłuż ścian i balkonów. Bywało, że w ciemnym pomieszczeniu sam widok broni z laserowym celownikiem wystarczył, by skłonić ściganego do poddania się.

Tej nocy to się nie uda.

Nadal żadnego ruchu.

Agent Simkins uniósł rękę, dając sygnał swoim ludziom, by się rozproszyli. Rozeszli się w milczeniu, ostrożnie zmierzając ku środkowi sali. Simkins nacisnął przełącznik noktowizora, uruchamiając urządzenie, które było najnowszym nabytkiem CIA. Chociaż technika obrazowania termicznego była stosowana od lat, miniaturyzacja, wrażliwość różniczkowa i podwójna integracja źródłowa umożliwiły skonstruowanie sprzętu nowej generacji, który sprawiał, że agenci operacyjni zyskiwali niemal nadludzką zdolność widzenia.

Widzimy w ciemności. Widzimy przez ściany, a teraz... widzimy przeszłość.

Technika obrazowania termicznego stała się tak zaawansowana, że różnice temperatur wskazywały nie tylko obecne położenie zbiega, lecz również miejsce, w którym znajdował się przed chwilą. Zdolność widzenia przeszłości okazała się jedną z największych zalet nowego urządzenia. Tej nocy sprawdziło się po raz kolejny. Agent Simkins zauważył termiczny ślad pozostawiony na jednym ze stołów do czytania. Dwa drewniane krzesła lśniły czerwonofioletowo, co wskazywało, że są cieplejsze od pozostałych. Lampa do czytania otoczona była pomarańczową poświatą. Najwyraźniej przy stoliku siedzieli dwaj mężczyźni. Pytanie, w którą stronę się udali.

Znalazł odpowiedź przy biurku stojącym pośrodku sali. Upiorny odcisk dłoni lśnił szkarłatem.

Simkins uniósł broń i ruszył w kierunku ośmiobocznej gabloty, przesuwając po jej powierzchni promień laserowego celownika. Zaczął obchodzić gablotę, aż wreszcie odkrył boczną wnękę.

Czy pozwolą się tu osaczyć?

Agent przyjrzał się wnęce i dostrzegł kolejny lśniący ślad dłoni.

Czas milczenia dobiegł końca.

— Ślad termiczny! — krzyknął Simkins, wskazując otwór. — Do mnie!

Jego ludzie otoczyli gablotę.

Simkins przysunął się do wnęki. Chociaż dzieliły go od niej trzy metry, dostrzegł światło.

— Oświetlić wnętrze! — rozkazał, mając nadzieję, że dźwięk jego głosu przekona panów Bellamy'ego i Langdona do wyjścia z podniesionymi rękami.

Nie wyszli.

W porządku, trzeba będzie zastosować inną metodę.

Kiedy zbliżył się do wnęki, usłyszał szum. Dźwięk jakiegoś urządzenia. Zamarł, próbując ustalić, co może być źródłem dźwięku w tak małym pomieszczeniu. Przysunął się bliżej i przez szum usłyszał ludzkie głosy. Nagle światło w środku zgasło.

Dzięki — pomyślał, regulując noktowizor. — Będziemy mieli przewagę.

Stanął we wnęce i pochylił się. To, co zobaczył, zaskoczyło go. Mebel okazał się nie tyle szafką, ile sklepieniem rozpiętym ponad stromymi schodkami prowadzącymi do pomieszczenia na dole. Agent opuścił broń i zaczął schodzić. Szum nasilał się z każdym krokiem.

Co to za miejsce, do cholery?

Sala pod czytelnią okazała się małym pomieszczeniem technicznym. Szum był dźwiękiem jakiegoś pracującego urządzenia, choć Simkins nie był pewny, czy uruchomili je Bellamy i Langdon, czy działało przez cały czas. Uznał, że to bez znaczenia. Uciekinierzy zostawili ślady termiczne na jedynym wyjściu — ciężkich stalowych drzwiach. Wokół ościeży widać było jasną pomarańczową obwódkę, co oznaczało, że zapalili światło z drugiej strony.

— Wysadzić drzwi! — rozkazał. — Uciekli tędy!

Umieszczenie i zdetonowanie bibułki Key4 zajęło im osiem sekund. Kiedy dym się rozwiał, oczom agentów ukazał się dziwny podziemny świat nazywany Regałami.

W Bibliotece Kongresu były długie kilometry półek z książkami, głównie pod ziemią. Niekończące się rzędy książek tworzyły optyczne złudzenie „nieskończoności", podobne do tego stworzonego za pomocą zwierciadeł.

Na drzwiach wisiała tabliczka z napisem:

POMIESZCZENIE O KONTROLOWANEJ TEMPERATURZE
Prosimy zamykać drzwi

Simkins przecisnął się przez uszkodzone drzwi, czując na twarzy powiew chłodnego powietrza. Uśmiechnął się.

Nie mogło być łatwiej!

Ślady termiczne w sali o kontrolowanej temperaturze przypominały słoneczne rozbłyski. Od razu spostrzegł lśniącą czerwonawą smugę na poręczy, której Bellamy lub Langdon musieli dotykać podczas ucieczki.

— Pobiegli tędy — wyszeptał do siebie. — Nie ukryją się.

Gdy ruszyli labiryntem regałów, zrozumiał, że nie potrzeba noktowizora, by wytropić zdobycz. W normalnych okolicznościach taki labirynt byłby idealną kryjówką, lecz w Bibliotece Kongresu dla oszczędności zamontowano światła włączane przez czujnik ruchu, więc droga ucieczki Bellamy'ego i Langdona była oświetlona jak pas startowy. Wąska wstęga światła wiła się w oddali, wskazując miejsce, w którym się znajdowali.

Agenci zdjęli noktowizory i podążyli za zygzakowatym śladem wśród niekończących się rzędów półek. Po krótkiej chwili Simkins spostrzegł migoczące światło.

Doganiamy ich!

Przyspieszył i niebawem usłyszał ciężki odgłos kroków i głośne dyszenie. Wtedy dostrzegł cel.

— Jest! — krzyknął Simkins, widząc wlokącego się na końcu Warrena Bellamy'ego.

Czarnoskóry Amerykanin szedł chwiejnym krokiem między regałami, nie mogąc złapać tchu.

To na nic, staruszku.

— Niech pan się nie rusza, Bellamy!

Bellamy wykonał ostry zwrot i zniknął między półkami. Gdzie skręcił, nad jego głową zapalały się światła.

Kiedy znaleźli się w odległości dwudziestu metrów od niego, kazali mu się zatrzymać, lecz Bellamy i tym razem nie posłuchał.

— Obezwładnić go! — polecił Simkins. Agent uzbrojony w karabinek obezwładniający wystrzelił pocisk o mylącej nazwie Silly String, który owinął się wokół nóg Bellamy'ego. Ta nowoczesna, niepowodująca obrażeń broń „obezwładniająca", skonstruowana w Laboratoriach Sandia, wystrzeliwała strumień maziowatego poliuretanu, który w zetknięciu z celem twardniał jak skała, oplatając kolana uciekającego sztywną plastikową siecią.

Efekt był taki, jakby wetknąć kij w szprychy koła jadącego roweru. Nogi uciekającego zastygły w pół kroku. Bellamy runął do przodu. Przeczołgał się jeszcze trzy metry i zamarł w ciemnej alejce, która bezceremonialnie zamigotała światłami.

— Zajmę się nim! — krzyknął Simkins. — Biegnijcie za Langdonem! Musi być niedaleko... — Urwał, widząc, że regały pogrążyły się w mroku. Najwyraźniej przed Bellamym nikt nie biegł.

Czyżby był sam?

Starszy mężczyzna leżał na brzuchu, ciężko dysząc, z nogami oplecionymi stwardniałym plastikiem. Simkins podszedł i przewrócił go nogą na plecy.

— Gdzie on jest?! — spytał.

Wargi Bellamy'ego krwawiły.

— Kto?

Agent Simkins oparł but na nieskazitelnym jedwabnym krawacie Bellamy'ego, po czym pochylił się, lekko naciskając.

— Lepiej ze mną nie igraj, Bellamy.

Rozdział 59

Robert Langdon czuł się jak trup.

Leżał na wznak w nieprzeniknionych ciemnościach, uwięziony w ciasnej przestrzeni. Chociaż Katherine leżała za jego głową, w identycznej pozycji, nie widział jej. Zamknął oczy, żeby zapomnieć o przerażającym położeniu, w którym się znaleźli.

Otaczająca go przestrzeń była bardzo mała.

Bardzo, bardzo mała.

Sześćdziesiąt sekund temu, kiedy podwójne drzwi runęły z hukiem na posadzkę, pobiegli z Katherine za Bellamym do ośmiobocznej witryny, by stromymi schodami zejść do dolnego pomieszczenia.

Od razu zorientował się, gdzie są. Centrum obsługi biblioteki. Małe pomieszczenie przypominało rozdzielnię bagaży na lotnisku, pełną taśmociągów biegnących we wszystkich kierunkach. Ponieważ zbiory Biblioteki Kongresu znajdowały się w trzech różnych budynkach, książki zamówione w czytelni sprowadzano z odległych sal za pomocą systemu taśmociągów rozmieszczonych w sieci podziemnych tuneli.

Bellamy podszedł do stalowych drzwi, włożył kartę magnetyczną do czytnika i podał hasło, a następnie je otworzył. W pomieszczeniu panował mrok, lecz po otwarciu drzwi zapaliło się kilka lamp włączonych przez czujniki ruchu.

Kiedy Langdon zajrzał do środka, zrozumiał, że ma przed sobą coś, co widziało bardzo niewielu ludzi. Regały Biblioteki Kongresu. Plan Bellamy'ego był zachęcający.

Czy istnieje lepsza kryjówka niż ogromny labirynt?

Bellamy nie zaprowadził ich jednak między regały. Zamiast tego zablokował drzwi książką i powiedział:

— Miałem nadzieję, że zdołam wyjaśnić ci więcej, ale teraz nie mamy czasu. — Podał Langdonowi swój klucz magnetyczny. — Będziesz go potrzebował.

— Nie idzie pan z nami? — zdziwił się Langdon.

Bellamy pokręcił głową.

— Nie zdołacie uciec, jeśli się nie rozdzielimy. Najważniejsze, aby piramida i zwieńczenie trafiły w bezpieczne miejsce.

Langdon nie dostrzegł innego wyjścia prócz schodów prowadzących do czytelni na górze.

— Co pan zamierza?

— Zwabię ich między regały, żeby dać wam czas na ucieczkę. Tylko w taki sposób mogę wam pomóc.

Zanim Robert zdążył spytać, dlaczego to właśnie on i Katherine mają uciec, Bellamy zdjął z jednego z przenośników taśmowych stertę książek.

— Połóż się na pasie z rękami wzdłuż tułowia — polecił.

Langdon spojrzał na niego zdumiony.

Chyba żartujesz!

Taśma ginęła w mrocznym otworze w ścianie. Otwór był wystarczająco duży, by zmieścił się w nim stos książek, ale nic więcej. Popatrzył tęsknie na regały.

— Zapomnij o tym! — powiedział Bellamy. — Lampy z czujnikami ruchu nie pozwolą nam się ukryć.

— Ślad termiczny! — usłyszeli wołanie na górze. — Do mnie!

Katherine nie potrzebowała zachęty. Położyła się na taśmie, z głową oddaloną zaledwie kilka centymetrów od otworu w ścianie. Skrzyżowała ręce na piersi jak mumia umieszczona w sarkofagu.

Langdon zamarł.

— Robercie, jeśli nie możesz zrobić tego dla mnie, zrób to dla Petera — ponaglił go Bellamy.

Głosy na schodach były coraz bliżej.

Langdon podszedł do taśmy jak we śnie. Postawił torbę, a następnie położył się na pasie z głową poniżej stóp Katherine. Poczuł pod plecami zimną gumę. Spojrzał w sufit i nagle poczuł się jak pacjent wsuwany głową naprzód do urządzenia, za pomocą którego wykonuje się rezonans magnetyczny.

— Nie wyłączaj komórki — powiedział Bellamy. — Niebawem ktoś do ciebie zadzwoni, żeby zaoferować pomoc. Zaufaj mu.

Ktoś zadzwoni?

Langdon wiedział, że Bellamy bezskutecznie próbował się z kimś skontaktować i zostawił wiadomość. Kilka sekund temu, gdy zbiegali spiralnymi schodami, w końcu mu się udało. Rozmawiał krótko przyciszonym głosem, po czym się rozłączył.

— Dojedźcie pasem do samego końca — tłumaczył Bellamy — a potem zeskoczcie, zanim zaczniecie wracać. Użyj mojej karty magnetycznej, żeby wydostać się na zewnątrz.

— Skąd?! — spytał Langdon.

Bellamy nie odpowiedział, tylko uruchomił taśmę. Langdon drgnął i stwierdził, że sufit nad jego głową się przesuwa.

Boże, miej mnie w opiece!

Zanim dotarł do otworu w ścianie, uniósł głowę i zobaczył, jak Warren Bellamy wbiega między regały, zamykając za sobą drzwi. Chwilę później pogrążył się w ciemnej otchłani biblioteki, widząc czerwone światełko lasera tańczące na schodach.

Rozdział 60

Marnie opłacana strażniczka z firmy Preferred Security po raz kolejny sprawdziła widniejący na wezwaniu adres w Kalorama Heights.

To tu?

Strzeżony podjazd prowadził do jednej z największych i najspokojniejszych rezydencji w okolicy. Uznała, że to dziwne, iż przed chwilą otrzymała pilne wezwanie do tego właśnie domu.

Jak zwykle w przypadku niepotwierdzonych telefonów, ci z „dziewięćset jedenaście" skontaktowali się z miejscową firmą ochroniarską, żeby niepotrzebnie nie fatygować policji. Strażniczka doszła do wniosku, że hasło reklamowe firmy, w której pracuje — „Twoja pierwsza linia obrony" — równie dobrze mogłoby brzmieć: „Fałszywe alarmy, kawały, zaginione zwierzęta i skargi stukniętych sąsiadów".

Także tej nocy po przybyciu na miejsce nie zauważyła niczego podejrzanego.

Nie płacą mi za to.

Jej robota polegała na tym, aby przyjechać na miejsce z żółtym kogutem na dachu, dokonać oceny sytuacji i zameldować, jeśli zauważy coś niezwykłego. Zwykle okazywało się, że nic się nie dzieje, musiała więc użyć klucza, by wyzerować alarm. W tym domu panowała cisza. Żadnego alarmu. Od strony drogi wszystko wyglądało na ciemne i spokojne.

Wcisnęła guzik interkomu przy bramie, lecz nikt się nie zgłosił. Wstukała swoje hasło, otworzyła bramę i wjechała na podjazd. Zostawiwszy samochód z włączonym silnikiem i migającym kogutem, podeszła do drzwi wejściowych i zadzwoniła. Żadnej reakcji. Nie zauważyła świateł ani jakiegokolwiek ruchu.

Z ociąganiem zapaliła latarkę, by obejść dom i sprawdzić drzwi i okna, szukając śladów włamania. Kiedy skręcała za róg, obok domu przejechała czarna limuzyna. Zwolniła na moment i ruszyła dalej.

Wścibscy sąsiedzi.

Wolno okrążyła dom, lecz nie dostrzegła niczego niepokojącego. Dom okazał się większy, niż sądziła. Kiedy dotarła do tylnego dziedzińca, trzęsła się z zimna. Najwyraźniej w rezydencji nie było nikogo.

— Dyspozytor? — skontaktowała się z bazą. — Sprawdziłam adres w Kalorama Heights. Właścicieli nie ma w domu. Nie zauważyłam niczego niepokojącego. Obeszłam posiadłość. Nic nie wskazuje na obecność intruza. Pewnie to fałszywy alarm.

— Zrozumiałem — odrzekł dyspozytor. — Życzę spokojnej nocy.

Strażniczka przypięła komórkę do paska i ruszyła w stronę ciepłego samochodu. Wtedy zauważyła coś, czego wcześniej nie dostrzegła — małą plamkę sinego światła w tylnej części budynku.

Zdumiona, zaczęła iść w tamtą stronę. Dostrzegła, co jest źródłem światła — zakratowane okno. Szklana szyba była zaciemniona, pokryta od wewnątrz matową farbą.

Może to jakaś ciemnia?

Sine światło rozchodziło się z małego punkciku, w którym czarna farba się złuszczyła.

Przykucnęła, próbując zajrzeć do środka, lecz przez mały otwór niewiele było widać. Przysunęła twarz do szyby, sądząc, że ktoś może pracować w środku.

— Jest tam kto?! — zawołała.

Nikt nie odpowiedział, lecz gdy zapukała w szybę, odpadło trochę farby. Znów przycisnęła twarz do szyby, by zajrzeć do środka. Niemal natychmiast pożałowała, że to zrobiła.

Cóż to jest, na Boga?

Zamarła z przerażenia. Drżącymi rękami sięgnęła po komórkę.

Nigdy jej nie znalazła.

Poczuła na karku ukłucie paralizatora. Całe jej ciało przeszył ból. Naprężyła mięśnie i upadła, nie zdążywszy nawet zamknąć oczu, zanim jej twarz uderzyła w lodowatą ziemię.

Rozdział 61

Nie była to pierwsza noc, kiedy Warrenowi Bellamy'emu założono kaptur na głowę. Jak wszyscy bracia masoni musiał założyć rytualny „kaptur" podczas obrzędu przyjmowania do wyższego kręgu. Wtedy otaczali go przyjaciele. Tej nocy było inaczej. Mężczyźni o silnych dłoniach związali go, założyli mu na głowę worek i poprowadzili między rzędami półek.

Grozili mu i pytali o Roberta Langdona. Wiedząc, że jego stare ciało nie wytrzyma kolejnych razów, zmyślił coś na poczekaniu.

— Langdon nie zszedł tu ze mną — zaczął, łapiąc powietrze. — Kazałem mu wejść na balkon i ukryć się za posągiem Mojżesza. Nie mam pojęcia, gdzie teraz jest!

Jego bajeczka okazała się wiarygodna, bo dwóch agentów popędziło w tamtą stronę. Dwaj inni prowadzili go teraz między regałami.

Jedyną pociechą dla Bellamy'ego było to, że Langdon i Katherine bezpiecznie ukryją piramidę. Do Langdona zadzwoni niebawem ktoś, kto zaoferuje im schronienie. Zaufaj mu. Człowiek, do którego zadzwonił, wiedział bardzo dużo o masońskiej piramidzie i jej tajemnicy — mapie prowadzącej do spiralnych schodów wiodących w głąb ziemi do miejsca, w którym dawno temu ukryto potężną tajemną wiedzę. Gdy uciekali z czytelni, Bellamy zdołał się z nim w końcu skontaktować. Był pewny, że jego krótkie słowa zostały właściwie zrozumiane.

Idąc w ciemności, Bellamy wyobraził sobie kamienną piramidę i jej złote zwieńczenie ukryte w torbie Langdona.

Te dwa przedmioty od bardzo dawna nie były razem.

Nigdy nie zapomniał tamtej bolesnej nocy. Pierwszej z wielu dla Petera. Solomon zaprosił go do swojej rezydencji nad Potomakiem z okazji osiemnastych urodzin Zachary'ego. Chociaż syn był zbuntowanym młodzieńcem, należał do rodu Solomonów, co oznaczało, że tej nocy, zgodnie z rodzinną tradycją, otrzyma swoje dziedzictwo. Bellamy był bliskim przyjacielem Solomona i zaufanym bratem masonem, dlatego zaproszono go w charakterze świadka. Okazało się, że miał być świadkiem czegoś więcej niż tylko przekazania pieniędzy.

Przyjechał wcześniej i czekał, jak mu kazano, w gabinecie Petera. Wspaniały stary pokój pachniał skórą, drewnem i herbatą. Warren siedział w fotelu, gdy Peter wprowadził Zachary'ego. Chudy osiemnastolatek ściągnął brwi na jego widok.

— Co pan tu robi?

— Będę świadkiem uroczystości — wyjaśnił Warren. — Najlepsze życzenia z okazji urodzin, Zachary.

Chłopak wymamrotał coś pod nosem i odwrócił wzrok.

— Usiądź, Zachary — poprosił Peter.

Młodzieniec zajął miejsce w fotelu stojącym na wprost ogromnego biurka. Solomon zamknął drzwi gabinetu. Bellamy usiadł z boku.

— Wiesz, dlaczego tu jesteś? — spytał Peter syna.

— Chyba tak — odrzekł Zachary.

Peter westchnął głęboko.

— Wiem, że od jakiegoś czasu nie rozmawialiśmy, Zach. Starałem się być dobrym ojcem i przygotować cię na tę chwilę.

Chłopak nie odpowiedział.

— Jak wiesz, każde dziecko Solomonów po osiągnięciu dorosłości otrzymuje swoją część dziedzictwa, część rodowego majątku, która stanie się ziarnem... masz je pielęgnować, pomnażać i wykorzystywać dla dobra ludzkości.

Solomon podszedł do sejfu w ścianie, otworzył go i wyjął dużą czarną teczkę.

— Synu, ta teczka zawiera wszystko, co jest potrzebne, by zgodnie z prawem przekazać ci część majątku. — Mówiąc to, położył teczkę na biurku.

Zachary sięgnął po teczkę.

— Dzięki.

— Poczekaj — powiedział Peter, kładąc na niej rękę. — Chciałbym wyjaśnić coś jeszcze.

Zachary rzucił mu pogardliwe spojrzenie i opadł na fotel.

— Dziedzictwo Solomonów obejmuje coś, o czym jeszcze nie słyszałeś. — Peter spojrzał prosto w oczy syna. — Jesteś moim pierworodnym, Zachary, a to oznacza, że masz wybór.

Nastolatek wyprostował się w fotelu, wyraźnie zaintrygowany.

— Wybór, którego dokonasz, nada kierunek twojemu życiu, dlatego zachęcam cię, abyś dobrze to przemyślał.

— Jaki wybór?

Ojciec odetchnął głęboko.

— Wybór pomiędzy... mądrością i bogactwem.

Zachary spojrzał na ojca obojętnie.

— Między mądrością i bogactwem? Nie rozumiem.

Solomon wstał i znów podszedł do sejfu, aby wyjąć z niego ciężką kamienną piramidę z wyrytymi masońskimi znakami. Postawił ją na biurku obok teczki.

— Ta piramida została wykonana dawno temu i jest w naszej rodzinie od wielu pokoleń.

— Piramida? — Zachary nie okazał większego zainteresowania.

— Synu, ta piramida jest mapą... mapą, która wskazuje miejsce ukrycia jednego z największych zaginionych skarbów ludzkości. Zrobiono ją, aby pewnego dnia skarb mógł zostać ponownie odkryty. — W głosie Solomona brzmiała duma. — Dzisiejszej nocy, zgodnie z tradycją, mogę ci ją ofiarować, ale pod pewnymi warunkami.

Zachary spojrzał podejrzliwie na piramidę.

— Co to za skarb?

Bellamy wiedział, że Peter nie spodziewał się tak prostackiego pytania, ale zachował spokój.

— Trudno to wyjaśnić bez dłuższego wstępu, Zachary. Mówiąc krótko... ten skarb... łączy się z czymś, co nazywamy pradawnymi tajemnicami.

Zachary zachichotał, sądząc, że ojciec żartuje.

Bellamy zauważył, że Peter jest coraz bardziej przygnębiony.

— Bardzo trudno to opisać, Zach. Zgodnie z naszym zwyczajem, gdy dzieci stawały się pełnoletnie i odbierały wyższe wykształcenie...

— Przecież ci mówiłem! — przerwał mu Zachary. — Nie pojadę do college'u!

— Nie chodziło mi o college — odparł ojciec cicho i spokojnie. — Miałem na myśli wolnomularstwo, wprowadzenie w tajemnice nauki. Jeśli chcesz się do nas przyłączyć, stać się jednym z nas, otrzymasz wiedzę niezbędną do zrozumienia doniosłości swojej dzisiejszej decyzji.

Zachary przewrócił oczami.

— Oszczędź mi tych masońskich bredni. Wiem, że jestem pierwszym Solomonem, który nie chce wstąpić do bractwa. Co z tego? Nie rozumiesz? Nie interesuje mnie przebieranie się i przebywanie w towarzystwie bandy staruchów!

Solomon milczał długą chwilę. Bellamy dostrzegł drobne zmarszczki wokół jego wciąż młodych oczu.

— Rozumiem — rzekł w końcu. — Czasy się zmieniły. Loża masońska może wydać ci się dziwna, może nawet nudna, chcę jednak, abyś wiedział, że jeśli zmienisz zdanie, drzwi pozostaną otwarte...

— Możesz sobie darować — burknął Zach.

— Dość tego! — krzyknął Peter, wstając z fotela. — Wiem, że miałeś trudne życie, Zachary, ale nie jestem dla ciebie jedynym drogowskazem. Czekają na ciebie porządni ludzie, mężczyźni, którzy przyjmą cię do masońskiej braci i sprawią, że ujawni się twój prawdziwy potencjał.

Zachary spojrzał na Bellamy'ego i zarechotał.

— Czy dlatego tu pana sprowadził, Bellamy? Czyżby masoni zmówili się przeciwko mnie?

Bellamy nie odpowiedział, patrząc z szacunkiem na Petera Solomona, aby przypomnieć chłopakowi, kto rządzi w tym pokoju.

Zachary odwrócił się do ojca.

— Zach, widzę, że do niczego nie dojdziemy — westchnął Peter. — Rodzinna tradycja nakazuje, abym ci o tym powiedział niezależnie od tego, czy rozumiesz, na czym polega obowiązek, czy nie. Strzeżenie tej piramidy to wielki przywilej. Zanim podejmiesz ostateczną decyzję, zastanów się przez kilka dni.

— Przywilej?! — prychnął pogardliwie Zachary. — Mam niańczyć jakiś kawał kamienia?

— Na tym świecie są wielkie tajemnice, Zach. Tajemnice, o których ci się nie śniło. Co ważniejsze, nadejdzie czas, przypuszczalnie jeszcze za twego życia, gdy to, co wyryto na tej piramidzie, zostanie odczytane, a jej tajemnice ujawnione. Będzie to chwila wielkiej przemiany ludzkości... masz szansę wziąć w tym udział. Chcę, żebyś się nad tym zastanowił. Bogactwo jest powszechne, mądrość niezwykle rzadka. — Wskazał teczkę, a następnie piramidę. — Pamiętaj, że bogactwo bez mądrości zwykle prowadzi do katastrofy.

Zachary spojrzał na ojca jak na wariata.

— Możesz sobie gadać, ile chcesz, tato, ale ja nie zrezygnuję ze swojej części majątku z powodu czegoś takiego. — Machnął ręką w stronę piramidy.

Peter złożył dłonie w błagalnym geście.

— Jeśli zdecydujesz się wziąć na swoje barki ten obowiązek, przechowam dla ciebie pieniądze i piramidę, aż zakończysz pobieranie nauk masońskich. Zajmie to lata, lecz gdy dojrzejesz, otrzymasz jedno i drugie. Bogactwo i mądrość. To potężne połączenie.

Zachary podskoczył na fotelu.

— Jezu! Czy ty się nigdy nie poddajesz, tato?! Nie rozumiesz, że nic mnie nie obchodzą masoni, kamienne piramidy i starożytne tajemnice? — Wziął czarną teczkę i machnął nią ojcu przed nosem.

— To moje dziedzictwo! Takie samo, jakie dostali wszyscy Solomonowie przede mną! Nie mogę uwierzyć, że chcesz mnie go pozbawić, opowiadając jakieś bezduszne bajki o starożytnych mapach skarbów! — To powiedziawszy, wsunął teczkę pod pachę i ominął Bellamy'ego, zmierzając do drzwi prowadzących na taras.

— Poczekaj, Zachary! — Solomon pobiegł za synem, który wyszedł w chłodną noc. — Niezależnie od tego, co postanowisz, nie wspominaj nikomu o piramidzie, którą widziałeś! — Głos Petera stał się chrapliwy. — Nikomu! Nigdy!

Zachary zignorował ojca i zniknął w mroku.

Peter Solomon wrócił do pokoju i ze zbolałą miną usiadł za biurkiem. Po długim milczeniu podniósł głowę i uśmiechnął ponuro do Bellamy'ego.

— Świetnie mi poszło, nie ma co.

Bellamy westchnął, dzieląc ból przyjaciela.

— Peterze, nie chcę, żebyś pomyślał, iż jestem pozbawiony wrażliwości... ale muszę spytać... czy ty mu wierzysz?

Solomon patrzył w przestrzeń.

— Wierzysz, że... nie powie nikomu o piramidzie?

Peter spojrzał na przyjaciela wyraźnie zakłopotany.

— Nie wiem, co odpowiedzieć, Warrenie. Nie jestem pewny, czy znam mojego syna.

Bellamy wstał i zaczął przechadzać się wolno przed biurkiem.

— Wiem, że spełniłeś rodzinny obowiązek, Peterze, lecz, zważywszy na to, co się stało, należy podjąć pewne środki ostrożności. Zwrócę ci zwieńczenie piramidy, żebyś znalazł dla niego nowy dom. Powinien go strzec ktoś inny.

— Dlaczego?

— Gdyby Zachary wspomniał komuś o piramidzie i nadmienił, że uczestniczyłem w rozmowie...

— Nie wie o istnieniu zwieńczenia, a poza tym jest zbyt niedojrzały, by uznać, że piramida ma jakiekolwiek znaczenie. Nie potrzebujemy dla niej nowego domu. Ukryję ją w moim sejfie, a ty będziesz przechowywał zwieńczenie tam, gdzie jest teraz.

Sześć lat później, w dzień Bożego Narodzenia, gdy rodzina Solomonów nie otrząsnęła się jeszcze po śmierci Zachary'ego, do ich rezydencji wdarł się nieznany mężczyzna utrzymujący, że pozbawił go życia w więzieniu. Przyszedł po piramidę, lecz zabrał jedynie życie Isabel Solomon.

Kilka dni później Peter wezwał Bellamy'ego do swojego gabinetu. Wyjął piramidę ze skrytki, postawił ją na biurku i rzekł:

— Powinienem był cię posłuchać.

Bellamy wiedział, że przyjaciel czuje się winny.

— To by niczego nie zmieniło.

Solomon westchnął głęboko.
— Przyniosłeś zwieńczenie?
Bellamy wyjął z kieszeni małe kwadratowe pudełko. Wyblakły papier pakowy był przewiązany szpagatem, widniała też na nim woskowa pieczęć Solomonów. Położył paczkę na biurku, wiedząc, że tej nocy dwie części piramidy masońskiej znajdują się bliżej, niż powinny.
— Znajdź kogoś innego, kto będzie jej strzegł. Nie mów mi, kto to taki.
Solomon skinął głową.
— Wiem, gdzie możesz ukryć piramidę — powiedział Peterowi i opisał pomieszczenie w podziemiach Kapitolu. — Nie znam bezpieczniejszego miejsca w całym Waszyngtonie.
Przypomniał sobie, że Solomonowi od razu spodobał się ten pomysł, bo uznał za właściwe i symboliczne ukryć piramidę w miejscu będącym sercem narodu. Cały Solomon — pomyślał Bellamy. — Idealista nawet w chwili kryzysu.
Dziesięć lat później, gdy prowadzili Bellamy'ego w kapturze na głowie przez Bibliotekę Kongresu, wiedział, że jeszcze daleko do jego zażegnania. Wiedział też, kogo Solomon wybrał na strażnika piramidy... i modlił się, by Robert Langdon sprostał temu zadaniu.

Rozdział 62

Jesteśmy pod Drugą Ulicą.

Langdon zacisnął powieki, gdy taśma dudniła w ciemności, zmierzając w kierunku gmachu biblioteki imienia Johna Adamsa. Próbował nie myśleć o tonach ziemi wiszących nad jego głową i wąskim tunelu, którym się przemieszczał. Kilka metrów przed sobą słyszał oddech Katherine, lecz do tej chwili nie wypowiedziała ani słowa.

Przeżyła szok.

Langdon nie miał pojęcia, jak powie jej o odciętej dłoni Petera. Musisz to zrobić, Robercie. Powinna wiedzieć.

— Katherine? — wydusił, nie otwierając oczu. — Wszystko w porządku?

Usłyszał drżący bezcielesny głos:

— Czy piramida, którą masz w torbie, jest własnością Petera?

— Tak.

Na długą chwilę zapadło milczenie.

— Myślę, że... to z jej powodu zamordowano moją matkę.

Langdon dobrze wiedział, że Isabel Solomon dziesięć lat temu została śmiertelnie postrzelona, lecz nie znał szczegółów. Peter nigdy nie wspomniał mu o piramidzie.

— O czym ty mówisz?

Głosem pełnym emocji opowiedziała mu o przerażających wydarzeniach tamtej nocy, o tym, jak wytatuowany mężczyzna wdarł się do ich rezydencji.

— Chociaż od tamtego dnia upłynęło dużo czasu, nigdy nie

zapomnę, że chciał piramidy. Powiedział, iż usłyszał o niej w więzieniu od mojego bratanka Zachary'ego... zanim go zabił.

Langdon słuchał zdumiony. Tragedia, która dotknęła rodziny Solomonów, była prawie niewiarygodna. Katherine ciągnęła opowieść, mówiąc, iż sądziła, że napastnik zginął tamtej nocy... dopóki nie powrócił dzisiejszego dnia, podając się za psychiatrę Petera i zwabiając ją podstępem do swojego domu.

— Znał szczegóły dotyczące brata i śmierci matki. Słyszał nawet o moich badaniach — mówiła zaniepokojona. — Mógł się tego dowiedzieć tylko od Petera, dlatego mu zaufałam... Dzięki temu dostał się do SMSC. — Katherine odetchnęła głęboko i powiedziała Langdonowi, że jest niemal pewna, iż tej nocy ten szaleniec zniszczył jej laboratorium.

Langdon był w szoku. Przez kilka sekund leżeli w milczeniu na poruszającym się taśmociągu. Langdon wiedział, że musi powiedzieć Katherine o innych przerażających wydarzeniach, które miały miejsce tej nocy. Zaczął powoli, najdelikatniej, jak potrafił: wiele lat temu Peter powierzył jego opiece mały pakunek i skłoniono go podstępem, by przywiózł go tej nocy do Waszyngtonu. Na koniec zachował wiadomość o dłoni Petera znalezionej w Rotundzie.

Katherine milczała.

Wiedział, że drży. Chciał ją przytulić i pocieszyć, lecz w wąskim ciemnym tunelu nie było to możliwe.

— Peter żyje — wyszeptał. — Odnajdziemy go. — Pragnął dać jej nadzieję: — Katherine, ten człowiek obiecał, że zwróci nam Petera... jeśli odczytam inskrypcję na piramidzie.

Katherine milczała.

Langdon mówił dalej. Powiedział jej o kamiennej piramidzie, masońskim szyfrze, zapieczętowanej paczce ze zwieńczeniem i zapewnieniu Bellamy'ego, że to masońska piramida, o której mówi legenda... piramida stanowiąca mapę wskazującą miejsce, w którym są spiralne schody prowadzące pod ziemię... kilkadziesiąt metrów w głąb... do mistycznego starożytnego skarbu, który dawno temu ukryto w Waszyngtonie.

W końcu przemówiła, lecz jej głos był bezbarwny i pozbawiony emocji.

— Robercie, otwórz oczy.

Mam otworzyć oczy?

Langdon wolał nie przyglądać się ciasnej przestrzeni, w której byli uwięzieni.

— Robercie! — powtórzyła niespokojnie. — Otwórz oczy. Jesteśmy na miejscu!

Otworzył oczy w chwili, gdy wysunął się przez otwór podobny do tego, przez który dostali się do środka. Katherine schodziła właśnie z taśmy. Langdon opuścił nogi i zeskoczył na wyłożoną płytkami posadzkę, zanim taśma zakręciła i zaczęła wracać tam, skąd przybyła. W tym samym momencie Katherine zdjęła z taśmy jego torbę. Pomieszczenie, w którym się znajdowali, było rozdzielnią podobną do poprzedniej. Na małej tabliczce widniał napis: „Sala nr 3. Rozdzielnia książek gmachu Biblioteki imienia Johna Adamsa".

Langdon miał uczucie, jakby wynurzył się z jakiegoś podziemnego kanału rodnego.

Narodziłem się powtórnie.

Odwrócił się do Katherine.

— Nic ci nie jest?

Miała oczy czerwone od płaczu, lecz skinęła spokojnie głową. Wzięła torbę Langdona i bez słowa postawiła ją na zagraconym biurku. Zapaliła halogenową lampę, odsunęła zamek błyskawiczny i zajrzała do środka.

W promieniach halogenowego światła granitowa piramida wydawała się niezwykle surowa. Katherine przesunęła palcami po inskrypcji. Langdon wyczuł, że targają nią silne emocje. Powoli sięgnęła do torby, wyjęła paczkę i uważnie ją obejrzała.

— Na pieczęci widnieje odcisk masońskiego pierścienia Petera — zauważył Langdon. — Twój brat powiedział, że ten przedmiot sprawi, iż zdołam wydobyć porządek z chaosu. Nie jestem pewny, co to znaczy. To zwieńczenie zawiera coś niezwykle ważnego, bo Peterowi bardzo zależało na tym, aby nie dostało się w niepowołane ręce. Pan Bellamy powiedział to samo. Błagał, bym ukrył piramidę i nie pozwolił, by ktokolwiek otworzył tę paczkę.

Katherine podniosła głowę i spojrzała na niego gniewnie.

— Bellamy powiedział ci, żebyś jej nie otwierał?

— Tak, był bardzo stanowczy.

Spojrzała na niego z niedowierzaniem.
— Przecież mówiłeś, że to zwieńczenie jest jedynym sposobem odczytania inskrypcji wyrytej na piramidzie. Czy tak?
— Przypuszczalnie tak.
— Czy nie wspomniałeś, że odczytanie tego napisu jest jedynym sposobem ocalenia Petera?
Langdon skinął głową.
— Dlaczego w takim razie nie mielibyśmy otworzyć jej teraz i rozszyfrować napisu?!
Nie wiedział, co odpowiedzieć.
— Zareagowałem tak jak ty, a wtedy Bellamy oznajmił, że tajemnica, której strzeże piramida, jest ważniejsza od wszystkiego... nawet od życia twojego brata.
Piękna twarz Katherine stężała. Wsunęła kosmyk włosów za ucho i oznajmiła zdecydowanie:
— Niezależnie od tego, czym jest ta kamienna piramida, moja rodzina bardzo cierpiała z jej powodu. Najpierw mój bratanek Zachary, później matka, a teraz brat. Powiedzmy sobie otwarcie, gdybyś nie ostrzegł mnie tej nocy...
Langdon znalazł się w potrzasku: między logicznym rozumowaniem Katherine a gorącym naleganiem Bellamy'ego.
— Choć jestem naukowcem — ciągnęła — pochodzę z rodziny o tradycjach masońskich. Słyszałam wiele opowieści o piramidzie i obietnicy wielkiego skarbu, który oświeci ludzkość. Powiem szczerze, nie wierzyłam, że coś takiego istnieje. Jeśli jednak tak jest... być może nadszedł czas, by go wydobyć na światło dzienne. — Mówiąc to, wsunęła palec pod szpagat.
Langdon podskoczył.
— Katherine, nie! Zaczekaj!
Zawahała się, lecz nie cofnęła palca.
— Robercie, nie pozwolę, by mój brat zginął z tego powodu. Niezależnie od tego, co znajduje się na zwieńczeniu... i jakie zaginione skarby może odsłonić ta inskrypcja... czas tajemnic dobiegł końca.
Pociągnęła za sznurek, rozrywając woskową pieczęć.

Rozdział 63

W cichej okolicy na zachód od Embassy Row w Waszyngtonie znajduje się otoczony murem ogród różany, utrzymany w średniowiecznym stylu. Powiadają, że krzewy w nim rosnące pochodzą od pędu z XII wieku. Kamienna altana — nazywana Domem Cienia — stoi pośrodku wijących się ścieżek wyłożonych kamieniami z kamieniołomu należącego do Jerzego Waszyngtona.

Tej nocy ciszę panującą w ogrodzie przerwał młody mężczyzna, który wpadł przez drewnianą bramę, wołając głośno:

— Halo! Jest ksiądz tam?! — Wytężał wzrok w świetle księżyca.

Odpowiedział mu słaby, ledwie słyszalny głos:

— Jestem w altanie... musiałem zaczerpnąć powietrza.

Młody mężczyzna znalazł swojego leciwego przełożonego siedzącego na kamiennej ławce i okrytego kocem. Drobny przygarbiony staruszek miał szelmowski wyraz twarzy. Wiek go pochylił i pozbawił wzroku, lecz nie ograbił z siły ducha.

Młodzieniec odetchnął głęboko i powiedział:

— Właśnie... odebrałem telefon... od przyjaciela księdza... Warrena Bellamy'ego.

— Taak? — Staruszek podniósł głowę. — Czego chciał?

— Nie powiedział, ale odniosłem wrażenie, że bardzo się spieszył. Powiedział, że zostawił księdzu wiadomość w poczcie głosowej, i że powinien ją ksiądz natychmiast odsłuchać.

— To wszystko?

— Niezupełnie. — Młody mężczyzna przerwał na chwilę. —

Prosił, żebym przekazał księdzu pytanie. — Bardzo dziwne pytanie. — Powiedział, że musi natychmiast poznać księdza odpowiedź.

Staruszek nachylił się do młodzieńca.

— Jakie to pytanie?

Kiedy młody człowiek powtórzył słowa Bellamy'ego, twarz staruszka pobladła tak bardzo, że stało się to widoczne nawet w świetle księżyca. Odrzucił koc i zaczął się podnosić.

— Pomóż mi wrócić do domu. Natychmiast.

Rozdział 64

Koniec z tajemnicami — pomyślała Katherine Solomon.

Woskowa pieczęć, która trwała nietknięta przez wiele pokoleń, leżała przed nią w kawałkach. Skończyła odwijać z wyblakłego papieru pakowego drogocenną paczkę brata. Langdon stał obok i czuł się nieswojo.

Ujrzeli małą kasetkę z szarego kamienia — przypominała gładki granitowy sześcian, nie miała zawiasów ani zamka, niczego, co wskazywałoby, jak ją otworzyć. Przypominała Katherine chińską magiczną szkatułkę.

— Wyglądała jak lita bryła. — Przesunęła palcami po krawędziach. — Jesteś pewny, że na zdjęciu rentgenowskim było widać, że w środku znajduje się zwieńczenie?

— Tak. — Langdon skinął głową, stając za Katherine i przyglądając się dziwnemu pudełku. Patrzyli na nie pod różnym kątem, próbując dociec, jak je otworzyć.

— Mam! — wykrzyknęła Katherine, natrafiając paznokciem na szczelinę biegnącą wzdłuż jednej z górnych krawędzi. Postawiła pudełko na biurku, po czym ostrożnie podważyła wieko, które uniosło się płynnie.

Kiedy pudełko było otwarte, Langdon i Katherine wydali głośne westchnienie. Jego wnętrze lśniło niemal nadprzyrodzonym blaskiem. Katherine nigdy nie widziała tak dużego kawałka złota. Po chwili zrozumiała, że drogocenny metal po prostu odbija światło lampy.

— To cudowne — wyszeptała. Ponieważ zwieńczenie spoczywało w ciemnej kamiennej kasetce, nie wyblakło ani nie pokryło się nalotem.

Złoto opiera się entropii i zniszczeniu. Właśnie dlatego starożytni uważali, że ma magiczne właściwości.

Katherine pochyliła się, czując, jak wali jej serce. Przesunęła wzrok poniżej wierzchołka.

— Widzę jakiś napis.

Langdon podszedł i dotknął jej ramieniem. Jego błękitne oczy zapłonęły ciekawością. Opowiedział jej o *symbolonie* używanym przez starożytnych Greków — szyfrze podzielonym na części — i o tym, że zwieńczenie, tak długo oddzielone od piramidy, zawiera klucz, który umożliwi im odczytanie inskrypcji, wyrytej na jednym z jej boków. Napis widniejący na zwieńczeniu, niezależnie od treści, mógł zaprowadzić porządek w chaosie.

Katherine przysunęła małe pudełko do światła i spojrzała na złote zwieńczenie.

Inskrypcja była mała, lecz wyraźnie widoczna — krótki tekst wyryty misternie na jednym z boków. Odczytała pięć prostych słów.

Po chwili zrobiła to jeszcze raz.

— Nie! — wykrzyknęła. — To nie może być to!

Dyrektor Sato kroczyła energicznie długą alejką biegnącą wzdłuż Kapitolu, zmierzając na miejsce umówionego spotkania przy Pierwszej Ulicy. Meldunek, który otrzymała od swoich ludzi, był nie do przyjęcia. Nie złapali Langdona. Nie odzyskali piramidy. Nie mieli zwieńczenia. Bellamy został zatrzymany, ale nie powiedział im prawdy, a przynajmniej nie zrobił tego do tej pory.

Już ja go zmuszę do mówienia.

Spojrzała za siebie na jeden z najnowszych gmachów Waszyngtonu — centrum dla zwiedzających — ponad którym wznosiła się majestatyczna kopuła Kapitolu. Oświetlona budowla przypomniała jej, że grają o wysoką stawkę.

Żyjemy w niebezpiecznych czasach.

Odetchnęła z ulgą, gdy zadzwoniła komórka i na ekranie ukazał się identyfikator analityczki.

— Masz coś, Nola? — spytała.

Nola Kaye miała same złe wieści. Zdjęcie rentgenowskie inskrypcji na zwieńczeniu było zbyt blade, aby mogła ją odczytać. Filtry poprawiające obraz okazały się nieskuteczne.

Niech to szlag!

Sato przygryzła wargi.

— A szesnastoliterowa siatka?

— Nadal próbuję — zapewniła Nola — choć na razie nie udało mi się znaleźć wtórnego klucza, który można by zastosować. Wpisałam polecenie innego ułożenia liter na siatce, aby sprawdzić, czy uda się coś znaleźć, ale liczba możliwości sięga dwudziestu bilionów.

— Szukaj dalej. Daj mi znać, jeśli coś odkryjesz. — Sato zakończyła rozmowę z grymasem niezadowolenia. Nadzieja na odczytanie inskrypcji za pomocą zdjęcia i obrazu rentgenowskiego szybko się rozwiała.

Potrzebuję tej piramidy i jej zwieńczenia... mam coraz mniej czasu.

Dotarła na Pierwszą Ulicę w tej samej chwili, gdy czarny cadillac escalade przeciął podwójną żółtą linię i zatrzymał się w umówionym miejscu. Z wozu wysiadł agent.

— Coś nowego w sprawie Langdona? — zapytała Sato.

— Złapiemy go — odparł beznamiętnie mężczyzna. — Właśnie nadeszły posiłki. Wszystkie wyjścia z biblioteki zostały obstawione. Mamy nawet wsparcie z powietrza. Wypłoszymy go gazem łzawiącym. Nie będzie miał dokąd uciec.

— A Bellamy?

— Związany na tylnym siedzeniu.

Dobrze.

Bark nadal ją bolał.

Agent podał Sato plastikową torbę z telefonem komórkowym, kluczami i portfelem.

— To rzeczy Bellamy'ego.

— Nie miał nic więcej?

— Nie, proszę pani. Piramida i paczka są pewnie nadal w rękach Langdona.

— Rozumiem. Bellamy wie dużo, ale milczy. Chcę go przesłuchać.

— Tak jest, proszę pani. Jedziemy do Langley?

Sato odetchnęła głęboko, chodząc przez chwilę tam i z powrotem. Przesłuchania amerykańskich obywateli muszą przebiegać zgodnie z drobiazgowym regulaminem. Wypytanie Bellamy'ego będzie nielegalne, jeśli nie zrobią tego w Langley, filmując rozmowę w obecności świadków, prawników i tak dalej...

— Nie — odpowiedziała, próbując znaleźć coś bliższego. I bardziej prywatnego.

Agent milczał, stojąc na baczność obok samochodu z włączonym silnikiem, czekając na rozkazy.

Sato zapaliła papierosa, zaciągnęła się głęboko i spojrzała na torbę z rzeczami Bellamy'ego. Na kółku z kluczami zauważyła elektroniczny breloczek z czterema literami — *USBG*. Wiedziała, który z budynków rządowych można nim otworzyć. Znajduje się niedaleko stąd, a o tej porze będzie tam spokój.

Uśmiechnęła się, wsuwając breloczek do kieszeni.

Idealnie.

Kiedy powiedziała agentowi, dokąd chce zawieźć Bellamy'ego, sądziła, że się zdziwi, lecz ten tylko skinął głową i otworzył drzwi. Jego chłodne spojrzenie nie zdradzało żadnych emocji.

Sato uwielbiała zawodowców.

Langdon stał w piwnicy Biblioteki imienia Johna Adamsa i patrzył osłupiały na słowa wyryte na jednym z boków złotego zwieńczenia.

To wszystko?

Katherine stała bok, podnosząc zwieńczenie do światła i kręcąc z niedowierzaniem głową.

— Musi być coś więcej — powiedziała takim tonem, jakby czuła się oszukana. — Mój brat miałby chronić przez te wszystkie lata coś takiego?

Langdon musiał przyznać, że znalazł się w kropce. Zdaniem Petera i Bellamy'ego zwieńczenie miało im pomóc w odczytaniu inskrypcji na kamiennej piramidzie. Nic dziwnego, że spodziewał się czegoś bardziej oświecającego i przydatnego. Po raz kolejny odczytał pięć słów wyrytych płytko na płaszczyźnie zwieńczenia:

Tajemnica kryje się we wnętrzu Zakonu

„Tajemnica kryje się we wnętrzu Zakonu?”.

Na pierwszy rzut oka wydawało się, że litery wyryte na piramidzie nie są ułożone we właściwej kolejności, i że kluczem do rozwiązania zagadki jest ustawienie ich jak należy. Stwierdzenie to, oprócz swojej oczywistości, wydawało się paradoksalne także z innego powodu.

— Słowo „Zakon” napisano wielką literą — zauważył Langdon.

Katherine skinęła beznamiętnie głową.

— Tak, widzę.

Tajemnica kryje się we wnetrzu Zakonu. Przychodziło mu do głowy tylko jedno sensowne wyjaśnienie.

— „Zakon” musi oznaczać organizację masońską.

— Masz rację — przytaknęła Katherine. — W niczym nam to jednak nie pomaga. Niczego nie wyjaśnia.

Langdon musiał przyznać jej rację. Ostatecznie cała opowieść o masońskiej piramidzie dotyczy tajemnicy organizacji masońskiej.

— Robercie, czy mój brat wspomniał, że to zwieńczenie pozwoli ci dostrzec porządek tam, gdzie inni widzą chaos?

Skinął głową sfrustrowany. Po raz drugi tej nocy Robert Langdon poczuł się niegodny.

Rozdział 65

Kiedy Mal'akh uporał się z nieoczekiwanym gościem — strażniczką pracującą dla firmy ochroniarskiej Preferred Security — zamalował jeszcze raz okno, by nie było widać świętej przestrzeni, gdzie pracował.

Opuścił piwnicę skąpaną w przyćmionym niebieskim świetle i ukrytymi drzwiami przeszedł do salonu. Przystanął na chwilę przed obrazem *Trzy Gracje*, ciesząc się zapachami i dźwiękami swojego domu.

Wkrótce opuszczę to miejsce na zawsze.

Mal'akh wiedział, że po tej nocy nie będzie mógł tu wrócić.

Po tej nocy nie będę już potrzebował tego domu — pomyślał z uśmiechem.

Był ciekaw, czy Robert Langdon zrozumiał już, jaka jest prawdziwa moc piramidy i do odegrania jak doniosłej roli wezwało go przeznaczenie.

Langdon musi do mnie zadzwonić — pomyślał, dwa razy sprawdzając wiadomości. — Dwudziesta druga minęła dwie minuty temu. Zostały mu niecałe dwie godziny.

Wszedł schodami do wyłożonej włoskim marmurem łazienki i odkręcił prysznic parowy, aby pomieszczenie się nagrzało. Zdjął ubranie, gotów rozpocząć rytuał oczyszczenia.

Wypił dwie szklanki wody, by uspokoić skręcony głodem żołądek, po czym podszedł do lustra i spojrzał na swoje nagie ciało. Trwający dwa dni post podkreślił mięśnie. Z podziwem patrzył na to, kim się stał.

O świcie będę czymś więcej.

Rozdział 66

— Powinniśmy opuścić to miejsce — stwierdził Langdon. — Odnalezienie nas tutaj jest tylko kwestią czasu.

Miał nadzieję, że Bellamy zdołał uciec.

Katherine wpatrywała się w złote zwieńczenie, nie mogąc uwierzyć, że napis, który na nim wyryto, jest tak nieprzydatny. Wyjęła przedmiot z kamiennej kasetki i obejrzała ze wszystkich stron, a następnie umieściła w środku.

Tajemnica kryje się we wnętrzu Zakonu — pomyślał Langdon. — Faktycznie, to duża pomoc.

Zaczął się zastanawiać, czy Peter nie został wprowadzony w błąd co do zawartości paczki. Piramida i zwieńczenie zostały wykonane na długo przed jego urodzeniem, a Peter robił po prostu to, co nakazywali przodkowie, i strzegł tajemnicy, która była dla niego taką samą zagadką, jak dla Langdona i Katherine.

Czego się spodziewałem? — zastanawiał się. Im więcej wiedział na temat legendy o masońskiej piramidzie, tym mniej przekonująca mu się wydawała. Czy szukam spiralnych schodów zasłoniętych ogromnym kamieniem? Coś podpowiadało mu, że goni za cieniem. Mimo to rozszyfrowanie inskrypcji było szansą na ocalenie Petera.

— Robercie, czy mówi ci coś rok tysiąc pięćset czternasty?

Pytanie Katherine wydawało się pozbawione sensu. Langdon wzruszył ramionami:

— Nie, dlaczego pytasz?

Wręczyła mu kamienną kasetkę.

— Spójrz, wyryto na niej datę. Zobacz w świetle.

Langdon usiadł przy biurku i obejrzał sześcian pod lampą. Katherine oparła miękką dłoń na jego ramieniu i pochyliła się, by wskazać maleńki napis, który znalazła w dolnym rogu zewnętrznej powierzchni kasetki.

— Tysiąc pięćset czternasty rok naszej ery — powtórzyła.

Langdon nie miał wątpliwości, że zapisaną liczbą jest tysiąc pięćset czternaście, obok której znajdują się litery *A* oraz *D* stylizowane w niezwykły sposób.

1514 AD

— Czy ta data może stanowić brakujące ogniwo? — zastanawiała się Katherine, czując przypływ nadziei. — Ta datowana kasetka przypomina wiele innych masońskich kamieni węgielnych. Może nawet wskazuje jeden z nich. Może chodzi o gmach wzniesiony w tysiąc pięćset czternastym roku po Chrystusie?

Langdon jej nie słuchał.

To nie jest data.

Każdy znawca sztuki średniowiecza wiedział, że symbol AD jest sygnaturą — znakiem używanym zamiast podpisu. Wielu wczesnych filozofów, malarzy i autorów podpisywało swoje prace unikalnym znakiem lub monogramem zamiast nazwiskiem. Zwyczaj ten dodawał tajemniczego uroku ich dziełu, a także chronił autora przed prześladowaniem, gdyby uznano je za nieprawomyślne.

Sygnatura A.D. nie oznacza Anno Domini, pochodzi z języka niemieckiego i znaczy coś zupełnie innego.

W jednej chwili wszystkie kawałki układanki wskoczyły na swoje miejsca. Langdon wiedział, że zdoła rozszyfrować tajemniczą inskrypcję na piramidzie.

— Katherine, znalazłaś to, czego szukaliśmy! — wykrzyknął. Nie potrzebujemy nic więcej. Chodźmy. Wyjaśnię ci wszystko po drodze.

Spojrzała na niego zdumiona.

— Czy ta data z czymś ci się kojarzy?

Langdon puścił do niej oko i ruszył do drzwi.

— A.D. to nie jest data, Katherine. To inicjały.

Rozdział 67

W otoczonym murem ogrodzie różanym po zachodniej stronie Embassy Row, z krzewami pochodzącymi z XII wieku i Domem Cienia, znów było cicho. Po drugiej stronie drogi wjazdowej młody mężczyzny pomagał swojemu zgarbionemu przełożonemu pokonać rozległy trawnik.

Pozwala mi się prowadzić?

Zwykle niewidomy staruszek nie chciał, by mu pomagano, wolał, chodząc po swym sanktuarium, polegać na pamięci. Tej nocy jednak chciał jak najszybciej dotrzeć do domu, by odpowiedzieć na telefon Warrena Bellamy'ego.

— Dziękuję — powiedział, kiedy dotarli do drzwi domu. — Nie będę cię już potrzebował.

— Chętnie zostanę, żeby księdzu pomóc...

— To wszystko na dziś — odparł staruszek, puszczając ramię młodzieńca i znikając w ciemnościach. — Dobranoc.

Młody człowiek wyszedł z budynku i ruszył przez rozległy trawnik do swojego skromnego domku. Kiedy znalazł się w pokoju, poczuł przemożną ciekawość. Staruszek był wyraźnie poruszony pytaniem pana Bellamy'ego... choć wydawało się ono dziwne, prawie bezsensowne.

„Czy nie ma ratunku dla syna wdowy?".

Chociaż wysilał wyobraźnię, nie potrafił odgadnąć, co znaczą te słowa. Podszedł do komputera i wpisał frazę.

Ku jego zaskoczeniu na ekranie monitora pojawiło się mnóstwo odnośników z tym pytaniem. Wyglądało na to, że Warren Bellamy nie był pierwszym, który je zadał. Te same słowa zostały wypowiedziane przez... króla Salomona, opłakującego zamordowanego przyjaciela, miały być też używane przez masonów jako rodzaj zaszyfrowanego wołania o pomoc. Wyglądało na to, że Warren Bellamy skierował rozpaczliwe wołanie do brata masona.

Rozdział 68

Albrecht Dürer?

Katherine próbowała zebrać myśli, gnając za Langdonem piwnicami biblioteki.

A.D. oznacza Albrechta Dürera?

Ten słynny szesnastowieczny malarz i grafik był jednym z ulubionych artystów jej brata. Katherine przypominała sobie jego prace. Mimo to nie umiała pojąć, jak Dürer może im pomóc w rozwikłaniu zagadki. Przecież nie żyje od ponad czterystu lat!

— Symboliczna sztuka Dürera jest doskonała — mówił Langdon, kierując się znakami prowadzącymi do wyjścia. — Był prawdziwym człowiekiem renesansu: malarzem, filozofem, alchemikiem i badaczem starożytnych tajemnic. Do dziś nikt do końca nie rozumie przesłania zawartego w jego dziełach.

— Może to prawda, lecz jak napis *Tysiąc pięćset czternaście Albrecht Dürer* ma nam pomóc w odczytaniu inskrypcji na piramidzie?

Dotarli do drzwi i Langdon użył klucza Bellamy'ego, by je otworzyć.

— Napis *Tysiąc pięćset czternaście* wskazuje na jedno z dzieł Dürera — ciągnął, wbiegając po schodach. Dotarli do ogromnego korytarza. Langdon rozejrzał się i skręcił w lewo. — Tędy. — Znów przyspieszyli kroku. — Albrecht Dürer ukrył liczbę tysiąc pięćset czternaście w najbardziej tajemniczym ze swoich dzieł,

Melancholii I, które ukończył właśnie w roku tysiąc pięćset czternastym. Rycina ta jest uważana za arcydzieło północnoeuropejskiego renesansu.

Peter pokazał jej kiedyś *Melancholię I* w starej księdze poświęconej starożytnemu mistycyzmowi, lecz nie przypominała sobie żadnej ukrytej liczby „1514".

— Jak pewnie pamiętasz — kontynuował podekscytowany Langdon — *Melancholia I* przedstawia trudy ludzkości próbującej rozwiązać pradawne zagadki. Symbolika *Melancholii I* jest tak zawiła, że w porównaniu z nią nawet dzieła Leonarda da Vinci wydają się banalne.

Katherine zatrzymała się nagle i spojrzała na Langdona.

— Robercie, *Melancholia I* jest tu, w Waszyngtonie. Wisi w Galerii Narodowej.

— Tak — odpowiedział z uśmiechem. — Coś mi podpowiada, że nie jest to przypadek. O tej porze muzeum jest zamknięte, ale znam kustosza i...

— Zapomnij o tym, Robercie! Wiem, co się z tobą dzieje, kiedy wejdziesz do muzeum.

Katherine podbiegła do wnęki, w której stało biurko z komputerem.

Langdon poszedł za nią, wyraźnie nieszczęśliwy.

— Zrobimy to w prostszy sposób. — Wyglądało na to, że profesor Langdon, znawca sztuki, ma etyczny dylemat na myśl o wykorzystaniu Internetu, gdy oryginał znajduje się tak blisko. Katherine usiadła za biurkiem i włączyła komputer. Kiedy w końcu ożył, pojawił się kolejny problem.

— Nie widzę ikony przeglądarki.

— To wewnętrzna sieć biblioteki. — Langdon wskazał ikonę na pulpicie. — Spróbuj tego.

Katherine zaznaczyła ikonę z podpisem „zbiory cyfrowe". Na ekranie ukazała się następna strona i Langdon wskazał kolejny znak. Katherine zaznaczyła ikonę o nazwie „wydruki wysokiej jakości". Ekran rozbłysł. Ujrzała ikonę: „wydruki wysokiej jakości: wyszukiwanie".

— Wpisz *Albrecht Dürer*.

Katherine wprowadziła nazwisko artysty i rozpoczęła wyszukiwanie. Po chwili na ekranie ukazały się miniaturowe reprodukcje. Wszystkie były misternymi, czarno-białymi grafikami. Dürer wykonał mnóstwo podobnych rycin.

Przejrzała listę jego prac.

Adam i Ewa
Wydanie Chrystusa
Czterej jeźdźcy Apokalipsy
Wielka Pasja
Ostatnia Wieczerza

Widząc biblijne tytuły, Katherine przypomniała sobie, że Dürer był wyznawcą mistycznego chrześcijaństwa — połączenia wczesnochrześcijańskiej wiary z alchemią, astrologią i nauką.

Nauką...

Przed jej oczami stanął obraz płonącego laboratorium. Nie potrafiła myśleć o zbyt wielu sprawach naraz, lecz na chwilę wróciła myślami do swojej asystentki, Trish.

Mam nadzieję, że zdołała uciec.

Langdon mówił coś o *Ostatniej Wieczerzy* Dürera, lecz Katherine prawie go nie słuchała. Przed chwilą zauważyła link do *Melancholii I*.

Kliknęła myszką i na ekranie ukazały się ogólne informacje.

Melancholia I, 1514
Albrecht Dürer
(grafika na papierze żeberkowanym)
Kolekcja Rosenwalda
Narodowa Galeria Sztuki
Waszyngton

Przewinęła stronę i zobaczyła dzieło Dürera.

Spojrzała zdumiona, bo zapomniała, jak dziwna jest ta grafika.

Langdon zachichotał, dając do zrozumienia, że ją rozumie.

— Powiedziałem, że to zagadkowa rycina

Melancholia I przedstawiała ponurą postać z ogromnymi skrzydłami, siedzącą przed kamienną budowlą. Otaczała ją dziwna zbieranina przedmiotów: cyrkiel mierniczy, narzędzia stolarskie, klepsydra, bryły geometryczne, dzwon, putto, ostrze i drabina, oraz wychudzony pies.

Przypomniała sobie, że brat wyjaśnił jej, iż skrzydlata postać jest symbolem „ludzkiego geniuszu" — wielkiego myśliciela opierającego brodę na dłoni, przygnębionego i niepotrafiącego osiągnąć oświecenia. Otaczały go symbole ludzkiego intelektu — matematyki, filozofii, przyrody, geometrii, a nawet ciesielskiego rzemiosła. Mimo to nie potrafił wspiąć się na drabinę prawdziwego oświecenia.

Nawet geniusz ma problem ze zrozumieniem starożytnych tajemnic.

— To symboliczne przedstawienie ludzkości, której nie udało się przekształcić intelektu w boską moc — wyjaśnił Langdon. — W dziedzinie alchemii odpowiada temu niemożność przemiany ołowiu w złoto.

— Niezbyt zachęcające przesłanie — westchnęła Katherine. — W jaki sposób ten miedzioryt ma nam pomóc? — Nadal nie widziała ukrytej liczby „1514", o której mówił Langdon.

— Porządek z chaosu — przypomniał, uśmiechając się krzywo. — Jest dokładnie tak, jak powiedział twój brat. — Sięgnął do kieszeni i wyjął siatkę z literami z zaszyfrowanej masońskiej inskrypcji. — Teraz są pozbawione sensu. — Rozłożył kartkę na biurku.

S	O	E	U
A	T	U	N
C	S	A	S
V	U	N	J

Katherine spojrzała na siatkę znaków.

Nie ma w tym sensu.

— Dürer wszystko zmieni.

— Ciekawe jak?

— Lingwistyczna alchemia — odrzekł Langdon, wskazując monitor. — Przypatrz się uważnie. W tej rycinie ukryto coś, co uporządkuje nasze szesnaści liter. — Zrobił krótką pauzę. — Jeszcze tego nie widzisz? Poszukaj liczby tysiąc pięćset czternaście.

Katherine nie miała ochoty bawić się w szkołę.

— Robercie, niczego nie dostrzegam. Widzę jedynie kulę, drabinę, nóż, jakiś wielościan i cyrkiel. Poddaję się.

— Spójrz tutaj! Przypatrz się tłu. Widzisz znaki na budowli za aniołem? Pod dzwonem? Dürer wyrył kwadrat zawierający liczby, między innymi tysiąc pięćset czternaście.

Popatrzyła na niego zdumiona.

— Nie jest to zwyczajny kwadrat, panno Solomon — powiedział z uśmiechem. — To kwadrat magiczny.

Rozdział 69

Dokąd mnie wiozą?

Bellamy siedział na tylnym fotelu cadillaca z workiem na głowie. Po krótkim postoju w pobliżu Biblioteki Kongresu samochód ruszył dalej... lecz jechał zaledwie minutę. Teraz znów stanął, pokonawszy tylko jedną przecznicę.

Usłyszał przytłumione głosy.

— Przepraszam... to niemożliwe... — mówił ktoś stanowczo. — O tej porze budynek jest zamknięty.

Kierowca cadillaca odpowiedział równie stanowczo:

— Dochodzenie prowadzone przez CIA... sprawa bezpieczeństwa narodowego... — Krótka wymiana zdań i okazanie dokumentów podziałały przekonująco, bo ton pierwszego głosu wyraźnie się zmienił.

— Tak, oczywiście... wejście techniczne... — Bellamy usłyszał głośny zgrzyt, który mógł być odgłosem otwieranych drzwi. — Mam państwu towarzyszyć? Nie zdołacie...

— Dziękujemy, damy sobie radę.

Kiedy strażnik się zorientował, było już za późno. Cadillac ruszył, przejechał pięćdziesiąt metrów i stanął. Ciężkie drzwi zamknęły się z hukiem.

Cisza.

Bellamy stwierdził, że drży.

Ktoś otworzył głośno tylne drzwi. Bellamy poczuł przenikliwy ból ramion, gdy został pociągnięty za ręce i postawiony. Silne dłonie poprowadziły go w milczeniu przez rozległą halę. Pomieszczenie wypełniała dziwna ziemista woń, której nie potrafił rozpoznać. Słyszał kroki kogoś idącego obok nich, lecz tajemnicza osoba nie odezwała się słowem.

Kiedy stanęli przed drzwiami, rozległ się elektroniczny sygnał i drzwi się otworzyły. Poprowadzili go szeregiem korytarzy. Zauważył, że powietrze jest tu cieplejsze i bardziej wilgotne.

Jesteśmy na krytym basenie? Nie.

Woń unosząca się w powietrzu nie była zapachem chloru... była bardziej ziemista i pierwotna.

Gdzie, u diabła, jesteśmy?

Wiedział, że są w odległości przecznicy lub dwóch od Kapitolu. Stanęli. Znów usłyszał elektroniczny sygnał. Kolejne drzwi otworzyły się z sykiem. Gdy wepchnęli go do środka, poczuł charakterystyczny zapach.

Zrozumiał, gdzie są.

Dobry Boże!

Bywał tu często, lecz nigdy nie wchodził bocznym wejściem. Ten okazały szklany gmach znajdował się w odległości zaledwie trzystu metrów od Kapitolu i technicznie rzecz biorąc, stanowił część jego kompleksu.

Zarządzam tym gmachem!

Zrozumiał, że dostali się tu dzięki jego breloczkowi.

Silne ręce wepchnęły go do środka i poprowadziły znanym krętym przejściem. Ciężkie, ciepłe i wilgotne powietrze, które zwykle działało na niego kojąco, tej nocy sprawiło, że zaczął się pocić.

Co my tu robimy?

Nagle kazali mu się zatrzymać i posadzili na ławce. Krzepki mężczyzna zdjął mu na chwilę kajdanki, by przykuć go do ławki.

— Czego chcecie? — spytał Bellamy, czując, że serce wali mu jak oszalałe.

W odpowiedzi usłyszał oddalające się kroki i trzaśnięcie zamykających się szklanych drzwi.

Zapadła cisza.

Martwa cisza.

Chcą mnie tu zostawić?

Zaczął się pocić jeszcze bardziej, próbując wyswobodzić ręce.

Nie mogę nawet ściągnąć tego worka!

— Ratunku! — krzyknął. — Jest tu kto?!

Mimo panicznego lęku, wiedział, że nikt go nie usłyszy. Po zamknięciu drzwi ogromne szklane pomieszczenie nazywane Dżunglą było idealnie hermetyczne.

Nikt mnie tu nie znajdzie aż do rana.

Wtedy to usłyszał.

Dźwięk był ledwie słyszalny, lecz przeraził go jak żaden inny w życiu.

Ktoś oddycha. Jest bardzo blisko.

Nie siedzi na tej ławce sam.

Trzask zapałki rozległ się tak blisko jego twarzy, że poczuł ciepło płomienia. Cofnął się, instynktownie napinając łańcuch kajdanek.

Czyjaś dłoń bez ostrzeżenia ściągnęła mu worek z głowy. W chybotliwym płomieniu, zaledwie kilkanaście centymetrów od siebie, ujrzał czarne oczy Inoue Sato zapalającej trzymanego w ustach papierosa.

Spojrzała na niego wściekle w promieniach księżyca przenikających przez szklany sufit.

— Od czego zaczniemy, panie Bellamy? — spytała, odrzucając zapałkę.

Rozdział 70

Kwadrat magiczny. Katherine pokiwała głową, wpatrując się w wypełniony liczbami kwadrat widniejący na rycinie Dürera. Większość ludzi pomyślałaby, że Langdon postradał rozum, lecz Katherine szybko zrozumiała, iż przyjaciel ma rację.

Określenie „kwadrat magiczny" nie oznaczało niczego mistycznego, lecz konstrukcję matematyczną — nazywano tak kwadrat podzielony na pola zawierające liczby rozmieszczone w taki sposób, by ich suma w wierszach, kolumnach i po przekątnych dawała identyczny wynik. Magiczny kwadrat, stworzony około czterech tysięcy lat temu przez egipskich i indyjskich matematyków, miał, zdaniem niektórych, magiczną moc. Katherine czytała gdzieś, że nawet teraz pobożni mieszkańcy Indii umieszczają *Kubera Kolam*, magiczny kwadrat złożony z dziewięciu pól, na swoich ołtarzach. Jednak współcześni ludzie zaliczali kwadraty magiczne do kategorii „zabaw matematycznych", czerpiąc przyjemność z tworzenia nowych „magicznych" układów liczb.

Sudoku dla geniuszy.

Katherine szybko przeanalizowała kwadrat Dürera, dodając liczby w kilku wierszach i kolumnach.

16	3	2	13
5	10	11	8
9	6	7	12
4	15	14	1

— Trzydzieści cztery — oznajmiła. — Liczby we wszystkich wierszach, kolumnach i przekątnych dają trzydzieści cztery.

— Tak — skinął głową Langdon. — Czy wiesz, że ten magiczny kwadrat jest sławny, ponieważ Dürer dokonał czegoś, co wydawało się niemożliwe? — Szybko pokazał jej, że oprócz tego, iż liczby wszystkich wierszy, kolumn i przekątnych dają trzydzieści cztery, identyczną sumę otrzymuje się po dodaniu liczb umieszczonych w czterech ćwiartkach, czterech polach środkowych i czterech rogach. — Najbardziej zdumiewające było jednak wstawienie liczb piętnaście i czternaście w polach dolnego wiersza, aby upamiętnić rok, w którym artysta dokonał tego niezwykłego wyczynu!

Katherine spojrzała na liczby zaskoczona wszystkimi kombinacjami.

Langdon był coraz bardziej podekscytowany.

— Co niezwykłe, *Melancholia I* to pierwszy przykład pojawienia się kwadratu magicznego w sztuce europejskiej. Niektórzy historycy są zdania, że w ten sposób Dürer umieścił na rycinie zaszyfrowane przesłanie, iż starożytne tajemnice przeniknęły z tajemnych szkół egipskich do tajnych bractw w Europie... A to prowadzi nas do... tego.

Wskazał kartkę z literami, które zapisano na kamiennej piramidzie.

S O E U

A T U N

C S A S

V U N J

— Dostrzegasz podobieństwo układu? — spytał Langdon.

— Kwadrat złożony z szesnastu pół...

Langdon wziął ołówek i starannie wyrysował kwadrat magiczny Dürera na kartce, obok kwadratu z liczbami. Katherine zrozumiała, jak łatwe to będzie zadanie. Langdon zamarł z ołówkiem w ręku, jakby się wahał, mimo iż tryskał entuzjazmem.

— Robercie?

Spojrzał na nią zaniepokojony.

— Jesteś pewna, że chcesz to zrobić? Peter powiedział...

— Robercie, jeśli nie chcesz odczytać tej inskrypcji, pozwól, że ja to zrobię. — Wyciągnęła rękę po ołówek.

Langdon wiedział, że nic jej nie powstrzyma, więc ustąpił, znów skupiając uwagę na piramidzie. Ostrożnie nasunął magiczny kwadrat na litery wyryte na piramidzie, a następnie stworzył nową siatkę, umieszczając znaki w kolejności określonej przez liczbę, która się na niej znalazła. W ten sposób powstał nowy układ, w którym litery z masońskiej inskrypcji ustawione zostały w kolejności określonej przez kwadrat magiczny Dürera.

Kiedy skończył, przyjrzeli się rezultatowi.

J	E	O	V
A	S	A	N
C	T	U	S
U	N	U	S

Katherine była zagubiona.

— To nadal jakieś brednie.

Langdon milczał przez dłuższą chwilę.

— To nie brednie, Katherine. — Jego oczy zabłysły. — To... po łacinie.

Niewidomy starzec szedł długim ciemnym korytarzem, chcąc jak najszybciej dotrzeć do swojego gabinetu. Kiedy się w nim znalazł, opadł na fotel stojący za biurkiem, rad, że stare kości będą mogły odpocząć. Automatyczna sekretarka piszczała. Wcisnął klawisz i odsłuchał wiadomość.

„Mówi Warren Bellamy — usłyszał szept przyjaciela i brata masona. — Obawiam się, że mam dla ciebie bardzo złą wiadomość...".

Katherine Solomon znów spojrzała na litery i ujrzała pierwsze łacińskie słowo: *Jeova*.

J E O V

A S A N

C T U S

U N U S

Choć nie znała łaciny, zapamiętała słowo pojawiające się w starożytnych hebrajskich tekstach, które czytała. *Jeova. Jehowa*. Spojrzała na litery i nagle ze zdumieniem stwierdziła, że może odczytać całe zdanie:

Jeova Sanctus Unus.

Od razu pojęła jego znaczenie. Fraza ta pojawiała się wielokrotnie we współczesnych przekładach hebrajskiej Biblii. W Torze Bóg Hebrajczyków występował pod wieloma imionami — *Jeowa, Jehowa, Jeszua, Jahwe, Źródło, Elohim* — lecz w wielu rzymskich przekładach przyjęto dezorientującą nomenklaturę, stosując łacińską frazę: *Jeova Sanctus Unus*.

— „Jedyny prawdziwy Bóg?" — szepnęła do siebie. Nie wygląda na to, by ta wiadomość pomogła im odnaleźć Petera. — To ma być tajemne przesłanie masońskiej piramidy? „Jedyny prawdziwy Bóg?". Sądziłam, że szukamy mapy.

Langdon wyglądał na równie zakłopotanego. Jego entuzjazm przygasł.

— Poprawnie oczytaliśmy tekst, ale...

— Człowiek, który porwał Petera, chce znać położenie. —

Katherine założyła kosmyk włosów za ucho. — Ta wiadomość go nie ucieszy.

— Obawiałem się tego, Katherine — westchnął Langdon. — Przez całą noc nie mogłem pozbyć się wrażenia, że traktujemy zbiór mitów i alegorii jak rzeczywistość. Może ta inskrypcja wskazuje miejsce w sensie metaforycznym... sugeruje, że człowiek może wykorzystać swój potencjał jedynie poprzez jedynego prawdziwego Boga.

— To nie ma sensu! — orzekła Katherine, zaciskając zęby. — Moja rodzina strzegła tej piramidy od pokoleń! Jedyny prawdziwy Bóg? To ma być sekret? A CIA uważa, że ta sprawa ma związek z bezpieczeństwem narodowym? Albo oni kłamią, albo coś przeoczyliśmy!

Langdon wzruszył ramionami na znak, że się zgadza.

W tej samej chwili zadzwonił telefon.

W zagraconym gabinecie przygarbiony starzec pochylił się nad biurkiem, ściskając słuchawkę w zniekształconej przez artretyzm dłoni.

Telefon wydawał się dzwonić bez końca.

Wreszcie do jego uszu doleciał niepewny głos:

— Słucham? — Głos był głęboki i pełen wahania.

— Powiedziano mi, że szukacie schronienia — wyszeptał starzec.

Mężczyzna, z którym rozmawiał, wydawał się zdumiony.

— Kto mówi? Czy Warren Bell...

— Proszę bez nazwisk. Czy udało się panu zabezpieczyć mapę, którą mu powierzono?

Milczenie zdradzające, że mężczyzna na drugim końcu linii jest zaskoczony.

— Tak... choć nie sądzę, aby na coś się przydała. Niewiele z niej można wyczytać. Jeśli to mapa, wydaje się, że ma znaczenie bardziej metaforyczne niż...

— Jest rzeczywista, zapewniam pana. Wskazuje miejsce, które istnieje naprawdę. Proszę zadbać o jej bezpieczeństwo. Nie potrafię wyrazić, jakie to ważne. Jeśli zdoła pan dostać się niepostrzeżenie do mojego domu, zapewnię panu schronienie... i udzielę odpowiedzi.

Mężczyzna zawahał się, najwyraźniej nie wiedząc, co odpowiedzieć.

— Przyjacielu — podjął starzec, starannie dobierając słowa — w Rzymie jest kryjówka, na północ od Tybru, w której jest dziesięć kamieni z góry Synaj, jeden z nieba i jeden z wizerunkiem mrocznego ojca Luke'a. Wiesz już, gdzie mnie znaleźć?

Tamten odpowiedział po dłuższej chwili:

— Tak.

Starzec uśmiechnął się do siebie.

Tak też sądziłem, profesorze.

— Proszę przyjechać natychmiast. I niech pan się upewni, czy nikt pana nie śledzi.

Rozdział 71

Mal'akh stał nagi w obłokach ciepłej pary. Znów był czysty, zmywszy ze skóry woń etanolu. Para przesycona olejkiem eukaliptusowym przenikała skórę. Czuł, jak pory otwierają się od gorąca. Rozpoczął rytuał.

Najpierw wtarł w skórę środek do depilacji, usuwając z ciała i głowy wszystkie włosy.

Pozbawieni włosów byli bogowie siedmiu wysp Heliad. Następnie namaścił olejkiem Abramelina miękką skórę, świętym olejkiem wielkich mędrców.

Na koniec przesunął rączkę w lewo, by z kranu popłynęła lodowata woda. Stał w zimnym strumieniu przez całą minutę, by pory się zamknęły, zatrzymując w środku ciepło i energię. Lodowata struga miała mu też przypominać o rzece, w której rozpoczęła się jego przemiana.

Wyszedł z kabiny, drżąc, lecz po chwili zgromadzone w środku ciepło wydostało się na zewnątrz i go ogrzało. Czuł się, jakby w jego wnętrzu płonął ogień. Stał nagi przed zwierciadłem, podziwiając swoją sylwetkę. Może po raz ostatni ogląda siebie w śmiertelnej postaci.

Jego stopy były szponami jastrzębia. Nogi Boazem i Jakinem — starożytnymi kolumnami mądrości. Biodra i brzuch łukami mistycznej mocy. Na okazałym przyrodzeniu wytatuowane zostały symbole jego przeznaczenia. W innym życiu było źródłem cielesnej rozkoszy, lecz teraz to się skończyło.

Zostałem oczyszczony.

Niczym *katharoi*, mistyczni mnisi eunuchowie, Mal'akh pozbawił się jąder. Złożył fizyczną potencję na ołtarzu czegoś wyższego.

Bogowie nie mają płci.

Pozbywszy się ludzkich niedoskonałości związanych z płcią, i zmysłowych pokus, Mal'akh stał się jak Uranos, Attis, Sporus i wielcy magowie kastraci z legend arturiańskich.

Każdą duchową przemianę poprzedza przemiana fizyczna.

Nauczali o tym wszyscy wielcy bogowie, od Ozyrysa po Tammuza, od Jezusa po Sziwę i samego Buddę.

Muszę zrzucić ludzką postać, która mnie przyodziewa.

Nagle spojrzał w górę, ponad dwugłowego Feniksa wytatuowanego na piersi i kolaż starożytnych magicznych znaków zdobiących jego twarz. Na czubek głowy. Pochylił głowę, ledwie mogąc dostrzcć pusty krąg skóry. To święte miejsce. Nazywane ciemiączkiem, jest jedynym obszarem ludzkiej czaszki, który pozostaje otwarty podczas narodzin. Oculus prowadzący do mózgu. Chociaż ta fizyczna brama zasklepia się po kilka miesiącach, pozostaje symbolicznym śladem utraconej więzi ze światem zewnętrznym i wewnętrznym.

Przyglądał się nagiej skórze otoczonej przypominającym koronę kręgiem Uroborosa — mistycznego węża pożerającego własny ogon. Wydawało się, że nagie ciało odpowiada na jego spojrzenie, jaśniejąc obietnicą.

Robert Langdon wkrótce odnajdzie wielki skarb, którego Mal'akh potrzebuje. Kiedy go dostanie, puste miejsce na czubku głowy wypełni się. W końcu będzie gotowy do ostatecznej przemiany.

Poszedł do sypialni i z dolnej szuflady wyjął długi pas białego jedwabiu. Tak jak zawsze owinął nim pachwiny i pośladki.

Zszedł na dół i włączył komputer w gabinecie. Stwierdził, że dostał nową wiadomość.

Od swojego kontaktu.

TO, CZEGO PAN ŻĄDA, ZNALAZŁO SIĘ W NASZYM ZASIĘGU.
SKONTAKTUJĘ SIĘ W CIĄGU GODZINY. CIERPLIWOŚCI.

Mal'akh się uśmiechnął. Nadeszła pora na ostatnie przygotowania.

Rozdział 72

Agent operacyjny schodził z balkonu czytelni w paskudnym nastroju. Bellamy ich okłamał. Nie zauważył żadnych śladów termicznych obok posągu Mojżesza ani nigdzie indziej na górze.

Gdzie, u licha, zniknął ten Langdon?

Wrócił do rozdzielni biblioteki po swoich śladach, które były jedynymi śladami termicznymi w tej części gmachu. Znów zszedł na dół schodami pod ośmioboczną witryną. Szum przenośników taśmowych był irytujący. Wszedłszy do pomieszczenia, założył noktowizor i się rozejrzał. Nic. Spojrzał w stronę regałów, na wykrzywione drzwi, na których nadal widniały termiczne ślady po eksplozji. Oprócz nich zauważył...

Niech to szlag!

Odskoczył do tyłu, gdy w polu widzenia pojawiła się niespodziewanie jasna plama. Z otworu w ścianie wyłoniły się przypominające ducha słabe lśniące sylwetki dwojga ludzi odciśnięte na taśmociągu. Ślady termiczne.

Zdumiony patrzył, jak dwie zjawy okrążają pomieszczenie, a następnie znikają w wąskim otworze.

Wyjechali na tym taśmociągu? To szaleństwo!

Zrozumiał, że Robert Langdon nie tylko uciekł przez otwór w ścianie, ale też pojawił się dodatkowy problem.

Langdon nie jest sam?

Podniósł do ust krótkofalówkę, aby zawiadomić dowódcę, lecz ten go uprzedził:

— Do wszystkich! Na placu przed biblioteką znaleźliśmy

porzucone volvo, zarejestrowane na nazwisko Katherine Solomon. Świadek twierdzi, że widział, jak niedawno wchodziła do gmachu. Jest z podejrzanym, Robertem Langdonem. Dyrektor Sato kazała natychmiast ich odnaleźć.

— Znalazłem ich ślady! — oznajmił agent w rozdzielni, wyjaśniając, jaka jest sytuacja.

— Chryste! — wykrzyknął dowódca. — Dokąd prowadzi ten przenośnik?

Agent już studiował schemat wiszący na tablicy.

— Do budynku Johna Adamsa. To jedna przecznica stąd.

— Do wszystkich! Do Biblioteki Adamsa! Natychmiast!

Rozdział 73

Kryjówka. Odpowiedzi.

Słowa rozbrzmiewały echem w głowie Langdona, gdy wypadli bocznymi drzwiami biblioteki na chłodną zimową noc. Tajemniczy rozmówca podał adres w formie szyfru, lecz Langdon zrozumiał, o co mu chodzi. Kiedy Katherine usłyszała, dokąd mają się udać, odpowiedziała zdumiewająco spokojnie: „A gdzie indziej mielibyśmy znaleźć jedynego prawdziwego Boga?".

Pytanie, jak się tam dostać.

Langdon próbował zorientować się w sytuacji. Było ciemno, ale na szczęście pogoda się poprawiła. Stali na małym dziedzińcu. W oddali widniała majestatyczna kopuła Kapitolu, zdumiewająco daleka. Langdon zdał sobie sprawę, że po raz pierwszy od chwili, gdy kilka godzin temu wszedł do tego gmachu, znalazł się na świeżym powietrzu.

No i wygłosiłem odczyt...

— Spójrz tam, Robercie — powiedziała Katherine, wskazując zarys budynku Jeffersona.

W pierwszej chwili ogarnęło go zdumienie, że pokonał tak długą drogę pod ziemią, leżąc na taśmociągu. W następnej poczuł przerażenie. Przed gmachem Jeffersona roiło się od ludzi — podjeżdżały samochody i ciężarówki, wykrzykiwano rozkazy.

Czy to szperacz?

Złapał Katherine za rękę.

— Chodźmy stąd.

Przebiegli przez dziedziniec i znikli za eleganckim gmachem

wzniesionym na planie litery U, w którym Langdon rozpoznał Folger Shakespeare Library. Budynek wydawał się idealną kryjówką na tę noc, bo w mieszczących się tam zbiorach znajdował się oryginalny łaciński rękopis *Nowej Atlantydy* Francisa Bacona — utopijnej wizji, która stała się dla amerykańskich Ojców Założycieli modelem nowego świata, opartym na starożytnej wiedzy. Jednak Langdon się nie zatrzymał.

Potrzebujemy taksówki.

Dotarli do rogu Trzeciej Ulicy i East Capitol. O tej porze ruch był mały i Langdon zaczął tracić nadzieję, że coś złapią. Ruszyli na północ Trzecią Ulicą, oddalając się od Biblioteki Kongresu. Dopiero gdy przebyli całą przecznicę, Langdon dostrzegł stojącą na rogu taksówkę. Kiedy skinął ręką, wóz podjechał.

Z głośników płynęła bliskowschodnia muzyka. Wskoczyli do wozu, a młody Arab powitał ich przyjaznym uśmiechem:

— Dokąd?

— Musimy się dostać...

— Proszę jechać na północny-zachód! — przerwała mu Katherine, wskazując Trzecią Ulicę, oddalającą się od budynku Jeffersona. — Niech pan jedzie do Union Station, a później skręci w lewo, w Massachusetts Avenue. Powiem panu, gdzie się zatrzymać.

Kierowca skinął głową, zamknął przegrodę z pleksiglasu i nastawił głośniej muzykę.

Katherine spojrzała surowo na Langdona, jakby chciała powiedzieć: „Nie zostawiaj śladów”, po czym wskazała czarny helikopter, który leciał nisko nad ziemią w ich stronę. Cholera! Najwyraźniej Sato bardzo zależy na odzyskaniu piramidy Solomona.

Gdy patrzyli, jak helikopter ląduje między budynkiem Jeffersona i biblioteką, Katherine odwróciła się do Roberta bardzo zaniepokojona.

— Mogę zobaczyć twoją komórkę?

Langdon podał jej telefon.

— Peter wspominał mi, że masz pamięć eidetyczną — powiedziała, opuszczając szybę. — Że pamiętasz każdy numer, który wybrałeś.

— To prawda, ale...

Wyrzuciła telefon przez okno. Langdon odwrócił się, obserwując, jak jego komórka rozbija się na kawałki.

— Dlaczego to zrobiłaś?

— Nie będzie nam potrzebna — odpowiedziała Katherine poważnie. — Ta piramida to nasza jedyna nadzieja na odnalezienie Petera. Nie pozwolę, by CIA ją nam odebrało.

Omar Amirana nucił pod nosem i kiwał głową w rytm muzyki. Tej nocy był mały ruch, więc miał szczęście, że w ogóle złapał jakiś kurs. Jego taksówka mijała właśnie Stanton Park, gdy radio zatrzeszczało i w głośniku rozległ się znajomy głos dyspozytorki:

— Tu centrala. Do wszystkich pojazdów w rejonie parku National Mall. Przed chwilą otrzymaliśmy wiadomość o dwóch zbiegach w rejonie Biblioteki Adamsa...

Omar słuchał zdumiony, jak dyspozytorka opisuje jego pasażerów. Spojrzał ukradkiem w lusterko wsteczne. Skądś znał tego wysokiego faceta.

Chyba widziałem go w programie *America's Most Wanted*.

Powoli sięgnął po mikrofon.

— Centrala? — powiedział cicho. — Tu wóz sto trzydzieści cztery. Tych dwoje, których szukają... siedzi w mojej taksówce...

Dyspozytorka udzieliła mu wskazówek. Omar drżącymi palcami wprowadził numer, który mu podyktowała. W słuchawce usłyszał żołnierski, surowy i rzeczowy głos.

— Agent Turner Simkins, jednostka operacyjna CIA. Kto mówi?

— Jestem... taksówkarzem — zaczął Omar. — Kazano mi zadzwonić w sprawie tej dwójki...

— Czy zbiedzy są w pana samochodzie? Proszę odpowiedzieć „tak" lub „nie".

— Tak.

— Czy mogą usłyszeć naszą rozmowę? Tak czy nie?

— Nie, przegroda jest...

— Dokąd ich wieziesz?

— Jedziemy Massachussetts Avenue na północny zachód.

— Podali adres?

— Nie.

Agent się zawahał.

— Czy mężczyzna ma przy sobie skórzaną torbę?

Omar spojrzał we wsteczne lusterko i wytrzeszczył oczy.

— Tak! Czy są w niej materiały wybuchowe lub...

— Posłuchaj uważnie — powiedział Simkins. — Nic ci nie grozi, jeśli będziesz wykonywał moje polecenia. Czy to jasne?

— Tak, proszę pana.

— Jak się nazywasz?

— Omar. — Taksówkarz poczuł, że zaczyna się pocić.

— Posłuchaj, Omarze — ciągnął spokojnie tamten — doskonale sobie radzisz. Chciałbym, żebyś jechał jak najwolniej, by moi ludzie zdołali cię wyprzedzić. Zrozumiałeś?

— Tak, proszę pana.

— Czy twój wóz jest wyposażony w interkom, żebyś mógł rozmawiać z pasażerami?

— Tak.

— Doskonale. Powiem ci, co masz zrobić.

Rozdział 74

Dżungla, środkowa część ogrodu botanicznego — żywego muzeum — przylegała do gmachu Kapitolu. Ten las deszczowy mieścił się w wysokiej szklarni i pełen był okazałych kauczukowców, fikusów, a także zadaszonych kładek dla co odważniejszych zwiedzających.

Zwykle zapach ziemi i promienie słońca przenikające przez wodne opary wydobywające się z dysz pod szklanym sufitem działały na Warrena Bellamy'ego ożywczo. Tej nocy Dżungla, oświetlona tylko światłem księżyca, przeraziła go. Pocił się obficie i zwijał z bólu z powodu skurczu ramion, boleśnie skutych za plecami.

Dyrektor Sato przechadzała się, spokojnie paląc papierosa, co w tym starannie kontrolowanym środowisku można by uznać za akt ekoterroryzmu. W obłokach dymu i promieniach księżyca przeświecających przez szklany sufit jej twarz wyglądała demonicznie.

— A zatem — ciągnęła — gdy przyjechał pan dziś wieczorem do Kapitolu i odkrył, że już tam jestem... podjął pan decyzję. Zamiast powiadomić mnie o swojej obecności, zszedł pan cicho do sektora SBB i podejmując ogromne ryzyko, zaatakował komendanta Andersona i mnie. Następnie pomógł pan w ucieczce Langdonowi, który zabrał piramidę i jej zwieńczenie. — Rozmasowała sobie bark. — Interesujący wybór.

Dokonałbym go jeszcze raz — pomyślał Bellamy.

— Gdzie jest Peter? — spytał gniewnie.

— Skąd mam wiedzieć? — prychnęła Sato.

— Mam wrażenie, że wie pani wszystko! — wykrzyknął, nie kryjąc, iż podejrzewa, że za tym stoi właśnie ona. — Wiedziała pani, że trzeba przyjechać do Kapitolu. Wiedziała, że należy odnaleźć Langdona. Kazała pani prześwietlić jego torbę, aby odnaleźć zwieńczenie. Ktoś przekazał pani dużo poufnych informacji.

Sato roześmiała się sucho i podeszła bliżej.

— Czy dlatego mnie pan zaatakował, panie Bellamy? Sądzi pan, że jestem waszym wrogiem? Że próbuję ukraść waszą małą piramidę? — Sato zaciągnęła się papierosem, wydmuchując dym przez nos. — Proszę uważnie posłuchać. Nikt nie rozumie lepiej ode mnie, jak ważne jest dochowanie tajemnicy. Podobnie jak pan uważam, że pewne informacje nie powinny być znane opinii publicznej. Tej nocy działają siły, których, mam wrażenie, jeszcze pan nie pojmuje. Człowiek, który porwał Petera Solomona, ma ogromną władzę... władzę, z której nie zdaje pan sobie sprawy. Proszę mi wierzyć, ten osobnik to tykająca bomba... może uruchomić ciąg zdarzeń, który zmieni pana świat.

— Nie rozumiem — wybąkał Bellamy, zmieniając pozycję, by ulżyć obolałym ramionom.

— Nie musi pan rozumieć. Musi pan okazywać posłuszeństwo. W chwili obecnej jedyną nadzieją na zażegnanie poważnej katastrofy jest współdziałanie z tym człowiekiem i dostarczenie mu tego, czego chce. Oznacza to, że powinien pan zadzwonić do Langdona i powiedzieć, aby oddał się w nasze ręce wraz z piramidą i zwieńczeniem. Kiedy Langdon znajdzie się pod moją opieką, odczyta inskrypcję na piramidzie, przekaże informacje, których żąda tamten, i dostarczy mu dokładnie to, czego chce.

Wskaże położenie spiralnych schodów, które prowadzą do starożytnych tajemnic?

— Nie mogę tego zrobić. Ślubowałem dochować tajemnicy.

— Mam gdzieś, co pan ślubował! — krzyknęła Sato. — Wpakuję pana do więzienia tak szybko...

— Może mi pani grozić, czym chce — odparł buntowniczo Bellamy. — Nie pomogę pani.

Dyrektor Sato nabrała powietrza i szepnęła złowrogo:

— Panie Bellamy, czy naprawdę nie zdaje pan sobie sprawy, co tu się dzieje?

Pełne napięcia milczenie przerwał telefon Sato. Wyjęła go z kieszeni i otworzyła klapkę.

— Proszę mówić — rzuciła. Z uwagą wysłuchała wiadomości. — Gdzie jest taksówka? Jak długo to potrwa? W porządku. Przywieź ich do ogrodu botanicznego. Wejdźcie bocznymi drzwiami. Dopilnuj, żeby mieli tę przeklętą piramidę i zwieńczenie.

Zakończyła rozmowę i odwróciła się do Bellamy'ego z triumfującym uśmiechem.

— Wygląda na to, że wkrótce nie będzie mi pan potrzebny.

Rozdział 75

Taksówka się wlekła, a Robert Langdon patrzył obojętnie przed siebie, zbyt zmęczony, by skłonić kierowcę do szybszej jazdy. Siedząca obok Katherine milczała, jakby była sfrustrowana tym, że nie rozumie, co czyni tę piramidę tak szczególną. Jeszcze raz omówili wszystko, co wiedzieli o piramidzie, zwieńczeniu i dziwnych wydarzeniach, które rozegrały się tej nocy. W dalszym ciągu nie rozumieli jednak, w jaki sposób piramida może być mapą.

Jeova Sanctus Unus? Tajemnica kryje się we wnętrzu Zakonu?

Tajemniczy mężczyzna obiecał, że udzieli im odpowiedzi, gdy spotkają się z nim we wskazanym miejscu. „W Rzymie jest kryjówka, na północ od Tybru". Langdon wiedział, że Ojcowie Założyciele nazywali Waszyngton „Nowym Rzymem". Pewne elementy ich marzeń przetrwały do dziś: wody Tybru nadal wpływają do Potomacu, senatorzy nadal obradują pod repliką kopuły Świętego Piotra, a Wulkan i Minerwa w Rotundzie nadal strzegą dawno wygasłego ognia.

Odpowiedzi, których szukają, najwyraźniej czekają na nich w odległości kilku kilometrów. „Proszę jechać na północny zachód Massachusetts Avenue". Miejsce, do którego zmierzali, było prawdziwą kryjówką położoną na północ od przepływającego przez Waszyngton strumienia Tiber.

Katherine nagle drgnęła, jakby coś sobie uświadomiła.

— Boże, Robercie! — Odwróciła się do niego z pobladłą twarzą, by po chwili wahania stwierdzić z naciskiem: — Jedziemy niewłaściwą drogą!

— Skądże! — zaprzeczył Langdon. — To miejsce jest w północno-zachodniej części Massachu...

— Nie! Jedziemy w niewłaściwe miejsce!

Langdon był zdumiony. Przecież wyjaśnił Katherine, skąd wie, które miejsce opisał jego tajemniczy rozmówca. Dziesięć kamieni z góry Synaj, jeden z nieba i jeden z wizerunkiem mrocznego ojca Luke'a. Tylko jeden budynek na ziemi ma wszystkie wspomniane elementy. I właśnie tam jedzie taksówka.

— Katherine, jestem pewny, że to właściwy adres.

— Nie! — wykrzyknęła. — Nie musimy tam jechać. Zrozumiałam zagadkę piramidy i zwieńczenia! Wiem, o co chodzi!

Langdon był zaszokowany.

— Naprawdę?

— Tak! Musimy jechać na Freedom Plaza!

Langdon zupełnie się pogubił. Wydawało się, że Freedom Plaza, o którym wspomniała Katherine, w ogóle nie pasuje do układanki.

— *Jeova Sanctus Unus!* — powiedziała Katherine. — Jedyny prawdziwy Bóg Hebrajczyków. Świętym symbolem Hebrajczyków jest żydowska gwiazda. To pieczęć Salomona, ważny symbol masoński! — Wyjęła z kieszeni banknot jednodolarowy. — Daj mi długopis.

Zdumiony Langdon wyjął długopis z kieszeni marynarki.

— Popatrz. — Katherine rozłożyła banknot na udzie i wskazała długopisem widniejącą na odwrocie Wielką Pieczęć Stanów Zjednoczonych. — Jeśli nałożysz pieczęć Salomona na Wielką Pieczęć Stanów Zjednoczonych... — wykreśliła gwiazdę Dawida na piramidzie — otrzymasz to!

Langdon spojrzał na banknot, a następnie na Katherine takim wzrokiem, jakby oszalała.

— Przyjrzyj się uważnie, Robercie! Nie widzisz, o co mi chodzi?

Jeszcze raz popatrzył na rysunek.

Do czego ona zmierza?

Langdon widział już wcześniej ten obraz. Zdaniem zwolenników teorii spiskowych był do niezbity „dowód" na to, że masoni sprawują potajemną władzę nad całym narodem. Po nałożeniu sześcioramiennej gwiazdy na Wielką Pieczęć Stanów Zjednoczonych górny wierzchołek znajdował się dokładnie nad wszystkowidzącym okiem masonów, a pozostałe wierzchołki, co osobliwe, wskazywały litery tworzące słowo „m-a-s-o-n".

— Katherine, to czysty przypadek. Nadal nie dostrzegam żadnego związku z Freedom Plaza.

— Popatrz jeszcze raz! — powiedziała gniewnie. — Nie widzisz, na co wskazuję?! Tutaj! I co?!

Nagle Langdon zobaczył.

Dowódca zespołu operacyjnego CIA, Turner Simkins, stał przed gmachem Biblioteki Adamsa, przyciskając telefon do ucha i wytężając słuch, żeby zrozumieć rozmowę prowadzoną na tylnym siedzeniu taksówki.

Coś się stało.

Jego ludzie byli już na pokładzie zmodyfikowanego śmigłowca Sikorsky UH-60, by za chwilę polecieć na północny zachód i ustawić blokadę na drodze. Wyglądało na to, że sytuacja nieoczekiwanie się zmieniła.

Przed chwilą Katherine Solomon powiedziała, że jadą w niewłaściwe miejsce. Jej wyjaśnienie — mające jakiś związek z banknotem jednodolarowym i gwiazdą Dawida — dla Simkinsa nie miało sensu. Wyglądało na to, że również Langdon nie zrozumiał, o co jej chodzi.

— Na Boga, masz słuszność! — wykrzyknął właśnie. — Wcześniej tego nie zauważyłem!

Simkins usłyszał pukanie w przegrodę oddzielającą kierowcę od pasażerów.

— Rozmyśliliśmy się! — powiedziała Katherine do taksówkarza. — Proszę nas zawieźć na Freedom Plaza.

— Na Freedom Plaza? — spytał wyraźnie zdenerwowany Omar. — Nie na północny zachód Massachusetts?

— Niech pan o tym zapomni! Freedom Plaza! Proszę skręcić w lewo! Tutaj!

Agent Simkins usłyszał pisk opon skręcającego samochodu. Katherine z przejęciem opowiadała Langdonowi o słynnym, wykonanym z brązu odlewie Wielkiej Pieczęci Stanów Zjednoczonych, znajdującym się na placu.

— Chciałbym się upewnić, proszę pani — przerwał im taksówkarz, a w jego głosie słychać było napięcie. — Jedziemy na Freedom Plaza, na róg Pennsylvania Avenue i Trzynastej Ulicy?

— Tak! — Katherine skinęła głową. — Niech się pan pospieszy!

— To niedaleko stąd. Będziemy za dwie minuty.

Simkins uśmiechnął się do siebie i popędził do helikoptera. Dobra robota, Omarze.

— Mamy ich! — zawołał do swoich ludzi. — Są na Freedom Plaza! Ruszajcie!

Rozdział 76

Mapą jest Freedom Plaza.

Położony na rogu Pennsylvania Avenue i Trzynastej Ulicy plac jest rozległą przestrzenią, na której za pomocą kamiennej mozaiki przedstawiono pierwotny układ ulic Waszyngtonu pomysłu Pierre'a L'Enfanta. To miejsce popularne wśród turystów nie tylko dlatego, że mogą przechadzać się po gigantycznej mapie, lecz również z tej racji, że Martin Luther King, któremu plac zawdzięcza nazwę, napisał znaczną część swojej słynnej mowy, zaczynającej od słów *Mam marzenie*, w pobliskim hotelu Willard.

Taksówkarz Omar Amirana często woził turystów na Freedom Plaza, lecz ludzie, którzy jechali z nim tej nocy, nie byli zwykłymi zwiedzającymi.

Ściga ich CIA?

Omar ledwie zdążył zatrzymać się przy krawężniku, gdy wyskoczyli z samochodu.

— Proszę na nas poczekać! — polecił mężczyzna w tweedowej marynarce. — Zaraz wracamy!

Omar popatrzył zdumiony, jak gnają po ogromnej kamiennej mapie, wskazując coś i wykrzykując. Sięgnął po komórkę umieszczoną na desce rozdzielczej.

— Jest pan tam?

— Tak, Omarze! — odpowiedział agent, którego głos był ledwie słyszalny w huku helikoptera. — Gdzie są teraz?

— Na mapie. Wygląda na to, że czegoś szukają.

— Nie spuszczaj ich z oczu. Zaraz będziemy na miejscu.

Omar zobaczył, że dwoje zbiegów odnalazło słynną Wielką Pieczęć — jeden z największych odlewów z brązu na świecie. Stali nad nim przez chwilę, po czym jedno z nich wskazało południowy zachód. Mężczyzna w tweedowej marynarce ruszył do taksówki. Omar odłożył komórkę, gdy tamten dobiegł bez tchu do samochodu.

— Mógłby pan pokazać, gdzie jest Alexandria w Wirginii? — zapytał.

— Alexandria? — Omar wskazał południowy zachód, ten sam kierunek, który przed chwilą pokazywali.

— Wiedziałem! — wyszeptał tamten, ciężko dysząc. Odwrócił się na pięcie i krzyknął do kobiety: — Miałaś rację! To Alexandria!

Kobieta wskazała znak „Metro" po przeciwnej stronie placu.

— Można się tam dostać niebieską linią. Trzeba wysiąść na stacji przy King Street!

Omar poczuł falę lęku.

Nie!

Mężczyzna odwrócił się do niego i wręczył mu zwitek banknotów.

— Dziękuję! Reszty nie trzeba! — Zarzucił torbę na ramię i zaczął biec.

— Proszę zaczekać! Mogę was zawieźć! Często tam jeżdżę!

Za późno. Mężczyzna i kobieta przebiegli przez plac i znikli na schodach prowadzących do podziemnej stacji metra.

Omar chwycił komórkę.

— Proszę pana, pobiegli do stacji metra! Nie mogłem ich zatrzymać! Jadą niebieską linią do Alexandrii!

— Zostań tam! — polecił agent. — Będę za piętnaście sekund!

Omar spojrzał na zwitek banknotów. Na wierzchu był ten, na którym coś napisali. Na Wielkiej Pieczęć Stanów Zjednoczonych widniała gwiazda Dawida, a jej wierzchołki wskazywały litery tworzące słowo „mason".

Nagle usłyszał w górze ogłuszający huk i wibrację, jakby jego samochód miał za chwilę staranować ciągnik. Podniósł głowę, lecz na ulicy nie było żadnych pojazdów. Hałas się nasilił i po chwili zobaczył smukły czarny helikopter wyłaniający się z mroku i lądujący pośrodku mapy na Freedom Plaza.

Wyskoczyła z niego grupka mężczyzn w czarnych kombinezonach. Popędzili w kierunku stacji metra, lecz jeden ruszył do taksówki Omara i otworzył drzwi od strony pasażera.

— Jesteś Omar?

Omar skinął głową, nie mogąc wydusić słowa.

— Powiedzieli, dokąd jadą? — spytał agent.

— Do Alexandrii, na stację przy Kings Street. Zaproponowałem, że ich podwiozę...

— Wspominali, dokąd chcą się udać w Alexandrii?

— Nie! Oglądali odlew Wielkiej Pieczęci na placu, a później zapytali o Alexandrię i zapłacili mi tym. Podał agentowi banknot jednodolarowy z dziwnym rysunkiem. Kiedy tamten oglądał jednodolarówkę, Omar połączył wszystkie punkty. Masoni! Alexandria! Przecież w Alexandrii znajduje się jeden z najsłynniejszych gmachów masońskich w całej Ameryce.

— Mam! — wykrzyknął. — Naprzeciwko stacji przy King Street stoi masoński pomnik Jerzego Waszyngtona!

— Masz rację! — przytaknął agent, który doszedł do podobnego wniosku, gdy jego ludzie wybiegli ze stacji.

— Zgubiliśmy ich! — krzyknął jeden z mężczyzn. — Pociąg niebieskiej linii odjechał przed chwilą! Nie było ich na peronie.

Agent Simkins spojrzał na zegarek i odwrócił się do Omara.

— Jak długo jedzie metro do Alexandrii?

— Co najmniej dziesięć minut, pewnie dłużej.

— Wspaniale się spisałeś, Omarze. Dziękuję.

— Jasne. O co w tym wszystkim chodzi?

Nie usłyszał odpowiedzi, bo agent Simkins już biegł do helikoptera, wykrzykując rozkazy:

— Na stację przy King Street! Musimy się tam dostać przed nimi!

Omar patrzył zdumiony, jak wielki czarny ptak unosi się w powietrze. Maszyna skręciła ostro na południe, przeleciała nad Pennsylvania Avenue i z hukiem niknęła w mroku.

Pociąg metra zaczął nabierać prędkości pod ulicą, na której stała taksówka Omara, oddalając się od Freedom Plaza. Robert Langdon i Katherine Solomon siedzieli zdyszani, nie mówiąc ani słowa.

Rozdział 77

Wspomnienie tamtego wydarzenia zawsze zaczynało się tak samo.

Spadał... leciał do tyłu, ku skutej lodem rzece na dnie głębokiego wąwozu. Nad sobą widział bezlitosne szare oczy Petera Solomona, spoglądające znad lufy pistoletu. Miał wrażenie, że cały świat ponad nim odpływa, spowity wolną mgiełką unoszącą się nad wodospadem.

W jednej chwili wszystko stało się białe, jakby trafił do nieba.

Później uderzył o lód.

Zimno. Ciemność. I Ból.

Spadał, ciągnięty potężną siłą, która spychała go po skałach w lodowatą próżnię. Chociaż płuca rozpaczliwie potrzebowały powietrza, mięśnie klatki piersiowej tak gwałtownie napięły się z zimna, że nie mógł oddychać.

Jestem pod lodem.

Widać warstwa lodu w pobliżu wodospadu była cienka, bo wpadł do wody. Nurt znosił go w dół, uwięzionego pod przezroczystym sklepieniem. Naparł na lód, ale nie mógł go pokonać z powodu braku punktu podparcia. Przeszywający ból ramienia osłabł, podobnie jak pieczenie w piersi. Jedno i drugie doznanie przyćmiło paraliżujące odrętwienie.

Nurt stawał się coraz szybszy, wynosząc go za zakole rzeki. Jego ciało rozpaczliwie pragnęło powietrza. Nagle zaplątał się w gałęzie, uderzywszy w pień drzewa, które wpadło do wody.

Myśl!

Rozpaczliwie złapał się konaru i podciągnął w górę, by znaleźć miejsce, w którym pień wynurza się ponad powierzchnię. Koniuszkami palców namacał małą szparę w lodzie otaczającymi konar. Dźwignął się, próbując powiększyć otwór. Zrobił tak raz i drugi, poszerzając go do kilku centymetrów.

Oparł się o konar i przekrzywił głowę, przyciskając usta do małej szczeliny. Zimowe powietrze, które wpadło do jego płuc, wydało się ciepłe. Nagły przypływ tlenu ożywił nadzieję. Oparł nogi o pień drzewa i naparł do góry plecami i ramionami. Podziurawiony konarami i korą lód otaczający drzewo był już osłabiony, więc gdy zaparł się potężnymi nogami, i jego głowa i ramiona przebiły lód. Płuca wypełniały się powietrzem. Nadal częściowo zanurzony, dźwignął się rozpaczliwie w górę, zapierając nogami i podciągając na rękach, aż w końcu padł bez tchu na lód.

Zerwał z twarzy przemoczoną kominiarkę i wsunął ją do kieszeni, spoglądając w górę strumienia, by wypatrzyć Petera Solomona. Widok przesłaniało zakole rzeki. Znów poczuł piekący ból w piersi. Szybko zasłonił otwór w lodzie małą gałęzią. Do rana skuje go lodowa tafla.

Kiedy Andros dotarł chwiejnym krokiem do lasu, zaczął padać śnieg. Nie miał pojęcia, jak długo biegł. Wreszcie wypadł spomiędzy drzew na nasyp obok szosy. Miał przywidzenia i był wychłodzony. Zaczął padać jeszcze gęstszy śnieg, gdy w oddali dostrzegł światła reflektorów. Zamachał dziko rękami. Furgonetka natychmiast zjechała na pobocze. Miała rejestrację stanu Vermont. Z kabiny wysiadł staruszek w czerwonej koszuli w kratę.

Andros zaczął się wlec w jego stronę, trzymając się za krwawiącą pierś.

— Zostałem postrzelony... przez myśliwego! Muszę się dostać do... szpitala!

Staruszek bez zastanowienia pomógł mu wsiąść do kabiny i zwiększył ogrzewanie.

— Gdzie jest najbliższy szpital?! — spytał.

Andros nie miał pojęcia, ale wskazał na południe.

Nie pojedziemy do szpitala.

Następnego dnia zgłoszono zaginięcie starszego mężczyzny ze stanu Vermont, lecz nikt nie wiedział, gdzie mógł zniknąć podczas jazdy z Vermontu w oślepiającej śnieżycy. Nikt też nie połączył jego zniknięcia z nowiną, która następnego dnia zdominowała nagłówki gazet — z szokującą wiadomością, że Isabel Solomon została zamordowana.

Kiedy Andros się obudził, leżał w pokoju w tanim motelu, który był zamknięty, bo sezon się skończył. Przypomniał sobie, jak włamał się do środka i owinął rany podartymi prześcieradłami, a następnie położył się na lichym łóżku pod zatęchłymi kocami. Umierał z głodu.

Pokuśtykał do łazienki i zobaczył w zlewie zakrwawiony śrut. Pamiętał jak przez mgłę, że wydłubał go sobie z klatki piersiowej. Spojrzał w brudne lustro i z ociąganiem zaczął odwijać zakrwawione bandaże, żeby obejrzeć rany. Twarde mięśnie klatki piersiowej i brzucha sprawiły, że śrut nie przeniknął zbyt głęboko. Mimo to jego ciało, kiedyś tak doskonałe, teraz było oszpecone ranami. Kula wystrzelona przez Petera Solomona najwyraźniej przeszła na wylot, bo w ramieniu był tylko krwawy otwór.

Co gorsza, Andros nie zdobył tego, po co przyjechał z tak daleka. Piramidy. Ponieważ jego żołądek skręcał się z głodu, pokuśtykał do furgonetki staruszka, mając nadzieję, że znajdzie coś do jedzenia. Samochód pokrywała gruba warstwa śniegu. Andros był ciekaw, jak długo spał.

Bogu dzięki, że się obudziłem.

Chociaż nie znalazł jedzenia, w schowku na rękawiczki natknął się na środki przeciwbólowe dla cierpiących na artretyzm. Połknął kilka tabletek, przegryzając garścią śniegu.

Potrzebuję jedzenia.

Kilka godzin później zza starego motelu wyjechała furgonetka w niczym nieprzypominająca pojazdu, który pojawił się tu dwa dni wcześniej. Znikł umieszczony na dachu podświetlony napis, kołpaki i nalepki na zderzakach oraz boczna listwa. Znikły również tablice rejestracyjne Vermontu, zastąpione rejestracją wozu dostawczego, który Andros znalazł obok dużego kontenera na śmieci, gdzie zostawił zakrwawione prześcieradła, śrut i inne dowody swojego pobytu.

Nie zrezygnował ze zdobycia piramidy, lecz w tej chwili nie to było najważniejsze. Musiał się ukryć, wyzdrowieć i przede wszystkim najeść. W przydrożnej restauracji objadł się jajecznicą, bekonem i tłuczonymi ziemniakami z cebulą, wypił też trzy szklanki soku pomarańczowego. Kiedy skończył, zamówił jedzenie na wynos. Ruszywszy w dalszą drogę, włączył stare radio. Od tamtej nocy nie oglądał telewizji ani nie czytał gazet, więc gdy w końcu usłyszał wiadomości lokalnej rozgłośni radiowej, był w szoku.

„Agenci FBI w dalszym ciągu poszukują uzbrojonego napastnika, który dwa dni temu zamordował Isabel Solomon w jej domu nad Potomakiem — mówiła spikerka. — Morderca podobno wpadł pod lód i jego ciało zostało zniesione do morza".

Andros zamarł. Zamordował Isabel Solomon?

Jechał w milczeniu, słuchając dalszych informacji.

Najwyższy czas znaleźć się jak najdalej od tego miejsca.

Z apartamentu przy Upper West Side rozciągał się zapierający dech w piersiach widok na Central Park. Andros wybrał to mieszkanie, ponieważ zielone morze za oknem przypominało mu Adriatyk. Chociaż wiedział, iż powinien się cieszyć, że żyje, nie był szczęśliwy. Poczucie pustki nigdy go nie opuściło, a myśl o nieudanej próbie zdobycia piramidy Petera Solomona stała się jego obsesją.

Godzinami analizował legendę o masońskiej piramidzie i choć nikt nie sądził, że jest w niej choć ziarno prawdy, wszyscy zgadzali się, że piramida ma dawać mądrość i moc.

Masońska piramida istnieje — powiedział sobie Andros. — Mam poufne informacje, których nie można lekceważyć.

Przeznaczenie sprawiło, że piramida znalazła się w jego zasięgu, a wiedział, że jej zignorowanie przypominałoby niezrealizowanie wygranego losu na loterię

Jestem jedynym spoza kręgu masonów, który wie, że piramida jest prawdziwa. Wiem też, kto jej strzeże.

Mijały miesiące, lecz choć odzyskał siły, Andros nie był już takim chojrakiem jak w Grecji. Przestał ćwiczyć i podziwiać przed lustrem swoje nagie ciało. Miał wrażenie, że zaczyna się starzeć. Niegdyś idealna skóra została oszpecona bliznami, co wpędzało go w jeszcze głębszą depresję. Wciąż musiał zażywać środki przeciwbólowe, co pozwoliło mu przetrwać okres leczenia.

Miał wrażenie, że wraca do stylu życia, który spowodował, że trafił do więzienia w Soganlik.

Nic mnie to nie obchodzi.

Ciało pożąda tego, czego pożąda.

Którejś nocy kupił w Greenwich Village narkotyki od człowieka, którego ramię zdobił długi tatuaż przedstawiający postrzępioną błyskawicę. Andros spytał, co oznacza, a mężczyzna wyjaśnił, że tatuaż maskuje długą bliznę.

— Oglądanie jej przypominało mi codziennie o wypadku, więc kazałem wytatuować na ramieniu symbol mocy. Odzyskałem kontrolę nad swoim życiem.

Tamtej nocy, pod wpływem narkotyków, Andros powlókł się do pobliskiego studia tatuażu i zdjął koszulę.

— Chcę ukryć te blizny — oznajmił.

Chcę znów kontrolować swoje życie.

— Ukryć blizny? — spytał właściciel studia, spoglądając na jego klatkę piersiową. — W jaki sposób?

— Pod tatuażami.

— Jasne, tylko co mają przedstawiać?

Andros wzruszył ramionami, bo chciał tylko zasłonić szkaradne ślady przypominające mu o przeszłości.

— Nie mam pojęcia, wybierz coś.

Artysta pokręcił głową i wręczył Androsowi książeczkę o starożytnej świętej tradycji tatuowania ciała.

— Wróć, kiedy będziesz wiedział.

Andros odkrył, że w nowojorskiej bibliotece publicznej znajdują się pięćdziesiąt trzy książki na temat tatuażu i przeczytał wszystkie w ciągu kilku tygodni. Odkrywszy na nowo pasję czytania, zaczął znosić do domu stosy książek, pożerając je łapczywie i spoglądając przez okno na Central Park.

Książki o tatuażu otworzyły drzwi prowadzące do dziwnego świata, o którego istnieniu nie miał wcześniej pojęcia — świata symboli, mistycyzmu, mitologii i sztuk magicznych. Im więcej czytał, tym lepiej rozumiał, jaki był ślepy. Zaczął zapisywać swoje myśli, robić szkice i notować dziwne sny. Kiedy nie mógł znaleźć w bibliotece tego, czego szukał, płacił antykwariuszom handlującymi rzadkimi książkami za najdziwniejsze ezoteryczne teksty.

De Praestigiis Daemonum... Lemegeton... Ars Almadel... Grimorium Verum... Ars Notoria... i wiele innych. Przeczytał je wszystkie, coraz głębiej przekonany, że świat nadal ma dla niego wiele skarbów.

Są tajemnice, które umykają ludzkiemu poznaniu.

Później odkrył pisma Aleistera Crowleya — mistyka i wizjonera z początku XX wieku — którego Kościół okrzyknął „najgorszym z ludzi".

Maluczcy zawsze bali się wielkich umysłów.

Andros poznał moc rytuałów i zaklęć. Nauczył się świętych słów, które właściwie użyte, otwierały niczym klucz bramy prowadzące do innych światów.

Za tym światem istnieje świat cienia, z którego mogę czerpać moc.

Andros pragnął zdobyć tę moc, lecz wiedział o zasadach i zadaniach, które trzeba wcześniej wykonać.

Stań się uświęcony — pisał Crowley. — *Uczyń sam siebie świętym.*

Starożytny obrzęd „uświęcenia" niegdyś był powszechny. Starożytni wiedzieli, że Bóg żąda ofiary — od wczesnych Hebrajczyków, którzy składali ofiary w świątyni, i Majów ścinających ludziom głowy na wierzchołku piramid w Chichén Itzá, po Jezusa Chrystusa, który umarł na krzyżu. Ofiary były rytuałem, dzięki któremu ludzie zyskiwali przychylność bóstw i stawali się święci.

Sacer — święty.

Facere — czynić.

Chociaż z obrzędów ofiarnych zrezygnowano dawno temu, ich moc przetrwała. Współcześni mistycy praktykujący Sztukę, wśród których był Aleister Crowley, z upływem czasu stawali się coraz bardziej doskonali, stopniowo przekształcając się w istoty wyższe. Andros pragnął doświadczyć podobnej przemiany. Z drugiej strony wiedział, że aby do tego doszło, musi przejść przez niebezpieczny most.

Krew jest tym, co oddziela światło od ciemności.

Pewnej nocy przez otwarte okno w łazience do mieszkania Androsa wleciała wrona. Obserwował, jak trzepocze się przez chwilę, a później uspokaja, jakby pogodziła się z niemożnością ucieczki. Andros wiedział już wystarczająco dużo, by rozpoznać znak. Zostałem wezwany, aby wyruszyć.

Ściskając ptaka w jednej ręce, stanął w kuchni przed prowizorycznym ołtarzem, unosząc ostry nóż i wypowiadając zaklęcie:

— Na imiona najświętszych aniołów z *Księgi Assamaian*... Camiacha, Eomiaha, Emiala, Machala, Emoii, Zazeana... wzywam cię, abyś pomógł mi w tym dziele mocą Jedynego Prawdziwego Boga.

To powiedziawszy, opuścił nóż i ostrożnie rozciął dużą żyłę na prawym skrzydle wystraszonego ptaka. Wrona zaczęła krwawić. Patrząc, jak strużka czerwonej krwi spływa do metalowego kubka, nagle poczuł lodowaty powiew. Mimo to kontynuował obrzęd.

— Wszechmocny Adonai, Arathronie, Ashai, Elohim, Elohi, Elionie, Ashe Eheiehu, Shaddaju... pomóżcie mi, aby ta krew miała moc i spełniała wszystko, czego zapragnę i czego zażądam.

Tej nocy śniły mu się ptaki... ogromny Feniks powstający z obłoku ognia. Następnego ranka obudził się pełen energii, jakiej nie czuł od czasów dzieciństwa. Poszedł biegać do parku. Biegł szybciej i dalej, niż wydawało się to możliwe. Kiedy nie mógł już dłużej biec, zaczął robić pompki i przysiady. Niezliczoną ilość powtórzeń. Nadal miał energię.

Następnej nocy Feniks znów odwiedził go we śnie.

W Central Parku nastała jesień, a zwierzęta zaczęły gromadzić zapasy na zimę. Choć Andros nie znosił zimna, jego chytre pułapki zapełniły się żywymi szczurami i wiewiórkami. Zabierał je do domu w plecaku, odprawiając coraz bardziej skomplikowane obrzędy.

„Emanualu, Massiachu, Yod, He, Vaud... uznajcie mnie za godnego".

Krwawe rytuały wzmacniały jego energię. Andros z każdym dniem czuł się młodszy. Czytał dniami i nocami starożytne teksty mistyczne, średniowieczne poematy, pisma wczesnych filozofów. Im więcej wiedział o prawdziwej naturze rzeczy, tym lepiej zdawał sobie sprawę, że dla ludzkości nie ma nadziei.

Są ślepi, błąkają się bez celu po świecie, którego nigdy nie zrozumieją.

Chociaż wciąż był człowiekiem, czuł, że staje się istotą wyższą. Kimś o wiele większym. Świętym. Jego rosłe ciało obudziło się z uśpienia bardziej potężne niż przedtem. Wreszcie zrozumiał prawdziwy cel jego istnienia: ciało jest tylko naczyniem zawierającym najcenniejszy skarb, jaki posiadam — umysł.

Wiedząc, że nie zrealizował jeszcze swego prawdziwego potencjału, sięgał coraz głębiej. Co jest moim przeznaczeniem? Wszystkie starożytne teksty mówiły o dobru i złu, i wyborze, którego człowiek musi dokonać. Podjąłem decyzję dawno temu — pomyślał, nie czując żalu. — Czym jest zło, jeśli nie prawem natury? Ciemność następuje po jasności, chaos po porządku. Prawo entropii jest uniwersalne. Wszystko ulega zniszczeniu. Doskonały kryształ kiedyś zamieni się w cząsteczki pyłu.

Są ci, którzy stwarzają, i ci, co niszczą.

Zaczął rozumieć swoje przeznaczenie dopiero po przeczytaniu *Raju utraconego* Johna Miltona. Znalazł tam postać wielkiego upadłego anioła, wojowniczego demona, który sprzeciwiał się światłu, bohaterskiego ducha, anioła nazywanego Molochem.

Moloch chodził po ziemi niczym bóg.

Później dowiedział się, że w starożytnym języku imię owego anioła brzmiałoby Mal'akh.

Przyjmę to imię.

Podobnie jak wszystkie wielkie przemiany, i ta nie mogła się obejść bez ofiary. Nie chodziło jednak o kolejną ofiarę ze szczura lub ptaka. Ta przemiana wymagała ofiary prawdziwej.

Istnieje tylko jedna wartościowa ofiara.

Nagle z niezwykłą jasnością ujrzał wszystko, czego w życiu doświadczył. Zmaterializowało się całe jego przeznaczenie. Trzy dni z rzędu rysował na ogromnej płachcie papieru. Kiedy skończył, wiedział, iż stworzył projekt tego, kim się stanie.

Zawiesił płachtę na ścianie i spojrzał na nią jak w lustro.

Jestem dziełem sztuki.

Następnego dnia zaniósł rysunek do studia tatuażu.

Był gotowy.

Rozdział 78

Masońskie mauzoleum Jerzego Waszyngtona stoi na szczycie wzgórza Shuter's w Alexandrii w stanie Wirginia. Wieża składająca się z trzech kondygnacji — doryckiej, jońskiej i korynckiej — jest symbolem rozwoju ludzkiego intelektu. Gmach wzorowany na starożytnej latarni w Faros, w egipskiej Aleksandrii, ma wieżę zwieńczoną egipską piramidą niczym płomiennym kwiatonem.

W ogromnym marmurowym holu stoi masywny, odlany z brązu posąg Jerzego Waszyngtona ze wszystkimi masońskimi regaliami oraz kielnią, której użył, gdy kładł kamień węgielny pod gmach Kapitolu. Ponad holem wznosi się dziewięć kolejnych poziomów noszących takie nazwy, jak: Grota, Krypta czy Kaplica Templariuszy. Wśród skarbów, które się tam znajdują, jest ponad dwadzieścia tysięcy tomów pism masońskich, niezwykła replika Arki Przymierza, a nawet model komnaty tronowej ze Świątyni Salomona.

Agent CIA Simkins spojrzał na zegarek, gdy helikopter przemknął nisko nad wodami Potomacu.

Do przyjazdu metra zostało sześć minut.

Odetchnął głęboko i wyjrzał przez okno na mauzoleum rysujące się na horyzoncie. Musiał przyznać, że żaden z gmachów na terenie National Mall nie może dorównać jego wieży. Nigdy nie był w środku i nie zanosiło się na to, by tej nocy sytuacja uległa zmianie. Jeśli wszystko pójdzie zgodnie z planem, Robert Langdon i Katherine Solomon nigdy nie wyjdą ze stacji.

— Tam! — krzyknął do pilota, wskazując podziemną stację metra przy Kings Street naprzeciwko mauzoleum Waszyngtona. Pilot przechylił maszynę i posadził ją na trawniku u stóp wzgórza Shutter's.

Przechodnie patrzyli zdumieni, jak Simkins i jego zespół zeskakują na ziemię i biegną przez ulicę w kierunku stacji metra. Kilku podróżnych uskoczyło na bok i przylgnęło do ściany, gdy grupa uzbrojonych mężczyzn przebiegła obok nich.

Stacja King Street okazał się większa, niż sądził agent Simkins — najwyraźniej obsługiwała kilka linii: niebieską, żółtą i kolej Amtrak. Spojrzał na mapę metra wiszącą na ścianie i odnalazł Freedom Plaza.

— Niebieska linia, południowy peron! — krzyknął. — Zejdźcie tam i usuńcie wszystkich!

Jego ludzie ruszyli naprzód.

Simkins podbiegł do budki z biletami, mignął odznaką i spytał siedzącą w środku kobietę:

— O której przyjeżdża następny pociąg ze stacji Metro Center?

Spojrzała na niego przestraszona.

— Nie jestem pewna. Składy niebieskiej linii przyjeżdżają co jedenaście minut. Nie ma ustalonego rozkładu.

— Ile czasu upłynęło od przyjazdu ostatniego pociągu?

— Pięć... może sześć minut. Nie więcej.

Turner dokonał szybkich obliczeń. Doskonale. Langdon musi być w następny składzie.

Katherine wierciła się na niewygodnym plastikowym krześle w pustym wagonie pędzącej kolejki. Raziły ją jasne fluorescencyjne światła nad głową. Z trudem przezwyciężyła pragnienie zamknięcia oczu choćby na chwilę. Langdon siedział naprzeciwko niej, wpatrując się tępo w stojącą na podłodze skórzaną torbę. Jego powieki były ciężkie, jakby rytmiczne kołysanie pociągu wprawiło go w trans.

Katherine pomyślała o dziwnej zawartości bagażu Langdona. Dlaczego CIA zależy na tej piramidzie?

Bellamy powiedział, że Sato chce ją zdobyć, ponieważ dowiedziała się o jej prawdziwej mocy. Nawet jeśli ta piramida wskaże miejsce ukrycia starożytnych tajemnic, trudno uwierzyć, aby obietnica pradawnej mistycznej mądrości wzbudziła zainteresowanie CIA.

Po chwili przypomniała sobie, że CIA kilkakrotnie prowadziła programy badawcze związane ze zjawiskami parapsychologicznymi i paranormalnymi, które miały coś wspólnego ze starożytną magią i mistycyzmem. W 1990 roku ujawniono program „Stargate" i ściśle tajną technologię CIA nazywaną widzeniem na odległość — rodzaj telepatycznych podróży umysłu, pozwalających „obserwatorowi" przenieść się duchowo w dowolne miejsce na kuli ziemskiej i zbierać dane szpiegowskie bez fizycznej obecności. Oczywiście ten pomysł nie był niczym nowym. Mistycy nazywali to projekcją astralną, a jogini — doświadczeniem poza ciałem. Niestety, przerażeni amerykańscy podatnicy uznali to za absurd i program badawczy został przerwany. Przynajmniej oficjalnie.

Jak na ironię, Katherine dostrzegała istotne związki pomiędzy tym zawieszonym programem i swoimi przełomowymi badaniami z dziedziny noetyki.

Kusiło ją, żeby zadzwonić na policję i spytać, czy znaleźli coś podejrzanego w domu w Kalorama Heights, lecz ani ona, ani Langdon nie mieli telefonu. Zresztą skontaktowanie się z władzami z pewnością byłby błędem, bo nie wiadomo, jak daleko sięgają macki Sato.

Cierpliwości, Katherine.

Za kilka minut znajdą się w bezpiecznej kryjówce, u człowieka, który obiecał, że odpowie na ich pytania.

— Robercie, wysiadamy na następnej stacji — szepnęła, spoglądając na mapę metra.

Langdon powoli otrząsnął się ze snu na jawie.

— Dzięki. — Kiedy pociąg wjechał z hukiem na stację, podniósł torbę i spojrzał niepewnie na Katherine. — Miejmy nadzieję, że tym razem obejdzie się bez kłopotów.

Kiedy Turner Simkins zbiegł na dół, by dołączyć do swoich ludzi, stacja została opróżniona z pasażerów. Agenci się rozproszyli, zajmując pozycje za filarami stojącymi wzdłuż peronu.

Z tunelu doleciało dalekie dudnienie, nasilające się z każdą sekundą. Simkins poczuł ciepły powiew stęchłego powietrza.

Tym razem nie uciekniesz, Langdon.

Zwrócił się do dwóch agentów, którym kazał stanąć obok siebie:

— Wyciągnijcie odznaki i broń. Wagony są zautomatyzowane, ale motorniczy może otworzyć drzwi ręcznie.

W tunelu ukazały się reflektory pociągu, a powietrze przeszył pisk hamulców. Kiedy skład wpadł na peron i zaczął zwalniać, Simkins i dwaj agenci pokazali odznaki i próbowali nawiązać kontakt wzrokowy z motorniczym, zanim ten otworzy drzwi.

Simkins dostrzegł jego zdumioną twarz, gdy próbował odgadnąć, dlaczego trzej mężczyźni w czarnych kombinezonach machają w jego stronę identyfikatorami. Simkins ruszył w stronę zwalniającego pociągu.

— CIA! — krzyknął, podnosząc odznakę. — Nie otwierać drzwi! — Kiedy wagony przesunęły się wolno obok niego, podszedł do motorniczego. — Nie otwierać drzwi! Zrozumiano?! Nie otwierać drzwi!

Wagony stanęły, a motorniczy kiwał głową z wytrzeszczonymi oczami.

— Co się stało? — spytał przez okno.

— Zatrzymujemy pociąg — powiedział Simkins. — Nie otwieraj drzwi.

— Zrozumiałem.

— Możesz nas wpuścić do pierwszego wagonu?

Konduktor skinął głową. Przestraszony, wysiadł z pociągu i zamknął za sobą drzwi, a następnie zaprowadził Simkinsa i jego ludzi do pierwszego wagonu i ręcznie otworzył drzwi.

— Zamknij za nami — polecił Simkins, wyciągając broń. Weszli do jasno oświetlonego wagonu.

W pierwszym wagonie jechało tylko czterech pasażerów — trzech nastolatków i staruszka. Byli zdumieni na widok uzbrojonych funkcjonariuszy wchodzących do środka. Simkins pokazał odznakę.

— Wszystko w porządku — powiedział. — Proszę pozostać na miejscach.

Zaczęli przeszukiwać wagon, idąc w stronę końca składu. „Wyciskali pastę", jak nazywano to podczas szkolenia na „Farmie". W pociągu było niewielu pasażerów. Chociaż agenci dotarli do połowy składu, nie zauważyli nikogo choć trochę podobnego do Roberta Langdona i Katherine Solomon. Mimo to Simkins nie stracił pewności siebie. Nie mogli się ukryć. Żadnych toalet, żadnych pomieszczeń technicznych, żadnych wyjść awaryjnych. Nawet jeśli poszukiwani zobaczyli, jak wsiadają, i uciekli do tyłu, nie mogą wydostać się na zewnątrz. Podważenie drzwi było praktycznie niemożliwe, w dodatku Simkins obserwował peron po obu stronach pociągu.

Cierpliwości.

Kiedy dotarł do przedostatniego wagonu, zaczął się denerwować. W środku był tylko jeden pasażer — Chińczyk. Simkins i jego ludzie popędzili przed siebie, wypatrując miejsc, w których można się ukryć. Nie zauważyli nikogo.

— Ostatni wagon! — polecił Simkins, unosząc broń. Kiedy wpadli do środka, zatrzymali się i spojrzeli po sobie.

Co, do...?!

Simkins pognał na koniec pustego wagonu, zaglądając za siedzenia. Odwrócił się do swoich ludzi, czując, jak gotuje się w nim krew.

— Co się z nimi stało, do ciężkiej cholery!

Rozdział 79

Dziesięć kilometrów na północ od Alexandrii Robert Langdon i Katherine Solomon szli spokojnie przez rozległy, pokryty szronem trawnik.

— Powinnaś być aktorką — powiedział Langdon, zaskoczony refleksem Katherine i jej zdolnością improwizacji.

— Ty też nie byłeś najgorszy — zauważyła z uśmiechem.

W pierwszej chwili Langdon był zdezorientowany, gdy patrzył na dziwne zachowanie Katherine. Bez uprzedzenia zażądała, aby pojechali na Freedom Plaza, bo nagle doznała olśnienia na widok gwiazdy Dawida i Wielkiej Pieczęci. Naszkicowała znany rysunek rozpowszechniany przez wyznawców teorii spiskowych, po czym skłoniła Langdona, by zobaczył, co wskazuje.

Langdon pojął w końcu, że nie pokazuje mu banknotu jednodolarowego, lecz małą żarówkę w tylnej części fotela kierowcy. Była tak brudna, że początkowo jej nie dostrzegł. Kiedy pochylił się do przodu, zauważył, że jest włączona i emituje przyćmione czerwone światło.

Interkom jest włączony.

Spojrzał zdumiony na Katherine, która przerażonym wzrokiem pokazała mu kierowcę. Popatrzył dyskretne przez przegrodę z pleksiglasu. Otwarty telefon komórkowy taksówkarza był włączony i zwrócony w stronę mikrofonu interkomu. Chwilę później zrozumiał jej zachowanie.

Wiedzą, że jedziemy taksówką... słyszą nas.

Nie miał pojęcia, ile czasu upłynie, zanim otoczą i zatrzymają taksówkę, wiedział jednak, że muszą działać szybko. Natychmiast włączył się do gry, wiedząc, że Katherine chce się dostać na Freedom Plaza nie z powodu piramidy, lecz ponieważ jest tam duża stacja metra — Metro Center — z której mogą pojechać czerwoną, niebieską lub pomarańczową linią w sześciu różnych kierunkach.

Kiedy wyskoczyli z taksówki, Langdon przejął pałeczkę, improwizując i zostawiając ślad prowadzący do masońskiego mauzoleum w Alexandrii. Później zbiegli do stacji metra, mijając perony niebieskiej linii i biegnąc ku czerwonej, gdzie wsiedli do składu jadącego w zupełnie inną stronę, niż „ustalili" w taksówce.

Po przejechaniu sześciu przystanków na północ do Tenleytown wysiedli w spokojniej ekskluzywnej okolicy. Miejsce, do którego zmierzali, najwyższa budowla w promieniu wielu kilometrów, natychmiast ukazało się na horyzoncie za Massachusetts Avenue, na szerokiej przestrzeni porośniętej wypielęgnowaną trawą.

Kiedy „znaleźli się poza zasięgiem", jak to określiła Katherine, ruszyli przez wilgotną trawę. Po prawej rozciągał się utrzymany w średniowiecznym stylu ogród znany ze starych krzewów róż i altany nazywanej Domem Cienia. Minęli go, zmierzając w stronę okazałej budowli, w której mieli się zjawić. „Kryjówka, na północ od Tybru, w której jest dziesięć kamieni z góry Synaj, jeden z nieba i jeden z wizerunkiem mrocznego ojca Luke'a".

— Nigdy nie byłam tu nocą — powiedziała Katherine, spoglądając na jasno oświetlone wieże. — Wygląda imponująco.

Langdon przytaknął, choć prawie zapomniał, jak okazała jest ta budowla. Neogotycka katedra wznosiła się na północnym krańcu Embassy Row. Nie był tu od lat — od czasu, gdy napisał artykuł do pisemka dla dzieci, mając nadzieję, że uda mu się wzbudzić zainteresowanie młodych Amerykanów i skłonić ich do odwiedzenia tego zdumiewającego miejsca. Jego artykuł, zatytułowany *Mojżesz, skały księżycowe i Gwiezdne wojny*, był przez wiele lat lekturą obowiązkową wszystkich turystów odwiedzających miasto.

Katedra Świętych Piotra i Pawła w Waszyngtonie — pomyślał. — Czy jest lepsze miejsce, w którym można spytać o jedynego prawdziwego Boga?

— Czy tu naprawdę jest dziesięć kamieni z góry Synaj? — spytała Katherine, spoglądając na bliźniacze wieże.

Langdon skinął głową.

— W pobliżu głównego ołtarza. Symbolizują dziesięć przykazań przekazanych Mojżeszowi na tej górze.

— A skała księżycowa?

Skała z nieba.

— Tak, Jeden z witraży został nazywany Kosmicznym Oknem, bo wprawiono w niego kawałek skały księżycowej.

— Zgoda, ale tego ostatniego to już chyba nie można traktować poważnie? — W pięknych oczach Katherine pojawiła się iskra sceptycyzmu. — Posąg... Dartha Vadera?

Langdon zachichotał.

— Mrocznego ojca Luke'a? Absolutnie tak. Vader jest jedną z najbardziej znanych groteskowych figur katedry. — Wskazał w górę, na jedną z zachodnich wież. — Trudno go dostrzec w nocy, lecz zapewniam cię, że tam jest.

— Co, u licha, Darth Vader robi w katedrze Świętych Piotra i Pawła?

— Zwyciężył w konkursie rzeźbiarskim dla dzieci na gargulca przedstawiającego oblicze diabła.

Zaczęli wchodzić po majestatycznych schodach prowadzących do głównego wejścia, znajdującego się w głębi wysokiego na dwadzieścia pięć metrów łuku pod imponującym rozetowym oknem. Langdon pomyślał o tajemniczym nieznajomym, który do nich zadzwonił. „Proszę, bez nazwisk... Czy udało się panu zabezpieczyć mapę, którą mu powierzono?". Ramię zaczęło go boleć od dźwigania ciężkiej kamiennej piramidy, więc nie mógł się doczekać, aż ją odda.

Schronienie i odpowiedzi.

Kiedy stanęli na szczycie schodów, zobaczyli wielkie drewniane drzwi.

— Mamy zapukać? — spytała Katherine.

Langdon zadał sobie to samo pytanie, lecz drzwi otworzyły się ze skrzypieniem.

— Kto tam? — spytał słaby głos. W drzwiach ukazała się chuda twarz starca. Miał na sobie sutannę i patrzył na nich wzrokiem bez wyrazu. Jego oczy były mętne i białe, przesłonięte zaćmą.

— Jestem Robert Langdon. A to Katherine Solomon. Szukamy schronienia.

Niewidomy odetchnął z ulgą.

— Dzięki Bogu. Czekałem na was.

Rozdział 80

Warren Bellamy dostrzegł słaby promyk nadziei.

Dyrektor Sato otrzymała przed chwilą telefon od swojego agenta operacyjnego i wygłosiła gniewną tyradę.

— Lepiej ich znajdź, do cholery! — krzyknęła na zakończenie. — Mamy coraz mniej czasu!

Rozłączyła się i zaczęła chodzić tam i z powrotem przed Bellamym, zastanawiając się nad kolejnym posunięciem.

W końcu zatrzymała się i odwróciła w jego stronę:

— Panie Bellamy, spytam pana raz i tylko raz. — Spojrzała mu głęboko w oczy. — Podejrzewa pan, dokąd mógł się udać Langdon? Tak czy nie?

Bellamy miał coś więcej niż podejrzenia, lecz pokręcił głową.

— Nie.

Sato wciąż świdrowała go wzrokiem.

— Niestety, moja praca wymaga umiejętności rozpoznawania, kiedy ludzie kłamią.

Bellamy odwrócił oczy.

— Przykro mi, nie mogę pani pomóc.

— Architekcie Bellamy — powiedziała z naciskiem Sato — dziś wieczorem, po dziewiętnastej, jadł pan obiad w restauracji za miastem, gdy zadzwonił do pana człowiek twierdzący, że porwał Petera Solomona.

Bellamy poczuł zimny dreszcz i spojrzał jej w oczy.

Skąd ona to wie?

— Człowiek ten — ciągnęła — powiedział, że wysłał do

Kapitolu Roberta Langdona i dał mu do wykonania zadanie... zadanie wymagające pańskiej pomocy. Ostrzegł, że jeśli Langdon nie zrobi tego, co mu każe, pański przyjaciel Peter Solomon, umrze. Był pan przerażony i zadzwonił pan pod wszystkie numery Petera, niestety bez skutku. Wtedy, co zrozumiałe, popędził pan do Kapitolu.

Bellamy był ciekaw, skąd Sato wie o telefonie porywacza.

— Uciekając z Kapitolu — kontynuowała Sato, dopalając papierosa — wysłał pan wiadomość do tego człowieka, zapewniając go, że udało wam się zdobyć masońską piramidę.

Skąd ona ma te informacje? — zdziwił się Bellamy. — Nawet Langdon nie wiedział, że wysłałem wiadomość. Kiedy tylko weszli do tunelu łączącego Kapitol z Biblioteką Kongresu, Bellamy zniknął w pomieszczeniu technicznym, by włączyć światło. Korzystając z chwili samotności, postanowił wysłać krótką wiadomość porywaczowi Solomona. Poinformował go o zaangażowaniu Sato i zapewnił, że on — Bellamy — i Langdon zdobyli masońską piramidę i spełnią jego żądania. Oczywiście było to kłamstwo, lecz Bellamy miał nadzieję, iż zyska w ten sposób trochę czasu dla Petera i dla nich, by mogli ukryć piramidę.

— Kto pani o tym powiedział?

Sato rzuciła na ławkę jego komórkę.

— Trudno to nazwać technologią przyszłości.

Bellamy przypomniał sobie, że agent, który go aresztował, odebrał mu telefon i klucze.

— Jeśli chodzi o inne poufne informacje — mówiła Sato — ustawa Patriot Act* pozwala mi podsłuchiwać rozmowy telefoniczne wszystkich, którzy mogą stanowić zagrożenie dla bezpieczeństwa narodowego. Uznałam, że Peter Solomon stanowi takie zagrożenie i ostatniej nocy podjęłam odpowiednie działania.

Bellamy nie mógł uwierzyć własnym uszom.

— Podsłuchiwała pani rozmowy Petera Solomona?

— Tak. W ten sposób dowiedziałam się, że porywacz skontaktował się z panem w restauracji. Zadzwonił pan na komórkę

---

* Ustawa Patriot Act została przyjęta po zamachu na WTC; miała pomóc w tropieniu terrorystów.

Petera i zostawił dramatyczną wiadomość, wyjaśniając, co się stało.

Bellamy zrozumiał, że kobieta ma rację.

— Podsłuchaliśmy również rozmowę Roberta Langdona, który przyjechał do Kapitolu i odkrył podstęp. Wyruszyłam niezwłocznie i znalazłam się tam przed panem, bo byłam bliżej. Jeśli chodzi o prześwietlenie torby Langdona... wiedząc, że Langdon został w to wszystko wplątany, kazałam moim ludziom jeszcze raz przeanalizować niewinną poranną rozmowę Langdona i Petera Solomona. Stąd wiem, w jaki sposób porywacz, podając się za asystenta Solomona, nakłonił Langdona do wygłoszenia odczytu i przywiezienia małej paczki, którą Peter powierzył jego opiece. Kiedy Langdon nie powiedział mi, że ją ma, poprosiłam o zdjęcie rentgenowskie jego torby.

Bellamy nie mógł logicznie myśleć. Wszystko, co mówiła Sato, miało sens, a jednak coś tu nie pasowało...

— Dlaczego... uznała pani, że Peter Solomon stanowi zagrożenie dla bezpieczeństwa narodowego?

— Niech mi pan wierzy, że Peter Solomon jest poważnym zagrożeniem dla bezpieczeństwa tego kraju — prychnęła. — Podobnie jak pan, panie Bellamy.

Bellamy wyprostował się na ławce, czując kajdanki wbijające się w nadgarstki.

— Co?!

Uśmiechnęła się z przymusem.

— Wy, masoni, prowadzicie ryzykowną grę. Macie bardzo groźne sekrety.

Czy chodzi jej o pradawne tajemnice?

— Na szczęście zawsze dobrze ich strzegliście. Niestety, ostatnio staliście się lekkomyślni, a tej nocy najgroźniejsza z waszych tajemnic może zostać ogłoszona światu. Zapewniam pana, że jeśli temu nie zapobiegniemy, dojdzie do katastrofy.

Bellamy patrzył na nią osłupiały.

— Gdyby mnie pan nie zaatakował, dowiedziałby się pan, że walczymy w tej samej drużynie.

W tej samej drużynie!

Ostatnie słowa sprawiły, że przyszło mu do głowy coś prawie niemożliwego.

Czyżby Sato należała do Gwiazdy Wschodu?

Gwiazda Wschodu, często uważana za siostrzaną organizację masonów, wyznawała podobną mistyczną filozofię dobra, tajemnej mądrości i duchowej otwartości.

W tej samej drużynie? Kazała mnie zakuć w kajdanki! Podsłuchiwała rozmowy Petera!

— Musi mi pan pomóc go powstrzymać — powiedziała Sato. — Ten człowiek może doprowadzić do katastrofy, z której nasz kraj nie zdoła się podnieść. — Jej twarz była twarda jak kamień.

— W takim razie dlaczego go nie ścigacie?

Spojrzała na niego z niedowierzaniem.

— Sądzi pan, że się nie staramy? Komórka Solomona zamilkła, zanim zdążyliśmy go zlokalizować. Inne numery też są na kartę — prawie nie można ich namierzyć. Firma lotnicza poinformowała nas, że przelot Langdona został zamówiony przez asystenta Solomona, z jego komórki. Porywacz użył karty Marquis Jet należącej do Petera Solomona. Nie zostawił żadnego śladu. Wszystkie tropy prowadzą donikąd. Nawet gdybym wiedziała, kim jest, nie mogłabym ryzykować jego złapania.

— Dlaczego?!

— Wolałabym o tym nie mówić. To ściśle tajna informacja — ucięła Sato, najwyraźniej tracąc cierpliwość. — Proszę tylko, żeby mi pan zaufał.

— Nie ufam pani.

Jej oczy były zimne jak lód. Nagle odwróciła się i krzyknęła w głąb Dżungli:

— Hartmann! Przynieś walizkę.

Bellamy usłyszał syk otwieranych drzwi i zbliżające się kroki. Po chwili zjawił się agent, niosąc płaską tytanową walizeczkę, którą postawił obok dyrektorki Biura Bezpieczeństwa.

— Zostaw nas samych — poleciła Sato.

Agent odszedł. Z oddali doleciał syk zamykanych drzwi i w pomieszczeniu zapanowała cisza.

Sato podniosła metalową walizkę, położyła ją na kolanach i otworzyła zamki, a następnie wolno podniosła głowę i spojrzała na Bellamy'ego.

— Wolałabym tego nie robić, lecz czas się kończy. Nie pozostawia mi pan wyboru.

Bellamy spojrzał na dziwną walizeczkę, czując narastającą falę strachu.

Będzie mnie torturowała? Napiął kajdanki.

— Co jest w tej walizce?!

Sato uśmiechnęła się ponuro.

— Coś, co skłoni pana do spojrzenia na sytuację z mojego z punktu widzenia.

Rozdział 81

Podziemne pomieszczenie, w którym Mal'akh praktykował Sztukę, było niezwykle pomysłowo ukryte. Piwnica wyglądała zupełnie normalnie — z bojlerem, skrzynką bezpieczników, stosem drewna opałowego i zbieraniną innych przedmiotów. Widoczna część piwnicy stanowiła jednak tylko fragment podziemi domu. Reszta została zamaskowana, aby mógł tam odprawiać potajemne rytuały.

Pracownia Mal'akha składała się z małych pokoi przeznaczonych do różnych celów. Do środka można było się dostać tylko stromą rampą za drzwiami ukrytymi w salonie, co powodowało, że miejsce to było praktycznie nie do wykrycia.

Kiedy tej nocy schodził na dół, wydawało się, że wytatuowane na skórze sigile i znaki ożywają w błękitnym świetle piwnicy. Wszedł w siną poświatę i minął kilka zamkniętych drzwi, zmierzając wprost do największego pomieszczenia na końcu korytarza.

Komnata, którą Mal'akh nazywał *sanctum sanctorum*, była idealnym sześcianem o powierzchni dwunastu stóp kwadratowych. Dwanaście znaków zodiaku. Dwanaście godzin dnia. Dwanaście bram niebios. Pośrodku znajdował się kamienny stół o boku siedmiu stóp. Siedem pieczęci z Apokalipsy św. Jana. Siedem stopni świątyni. Nad kamiennym stołem wisiała specjalna lampa, która w ciągu sześciu godzin jarzyła się różnymi barwami, zgodnie ze świętą Tablicą Godzin Planetarnych. Godzina Janor jest niebieska, godzina Nasnia czerwona, a Salam biała...

Teraz nadeszła godzina Caerra, co oznaczało, że światło zalewające pomieszczenie miało lekko fioletowawe zabarwienie. Mal'akh rozpoczął przygotowania, mając na sobie tylko jedwabną przepaskę owiniętą wokół pośladków i genitaliów.

Starannie połączył odkażające substancje, które trzeba było zapalić, by oczyścić powietrze. Następnie złożył jedwabną szatę, którą miał później przywdziać. Na koniec oczyścił wodę, do namaszczenia ofiar. Kiedy skończył, ułożył wszystko z boku stołu.

Podszedł do półki, sięgnął po małe pudełko z kości słoniowej i umieścił na stole obok innych przedmiotów. Chociaż nie był jeszcze gotowy, nie mógł oprzeć się pokusie uchylenia wieczka i spojrzenia na ukryty w nim skarb.

Nóż.

W pudełku z kości słoniowej na czarnym aksamicie leżał nóż ofiarny, który Mal'akh trzymał specjalnie na tę noc. Kupił go rok temu na Bliskim Wschodzie, na czarnym rynku antykwarycznym, za milion sześćset tysięcy dolarów.

Najsłynniejszy nóż w historii.

Drogocenne ostrze, niewiarygodnie stare i uważane za zaginione, zostało wykonane z żelaza i osadzone w rączce z kości. Na przestrzeni wieków było własnością niezliczonych możnych. W ostatnim czasie nóż znikł, marniejąc w jakichś prywatnych zbiorach. Mal'akh zadał sobie dużo trudu, by go zdobyć. Podejrzewał, że od dziesięcioleci, a może nawet stuleci nóż nie utoczył kropli krwi. Tej nocy znów miał zakosztować ofiary, na którą go wyostrzono.

Mal'akh ostrożnie wyjął ostrze z wyłożonego aksamitem pudełka i z czcią wypolerował jedwabną tkaniną nasączoną oczyszczoną wodą. Jego umiejętności znacznie wzrosły od pierwszych prymitywnych eksperymentów w Nowym Jorku. Te pradawne czynności stanowiły niegdyś klucz do bram potęgi, lecz zostały zakazane dawno temu, wygnane do mrocznego świata okultyzmu i magii. Nieliczni, którzy nadal praktykowali Sztukę, byli uważani za szaleńców, lecz Mal'akh znał prawdę. Nie są to sprawy dla ludzi ograniczonych.

Starożytna mroczna Sztuka, podobnie jak nauka nowożytna, była dyscypliną z dokładnymi wzorami, składnikami i skrupulatnie wyznaczonymi porami.

Nie była pozbawioną mocy współczesną czarną magią, praktykowaną bez większego przekonania przez ciekawe dusze. Podobnie jak fizyka jądrowa, mogła wyzwolić ogromne siły. Ostrzeżenie brzmiało złowieszczo: Niewprawny adept może zostać porażony przeciwnym prądem i zniszczony.

Mal'akh skończył podziwiać święte ostrze i spojrzał na arkusz grubego welinu leżący na stole. Zrobił go ze skóry owieczki — zgodnie z nakazem była czysta, nie osiągnęła jeszcze dojrzałości. Obok arkusza welinu leżało pióro wrony, srebrny spodek, a wokół mosiężnej misy stały trzy migoczące świeczki. W misie znajdowało się dwadzieścia pięć milimetrów gęstego szkarłatnego płynu.

Była to krew Petera Solomona.

Czerwień krwi jest barwą wieczności.

Sięgnął po pióro i położył lewą dłoń na welinie. Zanurzył pióro we krwi i starannie obrysował dłoń. Kiedy to zrobił, dodał pięć symboli starożytnych tajemnic, po jednym na czubku każdego palca.

Korona symbolizuje króla, którym się stanę.

Gwiazda symbolizuje niebiosa, które dla mnie przygotowano.

Słońce symbolizuje oświecenie mojej duszy.

Latarnia symbolizuje nikłe światło ludzkiego poznania.

Klucz symbolizuje brakujące ogniowo, które tej nocy wreszcie posiądę.

Skończywszy pisać, podniósł welin, podziwiając swoje dzieło w płomieniu świec. Zaczekał, aż krew wyschnie, po czym złożył gruby arkusz na trzy. Wypowiadając starożytne zaklęcie, Mal'akh przytknął welin do trzeciej świeczki i poczekał, aż zajmie się płomieniem, następnie umieścił na srebrnym spodku i pozwolił mu spłonąć. Węgiel zawarty w skórze zwierzęcia zamienił się w srebrny popiół. Kiedy płomień zgasł, Mal'akh starannie zgarnął popiół do miedzianej misy z krwią, a następnie zamieszał płyn piórem wrony.

Ciecz nabrała głębokiej czerwonej barwy, była prawie czarna.

Mal'akh uniósł misę nad głowę, trzymając ją w obu rękach. Złożył dziękczynienie, intonując krwawe *eucharistos* starożytnych. Następnie ostrożnie przelał czarny płyn do szklanej butelki i zakorkował. Tym atramentem wytatuuje skórę na czubku głowy, kończąc arcydzieło.

Rozdział 82

Katedra Świętych Piotra i Pawła w Waszyngtonie jest szóstą co do wielkości katedrą na świecie, przewyższającą pod względem wysokości trzydziestopiętrowy drapacz chmur. Ozdobiona ponad dwustoma witrażami, mająca pięćdziesiąt trzy dzwony karylionowe i organy o dziesięciu tysiącach sześciuset czterdziestu siedmiu piszczałkach, jest arcydziełem architektury gotyckiej, mogącym pomieścić ponad trzy tysiące wiernych.

Tej nocy wielka świątynia była pusta.

Wielebny Collin Galloway — dziekan katedry — zachowywał się tak, jakby mieszkał tu od wieków. Wysuszony i przygarbiony, nosił prostą czarną sutannę i dreptał na oślep, nie mówiąc ani słowa. Langdon i Katherine podążali za nim w milczeniu ciemną nawą główną o długości blisko pięćdziesięciu metrów, która wyginała się lekko w lewo, aby stworzyć wdzięczną iluzję. Kiedy dotarli do szerokiego przejścia, dziekan zaprowadził ich za ścianę z krucyfiksem — symboliczną granicę oddzielającą sanktuarium od miejsca dla wiernych.

W prezbiterium unosiła się woń kadzidła. Święta przestrzeń tonęła w mroku, oświetlona tylko bocznymi odbłyskami pokrytych ornamentami roślinnymi sklepień nad ich głowami. Flagi pięćdziesięciu stanów wisiały nad chórem ozdobionym kilkoma nastawami ołtarzowymi przedstawiającymi sceny biblijne. Dziekan Galloway szedł dalej, najwyraźniej znając drogę na pamięć. Langdon sądził przez chwilę, że zmierzają wprost do głównego ołtarza, w którym znajdowało się dziesięć kamieni z góry Synaj, lecz staruszek w ostatniej chwili skręcił w lewo i skierował kroki do ukrytych drzwi aneksu administracyjnego.

Przeszli krótkim korytarzem do drzwi z mosiężną tabliczką:

WIELEBNY DOKTOR COLLIN GALLOWAY
DZIEKAN KATEDRY

Galloway otworzył drzwi i z myślą o gościach zapalił światło. Wprowadził ich do środka i zamknął drzwi.

Gabinet był mały, lecz elegancko urządzony, z wysokimi półkami na książki, biurkiem, rzeźbioną szafą i łazienką. Na ścianach wisiały szesnastowieczne gobeliny i kilka obrazów o tematyce religijnej. Staruszek wskazał dwa skórzane fotele stojące naprzeciwko biurka. Langdon usiadł rad, że wreszcie może postawić na podłodze ciężką skórzaną torbę.

Schronienie i odpowiedzi — pomyślał, rozsiadając się wygodnie.

Staruszek obszedł biurko i zasiadł w fotelu z wysokim oparciem. Z westchnieniem znużenia uniósł głowę, spoglądając na nich oczami przesłoniętymi zaćmą. Kiedy przemówił, jego głos okazał się niespodziewanie mocny.

— Wiem, że nie mieliśmy okazji się spotkać — zaczął — a mimo to mam wrażenie, jakbym doskonale znał was oboje. — Otarł usta chusteczką. — Profesorze Langdon, znam pana książki, także ten interesujący tekst o symbolice tego kościoła. Panno Solomon, pani brat, Peter, i ja jesteśmy od wielu lat członkami tej samej loży masońskiej.

— Peter znalazł się w poważnych tarapatach — powiedziała Katherine.

— Tak mi powiedziano — odrzekł z westchnieniem starzec. — Zrobię wszystko, co w mojej mocy, aby wam pomóc.

Langdon nie dostrzegł pierścienia na palcu dziekana, choć wiedział, że wielu masonów, szczególnie z kręgów duchowieństwa, woli nie afiszować się z przynależnością do loży.

Podczas rozmowy okazało się, że dziekan Galloway wie o pewnych wydarzeniach tej nocy od Warrena Bellamy'ego, który zostawił mu wiadomość w poczcie głosowej. Kiedy Langdon i Katherine przekazali mu pozostałe informacje, stał się jeszcze bardziej przygnębiony.

— Człowiek, który porwał Petera, nalega, aby odczytał pan inskrypcję widniejącą na piramidzie w zamian za jego życie, czy tak? — spytał dziekan.

— Tak — odrzekł Langdon. — Sądzi, że ta mapa wskaże mu miejsce ukrycia pradawnych tajemnic.

Dziekan skierował na niego upiorne mętne oczy.

— Uszy mi mówią, że pan w to nie wierzy.

Langdon nie chciał tracić czasu na jałowe rozważania.

— Nie ma znaczenia, w co wierzę. Chcemy pomóc Peterowi. Niestety, odczytanie napisu na piramidzie nic nie dało.

Staruszek drgnął.

— Odczytaliście napis na piramidzie?

Katherine włączyła się do rozmowy, wyjaśniając, że mimo ostrzeżenia Bellamy'ego i prośby jej brata, aby Langdon nie otwierał paczki, zrobiła to, czując, że powinna przede wszystkim pomóc Peterowi. Powiedziała dziekanowi o złotym zwieńczeniu, magicznym kwadracie Albrechta Dürera i o tym, w jaki sposób odczytali złożony z szesnastu znaków szyfr masoński jako *Jeova Sanctus Unus*.

— Tylko tyle tam było? — upewnił się dziekan. — „Jedyny prawdziwy Bóg?".

— Tak, proszę księdza — odparł Langdon. — Najwyraźniej piramida jest mapą w sensie przenośnym, a nie geograficznym.

Dziekan wyciągnął ręce.

— Chciałbym poczuć ją w dłoniach.

Langdon otworzył torbę i wyjął piramidę, ostrożnie ustawiając ją na biurku przed starym człowiekiem.

Langdon i Katherine patrzyli, jak bada drżącymi dłońmi każdy centymetr kamienia — inskrypcję, gładką podstawę i ścięty wierzchołek. Kiedy skończył, znów wyciągnął ręce:

— A zwieńczenie?

Langdon wydobył z torby małą kamienną kasetkę, postawił ją na biurku i otworzył wieczko. Wyjął zwieńczenie i umieścił je w dłoniach starca. Ten zbadał je podobnie jak piramidę, przesuwając palcami po całej powierzchni. Zatrzymał się przy napisie, nie mogąc odczytać małych, misternie wyrytych znaków.

— „Tajemnica kryje się we wnętrzu Zakonu" — podpowiedział Langdon. — Słowo „Zakon" napisano dużą literą.

Twarz staruszka pozostała niewzruszona, gdy umieścił zwieńczenie na piramidzie i wyrównał boki, wyczuwając krawędzie. Zamarł na chwilę, jakby się modlił, i nabożnie przesunął dłońmi po całej piramidzie.

Kiedy skończył, rozsiadł się wygodnie w fotelu.

— Dlaczego do mnie przyszliście? — spytał nagle surowo.

To pytanie zaskoczyło Langdona.

— Przyszliśmy, bo tak nam kazano. Pan Bellamy powiedział, że możemy księdzu zaufać.

— Dlaczego nie zaufaliście jemu?

— Nie rozumiem.

Dziekan spojrzał na Langdona zamglonymi oczami.

— Paczka zawierająca zwieńczenie była zapieczętowana. Bellamy powiedział, żeby pan jej nie otwierał, a jednak pan to zrobił. O to samo prosił Peter Solomon, lecz i jego pan nie posłuchał.

— Chcieliśmy pomóc mojemu bratu — wtrąciła się Katherine. — Człowiek, który go porwał, żądał odczytania inskrypcji...

— Doceniam to, lecz cóż osiągnęliście, otwierając ją? Nic. Porywacz szuka miejsca, nie zadowoli go więc odpowiedź: *Jeova Sanctus Unus*.

— Jestem podobnego zdania — odezwał się Langdon. — Niestety, taki napis widnieje na piramidzie. Może ta mapa to przenośnia...

— Myli się pan, profesorze. Masońska piramida to prawdziwa mapa, która wskazuje rzeczywiste miejsce. Nie rozumie pan tego, bo nie odczytał pan do końca zaszyfrowanego przesłania. Nawet się pan do niego nie zbliżył.

Langdon i Katherine spojrzeli na siebie zdumieni.

Galloway znów wziął piramidę w ręce, jakby ją pieścił.

— Mapa ta, podobnie jak pradawne tajemnice, ma wiele znaczeń. Jej prawdziwy sekret pozostał przed wami zakryty.

— Dziekanie Galloway, obejrzał pan każdy centymetr piramidy i zwieńczenia. Niczego więcej tam nie ma.

— W obecnym stanie nie, lecz przedmioty się zmieniają.

— Nie rozumiem.

— Jak pan wie, profesorze, piramida ta ma niezwykłą moc przemiany. Legenda głosi, że może zmienić kształt, odmienić swoją fizyczną formę, aby ujawnić sekrety, które kryje. Jak słynny kamień, który uwolnił Ekskalibura, gdy ujęły go dłonie króla Artura, piramida masońska może się przemienić, jeśli tego zechce, i ujawnić swoją tajemnicę temu, kogo uzna za godnego.

Langdon miał wrażenie, że podeszły wiek pozbawił starca jasności myślenia.

— Czy twierdzi ksiądz, że piramida może przejść dosłowną fizyczną przemianę?

— Profesorze, czy gdybym na pana oczach położył dłonie na piramidzie i sprawił, że się przemieni, dałby pan wiarę temu, czego był świadkiem?

Langdon nie miał pojęcia, co odpowiedzieć.

— Przypuszczam, że nie miałbym wyboru.

— Doskonale. Za chwilę to uczynię. — Dziekan znów otarł usta. — Pozwolę sobie przypomnieć, że kiedyś nawet najgenialniejsi ludzie byli przekonani, że ziemia jest płaska. Gdyby była kulista, woda z oceanów zwyczajnie by się wylała. Proszę pomyśleć, jak drwiono by z pana, gdyby pan ogłosił: „Ziemia nie tylko jest kulą, lecz niewidoczna, mistyczna siła utrzymuje wszystko na jej powierzchni"!

— To co innego! — zaprotestował Langdon. — Czym innym jest siła ciążenia, a czym innym zdolność przemiany przedmiotów dotknięciem ręki.

— Naprawdę? Czy nie jest możliwe, że nadal żyjemy w „mrokach średniowiecza", szydząc z „mistycznych" sił tylko dlatego, że nie potrafimy ich pojąć lub zobaczyć? Jeśli historia w ogóle nas czegoś nauczyła, to tego, że osobliwe poglądy, z których dzisiaj się naśmiewamy, jutro staną się najwznioślejszymi prawdami. Twierdzę, iż mogę doprowadzić do przemiany tej piramidy dotknięciem palca, a pan sądzi, że oszalałem. Od historyka oczekiwałbym czegoś więcej. Nasze dzieje pełne są wybitnych postaci, które twierdziły, że mogą dokonać tego samego, genialnych umysłów głoszących, że ludzie posiadają mistyczne zdolności, których nie są świadomi.

Langdon wiedział, że dziekan ma rację. Sławny hermetyczny aforyzm: „Nie wiecie, że bogami jesteście?" był jednym z filarów pradawnej wiedzy tajemnej. „Jak w górze, tak i na dole...". Człowiek stworzony na obraz Boga... Przemiana. Przesłanie o boskości człowieka — i jego ukrytym potencjale — powracało w starożytnych tekstach wywodzących się z niezliczonych tradycji. Nawet Pismo Święte słowami psalmu wołało: *Jesteście bogami!**.

— Profesorze — ciągnął starzec — widzę, że podobnie jak wielu wykształconych ludzi, znalazł się pan w potrzasku między światami. Że jedną nogą stoi pan w świecie duchowym, a drugą w materialnym. Pana serce pragnie uwierzyć, lecz rozum nie chce dać na to zgody. Jako akademik, postąpiłby pan słusznie, ucząc się od wielkich umysłów z przeszłości. — Odchrząknął. — Jeśli dobrze pamiętam, jeden z największych geniuszy, jacy stąpali po tej ziemi, powiedział: „To, czego nie możemy przeniknąć umysłem, istnieje naprawdę. Za sekretami przyrody kryje się coś ulotnego, nieuchwytnego i niewytłumaczalnego. Podziw dla tej siły, która istnieje ponad wszystkim, co możemy pojąć, jest moją religią".

— Czyje to słowa? — zapytał Langdon. — Gandhiego?

— Nie, Alberta Einsteina — powiedziała Katherine.

Katherine Solomon przeczytała wszystko, co napisał Einstein, i była pod ogromnym wrażeniem jego głębokiego szacunku dla elementu mistycznego oraz głębokiego przekonania, że pewnego dnia ludzie na całym świecie będą myśleli podobnie. Religia przyszłości, przepowiadał, będzie religią kosmiczną. Przekroczy granicę osobowego bóstwa, unikając dogmatów i teologii.

Robert Langdon miał najwyraźniej problem z tą ideą. Katherine wyczuwała, że jest coraz bardziej sfrustrowany tym, co mówi stary duchowny, i potrafiła go zrozumieć. W końcu przybyli tu po odpowiedzi, a zamiast nich spotkali niewidomego starca twierdzącego, że może przemieniać obiekty dotknięciem ręki. Co więcej, pasja, z jaką mówił o mistycznych siłach, przypomniała Katherine brata.

---

* Ps 82,6.

— Ojcze Galloway — powiedziała — Peter znalazł się w wielkim niebezpieczeństwie. Ściga nas CIA, a Warren Bellamy wysłał nas do ojca po pomoc. Nie wiem, jakie przesłanie zawiera ta piramida ani co wskazuje, lecz jeśli dowiedzenie się tego może pomóc mojemu bratu, musimy to zrobić. Pan Bellamy postawił piramidę ponad życie Petera, lecz moja rodzina nie doświadczyła z jej powodu niczego prócz cierpienia. Niezależnie od tego, jakie skrywa sekrety, tej nocy przestaną być sekretami.

— Ma pani rację — odparł starzec złowieszczo. — Tej nocy przestaną nimi być. Gwarantuję to pani. — Westchnął głęboko. — Panno Solomon, kiedy zerwała pani pieczęć na pudełku, uruchomiła pani ciąg zdarzeń, którego nie można zatrzymać. Zaczęły działać siły, których pani jeszcze nie pojmuje. I nie ma od tego odwrotu.

Katherine popatrzyła osłupiała na wielebnego. W jego tonie było coś apokaliptycznego, jakby mówił o siedmiu pieczęciach z Apokalipsy św. Jana lub puszce Pandory.

— Z całym szacunkiem — wtrącił się Langdon — nie widzę, w jaki sposób kamienna piramida może wprawić cokolwiek w ruch.

— Oczywiście, że pan nie widzi, profesorze. Jeszcze nie może pan tego zobaczyć.

Rozdział 83

Bellamy czuł, jak krople potu spływają mu po plecach w wilgotnym powietrzu Dżungli. Skute kajdankami nadgarstki piekły, lecz architekt skupił całą uwagę na złowrogiej tytanowej walizce, którą Sato przed chwilą otworzyła i postawiła na ławce między nimi.

Powiedziała mu, że walizka zawiera coś, co skłoni go do spojrzenia na sytuację z jej z punktu widzenia.

Chociaż drobna Azjatka otworzyła walizkę w taki sposób, że wieko zasłaniało to, co znajdowało się w środku, wyobraźnia Bellamy'ego nie próżnowała. Sato manipulowała we wnętrzu walizki, a Bellamy oczekiwał, że za chwilę wyciągnie kilka błyszczących, ostrych jak brzytwa narzędzi.

Nagle w środku błysnęło światło, które po chwili stało się silniejsze, oświetlając od dołu jej twarz. Pokręciła czymś i promień zmienił barwę. Po kilku chwilach cofnęła ręce i odwróciła walizkę tak, by Bellamy mógł zobaczyć jej zawartość

Zmrużył oczy, oślepiony światłem urządzenia, które przypominało futurystyczny laptop wyposażony w słuchawkę, dwie anteny i podwójną klawiaturę. Początkowa fala ulgi szybko ustąpiła miejsca zdumieniu.

Na ekranie pojawiło się godło CIA i komunikat:

HASŁO BEZPIECZNEGO LOGOWANIA

UŻYTKOWNIK: INOUE SATO

DOSTĘP DO DOKUMENTÓW TAJNYCH: POZIOM V

Pod oknem logowania ukazała się ikona postępu instalowania.

PROSZĘ CZEKAĆ...
DESZYFROWANIE PLIKU...

Popatrzył na Sato, która odpowiedziała mu stalowym spojrzeniem.

— Nie chciałam panu tego pokazywać. Nie pozostawił mi pan jednak wyboru.

Ekran znów zamrugał. Bellamy wpatrywał się w otwierany plik i po chwili materiał ukazał się na całym ekranie LCD.

Przez kilka sekund próbował odgadnąć, co widzi. Powoli zaczął to sobie uświadamiać i zrobił się biały jak papier. Patrzył przerażony, nie mogąc odwrócić oczu.

— To... to wykluczone! — wykrzyknął. — Jak... to możliwe?!

— Niech pan mi to powie, Bellamy. Niech mnie pan oświeci — odrzekła Sato ponuro.

Kiedy architekt Kapitolu zaczął pojmować, jakie konsekwencje będzie miało to, co przed chwilą zobaczył, uświadomił sobie, że jego świat stanął na krawędzi zagłady.

Dobry Boże, popełniłem straszny błąd!

Rozdział 84

Dziekan Galloway nagle się ożywił.

Jak wszyscy śmiertelnicy wiedział, że pewnego dnia zrzuci cielesną powłokę, lecz jego czas jeszcze nie nadszedł. Jego serce biło mocno i szybko, a umysł był niezwykle przenikliwy.

Zostało jeszcze coś do zrobienia.

Przebiegając palcami zniekształconymi przez artretyzm po gładkich ścianach piramidy, nie mógł uwierzyć w to, co czuje.

Nigdy nie sądziłem, że dożyję tej chwili.

Przez pokolenia części symbolicznej mapy były od siebie bezpiecznie oddzielone. Teraz nareszcie się połączyły. Galloway był ciekaw, czy nadeszła przepowiadana godzina.

Co osobliwe, los wybrał dwie osoby spoza kręgu masonów, aby połączyły dwa fragmenty piramidy. Wydawało się to w jakiś sposób sensowne. Tajemnice opuszczą wewnętrzny krąg... wyjdą z mroku... na światło.

— Profesorze — powiedział, zwracając się w stronę miejsca, z którego dolatywał oddech Langdona. — Czy Peter powiedział, dlaczego chce, aby to pan strzegł tej małej paczki?

— Wspomniał o wpływowych ludziach, którzy będą chcieli ją wykraść.

Dziekan skinął głową.

— Tak, mnie powiedział to samo.

— Naprawdę? — Starzec usłyszał, że głos Katherine dobiega z lewej strony. — Rozmawiał pan z moim bratem o piramidzie?

— Oczywiście. — Galloway skinął głową. — Rozmawiałem z Peterem o wielu sprawach. Byłem niegdyś Czcigodnym Mistrzem Świątyni, a on często zasięgał mojej rady. Rok temu przyszedł do mnie, głęboko poruszony. Usiadł tam, gdzie pan teraz, i spytał, czy wierzę przeczuciom.

— Przeczuciom? — powtórzyła zatroskana Katherine. — Ma pan na myśli... widzenia?

— Niezupełnie. Tamto doznanie było bardziej cielesne. Peter wyznał mi, że ma narastającą świadomość obecności w swoim życiu mrocznej siły. Wyczuwał, że coś go obserwuje... czeka... chce go skrzywdzić.

— Najwyraźniej miał rację — westchnęła Katherine. — Człowiek, który zamordował naszą matkę i syna Petera, przyjechał do Waszyngtonu, a nawet stał się jednym z braci jego loży masońskiej.

— Fakt, lecz to nie wyjaśnia zaangażowania CIA — wtrącił Langdon.

Galloway nie był tego taki pewny.

— Ludzie mający władzę zawsze są zainteresowani sięgnięciem po jeszcze większą władzę.

— Ale... CIA? — spytał z powątpiewaniem Langdon. — I mistyczna wiedza tajemna? Coś mi tu nie pasuje.

— Ależ tak — odparła Katherine. — CIA korzysta z najnowszych zdobyczy technologicznych, zawsze też interesowało się zjawiskami mistycznymi, postrzeganiem pozazmysłowym, deprywacją sensoryczną, wywołanymi farmakologicznie stanami wyższej świadomości. We wszystkim chodzi o to samo — o wykorzystanie ukrytego potencjału ludzkiego umysłu. Jeśli nauczyłam się czegoś od Petera, to tego, że nauka i mistycyzm są ze sobą ściśle powiązane, że odróżnia je wyłącznie sposób podejścia. Mają te same cele, lecz różne metody.

— Peter powiedział mi — dodał Galloway — że prowadzi pani coś w rodzaju współczesnych badań mistycznych.

— Zajmuję się noetyką. Moje eksperymenty dowodzą, że człowiek ma zdolności, o jakich mu się nie śniło. — Wskazała witraż, na którym z głowy i dłoni Jezusa wychodziły promienie światła. — Niedawno użyłam czułej kamery CCD do sfotografowania uzdrowiciela podczas sesji terapeutycznej. Zdjęcia wyglądały dokładnie jak wizerunek Jezusa na tym witrażu, promienie energii emanowały z czubków palców uzdrowiciela.

Dobrze wyszkolony umysł — pomyślał Galloway, kryjąc uśmiech. — A niby jak Jezus uzdrawiał chorych?

— Zdaję sobie sprawę — mówiła Katherine — że współczesna medycyna szydzi z uzdrowicieli i szamanów, lecz widziałam to na własne oczy. Moja aparatura zarejestrowała wyraźnie, że ten człowiek przekazywał silne pole energii pacjentowi za pośrednictwem palców, w dosłownym sensie wpływając na jego komórki. Jeśli nie jest to nadprzyrodzona moc, to nie wiem, co nią jest!

Dziekan Galloway pozwolił sobie na uśmiech. Katherine przemawiała tak samo żarliwie, jak jej brat.

— Peter porównał kiedyś badaczy zajmujących się noetyką do dawnych astronomów, z których drwiono z powodu heretyckiego poglądu, że ziemia jest kulą. Później, w ciągu jednej nocy, badacze ci zamienili się z głupców w bohaterów odkrywających nieznane światy i poszerzających horyzonty ludzkiej wiedzy. Peter uważa, że podobnie będzie z panią. W końcu u początków wszystkich prądów filozoficznych w dziejach leżała jedna śmiała idea.

Galloway wiedział, że nie trzeba iść od laboratorium, żeby zobaczyć dowód prawdziwości śmiałej idei głoszącej istnienie niewykorzystanego ludzkiego potencjału. W tej katedrze modlono się o to, by chorzy wyzdrowieli, i wielokrotnie obserwowano cudowne rezultaty — medycznie udokumentowaną fizyczną przemianę. Pytaniem nie było to, czy Bóg obdarzył ludzi tak wielką mocą, lecz w jaki sposób ją uwolnić.

Starzec oplótł dłońmi boki piramidy i powiedział szeptem:

— Przyjaciele, nie znam miejsca, które wskaże ta piramida, wiem jednak, że ukryto gdzieś wielki duchowy skarb, skarb, który przez wiele pokoleń czekał cierpliwie w ciemności. Jestem przekonany, że może on doprowadzić do przemiany świata. — Mówiąc to, dotknął wierzchołka złotego zwieńczenia. — Teraz, gdy połączono części piramidy, ten czas się zbliża. Bo i dlaczego miałby nie nadejść? Od wieków przepowiadano nastanie wielkiego oświecenia, które wszystko przemieni.

— Ojcze, znamy Apokalipsę świętego Jana — przerwał mu

niecierpliwie Langdon. — Znamy dosłowne znaczenie objawienia, lecz nie wydaje się, aby biblijne proroctwo...

— Księga Apokalipsy jest taka zawikłana! — westchnął dziekan. — Nikt nie wie, jak należy ją odczytywać. Miałem na myśli jasne stwierdzenia wyrażone w zrozumiałym języku — przepowiednie świętego Augustyna, Francisa Bacona, Newtona, Einsteina... Można wymieniać bez końca. Wszyscy przepowiadali, że nadejdzie oświecenie, które wszystko odmieni. Nawet sam Jezus nauczał: *Nie ma bowiem nic ukrytego, co by nie miało wyjść na jaw**.

— Nietrudno ogłosić taką przepowiednię — żachnął się Langdon. — Wiedza wzrasta wykładniczo. Im więcej wiemy, tym większa jest nasza zdolność uczenia się i tym szybciej poszerzamy zakres naszego poznania.

— To prawda — przyznała Katherine. — Prawidłowość tę obserwuje się we wszystkich naukach. Każda nowa technologia staje się narzędziem odkrywania jeszcze nowszej. Przypomina to rozpędzoną śnieżną kulę. Dlatego nasza wiedza poczyniła większe postępy w ciągu ostatnich pięciu lat niż poprzednich pięciu tysięcy. Rozwój w tempie wykładniczym. Matematycznie rzecz biorąc, w miarę upływu czasu krzywa postępu staje się niemal pionowa. Do nowych odkryć dochodzi się niewiarygodnie szybko.

W gabinecie dziekana zapadła cisza. Galloway czuł, że jego goście nadal nie mają pojęcia, w jaki sposób piramida może im pomóc.

Właśnie dlatego przeznaczenie przywiodło was do mnie — pomyślał. — Mam do odegrania ważną rolę.

Od wielu lat wielebny Collin Galloway był w loży odźwiernym. Teraz sytuacja uległa zmianie.

Nie jestem już odźwiernym, lecz przewodnikiem.

— Profesorze Langdon, mógłby pan wziąć mnie za rękę? — spytał Galloway.

Robert Langdon spojrzał niepewnie na wyciągniętą dłoń dziekana.

---

* Mk 4,22.

Będziemy się modlili?

Uprzejmie wyciągnął rękę i dotknął suchej prawicy starca. Ten chwycił ją mocno, lecz nie zaczął się modlić. Zamiast tego odnalazł palec wskazujący Langdona i skierował go na kamienną szkatułę, w której kiedyś znajdowało się złote zwieńczenie.

— Oczy pana zwiodły — powiedział staruszek. — Gdyby pan widział palcami tak jak ja, zrozumiałby pan, że to kamienne pudełko kryje coś jeszcze.

Langdon posłusznie zbadał palcem wnętrze kasetki, lecz niczego nie wyczuł. Ścianki wydawały się idealnie gładkie.

— Niech pan szuka dalej — zachęcił go Galloway.

W końcu Langdon wyczuł coś czubkiem palca: lekko wypukłe koło z maleńką kropką w środku. Wyjął rękę i zajrzał do kasetki. Małe kółko było prawie niewidoczne gołym okiem. Co to takiego?

— Rozpoznaje pan ten symbol? — spytał Galloway.

— Symbol? — zdumiał się Langdon. — Prawie nic nie widzę.

— Proszę go nacisnąć.

Langdon wykonał polecenie, przyciskając czubek palca do kropki.

Co według niego ma się stać?

— Niech pan przytrzyma palec. Naciśnie mocniej.

Langdon spojrzał na Katherine, która z zakłopotaniem wsunęła kosmyk włosów za ucho.

Po kilku sekundach staruszek skinął głową.

— Dobrze, a teraz proszę wyjąć rękę. Alchemia się dokonała.

Alchemia? Robert Langdon wyjął rękę z kasetki i zamarł w milczeniu. Nic się nie zmieniło. Kamienne pudełko nadal stało na biurku.

— Nic nie widzę — powiedział.

— Niech pan spojrzy na swój palec. — Powinien pan dostrzec przemianę.

Langdon obejrzał czubek palca, lecz jedyną zmianą, jaką udało mu się dostrzec, było wgłębienie w skórze zrobione przez okrągłą grudkę — niewielki krąg z kropką pośrodku.

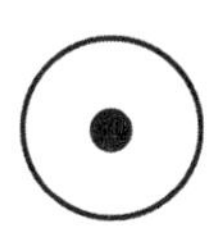

— Rozpoznaje pan ten symbol? — spytał dziekan.

Chociaż Langdon od razu go rozpoznał, był pod wrażeniem tego, iż starzec potrafił wyczuć go palcami. Najwyraźniej i tego można się nauczyć.

— To znak alchemiczny — wyjaśniła Katherine, przysuwając się bliżej, aby obejrzeć palec Langdona. — Starożytny symbol złota.

— Zaiste. — Dziekan uśmiechnął się i poklepał pudełko. — Moje gratulacje, profesorze. Dokonał pan właśnie tego, o czym marzył każdy alchemik w dziejach. Zamienił pan pozbawioną wartości materię w złoto.

Langdon ściągnął brwi, jakby nie zrobiło to na nim wrażenia. Ot, salonowa sztuczka, która w niczym im nie pomoże.

— To interesujące, ale obawiam się, iż ten symbol — krąg z umieszczoną pośrodku kropką — ma kilkanaście znaczeń. Nazywa się go *circumpunct*. Jest to jeden z najbardziej znanych symboli w dziejach historii.

— O czym pan mówi? — zapytał sceptycznie dziekan.

Langdon był zdumiony, że mason nie zna duchowego znaczenia tak znanego symbolu.

— *Circumpunct* ma mnóstwo znaczeń. W starożytnym Egipcie był znakiem boga słońca Ra. We współczesnej astronomii do dziś jest używany jako znak solarny. W filozofii Wschodu symbolizuje duchowy wgląd trzeciego oka, boskiej róży oraz pełni funkcję znaku oświecenia. Wyznawcy kabały uważają go za symbol Keter — najwyższej sefiry i „najbardziej ukrytego z ukrytych". Wcześni mistycy nazywali go Okiem Boga. Jest też źródłem Wszystkowidzącego Oka z Wielkiej Pieczęci Stanów Zjednoczonych. Pitagorejczycy używali tego znaku jako symbolu monady — boskiej prawdy, *prisca sapientia*, przebłagania dla umysłu, duszy i...

— Wystarczy! — Dziekan Galloway zachichotał. — Dziękuję, profesorze. Oczywiście ma pan rację.

Langdon zrozumiał, że staruszek spłatał mu figla. Wiedział to wszystko.

— *Circumpunct* to symbol starożytnej wiedzy tajemnej — powiedział Galloway, wciąż się uśmiechając. — Dlatego uważam, że jego obecność w tym kamiennym pudełku nie jest przypadkowa. Legenda głosi, że tajemnica mapy kryje się w jej najdrobniejszym szczególe.

— Rozumiem — wtrąciła się Katherine. — Jednak nawet jeśli ten znak został tam umieszczony celowo, nie przybliża nas do odszyfrowania mapy. Nie uważa ojciec?

— Wspomniałaś o woskowej pieczęci z odciśniętym pierścieniem Petera?

— Tak.

— A pan powiedział, że ma ten pierścień?

— Tak. — Langdon sięgnął do kieszeni, odnalazł pierścień, wyjął go z plastikowej torebki i położył na stole przed dziekanem.

Galloway wziął go i zaczął przesuwać palcami po jego powierzchni.

— Pierścień ten stworzono w tym samym czasie, co piramidę. To nie przypadek. Tradycja głosi, że nosił go mason jej strzegący. Tej nocy, gdy wyczułem maleńki *circumpunct* na dnie kamiennego pudełka, zrozumiałem, że pierścień jest elementem *symbolonu*.

— Naprawdę?

— Jestem tego pewny. Peter to mój najbliższy przyjaciel. Nosił ten pierścień od wielu lat. Znam go dobrze. — Mówiąc to, wręczył pierścień Langdonowi. — Niech pan sam zobaczy.

Langdon wziął pierścień i przesunął palcami po dwugłowym Feniksie, liczbie trzydzieści trzy, słowach *Ordo ab chao* i napisie: *Wszystko stanie się jawne po osiągnięciu trzydziestego trzeciego stopnia*. Nic nie wydało mu się szczególnie pomocne. Kiedy przesunął palcami po obręczy, nagle zamarł. Ze zdumieniem odwrócił pierścień i przyjrzał się spodowi.

— Znalazł pan? — spytał Galloway.

— Chyba tak!

Katherine przysunęła krzesło jeszcze bliżej.

— Co znalazłeś?

— Znak stopnia na obręczy — powiedział Langdon, pokazując jej, o co chodzi. — Jest tak mały, że nie można go dostrzec, a jedynie wyczuć. Tu jest wgłębienie przypominające drobne okrągłe nacięcie. — Znak stopnia był umieszczony na odwrotnej stronie pierścienia i miał tę samą wielkość, co znak wewnątrz kamiennej szkatułki.

— Jest identycznej wielkości? — spytała Katherine podekscytowana.

— Znam tylko jeden sposób, aby się o tym przekonać. — Langdon włożył pierścień do kasetki, umieszczając obok siebie dwa maleńkie kręgi. Nacisnął, a wtedy występ na dnie pudełka wszedł w otwór w pierścieniu. Usłyszeli słabe, lecz wyraźne kliknięcie.

Cała trójka podskoczyła.

Langdon odczekał chwilę, lecz nic się nie wydarzyło.

— Co to było? — spytał Galloway.

— Pierścień znalazł się na swoim miejscu, ale nic się nie stało — odpowiedziała Katherine.

— Nie doszło do żadnej przemiany? — Starzec wyglądał na zdumionego.

No, to jesteśmy w kropce — pomyślał Langdon, patrząc na pierścień, dwugłowego Feniksa i liczbę trzydzieści trzy. *Wszystko stanie się jawne po osiągnięciu trzydziestego trzeciego stopnia.* Pomyślał o Pitagorasie, geometrii i kątach. Może stopnie mają znaczenie matematyczne?

Chwycił pierścień przytwierdzony do podstawy kamiennego sześcianu, czując, że serce bije mu coraz szybciej. Powoli przekręcił pierścień w prawo. *Wszystko stanie się jawne po osiągnięciu trzydziestego trzeciego stopnia.*

Dziesięć stopni... dwadzieścia... trzydzieści...

Nigdy nie spodziewał się, że to zobaczy.

Rozdział 85

Dziekan Galloway usłyszał dźwięk, więc nie musiał niczego widzieć.

Siedzący naprzeciwko niego Langdon i Katherine zamarli, w niemym zdumieniu spoglądając na kamienny sześcian, który przeistoczył się na ich oczach.

Galloway nie mógł ukryć uśmiechu. Oczekiwał takiego rezultatu i choć nadal nie wiedział, jak pomoże im to w rozwiązaniu zagadki piramidy, cieszył się na myśl o rzadkiej okazji nauczenia czegoś o symbolach erudyty z Harvardu.

— Profesorze — zaczął — niewielu wie, że masoni czczą sześcian. Nazywamy go *aszlarem*, bo jest trójwymiarowym przedstawieniem innego, znacznie starszego symbolu, który miał dwa wymiary.

Galloway nie musiał pytać, czy profesor rozpoznaje starożytny symbol, który leżał teraz przed nimi na biurku. Był to jeden z najsławniejszych symboli świata.

Robert Langdon zamarł, widząc, jak kamienne pudełko, które przed nim stoi, zaczyna zmieniać kształt.

Nie miałem pojęcia...

Przed chwilą sięgnął po kasetkę, chwycił masoński pierścień i delikatnie obrócił go o trzydzieści trzy stopnie. Sześcian nagle przeistoczył się na jego oczach. Kamienne ścianki rozstąpiły się, gdy puściły ukryte zawiasy. Pudełko rozpadło się w jednej chwili.

Boczne ściany i wieko poleciały na zewnątrz, głośno uderzając o blat biurka.

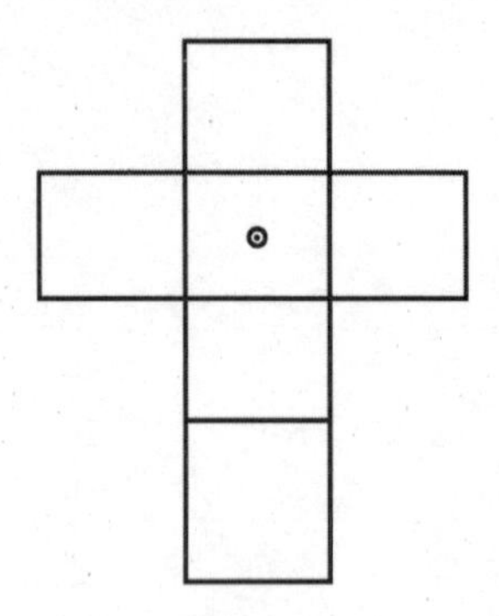

Sześcian zamienił się w krzyż — stwierdził Langdon. — Symboliczna alchemia.

Katherine patrzyła oniemiała na przewrócone boki sześcianu.

— Piramida masońska ma związek z chrześcijaństwem?

Langdon przez chwilę zastanawiał się nad tym samym. Przecież chrześcijański krucyfiks jest znakiem szanowanym przez masonów, a wśród członków loży jest wielu wierzących. Z drugiej strony masonami są również żydzi, muzułmanie, buddyści i hindusi oraz ci, którzy nie nazywają swojego Boga. Obecność czysto chrześcijańskiego symbolu wydawała się ograniczająca.

— To nie krucyfiks — powiedział Langdon, wstając z fotela. — Krzyż z umieszczonym pośrodku znakiem *circumpunctu* to symbol binarny: dwa symbole połączone w jeden.

— Co masz na myśli? — spytała Katherine, śledząc go wzrokiem.

— Aż do czwartego wieku naszej ery krzyż nie był symbolem chrześcijańskim — wyjaśnił Langdon. — Był używany przez Egipcjan na oznaczenie przecięcia się dwóch wymiarów: ludzkiego i niebiańskiego. Jak w górze, tak i na dole. To graficzne przedstawienie punktu, w którym człowiek i Bóg stają się jednym.

— Rozumiem.

— *Circumpunct* — ciągnął Langdon — miał wiele znaczeń. Już o tym mówiłem. Jednym z najbardziej ezoterycznych jest róża, alchemiczny symbol doskonałości. Kiedy umieścimy różę pośrodku krzyża, otrzymamy zupełnie nowy znak — symbol różanego krzyża.

Galloway uśmiechnął się szeroko, odchylając w fotelu.

— No, no! Znakomicie!

Katherine wstała.

— Czyżbym czegoś nie zrozumiała?

— Różany krzyż to symbol często używany przez masonów — wyjaśnił Landgon. — Jeden ze stopni rytu szkockiego to rycerz różokrzyżowiec. Ustanowiono go dla uczczenia dawnych różokrzyżowców, którzy wnieśli wkład do mistycznej filozofii masońskiej. Może Peter ci o nich wspominał. Było wśród nich kilku wybitnych naukowców: John Dee, Elias Ashmole, Robert Fludd...

— Oczywiście! W trakcie badań przestudiowała wszystkie pisma różokrzyżowców!

Każdy naukowiec powinien to zrobić — pomyślał Langdon. Zakon Różokrzyża — lub bardziej dokładnie Starożytny i Mistyczny Zakon Rosae Crucis — miał zagadkowe dzieje, wywarł duży wpływ na naukę i miał wiele wspólnego z legendą o starożytnej wiedzy tajemnej, dawnych mędrcach znających sekretną wiedzę przekazywaną z pokolenia na pokolenie i badaną jedynie przez najbardziej oświecone umysły. Wśród różokrzyżowców wymieniano luminarzy europejskiego oświecenia: Paracelsusa, Bacona, Fludda, Kartezjusza, Pascala, Spinozę, Newtona i Leibniza.

Zgodnie z nauką zakonu porządek świata „opierał się na ezoterycznych prawdach z zamierzchłej przeszłości", prawdach, które trzeba było „ukryć przed maluczkimi" i które obiecywały poznanie „sfery duchowej". Symbol bractwa z upływem czasu przekształcił się w kwitnącą różę oplatającą misternie zdobiony krzyż, choć początkowo był nim prosty krąg z kropką pośrodku, umieszczony na zwyczajnym krzyżu. Najprostsze przestawienie róży na najprostszym symbolu krzyża.

— Często rozmawiałem z Peterem o nauce różokrzyżowców — powiedział Galloway.

Kiedy zaczął opowiadać o związkach łączących wolnomularzy i różokrzyżowców, Langdon powrócił do myśli, która przez całą noc nie dawała mu spokoju.

Jeova Sanctus Unus. Te słowa muszą się jakoś łączyć z alchemią.

W dalszym ciągu nie potrafił odtworzyć, co Peter powiedział mu na ten temat, lecz z jakiegoś powodu wzmianka o różokrzyżowcach mu to przypomniała.

Myśl, Robercie!

— Założycielem zakonu — opowiadał Galloway — miał być niemiecki mistyk Christian Rosenkreuz. Przypuszczalnie jest to pseudonim, być może samego Francisa Bacona, który zdaniem niektórych historyków był twórcą różokrzyżowców, choć nie ma na to żadnego dowodu...

— Pseudonim! — wykrzyknął Langdon, zaskoczony tym, co zrobił. — Tak! *Jeova Sanctus Unus* to pseudonim!

— O czym ty mówisz? — spytała Katherine.

Langdonowi szybciej zabiło serce.

— Przez całą noc próbowałem sobie przypomnieć, co Peter powiedział mi o *Jeova Sanctus Unus* i jego związku z alchemią. Teraz sobie przypomniałem! Wcale nie chodziło o alchemię, lecz o alchemika! Słynnego alchemika!

Galloway zachichotał.

— Czas najwyższy, profesorze. Dwa razy wymieniłem jego nazwisko, użyłem też słowa „pseudonim".

Langdon spojrzał na starca.

— Wiedział pan?

— Cóż, miałem pewne przypuszczenia, kiedy powiedział mi pan, że inskrypcja to *Jeova Sanctus Unus* oraz że do jej rozszyfrowania użyliście kwadratu magicznego Dürera. Kiedy odkrył pan różany krzyż, zyskałem pewność. Jak pan wie, w osobistych papierach rzeczonego naukowca znaleziono manifesty różokrzyżowców z mnóstwem odręcznych notatek.

— O kim mowa? — chciała wiedzieć Katherine.

— O jednym z największych naukowców w dziejach świata! — odparł Langdon. — Był alchemikiem, członkiem Royal Society i różokrzyżowcem. Na dodatek najtajniejsze pisma naukowe podpisywał pseudonimem *Jeova Sanctus Unus*!

— Jedyny prawdziwy Bóg!? — zdziwiła się Katherine. — Skromny facet.

— Raczej genialny — poprawił ją Galloway. — Zapisywał

w ten sposób swoje imię, bo tak jak starożytni adepci uważał się za istotę boską. Dodatkowym powodem było to, że szesnaście liter *Jeova Sanctus Unus* można było ułożyć w taki sposób, by powstała łacińska wersja jego nazwiska i imienia, co czyniło je doskonałym pseudonimem.

— Chcecie powiedzieć, że *Jeova Sanctus Unus* to anagram łacińskiego imienia i nazwiska słynnego alchemika?!

Langdon wziął kartkę i ołówek leżące na biurku dziekana i zaczął pisać:

— W łacinie literę *J* zastąpiono literą *I,* a literę V literą U. W ten sposób litery tworzące *Jeova Sanctus Unus* można ułożyć tak, by powstało jego imię i nazwisko.

Mówiąc to, zapisał na kartce szesnaście liter: *Isaacus Neutonuus.*

Podał Katherine kartkę.

— Myślę, że o nim słyszałaś.

— Izaak Newton? — zdziwiła się. — I to ma być treść inskrypcji?

Langdon przeniósł się na chwilę do opactwa westminsterskiego i stanął u stóp piramidy będącej grobowcem Netwona — w miejscu, gdzie doświadczył podobnego objawienia.

Tej nocy wielki myśliciel powrócił.

Nie był to przypadek... piramidy, sekrety, nauka, wiedza tajemna... wszystko to się ze sobą splatało. Newton zawsze powracał jako drogowskaz dla tych, którzy poszukiwali wiedzy tajemnej.

— Izaak Newton musi mieć coś wspólnego z rozszyfrowaniem przesłania piramidy — powiedział Galloway. — Nie wiem jak, ale...

— To genialne! — wykrzyknęła Katherine, otwierając oczy ze zdumienia. — Wiem, jak przekształcimy piramidę.

— Zrozumiałaś?! — spytał Langdon.

— Tak! Nie mogę uwierzyć, że wcześniej tego nie zauważaliśmy! Przez cały czas mieliśmy to przed nosem. Prosty proces alchemiczny. Przekształcimy piramidę za pomocą elementarnej wiedzy. Nauki Newtona!

Langdon starał się ją zrozumieć.

— Dziekanie Galloway! — powiedziała Katherine. — Na pierścieniu napisano...

— Cicho! — Starzec nagle uniósł palec, nakazując im milczenie. Lekko przechylił głowę, jakby nasłuchiwał. Po chwili wstał. — Przyjaciele, najwyraźniej piramida kryje jeszcze jakieś sekrety. Nie wiem, do czego pani zmierza, panno Solomon. Skoro zna pani następny krok, wypełniłem swoje zadanie. Spakujcie te przedmioty i nie mówcie nic więcej. Pozostawcie mnie na chwilę w niewiedzy. Wolałbym nie wiedzieć niczego, co mogliby ze mnie wydusić nasi goście.

— Goście? — zdziwiła się Katherine, nasłuchując. — Nikogo nie słyszę.

— Niebawem pani usłyszy! — powiedział, podchodząc szybko do drzwi. — Pospieszcie się!

Po drugiej stronie miasta antena telefonii komórkowej daremnie próbowała nawiązać łączność z aparatem, który leżał w kawałkach na Massachusetts Avenue. Nie mogąc zlokalizować sygnału, przekierowała rozmowę na pocztę głosową.

— Robercie! — krzyknął wystraszony Bellamy. — Gdzie jesteś?! Oddzwoń natychmiast! Dzieje się coś przerażającego!

Rozdział 86

Mal'akh stał przy kamiennym stole, kończąc przygotowania w błękitnej poświacie lamp. Poczuł burczenie w brzuchu, ale je zignorował. Czasy spełniania zachcianek ciała miał już za sobą.

Przemiana wymaga ofiary.

Podobnie jak wielu najbardziej uduchowionych ludzi w historii Mal'akh poświęcił się swojej drodze, składając najwznioślejszą z cielesnych ofiar. Kastracja okazała się mniej bolesna, niż sądził. Później dowiedział się też, że jest dość powszechna. Co roku tysiące mężczyzn poddaje się wycięciu jąder, orchiektomii, z najróżniejszych powodów — od chęci zmiany płci i uwolnienia od seksualnego uzależnienia po głębokie przekonania duchowe. W przypadku Mal'akha chodziło o najszlachetniejsze motywy. Niczym mitologiczny Attis, który sam się wykastrował, Mal'akh wiedział, że osiągnięcie nieśmiertelności wymaga zdecydowanego zerwania więzi ze światem materialnym w jego męskiej i kobiecej postaci.

Istota obojnacza jest jednością.

Choć w dzisiejszych czasach pogardzano eunuchami, starożytni rozumieli wewnętrzną moc tej powodującej przemianę ofiary. Wcześni chrześcijanie słyszeli, jak sam Jezus wychwala wartość tego czynu: *Bo są niezdatni do małżeństwa, których ludzie takimi uczynili; a są i tacy bezżenni, którzy dla Królestwa Niebieskiego sami zostali bezżenni. Kto może pojąć, niech pojmuje**.

---

* Mt 19,12.

Także Peter Solomon złożył cielesną ofiarę, lecz poświęcenie jednej dłoni było niską ceną, zważywszy na wielkość zamierzenia. Zanim ta noc dobiegnie końca, Solomon ofiaruje znacznie więcej.

Muszę zniszczyć, aby stworzyć.

Taka jest natura dwoistości.

Oczywiście Peter Solomon zasłużył na to, co spotka go tej nocy. To będzie sprawiedliwy koniec. Dawno temu odegrał istotną rolę w wyborze doczesnej drogi Mal'akha. Z tego powodu został wybrany do odegrania równie ważnej roli w jego wielkiej przemianie. Zapracował sobie na okropności i cierpienia, które go czekają. Peter Solomon nie jest taki, za jakiego uważa go świat.

Poświęcił własnego syna.

Peter Solomon postawił Zachary'ego przed niemożliwym wyborem: kazał mu wybierać pomiędzy bogactwem i mądrością. Zachary podjął złą decyzję. Wybór chłopaka zapoczątkował ciąg zdarzeń, który sprawił, że młody człowiek trafił w otchłań piekła. Do zakładu karnego w Soganlik. Zachary Solomon zmarł w tym tureckim więzieniu. Cały świat znał tę historię, lecz ludzie nie wiedzą, że Peter Solomon mógł syna ocalić.

Byłem tam — pomyślał Mal'akh. — Byłem i wszystko słyszałem.

Nigdy nie zapomniał tamtej nocy. Bezduszna decyzja Solomona oznaczała śmierć Zachary'ego i narodziny Mal'akha.

Ktoś musi umrzeć, aby inni mogli żyć.

Kiedy światło nad jego głową zaczęło zmieniać barwę, zrozumiał, że jest późno. Zakończył przygotowania i ruszył w górę po schodkach. Nadszedł czas, by zająć się sprawami doczesnymi.

Rozdział 87

Wszystko stanie się jawne po osiągnięciu trzydziestego trzeciego stopnia — pomyślała Katherine, biegnąc do drzwi. — Wiem jak doprowadzić do przemiany piramidy! Przez całą noc mieli odpowiedź przed oczami.

Katherine i Langdon biegli przez katedralny aneks, kierując się znakami prowadzącymi na podwórzec. Zgodnie ze słowami dziekana wypadli z katedry na duży, otoczony murami dziedziniec.

Katedralny podwórzec okazał się ogrodzonym murem, pięciobocznym ogrodem z odlaną z brązu postmodernistyczną fontanną. Katherine była zdumiona, jak głośno huczy opadająca woda, dopóki nie zdała sobie sprawy, że nie są to odgłosy fontanny.

— Helikopter! — krzyknęła, gdy nocne niebo przeciął promień reflektora. — Schowaj się pod portykiem!

Ostry promień szperacza oblał światłem podwórzec w chwili, gdy Langdon i Katherine dotarli na drugą stronę, chowając się pod gotyckim łukiem prowadzącym do tunelu łączącego ogród z trawnikiem na zewnątrz kompleksu. Czekali skuleni w tunelu, aż helikopter przeleci nad nimi i zacznie zataczać szerokie kręgi wokół katedry.

— Galloway miał rację z tymi gośćmi — stwierdziła Katherine, wciąż pod dużym wrażeniem doskonałego słuchu starca. Słaby wzrok sprawił, że wyrobił sobie znakomity słuch. W uszach słyszała rytmiczne dudnienie pulsu.

— Tędy — wskazał drogę Langdon, przyciskając torbę do piersi i idąc w głąb tunelu.

Dziekan Galloway dał im klucz i dokładne wskazówki. Niestety, gdy dotarli do końca krótkiego korytarza, okazało się, że od celu dzieli ich szeroka otwarta przestrzeń trawnika oświetlona reflektorami krążącego nad ich głowami helikoptera.

— Nie damy rady — westchnęła Katherine.

— Nie poddawaj się... popatrz. — Langdon wskazał czarny cień, który wyrósł na trawniku na lewo od nich. Początkowo wydawał się bezkształtną plamą, lecz rósł coraz szybciej i nabierał coraz wyraźniejszego kształtu. W końcu zamienił się w dwa ogromne czarne prostokąty zwieńczone dwiema wysokimi iglicami.

— Fasada katedry zasłoniła promienie reflektorów — wyjaśnił.

— Wskazują nam drogę!

Langdon złapał Katherine za rękę i krzyknął:

— Biegniemy! Teraz!

Dziekan Galloway dawno nie kroczył z taką lekkością. Przeszedł przez Wielkie Skrzyżowanie i ruszył nawą w kierunku narteksu i drzwi wejściowych.

Słyszał huk helikoptera, który zawisł przed wejściem do katedry. Wyobraził sobie światła reflektorów wpadające przez znajdujące się przed nim rozetowe okno i zalewające wnętrze świątyni feerią barw. Przypomniał sobie czasy, gdy widział kolory. Jak na ironię, poruszanie się w pozbawionej światła próżni jego obecnego świata pomogło mu zrozumieć wiele rzeczy.

Dziś widzę wyraźniej niż kiedyś.

Galloway poczuł powołanie jako młody mężczyzna i przez całe życie kochał Kościół tak, jak tylko może kochać człowiek. Podobnie jak wielu kolegów, którzy poświęcili się bez reszty Bogu, Galloway czuł się zmęczony. Przez całe życie zabiegał o to, aby być słyszany w zgiełku czynionym przez ignorantów.

Czego oczekiwałem?

Od czasów wypraw krzyżowych i inkwizycji nadużywano imienia Jezusa, wikłając je w różne zmagania o władzę. Od początku głupcy darli się najgłośniej, gromadząc wokół siebie ufne masy i zmuszając je do posłuszeństwa. Bronili swoich ziemskich pragnień, cytując Pismo, którego nie rozumieli. Szczycili się swoją nietolerancją, uważając, że jest dowodem niezłomnych przekonań. Teraz, po wszystkich tych latach, ludzkość zdołała zniszczyć to, co było piękne w postaci Jezusa.

Symbol różanego krzyża, o którym dzisiaj usłyszał, natchnął go nadzieją, przypominając o proroctwach zapisanych w manifestach różokrzyżowców. Czytał je wielokrotnie i nadal miał w pamięci.

Rozdział pierwszy: *Jehowa odkupi ludzkość, ujawniając tajemnice, które były pierwej przeznaczone jedynie dla garstki wybranych.*

Rozdział czwarty: *Cały świat stanie się niczym jedna księga, wszystkie zaś sprzeczności nauki i teologii zostaną rozwikłane.*

Rozdział siódmy: *Przed nastaniem końca Bóg ześle wielkie duchowe światło, aby ulżyć cierpieniom ludzkości.*

Rozdział ósmy: *Zanim to objawienie stanie się możliwe, świat musi odespać upojenie wywołane zatrutym kielichem, który napełniono fałszywym winem teologii.*

Galloway wiedział, że Kościół dawno zagubił drogę i poświęcił całe życie temu, by skierować go na właściwy kurs. Teraz zrozumiał, że ta chwila właśnie nadchodzi.

Przed świtem zawsze jest najciemniej.

Agent operacyjny Turner Simkins stał w drzwiach helikoptera siadającego na pokrytej szronem trawie. Zeskoczył na ziemię i dołączył do swoich ludzi, dając znak pilotowi, aby natychmiast wzniósł się w powietrze i kontrolował wszystkie wyjścia.

Nikt nie opuści tego kościoła.

Kiedy maszyna zawisła na nocnym niebie, Simkins i jego zespół wbiegali po stopniach wiodących do głównych drzwi katedry. Przystanął na chwilę, by zdecydować, do których z sześciu drzwi zapukać, a wtedy jedne z nich otworzyły się na oścież.

— Słucham? — usłyszał spokojny głos dobiegający z ciemności.

Simkins z trudem dostrzegł zgarbioną postać w sutannie.

— Dziekan Galloway?

— Tak.

— Szukam Roberta Langdona. Widział go pan?

Starzec zrobił krok do przodu, zwracając na Simkinsa upiorne, zasnute mgłą oczy.

— Czyż to nie cud?

Rozdział 88

Czas się kończy.

Analityk Biura Bezpieczeństwa Nola Kaye była u kresu wytrzymałości. Trzeci kubek kawy, który właśnie piła, sprawił, że przez jej ciało przeszło coś przypominającego prąd elektryczny.

Ani słowa od Sato.

Wreszcie telefon zadzwonił. Nola chwyciła słuchawkę.

— Biuro Bezpieczeństwa — rzuciła. — Mówi Nola.

— Tu Rick Parrish z działu bezpieczeństwa systemów.

Nola opadła na krzesło. To nie Sato.

— Cześć, Rick. Co mogę dla ciebie zrobić?

— Chciałem przekazać ci trochę wskazówek. Nasz dział ma informacje związane z tym, nad czym pracujesz tej nocy.

Odstawiła kubek.

— Skąd, do cholery, wiesz, nad czym pracuję?

— Co?!

— Przepraszam. Testujemy wersję beta nowego programu CP — wyjaśnił Parrish. — Śledziliśmy operacje wykonywane na twojej stacji roboczej.

Nola zrozumiała, o co chodzi. Agencja wprowadziła niedawno nowy, działający w czasie rzeczywistym program „ciągłego powiadamiania", informujący różne działy CIA o tym, że inne komórki przetwarzają dane związane z ich analizami. W okresie dużego zagrożenia atakiem terrorystycznym kluczem do zażegnania katastrofy było często proste zawiadomienie, że facet pracujący w tym samym korytarzu analizuje właśnie informacje, których potrzebujesz. Jeśli o nią chodziło, uważała nowy program raczej za przeszkodę niż pomoc — nazywała go programem „ciągłego przeszkadzania".

— Racja, na śmierć zapomniałam. Co masz?

Była pewna, że nikt w całym gmachu nie wie, z jakim kryzysem się boryka, a tym bardziej, nad czym pracuje. Komputer, którego używała tej nocy, był wykorzystywany do wyszukiwania danych historycznych dotyczących ezoterycznych kwestii związanych z masonami. Mimo to była zobowiązana do prowadzenia gry.

— Cóż, to pewnie nic ważnego — zaczął Parrish. — Tej nocy nakryliśmy hakera, a ten program ciągle sugeruje, abym podzielił się z tobą tymi informacjami.

Hakera? Nola upiła łyk kawy.

— Zamieniam się w słuch.

— Jakąś godzinę temu przyłapaliśmy gościa o nazwisku Zoubianis, który próbował dotrzeć do pliku umieszczonego w jednej z naszych wewnętrznych baz danych. Gość twierdzi, że zlecono mu tę robotę, i nie wie, dlaczego zapłacono mu tyle kasy za zdobycie tego dokumentu. Nie wiedział też, że plik znajduje się na serwerze CIA.

— Rozumiem.

— Skończyliśmy go przesłuchiwać. Facet jest czysty. A teraz najważniejsze. Ten sam plik został wcześniej zlokalizowany przez naszą wewnętrzną wyszukiwarkę. Wygląda na to, że ktoś włamał się do systemu, wpisał kluczowe słowa i otrzymał zredagowany tekst. Sęk w tym, że słowa, których użył, są bardzo dziwne. Jest wśród nich słowo oflagowane przez nasz program, występujące w obu zbiorach danych. — Przerwał na chwilę. — Słyszałaś o... *symbolonie*?

Nola wyprostowała się gwałtownie, krztusząc się kawą.

— Inne słowa klucze są równie niezwykłe — ciągnął Parrish — „piramida", „portal"...

— Przyjdź do mnie — poleciła Nola, wycierając biurko. — Przynieś wszystko, co masz!

— Czy te słowa coś dla ciebie znaczą?

— Natychmiast!

Rozdział 89

Cathedral College był piękną, przypominającą zamek budowlą przylegającą do katedry Świętych Piotra i Pawła. College Kaznodziejów, którym miał być w pierwotnym zamyśle episkopalnego biskupa Waszyngtonu, został stworzony, by kształcić duchownych po ordynacji. Obecnie uczelnia prowadziła różne programy edukacyjne z dziedziny teologii, prawa, medycyny i duchowości.

Langdon i Katherine przebiegli przez trawnik i użyli klucza Gallowaya, aby wślizgnąć się do środka, zanim helikopter znów uniósł się nad katedrą, a jego reflektory zamieniły noc w dzień. Stanęli w holu, nie mogąc złapać tchu i rozglądając się. Ponieważ okna zapewniały wystarczającą ilość światła, Langdon nie zapalił lamp, by nie podpowiedzieć pilotowi, gdzie są. Idąc głównym korytarzem, minęli sale konferencyjne, klasy i gabinety. Wnętrze gmachu przypominało Langdonowi neogotyckie budynki uniwersytetu Yale — na zewnątrz zapierające dech w piersi, w środku niezwykle funkcjonalne, zaprojektowane w dawnym stylu, choć przystosowane do tego, by przebywało w nich dużo ludzi.

— Tędy — rzuciła Katherine, wskazując drugi koniec korytarza.

Nie powiedziała jeszcze Langdonowi o swoim odkryciu dotyczącym piramidy, choć jego źródłem była najwyraźniej wzmianka o Izaaku Newtonie. Kiedy biegli przez trawnik, wspomniała tylko, że piramidę można przekształcić za pomocą elementarnej wiedzy. Była pewna, że wszystko, czego potrzebuje, jest w tym budynku.

Langdon nie miał zielonego pojęcia, co będzie jej potrzebne ani w jaki sposób zamierza przekształcić kawałek granitu lub złota, lecz po tym, jak na jego oczach sześcian zamienił się w krzyż różokrzyżowców, gotów był jej uwierzyć.

Kiedy dotarli do końca korytarza, Katherine zmarszczyła brwi, jakby nie znalazła tego, czego szukała.

— Powiedziałeś, że w tym gmachu są pokoje dla gości?

— Tak, dla uczestników seminariów wyjazdowych.

— Zatem musi gdzieś tu być kuchnia, prawda?

— Jesteś głodna?

Rzuciła mu gniewne spojrzenie.

— Nie, potrzebuję laboratorium.

Oczywiście. Langdon dostrzegł schody, przy których umieszczono obiecujący znak.

Ulubiony piktogram Ameryki.

Kuchnia w piwnicy miała industrialny wygląd — mnóstwo naczyń z nierdzewnej stali i wielkich mis — najwyraźniej przygotowywano tu posiłki dla dużej liczby ludzi. W pomieszczeniu nie było okien. Katherine zamknęła drzwi i zapaliła światło, uruchamiając wentylatory.

Zaczęła zaglądać do szaf, szukając składników potrzebnych do eksperymentu.

— Robercie, czy mógłbyś położyć piramidę na tym stole? — Wskazała kuchenną wyspę.

Robert zrobił to jak niedoświadczony kuchcik słuchający wskazówek słynnego kucharza. Wyjął piramidę z torby i umieścił zwieńczenie na jej ściętym wierzchołku. Kiedy skończył, Katherine zaczęła napełniać ogromny garnek ciepłą wodą z kranu.

— Mógłbyś postawić go na kuchni?

Langdon podniósł ociekający wodą garnek i postawił na kuchni, a Katherine zapaliła ogień.

— Będziemy gotowali homary? — spytał z nadzieją.

— Bardzo zabawne. Nie, zajmiemy się alchemią. Nawiasem mówiąc, ten garnek służy do gotowania makaronu, a nie homarów.

Wskazała sito, które wyjęła z naczynia, i położyła obok piramidy.

Głupiec ze mnie.

— Czy ugotowanie makaronu pomoże nam odczytać inskrypcję na piramidzie?

Katherine zignorowała jego pytanie i odrzekła poważnie:

— Z pewnością wiesz, iż masoni wybrali trzydziesty trzeci stopień jako najwyższy poziom wtajemniczenia z powodów historycznych i symbolicznych.

— Oczywiście — przytaknął Langdon.

W czasach Pitagorasa, sześć wieków przed Chrystusem, numerologia otaczała czcią liczbę trzydzieści trzy jako najdoskonalszą z liczb mistrzowskich. Uznawano ją za najświętszą z liczb, symbol boskiej prawdy. Tradycja ta przetrwała w nauce masońskiej... a także gdzie indziej. Nie przez przypadek chrześcijanie nauczali, że Jezus został ukrzyżowany w wieku trzydziestu trzech lat, choć nie potwierdzały tego żadne dowody historyczne. Nie było też przypadkiem, że Józef miał trzydzieści trzy lata, gdy poślubił Marię albo to, że Jezus dokonał trzydziestu trzech cudów. W Księdze Rodzaju trzydzieści trzy razy wymieniono imię Boga, a w islamie wszyscy mieszkańcy nieba mieli przez cały czas trzydzieści trzy lata.

— Trzydzieści trzy to święta liczba w wielu tradycjach mistycznych — zauważyła Katherine.

— To prawda — zgodził się Langdon, choć nadal nie miał pojęcia, po co im garnek do gotowania makaronu wypełniony gorącą wodą.

— Nie powinno więc zaskakiwać, że wcześni alchemicy, różokrzyżowcy i mistycy w rodzaju Izaaka Newtona również uważali tę liczbę za szczególną.

— To pewne. Newton bardzo zainteresował się numerologią, proroctwami i astrologią, jednak jaki to ma związek...

— Wszystko stanie się jasne, gdy woda osiągnie temperaturę trzydziestu trzech stopni.

— Wszystko stanie się jawne po osiągnięciu trzydziestego trzeciego stopnia.

Langdon wyjął z kieszeni pierścień Petera i jeszcze raz odczytał napis.

— Przepraszam, ale nie nadążam.

— Robercie, wcześniej uznaliśmy, że „trzydziesty trzeci stopień" oznacza najwyższy stopień masońskiego wtajemniczenia, a jednak gdy przekręciłeś pierścień o trzydzieści trzy stopnie, sześcian zamienił się w krzyż. W tym samym momencie zdałam sobie sprawę, że słowo „stopień" ma jeszcze inne znaczenie.

— Tak, to kąt nachylenia łuku.

— Właśnie, lecz oznacza coś jeszcze.

Langdon spojrzał na kocioł stojący na kuchni.

— Temperatura.

— Dokładnie! — wykrzyknęła Katherine. — Mieliśmy to cały czas przed oczami. *Wszystko stanie się jawne po osiągnięciu trzydziestego trzeciego stopnia*. Jeśli podgrzejemy piramidę do temperatury trzydziestu trzech stopni, może coś nam ujawnić.

Langdon wiedział, że Katherine Solomon jest niezwykle inteligentna, lecz miał wrażenie, że coś uszło jej uwagi.

— Jeśli się nie mylę, temperatura trzydziestu trzech stopni Fahrenheita jest bliska temperaturze zamarzania wody. Czy nie powinniśmy raczej wstawić piramidy do chłodni?

Katherine się uśmiechnęła.

— Nie, jeśli chcemy postąpić zgodnie z przepisem wielkiego alchemika i mistyka różokrzyżowca, który podpisywał swoje pisma *Jeova Sanctus Unus*.

Isaacus Neutonuus zostawił jakieś przepisy?

— Robercie, temperatura pełni w alchemii funkcję jednego z najważniejszych katalizatorów. Nie zawsze mierzono ją w stopniach Fahrenheita lub Celsjusza. Istniały znacznie starsze skale, a wśród nich opracowana przez Izaaka...

— Skala Newtona! — Langdon zdał sobie sprawę, że Katherine ma rację.

— Tak! Izaak Newton opracował skalę temperatury w oparciu o zjawiska naturalne. Jako podstawę przyjął temperaturę topienia się lodu, oznaczając ją jako „zero stopni". — Przerwała na chwilę. — Sądzę, że już się domyślasz, jakim stopniem oznaczył temperaturę wrzenia wody uważaną za najdoskonalszy z wszystkich procesów alchemicznych...

— Trzydzieści trzy.

— Tak, trzydzieści trzy! Na skali Newtona temperatura wrzenia wody wynosi trzydzieści trzy stopnie. Pamiętam, że kiedyś spytałam Petera, dlaczego Newton wybrał akurat tę liczbę. Wiesz, uznałam, że zrobił to przez przypadek. Wrzenie wody to jeden z najbardziej fundamentalnych procesów alchemicznych, a on wybrał trzydzieści trzy. Dlaczego nie sto? Dlaczego nie znalazł bardziej eleganckiej liczby? Peter stwierdził, że dla takiego mistyka jak Izaak Newton nie było piękniejszej liczby.

Wszystko stanie się jawne po osiągnięciu trzydziestego trzeciego stopnia. Langdon przeniósł wzrok z wypełnionego wodą garnka na piramidę.

— Katherine, tę piramidę wykonano z litego granitu i litego złota. Naprawdę sądzisz, że może ją odmienić wrząca woda?

Uśmiech Katherine wskazywał, że wie coś, o czym on nie ma pojęcia. Podeszła pewnym krokiem do stołu, uniosła złote zwieńczenie i umieściła je na sitku, a następnie ostrożnie włożyła piramidę do gotującej się wody.

— Za chwilę się przekonamy.

Agent siedzący za sterami helikoptera CIA krążącego nad katedrą włączył automatycznego pilota i maszyna zawisła w powietrzu. Spojrzał w dół, lustrując otoczenie kościoła i trawnik. Żadnego ruchu. Termowizor nie mógł przeniknąć kamiennych ścian, więc nie miał pojęcia, co robią jego koledzy. Gdyby jednak ktoś próbował się wymknąć, od razu by go zauważył.

Sześćdziesiąt sekund później termowizor zamigotał. Urządzenie, działające na tej samej zasadzie co domowy alarm, wykryło dużą różnicę temperatur. Zwykle oznaczało to człowieka poruszającego się w chłodnym pomieszczeniu. Na ekranie ukazało się jednak coś przypominającego raczej obłok, smugę ciepłego powietrza sunącą trawnikiem. Pilot zlokalizował źródło. Boczny wentylator Cathedral College.

To nic ważnego — pomyślał. Widział takie zjawiska wielokrotnie. Pewnie ktoś gotuje albo pierze. Już miał się odwrócić, gdy zauważył coś dziwnego. Na parkingu nie było żadnego samochodu, a w całym gmachu nie paliło się ani jedno światło.

Spojrzał jeszcze raz na monitor termowizora, po czym skontaktował się z dowódcą.

— Simkins, to pewnie nic istotnego...

— Jarzeniowy wskaźnik temperatury! — Langdon musiał przyznać, że to sprytny pomysł.

— To proste zjawisko — przyznała Katherine. — Różne materiały zaczynają się jarzyć w różnych temperaturach. Nazywamy je wskaźnikami termicznymi. Wykorzystuje się je powszechnie w nauce.

Langdon spojrzał na zanurzone w wodzie piramidę i zwieńczenie. Nad garnkiem zaczęły unosić się obłoki pary. Nie miał większej nadziei. Spojrzał na zegarek i serce zabiło mu mocniej. Dwudziesta trzecia czterdzieści pięć.

— Sądzisz, że powierzchnia piramidy zacznie świecić, gdy zostanie podgrzana?

— Nie świecić, ale jarzyć się, Robercie. To zasadnicza różnica. Zjawisko jarzenia jest wywołane przez ciepło, zachodzi po osiągnięciu przez ciało określonej temperatury. Na przykład podczas utwardzania belek w stalowni na ich powierzchni rozpyla się niewidoczną substancję, która zaczyna się jarzyć w znanej temperaturze, co wskazuje zakończenie obróbki. Pamiętasz pierścień nastroju? Przykładasz do niego palec, a on zmienia barwę pod wpływem temperatury ciała.

— Katherine, ta piramida została zrobiona w dziewiętnastym wieku! Mogę zrozumieć, że w środku kamiennego pudełka umieszczono niewidoczne zawiasy, lecz nakładanie przezroczystej powłoki termicznej...

— To bardzo możliwe. — Katherine wpatrywała się z nadzieją w zanurzoną w wodzie piramidę. — Alchemicy używali jako wskaźników temperatury naturalnych związków fosforu. Chińczycy wytwarzali barwne fajerwerki, nawet Egipcjanie... — nagle zamilkła.

— Co się stało? — spytał Langdon. Podążył za jej wzrokiem, lecz niczego nie dostrzegł.

Katherine pochyliła się nad garnkiem, uporczywie wpatrując się w wodę. Po chwili odwróciła się i podbiegła do drzwi.

— Co robisz?! — krzyknął Langdon.

Zgasiła światło. Wentylator przestał pracować. Pomieszczenie pogrążyło się w ciszy i ciemności. Langdon zaglądał do garnka przez obłok pary. Kiedy Katherine stanęła obok niego, otworzył usta ze zdumienia.

Tak, jak zapowiadała, mały fragment zwieńczenia zaczął się jarzyć. Ich oczom ukazały się litery, coraz bardziej wyraźne wraz ze wzrostem temperatury.

— To jakiś tekst — szepnęła Katherine.

Langdon skinął głową, nie mogąc wydusić słowa. Litery ukazały się pod inskrypcją wyrytą na zwieńczeniu. Wyglądało na to, że są tylko trzy wyrazy. Langdon nie mógł ich odczytać, lecz był ciekaw, czy pomogą im znaleźć to, czego szukają. „Masońska piramida to prawdziwa mapa, która wskazuje rzeczywiste miejsce" — powiedział Galloway.

Kiedy litery rozjarzyły się jaskrawo, Katherine zakręciła gaz i woda powoli przestała bulgotać. Zwieńczenie ukazało się wyraźnie pod spokojną taflą wody.

Trzy lśniące wyrazy były widoczne jak na dłoni.

Rozdział 90

Langdon pochylił się nad garnkiem w przyćmionym świetle wypełniającym kuchnię Cathedral College.

Nie mogąc uwierzyć własnym oczom, odczytał jarzący się tekst. Wiedział, że zgodnie z legendą piramida ma wskazywać konkretne miejsce, lecz takiej dokładności się nie spodziewał.

Franklin Square 8

— To adres — wyszeptał ledwie słyszalnie.

Katherine wyglądała na równie zdumioną.

— Nie mam pojęcia, gdzie to jest, a ty?

Langdon pokręcił głową. Wiedział, że Franklin Square jest w jednej ze starszych części Waszyngtonu, lecz nie znał tego adresu. Spojrzał na wierzchołek i odczytał cały tekst.

Tajemnica
kryje się we wnętrzu Zakonu
Franklin Square 8

Co znajduje się na Franklin Square 8?

Czy jest tam budowla zasłaniająca wejście prowadzące do podziemnych schodów?

Langdon nie miał pojęcia, czy naprawdę pod wskazanym adresem coś zakopano. Najważniejsze było to, że wspólnie z Katherine odczytali napis na piramidzie i byli w posiadaniu informacji niezbędnych do wynegocjowania uwolnienia Petera.

Nie pozostało nam zbyt dużo czasu.

Fosforyzujące wskazówki zegarka z Myszką Miki mówiły, że mają niecałe dziesięć minut.

— Zadzwoń do niego! — powiedziała Katherine, wskazując telefon wiszący na ścianie. — Natychmiast!

Nagłe nadejście tej chwili zdumiało Langdona i sprawiło, że się zawahał.

— Jesteś pewna?

— Całkowicie.

— Nie powiemy mu, dopóki nie będziemy mieli pewności, że Peter jest bezpieczny.

— Oczywiście. Zapamiętałeś numer?

Langdon skinął głową i ruszył w kierunku aparatu. Podniósł słuchawkę i wybrał numer telefonu komórkowego porywacza. Katherine podeszła i przyłożyła ucho do słuchawki, żeby przysłuchiwać się rozmowie. Słysząc sygnał, Langdon przygotował się na upiorny szept człowieka, który tej nocy już raz go oszukał.

W końcu ktoś odebrał.

Langdon nie usłyszał pozdrowienia ani żadnego głosu, tylko oddech.

Odczekał chwilę i powiedział:

— Mam informację, której pan żądał, lecz nie przekażę jej, dopóki nie wypuści pan Petera.

— Kto mówi? — w słuchawce rozległ się kobiecy głos.

Langdon zamarł.

— Robert Langdon — odpowiedział odruchowo. — A pani? — Przez chwilę myślał, że wybrał niewłaściwy numer.

— Pan Langdon? — Kobieta sprawiała wrażenie zdumionej. — Ktoś pytał o pana...

Co?

— Przepraszam, ale kim pani jest?

— Strażniczka Paige Montgomery, firma Preferred Security. — Jej głos dziwnie drżał. — Może zdoła mi pan pomóc... Godzinę temu moja partnerka odpowiedziała na wezwanie z numeru dziewięćset jedenaście. Pojechała do rezydencji w Kalorama Heights, mogło tam dojść do porwania. Kiedy straciłam z nią kontakt, wezwałam posiłki. Znaleziono ją martwą na tylnym podwórku. Właściciela domu nie było, więc włamaliśmy się do środka. Później zadzwonił telefon na stole w holu, więc...

— Jest pani tam? — spytał Langdon.

— Tak, zawiadomienie... okazało się uzasadnione — wyjąkała kobieta. — Przepraszam, jeśli mówię nieskładnie... lecz moja partnerka nie żyje. Na terenie rezydencji znaleźliśmy człowieka przetrzymywanego wbrew jego woli. Jest w bardzo złym stanie, właśnie się nim zajmujemy. Pytał o dwoje ludzi... pana Langdona i jakąś Katherine.

— To mój brat! — krzyknęła do słuchawki Katherine, przyciskając głowę do głowy Langdona. — To ja zadzwoniłam na dziewięćset jedenaście! Jak on się czuje?!

— Ten pan... — Głos kobiety się załamał. — Jest w złym stanie. Nie ma prawej dłoni...

— Muszę z nim porozmawiać — wyjąkała Katherine. — Proszę!

— Właśnie go opatrują. Co chwila traci i odzyskuje przytomność. Jeśli jest pani w okolicy, powinna pani niezwłocznie przyjechać. On chce się z panią widzieć.

— Jesteśmy w odległości sześciu minut drogi! — wykrzyknęła Katherine.

— W takim razie proszę się pospieszyć. — Z oddali doleciał stłumiony głos. — Przepraszam, potrzebują mnie. Porozmawiamy, gdy pani przyjedzie.

W słuchawce zapadła cisza.

Rozdział 91

Langdon i Katherine wbiegli po schodach na górę i ruszyli ciemnym korytarzem, szukając wyjścia. Nie słyszeli warkotu helikoptera nad głowami, więc Langdon miał nadzieję, że zdołają wymknąć się niepostrzeżenie i dotrzeć do Kalorama Heights, aby zobaczyć Petera.

Znaleźli go. Żyje.

Pół minuty temu, gdy skończyli rozmawiać ze strażniczką, Katherine pospiesznie wyjęła z garnka parującą piramidę i zwieńczenie. Piramida jeszcze ociekała wodą, gdy umieszczała ją w skórzanej torbie Langdona. Teraz czuł jej ciepło przenikające przez skórę torby.

Radość z powodu odnalezienia Petera sprawiła, że na chwilę zapomnieli o słowach wypisanych na zwieńczeniu — *Franklin Square 8* — choć wiedzieli, że i na to przyjdzie czas.

Kiedy dotarli do końca schodów i skręcili za róg, Katherine nagle stanęła, wskazując salon po przeciwnej stronie korytarza. Przez okno w wykuszu Langdon dostrzegł na trawie smukły czarny helikopter. Obok maszyny stał odwrócony do nich plecami pilot i rozmawiał z kimś przez radio. W pobliżu zaparkował czarny cadillac escalade z przyciemnionymi szybami.

Trzymając się cienia, Langdon i Katherine ruszyli w kierunku salonu i wyjrzeli przez okno, żeby się zorientować, gdzie są pozostali członkowie zespołu. Na szczęście ogromny trawnik przed katedrą był pusty.

— Pewnie są w środku — powiedział Langdon.

— Nie — usłyszeli za plecami głęboki głos.

Odwrócili się, żeby zobaczyć, kto do nich mówi. W drzwiach pokoju stało dwóch mężczyzn w czarnych kombinezonach, mierząc do nich z broni z laserowymi celownikami. Langdon dostrzegł czerwoną kropkę tańczącą na swojej piersi.

— Miło znowu pana widzieć, profesorze — odezwał się znajomy chropawy głos. Agenci rozstąpili się, a drobna dyrektor Sato bez trudu prześlizgnęła się między nimi. Przeszła pokój i zatrzymała się na wprost Langdona. — Popełnił pan tej nocy kilku bardzo poważnych błędów.

— Policja odnalazła Petera Solomona — oznajmił z naciskiem Langdon. — Jest w ciężkim stanie, ale żyje. Sprawa zakończona.

Jeśli Sato była zdumiona tym faktem, to tego nie okazała. Nie mrugnęła okiem, zbliżając się do Langdona i stając w odległości kilkunastu centymetrów od niego.

— Zapewniam pana, profesorze, że do tego jeszcze daleko. Skoro włączyła się policja, sprawa stała się jeszcze poważniejsza. Chyba już panu wspomniałam, że sytuacja jest niezwykle delikatna. Nie powinien był pan uciekać z piramidą.

— Muszę zobaczyć brata, proszę pani! — krzyknęła Katherine. — Może pani zatrzymać piramidę, ale musi pani...

— Muszę? — mruknęła Sato, odwracając się w stronę Katherine. — Panna Solomon, jak sądzę? — Spojrzała na nią gniewnie, po czym zwróciła się do Langdona: — Proszę postawić torbę na stole.

Langdon spojrzał na dwa czerwone punkty na swojej piersi i umieścił torbę na niskim stoliku. Jeden z agentów podszedł ostrożnie i ją otworzył. Z wnętrza buchnął mały obłok pary. Mężczyzna oświetlił wnętrze latarką. Po dłuższej chwili skinął głową.

Inoue Sato podeszła i zajrzała do środka. Mokra piramida i zwieńczenie lśniły w świetle latarki. Sato przykucnęła, badając złote zwieńczenie. Langdon przypomniał sobie, że widziała je tylko na zdjęciu rentgenowskim.

— Czy rozumie pan sens inskrypcji? — spytała. — „Tajemnica kryje się we wnętrzu Zakonu?".

— Nie jesteśmy tego pewni, proszę pani.

— Dlaczego piramida paruje?

— Zanurzyliśmy ją we wrzątku — wyjaśniła Katherine pospiesznie. — Było to konieczne do rozszyfrowania inskrypcji. Wszystko pani powiemy, proszę nam tylko pozwolić zobaczyć się z bratem. Przeżył...

— Włożyliście piramidę do wrzątku? — zdziwiła się Sato.

— Niech pan zgasi latarkę, a pani niech spojrzy na zwieńczenie — powiedziała Katherine. — Napis jest pewnie jeszcze widoczny.

Agent zgasił latarkę, a Sato przyklękła obok stolika. Chociaż Langdon stał w pewnej odległości od niej, widział, że tekst na zwieńczeniu wciąż delikatnie się żarzy.

— Franklin Square osiem? — odczytała zdumiona Sato.

— Tak, proszę pani. Tekst został napisany lakierem, który jarzy się w temperaturze wrzenia wody. Okazało się, że trzydzieści trzy stopnie...

— Czy to adres? Czy tego chce ten człowiek?

— Tak. — Langdon skinął głową. — Uważa, że piramida jest mapą, która wskaże mu miejsce ukrycia wielkiego skarbu, kluczem do starożytnej wiedzy tajemnej.

Sato jeszcze raz spojrzała na zwieńczenie.

— Niech mi pan powie, czy już się pan z nim skontaktował? — zapytała przyprawiającym o gęsią skórkę głosem, w którym można było wyczuć lęk. — Podał mu pan ten adres?

— Próbowaliśmy — przyznał Langdon i opowiedział, co się wydarzyło, gdy zadzwonili na komórkę porywacza.

Sato słuchała uważnie, przesuwając językiem po żółtych zębach. Choć wyglądała, jakby lada chwila miała wybuchnąć gniewem, odwróciła się do jednego ze swoich ludzi i powiedziała stłumionym szeptem:

— Każ go przyprowadzić. Jest w wozie.

Agent skinął głową i szepnął coś do krótkofalówki.

— Kogo? — spytał Langdon.

— Jedyną osobę, która może posprzątać ten cholery bałagan, którego pan narobił?

— Jaki bałagan?! — zaprotestował Langdon. — Teraz, gdy Peter jest bezpieczny, wszystko stało się...

— Na Boga! — wybuchnęła Sato. — Tu nie chodzi o Petera! Próbowałam to panu powiedzieć w Kapitolu, profesorze, lecz pan postanowił działać przeciwko mnie zamiast ze mną współpracować! Spowodował pan ogromne zamieszanie! Niszcząc komórkę, dzięki której pana namierzaliśmy, pozbawił nas pan jedynego sposobu komunikowania się z tym człowiekiem. Adres, który pan odkrył, niezależnie od tego, czym jest, był naszą jedyną szansą złapania szaleńca. Chciałam, aby grał pan w jego grę i dostarczył adres, żeby można go było powstrzymać!

Zanim Langdon zdążył odpowiedzieć, Sato wylała resztkę gniewu na Katherine:

— Panno Solomon, wiedziała pani, gdzie mieszka ten obłąkaniec. Dlaczego mi pani nie powiedziała? Dlaczego wysłała pani do jego domu ochroniarza? Nie rozumie pani, że zaprzepaściła w ten sposób szansę jego ujęcia? Cieszę się, że pani brat jest bezpieczny, lecz kryzys, z którym mamy do czynienia tej nocy, znacznie wykracza poza krąg pani rodziny. Jego skutki odczują ludzie na całym świecie. Człowiek, który porwał pani brata, ma ogromną władzę. Musimy go natychmiast aresztować.

Kiedy skończyła tyradę, z cienia wyłoniła się elegancka sylwetka Warrena Bellamy'ego. Miał wymięty garnitur, był posiniaczony i zaszokowany... jakby wrócił z piekła.

— Warrenie! — wykrzyknął Langdon. — Nic ci nie jest?!

— Wszystko w porządku. Naprawdę...

— Słyszałeś wiadomość? Peter jest bezpieczny!

Bellamy skinął głową, wyraźnie oszołomiony, jakby nic nie było dla niego ważne.

— Tak, słyszałem waszą rozmowę. Bardzo się cieszę.

— Za chwilę będziecie sobie mogli pogadać, lecz teraz pan Bellamy musi odnaleźć tego maniaka i nawiązać z nim kontakt. Tak jak to robił przez całą noc.

Langdon był zdezorientowany.

— Bellamy wcale się z nim nie komunikował! Ten facet nie wiedział, że Bellamy jest w to zamieszany!

Sato odwróciła się do Bellamy'ego i uniosła brwi.

Architekt westchnął.

— Robercie, tej nocy nie byłem z tobą całkiem szczery — wyjąkał przerażony.

Langdon patrzył na niego, nie mogąc wydusić słowa.

— Sądziłem, że postępuję właściwie...

— Teraz zrobi pan to, co właściwe — przerwała mu Sato. — I niech się pan modli, aby okazało się to skuteczne. — Jakby dla potwierdzenia złowieszczego tonu dyrektor Sato, zegar na kominku zaczął bić. Podała Bellamy'emu plastikową torbę z jego rzeczami osobistymi. — To należy do pana. Czy ten telefon robi zdjęcia?

— Tak, proszę pani.

— Dobrze, potrzymajcie zwieńczenie.

Mal'akh otrzymał przed chwilą wiadomość od swojego informatora, Warrena Bellamy'ego, masona, którego wcześniej wysłał do Kapitolu, aby służył pomocą Robertowi Langdonowi. Bellamy, podobnie jak Langdon, chciał odnaleźć Petera Solomona żywego, więc zapewnił Mal'akha, że pomoże Langdonowi zdobyć i rozszyfrować piramidę. Przez całą noc Mal'akh otrzymywał e-maile z aktualnymi informacjami, które automatycznie przekazywano na jego komórkę.

Ciekawe co napisał — pomyślał Mal'akh, otwierając wiadomość.

Od: Warren Bellamy

rozdzieliliśmy się z Langdonem
w końcu mam informację, której pan żądał
w załączniku dowód.
proszę zadzwonić w sprawie brakującej części. — wb

— jeden załącznik (jpeg) —

„Proszę zadzwonić w sprawie brakującej części?" — zdziwił się Mal'akh, otwierając plik.

Załącznikiem okazało się zdjęcie.

Na jego widok Mal'akh głośno westchnął. Serce waliło mu z podniecenia. Zdjęcie było zbliżeniem małej złotej piramidy. Legendarne zwieńczenie! Na jednej ze ścian misternie wyryto obiecującą wiadomość: *Tajemnica kryje się we wnętrzu Zakonu.*

Pod inskrypcją ujrzał coś, co go zdumiało. Napis na zwieńczeniu się jarzył. Nie wierząc własnym oczom, spojrzał na lśniący tekst i zrozumiał, że legenda była w dosłownym sensie prawdziwa: masońska piramida przemieni się, aby ujawnić swoją tajemnicę godnemu.

Mal'akh nie miał pojęcia, w jaki sposób doszło do tej magicznej przemiany, lecz nic go to nie obchodziło. Jarzący tekst wskazywał jednoznacznie miejsce w Waszyngtonie dokładnie tak, jak przepowiedziano. Franklin Square. Niestety, fragment złotego zwieńczenia został zasłonięty palcem wskazującym Warrena Bellamy'ego, który ukrył najważniejszą część informacji.

Tajemnica
kryje się we wnętrzu Zakonu
Franklin Square ▬▬▬

„Proszę zadzwonić w sprawie brakującej części". Zrozumiał, o co chodziło Bellamy'emu. Architekt Kapitolu współdziałał z nim przez całą noc, lecz teraz podjął bardzo niebezpieczną grę.

Rozdział 92

Langdon, Katherine i Bellamy czekali razem z Sato w salonie Cathedral College, pod czujnym okiem kilku uzbrojonych agentów CIA. Na stoliku przed nimi stała otwarta torba Langdona z wystającym złotym zwieńczeniem. Słowa *Franklin Square 8* zniknęły, nie pozostał po nich najmniejszy ślad.

Katherine błagała Sato, by pozwoliła jej zobaczyć brata, lecz ta tylko pokręciła głową, nie odrywając wzroku od telefonu Bellamy'ego, który leżał na blacie, lecz do tej pory nie zadzwonił.

Dlaczego Bellamy nie powiedział mi prawdy? — zastanawiał się Langdon. Najwyraźniej architekt był przez całą noc w kontakcie z porywaczem, zapewniając go, że Langdon jest coraz bliższy rozszyfrowania inskrypcji. Był to blef, by zyskać czas dla Petera. W rzeczywistości Bellamy robił wszystko, co mógł, aby uniemożliwić odkrycie tajemnicy piramidy. Teraz Robert miał wrażenie, że przeszedł na drugą stronę. On i Sato gotowi byli zaryzykować ujawnienie sekretu, mając nadzieję, że złapią tego człowieka.

— Zabierzcie ręce! — usłyszeli starczy głos dobiegający z korytarza. — Jestem niewidomy, nie kaleki! Znam ten college jak własną kieszeń! — Dziekan Galloway nie przestawał protestować, gdy agent CIA wprowadził go do salonu i posadził na fotelu. — Kto tu jest? — zapytał, wodząc niewidzącymi oczami. — Słyszę, że jest was tu spora gromadka. Ilu ludzi potrzeba do zatrzymania starca? Mówcie!

— Jest tu siedem osób — odpowiedziała Sato. — Oprócz mnie Robert Langdon, Katherine Solomon i pana masoński brat, Warren Bellamy.

Galloway stracił cały animusz.

— Wszystko w porządku — zapewnił go Langdon. — Przed chwilą dowiedzieliśmy się, że Peter jest bezpieczny. Jego stan jest poważny, lecz opiekuje się nim policja.

— Bogu dzięki! — odetchnął Galloway. — A...

Głośne terkotanie sprawiło, że wszyscy podskoczyli. Okazało się, że to telefon Bellamy'ego wibruje na stole.

— W porządku, Bellamy — powiedziała Sato. — Proszę nie pokpić sprawy. Zna pan stawkę.

Bellamy odetchnął głęboko i sięgnął po telefon. Włączył tryb głośnomówiący.

— Mówi Bellamy.

Poprzez trzaski doleciał znajomy pogardliwy szept. Można było odnieść wrażenie, że mężczyzna używa zestawu głośnomówiącego we wnętrzu samochodu.

— Minęła północ, panie Bellamy. A ja już chciałem uwolnić Petera...

W pokoju zapadła niezręczna cisza.

— Chciałbym z nim porozmawiać.

— To niemożliwe. Jesteśmy w drodze. Leży związany w bagażniku.

Langdon i Katherine spojrzeli po sobie, po czym odwrócili się do pozostałych, kręcąc głowami. Blefuje! Peter nie jest w jego rękach!

Sato skinęła Bellamy'emu, żeby się nie poddawał.

— Muszę mieć dowód, że Peter żyje. Nie podam panu pozostałej...

— Twój Czcigodny Mistrz potrzebuje lekarza. Nie trać czasu na negocjacje. Podaj mi numer przy Franklin Square, a przywiozę tam Petera.

— Powiedziałem, że muszę...

— Ale już! — wybuchnął tamten. — W przeciwnym razie zjadę na pobocze i Peter Solomon natychmiast zginie!

— Posłuchaj! — powiedział stanowczo Bellamy. — Jeśli chcesz dostać brakującą część adresu, musisz grać na moich zasadach. Spotkajmy się na Franklin Square. Kiedy dostarczysz Petera żywego, podam ci numer budynku.

— Skąd mam wiedzieć, czy nie powiadomisz władz?

— Nie chcę ryzykować. Nie mam zamiaru cię oszukać. Wiem, co jest tej nocy prawdziwą stawką.

— Jeśli wyczuję obecność kogoś oprócz ciebie, pojadę dalej, a ty nie znajdziesz nawet śladu Petera Solomona. Oczywiście będzie to najmniejsze z twoich zmartwień.

— Przyjdę sam — zapewnił Bellamy. — Kiedy przekażesz mi Petera, otrzymasz wszelkie informacje.

— Na środku placu — zaznaczył tamten. — Będę potrzebował przynajmniej dwudziestu minut, żeby się tam dostać. Sugeruję, żebyś zaczekał na mnie tyle, ile będzie trzeba.

Rozmówca się rozłączył.

Nagle pokój ożył. Sato zaczęła wykrzykiwać rozkazy. Kilku agentów wzięło radiotelefony i ruszyło do drzwi.

— Szybciej! Ruszać się!

W chaosie, który zapanował, Langdon spojrzał na Bellamy'ego, szukając odpowiedzi na pytanie, co wydarzyło się tej nocy, lecz ludzie Sato już zaczęli go wyprowadzać.

— Chcę zobaczyć brata! — krzyknęła Katherine. — Musi pani nas wypuścić!

Sato podeszła do niej.

— Niczego nie muszę, czy to jasne, panno Solomon?

Katherine nie ustąpiła, patrząc z rozpaczą w małe oczka Sato.

— Proszę zrozumieć, moim głównym zadaniem jest ujęcie tego człowieka na Franklin Square. Do tego czasu zostanie pani tutaj z jednym z moich ludzi.

— O czymś pani zapomniała! — Nie dawała za wygraną Katherine. — Wiem, gdzie mieszka ten człowiek! To pięć minut drogi stąd, w Kalorama Heights. Być może znajdzie tam pani dowody, które jej pomogą! Oprócz tego wspomniała pani, że chce wyciszyć sprawę. Kto wie, co Peter zacznie opowiadać władzom, gdy lepiej się poczuje.

Sato wydęła wargi, najwyraźniej przyjmując do wiadomości uwagę Katherine. Kiedy śmigła helikoptera zaczęły wirować, ściągnęła brwi i skinęła na jednego ze swoich ludzi.

— Hartmann, pojedziesz escalade'em. Zabierz pannę Solomon

i pana Langdona do Kalorama Heights. Peter Solomon nie powinien z nikim rozmawiać, jasne?

— Tak, proszę pani — odpowiedział agent.

— Zadzwoń, gdy dotrzecie na miejsce. Powiesz mi, co znalazłeś. I nie spuszczaj tej dwójki z oczu.

Agent Hartmann skinął głową, wyjął z kieszeni kluczyki i skierował się do drzwi.

Katherine ruszyła za nim.

Sato odwróciła się do Langdona.

— Zobaczymy się wkrótce, profesorze. Wiem, że uważa mnie pan za wroga, lecz zapewniam pana, iż jest inaczej. Jedźcie do Petera. To jeszcze nie koniec.

Dziekan Galloway siedział w milczeniu przy stoliku. Namacał piramidę, która nadal spoczywała w otwartej skórzanej torbie Langdona, i przesunął palcami po ciepłej kamiennej powierzchni.

— Pojedzie ksiądz z nami do Petera? — zapytał Langdon.

— Tylko bym was spowolnił. — Galloway wyjął ręce z torby i zasunął zamek. — Zostanę tutaj i będę się modlił o jego zdrowie. Porozmawiamy później. Czy mógłbyś przekazać słówko ode mnie, gdy pokażesz mu piramidę?

— Oczywiście — odparł Langdon, wieszając torbę na ramieniu.

— Powiedz mu... — Galloway odchrząknął — powiedz, że piramida masońska zawsze dochowuje sekretów... prawdziwie.

— Nie rozumiem.

Staruszek puścił do Roberta oko.

— Po prostu powtórz to Peterowi. On zrozumie.

To powiedziawszy, dziekan Galloway pochylił głowę i zaczął się modlić.

Skonsternowany Langdon zostawił go w salonie i wybiegł na dwór. Katherine siedziała już na przednim fotelu escalade'a, dając wskazówki agentowi. Langdon usiadł z tyłu i nim zdążył zamknąć drzwi, olbrzymi wóz ruszył w kierunku Kalorama Heights, podskakując na trawie.

Rozdział 93

Franklin Square znajdował się w północno-zachodniej części centrum Waszyngtonu, w widełkach ulic K i Trzynastej. Było tam wiele historycznych budynków, wśród nich znana Franklin School, z której Alexander Graham Bell w 1880 roku nadał pierwszą wiadomość telegraficzną na świecie.

Lecący wysoko helikopter w ciągu kilku minut pokonał odległość dzielącą plac od katedry. Mamy dość czasu — pomyślała Sato, spoglądając na rozciągający się w dole plac. Wiedziała, że najważniejsze jest to, aby jej ludzie niezauważenie zajęli pozycje, zanim obiekt znajdzie się w polu widzenia.

Wydała polecenie, by pilot zawisł nad dachem najwyższego budynku w okolicy — słynnego wieżowca przy Franklin Square jeden. Był to strzelisty gmach zwieńczony dwiema iglicami, w którym znajdowały się najbardziej prestiżowe biura w mieście. Oczywiście taki manewr był niedozwolony, lecz maszyna znajdowała się tam zaledwie przez kilka sekund, a płozy tylko na moment dotknęły wysypanego żwirem dachu. Kiedy wszyscy wyskoczyli, pilot uniósł maszynę i odleciał na wschód, aby wspiąć się na „cichy pułap" i udzielać z góry niewidocznego wsparcia.

Sato zaczekała, aż jej ludzie zbiorą swoje rzeczy i przygotują Bellamy'ego do czekającego go zadania. Architekt nadal był oszołomiony tym, co Sato pokazała mu na ekranie swojego specjalnego laptopa. „Mówiłam, że chodzi... o sprawę bezpieczeństwa narodowego". Bellamy szybko zrozumiał, co ma na myśli, i teraz chętnie z nią współpracował.

— Wszystko gotowe — oznajmił agent Simkins.

Na polecenie Sato agenci przeprowadzili Bellamy'ego przez dach i znikli w głębi klatki schodowej, aby zająć pozycje na dole.

Sato podeszła do krawędzi dachu i spojrzała w dół. Kwadratowy obszar porośniętego drzewami parku zajmował długość całej przecznicy. Dość miejsca, aby się ukryć. Jej ludzie doskonale wiedzieli, jak ważny jest element zaskoczenia. Gdyby obiekt wyczuł ich obecność i zdołał uciec... cóż, dyrektor Sato wolała o tym nie myśleć.

Wiatr był porywisty i chłodny. Sato objęła się ramionami i mocno zaparła, aby podmuch nie strącił jej w dół. Z tej wysokości Franklin Square wydawał się mniejszy, niż go zapamiętała, z mniejszą liczbą budynków. Zastanawiała się, gdzie jest dom pod numerem ósmym. Poprosiła o tę informację swoją analityczkę Nolę i lada chwila spodziewała się telefonu od niej.

Bellamy i agenci ukazali się na dole, rozpraszając się jak mrówki w ciemnościach zalegających zadrzewiony teren. Simkins umieścił Bellamy'ego na polanie, niedaleko środka pustego o tej porze parku. Po chwili on i jego ludzie wtopili się w otoczenie i przestali być widoczni. Bellamy został sam. Spacerował, trzęsąc się z zimna, w świetle ulicznej lampy.

Sato go nie żałowała.

Zapaliła papierosa i zaciągnęła się głęboko, wdychając ciepłe powietrze. Zadowolona, że wszystko na dole jest w najlepszym porządku, cofnęła się na środek dachu, czekając na dwa telefony — jeden od Noli, drugi od agenta Hartmanna, którego wysłała do rezydencji w Kalorama Heights.

Rozdział 94

Zwolnij! Langdon złapał się oparcia fotela, gdy escalade wziął ostro wiraż, jadąc na dwóch kołach. Agent Hartmann chciał się widocznie popisać przed Katherine lub otrzymał polecenie, by dotrzeć na miejsce, zanim Peter Solomon ocknie się na tyle, by powiedzieć przedstawicielom lokalnych władz coś, czego nie powinien.

Zawrotne tempo, w jakim się poruszali, żeby zdążyć przed czerwonym światłem, było wystarczającym powodem do zmartwień. Mknęli krętymi ulicami dzielnicy willowej, a Katherine wykrzykiwała wskazówki, bo już wcześniej była w tym domu.

Na każdym zakręcie skórzana torba Langdona kołysała się to w jedną, to w drugą stronę. Langdon słyszał brzęk zwieńczenia, które najwyraźniej spadło z piramidy i turlało się wewnątrz torby. Bojąc się, że może zostać uszkodzone, włożył rękę do środka i je wymacał. Nadal było ciepłe, lecz litery zniknęły. Widoczna pozostała jedynie pierwotna inskrypcja.

Tajemnica kryje się we wnętrzu Zakonu.

Już chciał wsunąć przedmiot do kieszeni, gdy zauważył, że jego gładka powierzchnia pokryta jest drobnymi białymi grudkami. Zdumiony próbował je oderwać, lecz okazały się mocno przytwierdzone i twarde... jak plastik. Cóż to takiego? Zauważył, że podobna substancja pokrywa także powierzchnię kamiennej piramidy. Langdon zeskrobał kawałek paznokciem i obejrzał, obracając w palcach.

— Wosk? — wyjąkał.

Katherine spojrzała przez ramię.

— Co?

— Całą powierzchnię zwieńczenia i piramidy pokrywają małe grudki wosku. Nie rozumiem, skąd się wzięły.

— Może od czegoś w twojej torbie?

— Nie sądzę.

Kiedy skręcili, Katherine wskazała dom przez szybę i zawołała do agenta Hartmanna:

— Jesteśmy na miejscu! To tam!

Langdon podniósł głowę i ujrzał wirujące światła wozu firmy ochroniarskiej zaparkowanego na podjeździe. Brama była otwarta, więc agent Hartmann dodał gazu i wjechali do środka.

Dom okazał się wspaniałą rezydencją. Wszystkie światła były włączone, a drzwi szeroko otwarte. Na podjeździe i trawniku zaparkowano chaotycznie kilka radiowozów. Niektóre miały zapalone silniki, a ich reflektory oświetlały dom. Jeden stał ukośnie i całkowicie ich oślepiał.

Agent Hartmann zatrzymał wóz obok białego sedana z jaskrawym napisem: „Preferred Security". Wirujące światła sprawiały, że trudno było cokolwiek zobaczyć.

Katherine wyskoczyła z auta i pobiegła w stronę domu. Langdon zarzucił sobie rozpiętą torbę na ramię i ruszył za nią truchtem w kierunku otwartych drzwi. Z wnętrza domu dobiegały głosy. Usłyszał, jak agent Hartmann zamyka wóz i biegnie za nimi.

Katherine przemknęła po schodach, dopadła drzwi i znikła w korytarzu. Kiedy Langdon przekroczył próg, okazało, się, że Katherine minęła hol i idzie głównym korytarzem tam, skąd dobiegają głosy. Za nią, na końcu korytarza, widać było jadalnię i odwróconą plecami kobietę w kombinezonie firmy ochroniarskiej siedzącą przy stole.

— Proszę pani! — zawołała Katherine, nie przestając biec. — Gdzie jest Peter Solomon?

Langdon pędził tuż za nią. Nagle jego uwagę zwrócił nieoczekiwany ruch. Przez okna w salonie po lewej stronie dostrzegł, że drzwi na podjazd się zamykają. Dziwne. Coś innego przykuło jego wzrok... coś, czego nie dostrzegł w oślepiających promieniach reflektorów i wirujących świateł. Samochody stojące bezładnie na podjeździe nie były radiowozami i karetkami pogotowia, jak wcześniej sądził.

Mercedes? Hummer? Tesla roadster?

W tej samej chwili zdał sobie sprawę, że głosy dobiegające z wnętrza domu pochodzą z telewizora w jadalni nastawionego na cały regulator.

Działając jak w zwolnionym tempie, krzyknął w głąb holu:

— Katherine! Zaczekaj!

Kiedy się odwrócił, stwierdził, że Katherine Solomon już nie biegnie...

Tylko leci...

Rozdział 95

Katherine Solomon wiedziała, że się przewraca, lecz nie miała pojęcia dlaczego.

Biegła korytarzem w kierunku siedzącej w jadalni strażniczki, gdy nagle jej stopa zahaczyła o niewidzialną przeszkodę. Runęła do przodu, rozpaczliwie machając rękami.

Po chwili wróciła na ziemię... na twardą drewnianą podłogę. Uderzyła się w brzuch i gwałtownie wypuściła powietrze. Ciężki wieszak na ubrania zachwiał się niebezpiecznie i runął, chybiając o włos. Podniosła głowę, ciężko dysząc, i ze zdumieniem stwierdziła, że strażniczka nawet nie drgnęła. Co dziwniejsze, okazało się, że do nogi stojaka przymocowany jest cienki drut biegnący w poprzek korytarza.

Dlaczego ktoś miałby...

— Katherine! — krzyknął Langdon. Kiedy przekręciła się na bok, poczuła, że krew w jej żyłach zamienia się w lód.

Robercie! Za tobą!

Próbowała krzyknąć, lecz wciąż nie mogła złapać tchu. Obserwowała tylko, jak Langdon biegnie korytarzem, aby jej pomóc, nieświadomy tego, co rozgrywa się za jego plecami. Agent Hartmann stał w progu, słaniając się i trzymając za gardło. Jego ręce, próbujące wyrwać długi śrubokręt wbity w szyję, były całe we krwi.

Po chwili mężczyzna runął na ziemię i Katherine zobaczyła napastnika.

Boże! Nie!

Potężnie zbudowany mężczyzna, w bieliźnie przypominającej przepaskę na biodra, najwyraźniej ukrył się w holu. Całe jego ciało pokrywały dziwne tatuaże. Drzwi wejściowe się zamknęły. Mężczyzna biegł korytarzem w stronę Langdona.

Agent Hartmann upadł w tej samej chwili, gdy zamknęły się drzwi. Langdon odwrócił się zdumiony, lecz mężczyzna już się na niego rzucił, przyciskając mu do pleców jakieś dziwne narzędzie. Katherine ujrzała błysk i usłyszała trzask wyładowania elektrycznego. Langdon zesztywniał i runął na podłogę z wytrzeszczonymi oczami. Wyglądał jak sparaliżowany. Osunął się ciężko na skórzaną torbę, a piramida uderzyła o podłogę.

Wytatuowany mężczyzna przeszedł nad nim i ruszył w kierunku Katherine, która zaczęła czołgać się do jadalni. Kiedy uderzyła o krzesło, strażniczka zachwiała się i runęła na podłogę obok niej. Pozbawiona życia twarz zastygła w wyrazie przerażenia. W otwartych ustach tkwił knebel.

Olbrzym z ogromną siłą złapał Katherine za ramiona, zanim zdążyła zareagować. Jego twarz, teraz bez makijażu, była przerażająca. Napiął mięśnie i przewrócił Katherine na brzuch jak szmacianą lalkę. Ciężkie kolano przygwoździło ją do ziemi tak mocno, że przez chwilę myślała, iż pęknie jej kręgosłup. Wtedy złapał jej ręce i pociągnął do tyłu.

Z głową przechyloną na bok i policzkiem przyciśniętym do dywanu widziała odwrócone, drgające ciało Langdona. Za nim w holu leżał nieruchomo agent Hartmann.

Poczuła na nadgarstkach zimny drut i zrozumiała, że napastnik ją wiąże. Przerażona próbowała się cofnąć, lecz jej ręce przeszył piekący ból.

— Jeśli się poruszysz, drut przetnie ci ciało — ostrzegł mężczyzna, kończąc krępowanie nadgarstków i z przerażającą zręcznością zabierając się do kostek.

Kiedy go kopnęła, rąbnął ją w prawe udo potężną pięścią, unieruchamiając nogę.

— Robercie! — Tym razem zdołała wydobyć z siebie głos.

Langdon jęknął. Leżał nieruchomo na skórzanej torbie, a kamienna piramida spoczywała obok jego głowy.

— Odczytaliśmy inskrypcję na piramidzie! — powiedziała do napastnika. — Wszystko ci powiem!

— Tak, powiesz. — Wyciągnął knebel z ust martwej strażniczki i wetknął go do ust Katherine.

Miał smak śmierci.

Robert Langdon pomyślał, że jego ciało już do niego nie należy. Leżał, odrętwiały i nieruchomy, z policzkiem przyciśniętym do podłogi. Dość się nasłuchał o paralizatorach, które mogą obezwładnić ofiarę, doprowadzając do przejściowego przeciążenia układu nerwowego. Ich działanie przypominało porażenie piorunem. Silny ból wydawał się przenikać każdą część ciała. Mimo wyraźnego zamiaru umysłu mięśnie odmawiały wykonania polecenia, które im przesyłał.

Wstań!

Langdon leżał sparaliżowany, twarzą do podłogi. Oddychał płytko, nie mogąc zaczerpnąć tchu. Nie widział człowieka, który go zaatakował, bo przed oczami miał agenta Hartmanna w coraz większej kałuży krwi. Słyszał, jak Katherine szamocze się i próbuje przekonać tamtego, lecz po chwili jej głos stał się przytłumiony, jakby ktoś wsadził jej do ust knebel.

Podnieś się! Musisz jej pomóc!

Poczuł mrowienie w nogach — palące i bolesne sygnały odzyskiwania czucia — lecz jego kończyny nadal odmawiały współpracy. Rusz się! Poczuł drżenie ramion towarzyszące powrotowi czucia. Po chwili wróciło też czucie w twarzy i karku. Z trudem odwrócił głowę, szorując policzkiem po podłodze i odwracając się w stronę jadalni.

Pole widzenia zasłaniała mu kamienna piramida, która wypadła z torby i leżała przewrócona, z podstawą oddaloną kilkanaście centymetrów od jego twarzy.

Przez chwilę nie wiedział, na co patrzy. Kwadratowa kamienna powierzchnia była bez wątpienia podstawą piramidy, lecz wyglądała jakoś inaczej. Zupełnie inaczej. Nadal była kamienna i nadal kwadratowa... nie była już jednak płaska i gładka. Jej podstawę pokrywały znaki. Jak to możliwe? Patrzył na nią przez kilka sekund, zastanawiając się, czy to może halucynacje.

Przecież oglądałem ją wielokrotnie... nie było tam niczego!

Nagle zrozumiał.

Langdon mógł już oddychać, zaczerpnął więc powietrza, uświadamiając sobie, że kamień kryje jeszcze jedną tajemnicę.

Byłem świadkiem kolejnej przemiany.

Ostatnia prośba Gallowaya nabrała sensu. „Powiedz, że piramida masońska zawsze dochowuje sekretów... prawdziwie”*. Wtedy jego słowa wydawały się dziwne, lecz teraz Langdon pojął, że dziekan Galloway przesłał Peterowi zaszyfrowaną wiadomość. Podobna wiadomość stała się punktem zwrotnym marnej powieści sensacyjnej, którą Langdon czytał wiele lat temu.

Prawdziwie.

Od czasów Michała Anioła rzeźbiarze ukrywali wady swoich dzieł, umieszczając rozgrzany wosk w pęknięciach kamienia, a następnie pokrywając go kamiennym pyłem. Metoda ta była uważana za oszustwo, dlatego każda rzeźba „bez wosku” — dosłownie *sine cera* — była uważana za „prawdziwą”. Zwrot się przyjął i przetrwał do dziś w angielskim słowie *sincere* stanowiącym zapewnienie, że przesłanie jest „bez wosku”, a słowa prawdziwe.

Inskrypcja umieszczona na podstawie piramidy została ukryta za pomocą tej samej metody. Kiedy Katherine postąpiła zgodnie ze wskazówkami i umieściła kamień we wrzącej wodzie, wosk spłynął, odsłaniając znaki. Najwyraźniej Galloway przesunął dłonią po podstawie piramidy i je wyczuł.

Langdon zapomniał na chwilę o śmiertelnym niebezpieczeństwie, w jakim się znaleźli. Utkwił wzrok w niezwykłych symbolach wyrytych na podstawie piramidy. Choć nie miał pojęcia, co oznaczają ani co ujawnią, jedno było pewne: masońska piramida nadal kryje sekrety, Franklin Square 8 nie jest ostateczną odpowiedzią.

Z powodu wywołanego adrenaliną odkrycia lub kilku dodatkowych sekund leżenia na podłodze Langdon poczuł nagle, że odzyskuje władzę nad swoim ciałem.

Pomimo bólu wyciągnął rękę i odsunął skórzaną torbę, żeby zobaczyć, co się dzieje w jadalni.

Przerażony stwierdził, że Katherine została związana i że wepchnięto jej do ust szmatę. Napiął mięśnie, próbując uklęknąć,

---

* Po ang. *sincerely* — gra słów: *sine cere* (łac.).

lecz chwilę później zamarł, nie wierząc własnym oczom. Ujrzał postać, jakiej nie oglądał nigdy wcześniej.

Na Boga, cóż to takiego?!

Langdon przekręcił się na bok, wierzgając nogami i próbując się cofnąć, lecz olbrzymi wytatuowany mężczyzna złapał go silnymi rękami, przewrócił na plecy i usiadł mu okrakiem na piersi. Oparł kolana na bicepsach, boleśnie przygważdżając go do podłogi. Na jego torsie widniał tatuaż przedstawiający dwugłowego Feniksa. Kark, twarz i ogoloną głowę pokrywały zdumiewające, niezwykle misterne symbole — sigile — używane w mrocznych magicznych rytuałach.

Zanim Langdon zdążył zauważyć coś więcej, olbrzym złapał go za uszy, uniósł jego głowę i z niewiarygodną siłą grzmotnął nią o podłogę.

Zapadła ciemność.

Rozdział 96

Mal'akh stał w korytarzu, przyglądając się krwawej jatce. Dom przypominał pole bitwy.

U jego stóp leżał nieprzytomny Robert Langdon.

Związana i zakneblowana Katherine Solomon spoczywała na podłodze w jadalni.

Skulone ciało strażniczki z firmy ochroniarskiej leżało obok krzesła, na którym je umieścił. Kobieta zrobiła wszystko, co jej kazał, by ratować życie. Z nożem przyłożonym do gardła odebrała telefon i powtórzyła kłamstwo, które sprawiło, że Langdon i Katherine natychmiast przyjechali. Nie miała partnerki, a Peter Solomon z pewnością nie był bezpieczny. Zaraz po tym przedstawieniu Mal'akh ją udusił.

Aby wzmocnić iluzję, że nie ma go w domu, zadzwonił do Bellamy'ego z głośnomówiącego telefonu w jednym ze swoich samochodów. „Jesteśmy w drodze. Peter leży związany w bagażniku". Rzeczywiście był w drodze, lecz tylko wyprowadzał samochody z garażu na podjazd. Zaparkował chaotycznie kilka swoich wozów, zostawiając je z pracującymi silnikami i włączonymi reflektorami.

Podstęp się udał.

Prawie.

Jedyną niedoskonałością było zakrwawione ciało w czarnym kombinezonie ze śrubokrętem wystającym z szyi. Mal'akh obszukał zwłoki i zachichotał na widok nowoczesnego nadajnika i komórki ze znaczkiem CIA.

Nawet oni są świadomi mojej władzy.

Usunął baterie i rozbił urządzenie o ciężki odbój z brązu przy drzwiach.

Wiedział, że musi działać szybko, skoro w sprawę zaangażowała się CIA. Stanął nad Langdonem. Nie miał wątpliwości, że jeszcze przez jakiś czas będzie nieprzytomny. Spojrzał niespokojnie na kamienną piramidę leżącą na podłodze obok otwartej torby. Jego oddech stał się szybki, serce zabiło gwałtownie.

Tak długo czekałem...

Podniósł ją drżącymi rękami. Przesunął palcami po inskrypcji, pełen nabożnego podziwu dla obietnicy, która była z nią związana. Aby nie dać ponieść się emocjom, umieścił ją w torbie, obok zwieńczenia, i zasunął zamek.

Wkrótce złożę piramidę w znacznie bezpieczniejszym miejscu.

Chciał zarzucić sobie Langdona na ramię, lecz wysportowane ciało naukowca okazało się cięższe, niż oczekiwał. Zrezygnował i chwycił go pod pachami, ciągnąc po podłodze.

Nie spodoba mu się miejsce, w którym się obudzi — pomyślał.

Wlokąc Langdona, słyszał dobiegający z kuchni ryk włączonego na cały regulator telewizora, który był elementem jego zasadzki. Nie zdążył go wyłączyć. Nadawano właśnie transmisję z nabożeństwa. Telewizyjny kaznodzieja prowadził Modlitwę Pańską. Mal'akh był ciekaw, czy któryś z jego zahipnotyzowanych widzów wie, skąd naprawdę ta modlitwa pochodzi.

*...na ziemi, tak jak i w niebie...** — zaintonowało zgromadzenie.

Tak — pomyślał Mal'akh. — Jak w górze, tak i na dole.

...i nie dopuść, abyśmy ulegli pokusie...

Pomóż nam zapanować nad słabościami ciała.

...ale nas zachowaj od złego... — błagali wierni.

Mal'akh uśmiechnął się do siebie. To byłoby trudne. Ciemność staje się coraz bardziej nieprzenikniona. Mimo to zapisał im na plus, że się starają. We współczesnym świecie ludzie zwracający się do niewidzialnych sił i proszący je o pomoc są gatunkiem wymierającym.

Kiedy ciągnął Langdona przez salon, wierni zawołali: *Amen!*

---

* Mt 6,9-15.

Amon — poprawił ich w myślach Mal'akh. Kolebką waszej religii jest Egipt. Bóg Amon był pierwowzorem Zeusa... Jowisza... i późniejszych postaci Boga. Do dziś wyznawcy wszystkich religii na świecie używają różnych form jego imienia: Amen! Amin! Aum!

Telewizyjny kaznodzieja zaczął cytować Biblię, opisujące zastępy aniołów, demonów i duchów rządzących niebem i piekłem.

„Chrońcie swoje dusze przed siłami zła! — ostrzegał. — Wznieście serca w modlitwie! Bóg i jego aniołowie wysłuchają was!".

Masz rację — pomyślał Mal'akh. — Lecz usłyszą ich również demony.

Dawno temu odkrył, że dzięki właściwemu wykorzystaniu Sztuki wyznawca może otworzyć wrota prowadzące do świata duchowego. Działają tam niewidzialne siły, które, podobnie jak ludzie, mają wiele postaci, dobrych i złych. Te, które należą do światłości, uzdrawiają, chronią i strzegą porządku we wszechświecie. Należące to ciemności przynoszą zniszczenie i chaos.

Poprzez odpowiednie wezwanie adept mógł skłonić niewidzialne siły do spełniania jego woli, zyskując w ten sposób pozornie nadprzyrodzoną moc. W zamian za to duchy domagają się ofiar — pochodzące ze światłości, z modlitwy i uwielbienia, a należące do świata ciemności, przelania krwi.

Im większa ofiara, tym większa moc. Mal'akh rozpoczął swe praktyki od składania ofiary z krwi małych zwierząt. Tej nocy zrobię ostatni krok.

„Strzeżcie się! — grzmiał kaznodzieja, ostrzegając telewidzów przed nadciągającą apokalipsą. — Wkrótce rozegra się ostateczna bitwa o ludzkie dusze".

Fakt — pomyślał Mal'akh. — Będę jej największym wojownikiem.

Oczywiście ta bitwa rozpoczęła się bardzo dawno temu. Starożytni mędrcy Egiptu, którzy doprowadzili Sztukę do doskonałości, wyrośli ponad masy jako prawdziwi wyznawcy światła. Kroczyli po ziemi niczym bogowie. Wznieśli wielkie świątynie, do których przybywali neofici z całego świata, aby przejść inicjację i czerpać z ich mądrości. W ten sposób powstała złota rasa ludzi. Przez krótki czas wydawało się, że ludzkość wzniesie się i uwolni od ziemskich pęt.

Złoty wiek starożytnych misteriów.

Niestety, cielesny człowiek podatny był na grzech pychy, nienawiści, niecierpliwości i chciwości. W miarę upływu czasu pojawili się ludzie, którzy wypaczyli Sztukę, naginając i nadużywając jej mocy dla własnych korzyści. Zaczęli też używać jej przeinaczonej postaci do przywoływania mrocznych sił. W ten sposób powstała inna Sztuka, o bardziej potężnym, bezpośrednim i upajającym wpływie.

Taka właśnie jest moja Sztuka.

Takie jest moje Wielkie Dzieło.

Oświeceni adepci i ich ezoteryczne bractwa byli świadkami narastającej fali zła. Widzieli, że człowiek nie wykorzystuje nowej wiedzy dla dobra własnego gatunku. Dlatego ukryli swoją mądrość, aby zasłonić ją przed oczami niegodnych. W końcu ich wiedza tajemna stała się zagubionym dziedzictwem.

Wówczas rozpoczął się wielki upadek człowieka.

I ciemność.

Do dziś szlachetni potomkowie dawnych mędrców trwają mężnie, po omacku szukając światła, próbując odzyskać utraconą potęgę i położyć tamę ciemności. Są kapłanami i kapłankami w wielu kościołach, świątyniach i przybytkach wszystkich religii na ziemi. Czas zatarł jednak pamięć, sprawił, że oderwali się od swojej przeszłości. Zapomnieli o źródle, z którego wypływała ich potężna mądrość. Pytani o boską wiedzę tajemną swoich przodków nowi strażnicy wiary głośno się ich wypierają, potępiając jako heretyków.

Czyżby naprawdę zapomnieli? — zastanawiał się Mal'akh.

Echa starożytnej Sztuki nadal pobrzmiewają we wszystkich częściach świata, od mistycznych kabalistów judaizmu po ezoterycznych muzułmańskich sufich.

Pewne ślady przetrwały też w tajemnych rytuałach chrześcijańskich, na przykład w obrzędzie spożywania ciała i krwi Boga podczas komunii świętej, hierarchii świętych, aniołów i demonów, chorałach i formułach liturgicznych, świętym kalendarzu pełnym astrologicznych odniesień, świętych szatach i obietnicy życia wiecznego. Do dziś księża odpędzają złe duchy, kołysząc kadzielnicą, bijąc w dzwony i używając wody święconej. Chrześcijanie nadal odprawiają egzorcyzmy — dawną praktykę wymagającą nie tylko umiejętności wypędzania demonów, lecz również ich przyzywania.

I mimo to nie rozumieją swojej przeszłości?

Nigdzie mistyczna przeszłość Kościoła nie była tak widoczna, jak w jego stolicy. W Watykanie, pośrodku placu Świętego Piotra, stoi wielki egipski obelisk. Wydaje się, że tajemniczy monolit, wyrzeźbiony tysiąc trzysta lat przed narodzinami Jezusa, jest nie na miejscu, pozbawiony związku ze współczesnym chrześcijaństwem. A jednak tam stoi! W samym sercu chrześcijańskiego Kościoła. Kamienny drogowskaz wołający, aby zwrócić na niego uwagę. Pamiątka po małej garstce mędrców, od których wszystko się zaczęło. Ten Kościół, narodzony w łonie starożytnych misteriów, do dziś odprawia ich obrzędy i posługuje się ich symbolami.

Jeden z nich jest ważniejszy do pozostałych.

Ołtarze, szaty liturgiczne i Pismo Święte zdobił jeden obraz: drogocennej ofiary ludzkiego życia. Chrześcijaństwo lepiej od innych religii rozumie transformującą moc ofiary. Do dziś, dla uczczenia ofiary Jezusa, jego naśladowcy czynią nieudolne gesty, poszczą, oddają się pokutnym praktykom wielkopostnym i dają dziesięcinę.

Wszystkie te ofiary są pozbawione mocy. Bez krwi nie ma ofiary.

Moce ciemności od dawna wzywały do krwawych ofiar i w ten sposób tak urosły w siłę, że moce dobra z trudem je powstrzymywały. Wkrótce światłość zostanie całkowicie pochłonięta, a wyznawcy ciemności uzyskają swobodny dostęp do ludzkich umysłów.

Rozdział 97

— Jak to, nie ma adresu Franklin Square osiem?! — denerwowała się Sato. — Sprawdź jeszcze raz!

Nola Kaye usiadła przy biurku i poprawiła słuchawkę.

— Sprawdzałam wszędzie, proszę pani... W Waszyngtonie nie ma takiego adresu...

— Skoro jestem na dachu wieżowca przy Franklin Square jeden — przerwała jej Sato — musi istnieć numer osiem.

Dyrektor Sato jest na dachu?

— Proszę się nie rozłączać. — Nola ponownie uruchomiła wyszukiwanie. Chciała powiedzieć o hakerze, lecz szefowa była tak zaabsorbowana znalezieniem domu przy Franklin Square osiem, że dała sobie spokój. Poza tym nie miała jeszcze wszystkich informacji.

Gdzie się, do licha, podział ten facet z ochrony systemów?

— Mam! — wykrzyknęła, wpatrując się w ekran. — Wiem, w czym problem! Franklin Square Jeden to nazwa budynku, a nie adres. Adres tego domu to K Street tysiąc trzysta jeden.

Ta wiadomość najwyraźniej wprawiła Sato w zakłopotanie.

— Nola, nie mam czasu na wyjaśnienia. Piramida wyraźnie wskazuje adres przy Franklin Square osiem.

Nola wyprostowała się na krześle.

Piramida wskazuje jakiś adres?

— Inskrypcja brzmi: *Tajemnica kryje się we wnętrzu Zakonu, Franklin Square osiem* — ciągnęła Sato.

Nola zdębiała.

— W Zakonie? Takim jak loża masońska albo zakon religijny?

— Sądzę, że tak — odrzekła Sato.

Nola pomyślała chwilę i zaczęła wpisywać coś na klawiaturze.

— Może z upływem lat numery ulic na placu się zmieniły? Jeśli ta piramida jest tak stara, jak głosi legenda, może w czasie, gdy ją wykonano, na placu obowiązywała inna numeracja? Wpisała do wyszukiwarki słowa „zakon"... „Franklin Square"... i „Waszyngton". Przekonamy się, czy... — przerwała w pół zdania, gdy na ekranie pojawił się wynik.

— Co masz? — zapytała Sato.

Nola otworzyła pierwszą stronę i ujrzała okazały wizerunek wielkiej egipskiej piramidy, stanowiący tło strony głównej poświęconej jednemu z budynków przy Franklin Square. Budynkowi innemu niż wszystkie stojące przy placu.

I w całym mieście.

Zimny dreszcz wywołała w niej nie tyle osobliwa architektura tego gmachu, ile jego przeznaczenie. Z informacji zawartych na stronie internetowej wynikało, że niecodzienna budowla pełniła niegdyś funkcję świętego mistycznego przybytku zaprojektowanego przez i dla członków starożytnego tajnego bractwa.

Rozdział 98

Kiedy Robert Langdon odzyskał przytomność, poczuł paraliżujący ból głowy.

Gdzie ja jestem?

Pomieszczenie, w którym się znajdował, było ciemne jak pieczara i ciche jak śmierć.

Leżał na plecach z rękami wzdłuż tułowia. Zdezorientowany spróbował poruszyć palcami rąk i nóg. Odetchnął z ulgą, gdy udało się to bez żadnych przykrych doznań. Co się stało? Z wyjątkiem bólu głowy i nieprzeniknionych ciemności niemal wszystko wydawało się mniej lub bardziej normalne.

Prawie wszystko.

Langdon uświadomił sobie, że leży na twardej posadzce, która wydawała się gładka jak szkło. Jeszcze dziwniejsze było to, że ta powierzchnia miała bezpośredni kontakt z jego skórą, ramionami, plecami, pośladkami, udami i łydkami.

Jestem nagi?

Przesunął ręką po ciele.

Jezu! Gdzie się podziało moje ubranie?

W ciemności zasłona zapomnienia zaczęła się podnosić. Powróciły strzępy obrazów, przerażające wspomnienia... martwy agent CIA... pokryta tatuażami twarz bestii... uderzenie głową o podłogę. Obrazy zmieniały się coraz szybciej... Langdon przypomniał sobie ponury widok skrępowanej i zakneblowanej Katherine Solomon leżącej na podłodze w jadalni.

Dobry Boże!

Próbował usiąść, lecz uderzył czołem w coś znajdującego się kilkanaście centymetrów nad jego głową. Czaszkę przeszył ostry ból. Upadł bliski utraty przytomności. Oszołomiony uniósł ręce, macając w ciemności. To, na co natrafił, było pozbawione sensu. Wydawało się, że sufit znajduje się zaledwie trzydzieści centymetrów nad nim. Cóż to takiego? Wysunął ręce na boki, próbując się przekręcić, lecz natrafiły na boczne ścianki.

Zrozumiał. Nie jest w żadnym pokoju.

Jestem w skrzyni.

Zaczął walić pięściami, pogrążony w mroku przypominającej trumnę skrzyni. Wzywał pomocy. Przerażenie, które go ogarnęło, nasilało się z każdą chwilą, aż stało się nie do zniesienia.

Zostałem pogrzebany za życia!

Wieko dziwnej trumny nie poddawało się naciskowi, chociaż przerażony napierał na nie z całej siły rękami i nogami. Domyślił się, że skrzynia została zrobiona z grubego włókna szklanego. Była hermetyczna i dźwiękoszczelna. Nie przepuszczała światła i nie można było z niej uciec.

Uduszę się.

Pomyślał o głębokiej studni, do której wpadł w dzieciństwie, i przerażającej nocy spędzonej na brodzeniu w wodzie w ciemności bezdennej otchłani. To traumatyczne przeżycie wywarło duży wpływ na jego psychikę, wywołując silny lęk przed zamkniętymi pomieszczeniami.

Tej nocy, pogrzebany za życia, Robert Langdon przeżywał najstraszniejszy koszmar.

Katherine Solomon dygotała na podłodze jadalni Mal'akha. Ostry drut, którym szaleniec owinął jej nadgarstki i kostki, wrzynał się w ciało, z każdym ruchem coraz bardziej się zaciskając.

Wytatuowany mężczyzna brutalnie ogłuszył Langdona i zaczął ciągnąć go po podłodze wraz z torbą i piramidą. Nie miała pojęcia, gdzie się podziali. Agent, który im towarzyszył, nie żył.

Od wielu minut nie słyszała żadnego dźwięku, zaczęła więc się zastanawiać, czy mężczyzna i Langdon nadal są w domu. Próbowała krzyczeć, lecz z każdą próbą tkwiący w jej ustach knebel niebezpiecznie zbliżał się do tchawicy.

Czując drżenie podłogi, odwróciła głowę, licząc, że oto nadchodzi pomoc. W korytarzu dostrzegła duży cień napastnika. Zadrżała, przypominając sobie, jak wtargnął do ich domu dziesięć lat temu.

Zabił członków mojej rodziny!

Szedł w jej stronę. Langdona nigdzie nie było. Pochylił się nad nią, złapał w pasie i brutalnie zarzucił sobie na ramię. Drut wbił się jej w nadgarstki, lecz knebel stłumił okrzyk bólu. Zaczął ją nieść korytarzem do salonu, gdzie wcześniej spokojnie popijali herbatę.

Dokąd on mnie zabiera?!

Przeniósł ją przez salon i stanął przed dużym olejnym obrazem *Trzy Gracje*, który podziwiała ostatniego popołudnia.

— Wspomniałaś, że ci się podoba — wyszeptał, muskając wargami jej ucho. — Cieszę się. Może to być ostatnia piękna rzecz, jaką zobaczysz.

Nacisnął prawy bok olbrzymiej ramy. Ku zaskoczeniu Katherine ściana z obrazem odwróciła się niczym obrotowe drzwi. Ukryte przejście.

Próbowała się wyrwać, lecz trzymał ją mocno, wchodząc do przejścia za obrazem. Kiedy ściana z *Trzema Gracjami* zamknęła się za nimi, Katherine spostrzegła, że pokrywa ją gruba warstwa izolacyjna. Dźwięki rozlegające się na dole nie były widać przeznaczone dla świata na zewnętrz.

Przestrzeń za obrazem była ciasna, przypominająca raczej korytarz niż pokój. Mężczyzna przeniósł ją na drugi koniec i otworzył ciężkie drzwi prowadzące na mały podest. W dół biegła wąska rampa prowadząca do głębokiej piwnicy. Katherine chciała krzyczeć, lecz szmata nie pozwoliła jej wydobyć głosu.

Schody były strome i wąskie. Betonowe ściany oświetlało dochodzące z dołu sine światło. Powietrze było ciepłe i przeniknięte gryzącą wonią — dziwną mieszaniną zapachów. Wyczuła zapach środków chemicznych, łagodny zapach kadzidła, ziemistą woń ludzkiego potu i przenikającą wszystko, wyraźną aurę prymitywnego, zwierzęcego lęku.

— Twoja nauka zrobiła na mnie duże wrażenie — szepnął, gdy znaleźli się na dole. — Mam nadzieję, że moja wywrze na tobie równie wielkie.

Rozdział 99

Agent operacyjny Turner Simkins przykucnął w ciemnościach spowijających park Franklina, nie spuszczając oczy z Warrena Bellamy'ego. Nikt nie złapał przynęty, ale było jeszcze wcześnie.

Krótkofalówka Simkinsa pisnęła charakterystycznie. Zgłosił się, mając nadzieję, że któryś z jego ludzi coś zauważył. Okazało się, że to Sato. Miała nowe informacje.

Simkins wysłuchał przełożonej i podzielił jej troskę.

— Proszę się nie rozłączać — powiedział. — Rzucę okiem.

Wyczołgał się z krzaków, w których był ukryty, i spojrzał na plac. Zmienił pozycję i zobaczył go jak na dłoni.

Niech mnie szlag!

Budowla, którą miał przed oczami, wyglądała jak meczet ze Starego Świata. Mauretańska fasada budynku wciśniętego między dwa znacznie większe gmachy była wyłożona lśniącymi terakotowymi płytkami ułożonymi w misterne wielobarwne wzory. Dwa rzędy wysokich okien ponad trzema masywnymi drzwiami wyglądały tak, jakby w każdej chwili mogli w nich stanąć arabscy łucznicy, zasypując nieproszonych gości gradem strzał.

— Widzę — potwierdził.

— Jakiś ruch?

— Nic.

— Dobrze. Chcę, żebyś zmienił pozycję i uważnie go obserwował. Ten budynek to świątynia Almas Shrine. Główna siedziba mistycznego zakonu.

Simkins od dłuższego czasu pracował w Waszyngtonie, lecz

nigdy nie słyszał o tej świątyni ani o starożytnym mistycznym zakonie, który miałby siedzibę przy Franklin Square.

— Ten budynek jest własnością Starożytnego Arabskiego Zakonu Szlachty Arki Mistycznej.

— Nigdy o nim nie słyszałem.

— Musiałeś. To organizacja powiązana z masonami. Jej członków nazywają shrinersami.

Simkins spojrzał niepewnie na bogato zdobiony gmach. Shrinersami? Tymi, którzy budują szpitale dla dzieci? Nie mógł sobie wyobrazić niczego bardziej niewinnego niż filantropów noszących małe czerwone fezy i biorących udział w paradach.

Mimo to niepokój Sato był uzasadniony.

— Jeśli obiekt zorientuje się, że to jest „zakon" przy Franklin Square, nie będzie potrzebował adresu. Zignoruje spotkanie i uda się prosto pod właściwy adres.

— Też tak uważam. Pilnuj wejścia.

— Tak jest, proszę pani.

— Dostałeś meldunek od agenta Hartmanna z Kalorama Heights?

— Nie. Prosiła pani, aby skontaktował się bezpośrednio z panią.

— Nie zrobił tego.

Dziwne — pomyślał Simkins, spoglądając na zegarek. — Spóźnia się.

Rozdział 100

Robert Langdon leżał nagi, drżąc w ciemności. Sparaliżowany strachem przestał walić pięściami i krzyczeć. Zamiast tego zamknął oczy i starał się zapanować nad walącym sercem i niespokojnym oddechem.

Leżę pod bezkresnym, nocnym niebem — powtarzał sobie. — Nade mną rozciągają się kilometry otwartej przestrzeni.

Tylko dzięki uspokajającemu działaniu tego obrazu zdołał przeżyć ostatnie badanie metodą rezonansu magnetycznego. No, wziął jeszcze potrójną dawkę valium. Tej nocy wizualizacja okazała się nieskuteczna.

Szmata wetknięta w usta Katherine Solomon przesunęła się w głąb i zaczęła ją dusić. Porywacz niósł ją ciasną rampą prowadzącą do ciemnego korytarza w piwnicy. Na końcu dostrzegła pomieszczenie oświetlone upiornym czerwonofioletowym światłem, lecz nie dotarli tak daleko. Mężczyzna stanął obok bocznych drzwi, wniósł ją do jakiegoś pomieszczenia i posadził na drewnianym krześle. Wsunął jej skrępowane drutem nadgarstki za oparcie, żeby nie mogła się ruszać.

Czuła, że drut coraz głębiej wrzyna się w ciało. Była tak przerażona, że prawie nie czuła bólu, z trudem oddychała. Szmata w gardle zaczęła ją dusić, wywołując odruchowe krztuszenie. Pole widzenia się skurczyło.

Mężczyzna zamknął drzwi i zapalił światło za jej plecami. Oczy Katherine zaczęły łzawić, uniemożliwiając rozróżnienie przedmiotów w najbliższym otoczeniu. Wszystko stało się zamazane.

Ujrzała przed sobą niewyraźny obraz pokrytego tatuażami ciała i zaczęła energicznie mrugać, czując, że za chwilę straci przytomność. Ręka pokryta łuską wyrwała jej szmatę z ust.

Odetchnęła głęboko, łapczywie chwytając powietrze, kaszląc i krztusząc się, gdy jej płuca wypełnił drogocenny tlen. Powoli obraz zaczął stawać się coraz bardziej wyraźny i po chwili odkryła, że patrzy w twarz demona. Postać, którą miała przed sobą, nie przypominała człowieka. Szyję, twarz i ogoloną głowę pokrywały dziwne wytatuowane symbole. Z wyjątkiem małego kawałka skóry na czubku głowy tatuaże zdobiły całe ciało. Ogromny dwugłowy Feniks na piersi potwora spoglądał na nią brodawkami sutkowymi niczym wygłodniały sęp czekający cierpliwie, aż ofiara skona.

— Otwórz usta — szepnął.

Katherine spojrzała na potwora z odrazą.

Co?

— Otwórz usta — powtórzył — bo cię zaknebluję.

Posłuchała go, drżąc na całym ciele. Mężczyzna wyciągnął gruby wytatuowany palec wskazujący i wsunął go między jej wargi. Kiedy dotknął języka, myślała, że zwymiotuje. Wyciągnął wilgotny palec i przyłożył do czubka swojej ogolonej głowy, po czym zamknął oczy i wmasował ślinę w mały okrągły kawałek czystej skóry.

Odwróciła się z obrzydzeniem.

Pomieszczenie przypominało kotłownię — rury na ścianach, odgłos bulgotania, fluorescencyjne światło. Rozejrzała się i zatrzymała wzrok na stercie ubrań: golfie, tweedowej marynarce, spodniach i zegarku z Myszką Miki.

— Boże! — Odwróciła się w stronę wytatuowanej bestii. — Co zrobiłeś Robertowi?!

— Ciii... — szepnął. — Bo cię usłyszy. — Mówiąc to, wskazał za siebie i odsunął się na bok.

Nie zobaczyła Langdona, lecz jedynie ogromną czarną skrzynię z włókna szklanego. Jej kształt niepokojąco przypominał ciężkie skrzynie, w których wracały do kraju ciała poległych na wojnie żołnierzy. Dwie solidne klamry uniemożliwiały jej otworzenie.

— Jest w środku?! — wykrzyknęła. — Przecież się udusi!

— Nie. — Mężczyzna wskazał przezroczyste rurki wychodzące z dna. — Choć pewnie by chciał.

Langdon wsłuchiwał się zrozpaczony w przytłumione wibracje dochodzące z zewnętrznego świata. Głosy?

Zaczął walić w skrzynię i krzyczeć, ile sił w płucach.

— Ratunku! Czy ktoś mnie słyszy?!

Z oddali dobiegł stłumiony głos:

— Robercie! Boże! Nie!

Poznał ten głos. Katherine była przerażona. Mimo to ucieszył się, że ją słyszy. Nabrał powietrza, by odpowiedzieć, gdy nagle poczuł w okolicy karku słaby powiew. Wydawał się dochodzić z dna pudła. Jak to możliwe? Leżał nieruchomo, analizując swoje położenie. Tak, bez wątpienia. Czuł, jak małe włoski na karku porusza prąd powietrza.

Instynktownie zaczął badać skrzynię, szukając jego źródła. Po chwili odkrył mały przewód wentylacyjny! Niewielki otwór przypominał kratkę odpływową w zlewie lub wannie. Przedostawał się przez niego ciągły strumień powietrza.

Pompuje powietrze do środka. Nie chce, żebym się udusił.

Ulga okazała się krótkotrwała. Po chwili z otworu zaczął się wydobywać przerażający dźwięk. Langdon nie miał wątpliwości, że to gulgotanie jakiegoś płynu wlewającego się do środka.

Katherine patrzyła na jasną ciecz, która wpływała jedną z rurek do skrzyni Langdona. Scena przypominała pokaz jakiegoś obłąkanego iluzjonisty.

Wtłacza wodę do skrzyni?!

Napięła ręce, ignorując bolesne wbijanie się drutu w nadgarstki. Słyszała łomotanie Langdona, lecz gdy woda dotarła do dna skrzyni, ustało. Zapadła przerażająca cisza, lecz po chwili walenie się nasiliło.

— Wypuść go! — zaczęła błagać. — Proszę! Nie możesz tego zrobić!

— Śmierć przez utonięcie jest straszna — odpowiedział spokojnie mężczyzna, krążąc wokół niej. — Twoja przyjaciółka, Thrish, mogłaby coś na ten temat powiedzieć.

Katherine słyszała jego słowa, lecz prawie ich nie rozumiała.

— Być może pamiętasz, że kiedyś sam o mało nie utonąłem — wyszeptał. — W waszej posiadłości nad Potomakiem. Twój brat mnie postrzelił. Wpadłem pod lód przy moście Zacha.

Spojrzała na niego z gniewną pogardą.

Tej nocy zabiłeś moją matkę.

— Tamtej nocy bogowie mnie chronili. I pokazali, jak stać się jednym z nich.

Woda wtłaczana przez otwór za głową Langdona wydawała się ciepła, o temperaturze ciała. Po chwili było jej na tyle dużo, że pokryła spód skrzyni. Kiedy sięgnęła klatki piersiowej Langdona, dotarła do niego przerażająca prawda.

Umrę.

Paniczny strach spowodował, że uniósł ręce i znów zaczął dziko łomotać w ściany „trumny".

Rozdział 101

— Uwolnij go! — błagała Katherine. — Zrobimy wszystko, czego zażądasz!

Słyszała łomotanie Langdona, gdy woda wypełniała skrzynię.

Wytatuowany mężczyzna uśmiechnął się.

— Z tobą pójdzie mi łatwiej niż z Peterem. Musiałem się sporo natrudzić, żeby skłonić go do mówienia...

— Gdzie jest mój brat?! Gdzie jest Peter?! Powiedz! Zrobimy wszystko! Odczytaliśmy inskrypcję i...

— Nie odczytaliście. Chcieliście mnie oszukać. Zatailiście informacje i sprowadziliście agentów federalnych do mojego domu. Czy takie postępowanie zasługuje na nagrodę?

— Nie mieliśmy wyboru — odparła, szlochając. — Szuka cię CIA. Nie pozwoliliby nam przyjechać bez jednego ze swoich ludzi. Wypuść Roberta!

Langdon zaczął krzyczeć i walić w skrzynię. Katherine widziała, jak woda wpływa do środka przez rurę. Zdawała sobie sprawę, że Robert nie ma zbyt dużo czasu.

— Czy agenci urządzili zasadzkę na Franklin Square? — zapytał spokojnie wytatuowany mężczyzna, gładząc się po brodzie.

Katherine nie odpowiedziała, więc położył masywne dłonie na jej ramionach i powoli pociągnął do przodu. Ramiona skrępowane drutem naprężyły się, wywołując przenikliwy ból i grożąc wywichnięciem stawów.

— Tak! — krzyknęła. — Agenci są na Franklin Square!

Pociągnął jeszcze mocniej.

— Jaki adres widnieje na zwieńczeniu?

Chociaż ból nadgarstków i ramion stał się nie do zniesienia, Katherine nie odpowiedziała.

— Powiesz mi albo połamię ci ręce i spytam jeszcze raz.

— Osiem... — jęknęła z bólu. — Brakującym numerem jest ósemka! Na zwieńczeniu napisano: *Tajemnica kryje się we wnętrzu Zakonu — Franklin Square osiem*! Przysięgam! Co jeszcze mam ci powiedzieć?! Adres to Franklin Square osiem!

Mężczyzna nie przestawał ciągnąć.

— Nie wiem nic więcej! — Podałam ci adres! Puszczaj! Uwolnij Roberta!

— Zrobiłbym to... — zaczął tamten — lecz jest pewien problem. Nie mogę pojechać na ten plac, bo zostanę złapany. Powiedz mi, co jest pod tym adresem?

— Nie wiem!

— Co znaczą symbole umieszczone na podstawie piramidy? U dołu? Odczytaliście je?

— Jakie symbole? — Katherine nie miała pojęcia, o czym on mówi. — Podstawa jest gładka. To wypolerowany kamień!

Nieczuły na słabe okrzyki dobiegające z przypominającej trumnę skrzyni, wytatuowany mężczyzna spokojnie podszedł do torby Langdona i wyjął piramidę. Wrócił i podetknął Katherine kamień pod nos tak, aby mogła zobaczyć podstawę.

Na widok wyrytych symboli krzyknęła ze zdumienia.

To... niemożliwe!

Podstawa piramidy pokryta była misternie wyrytymi symbolami.

Przecież wcześniej nie było tam niczego! Dałabym głowę!

Nie miała pojęcia, jakie może być ich znaczenie. Wydawało się, że nawiązują do wielu mistycznych tradycji, których nie znała.

Chaos.

— Nie mam pojęcia, co oznaczają...

— Ani ja. Na szczęście możemy skorzystać z pomocy specjalisty. — Spojrzał na skrzynię. — Zapytamy go? — Ruszył z piramidą w kierunku uwięzionego Langdona.

Przez chwilę Katherine miała nadzieję, że ją otworzy, lecz ten usiadł spokojnie na skrzyni i otworzył małe okienko z pleksiglasu umieszczone w wieku.

Światło!

Langdon zamknął oczy. Kiedy wzrok przyzwyczaił się do światła, nadzieja ustąpiła miejsca zagubieniu. Patrzył przez okienko i widział biały sufit i fluorescencyjny poblask.

Nagle ukazała się nad nim wytatuowana twarz.

— Gdzie Katherine?! — krzyknął Langdon. — Wypuść mnie!

Mężczyzna się uśmiechnął.

— Twoja przyjaciółka jest ze mną. Mogę darować jej życie. Mogę oszczędzić także ciebie, lecz masz niewiele czasu, więc sugeruję, żebyś słuchał uważnie.

Langdon ledwie słyszał przez szybę, bo wody było coraz więcej, zakrywała mu już klatkę piersiową.

— Wiedziałeś, że na podstawie piramidy wyryto jakieś symbole? — spytał mężczyzna.

— Tak! — krzyknął Langdon, który dostrzegł dziwne symbole, gdy leżał na korytarzu. — Nie mam pojęcia, co oznaczają! Musisz pojechać na Franklin Square osiem! Tam znajduje się odpowiedź! Taką wiadomość umieszczono na zwieńczeniu...

— Profesorze, obaj wiemy, że czekają tam na mnie agenci CIA. Nie mam zamiaru wpaść w pułapkę. A poza tym nie potrzebuję adresu. Na tym placu stoi tylko jeden budynek, który może wchodzić w grę. Świątynia Almas Shrine. — Przerwał na chwilę, patrząc uważnie na Langdona. — Starożytnego Arabskiego Zakonu Szlachty Arki Mistycznej.

Langdon był zupełnie zdezorientowany. Wiedział o istnieniu tej świątyni, lecz zapomniał, że znajduje się przy Franklin Square. Czy chodzi o „zakon"... shrinersów? Czy pod ich świątynią są ukryte schody? Chociaż nie miało to żadnego historycznego sensu, Langdon nie był w położeniu pozwalającym toczyć uczoną debatę.

— Tak! — krzyknął. *Tajemnica kryje się we wnętrzu Zakonu!*

— Znasz ten gmach?

— Tak! — Langdon uniósł obolałą głowę tak, by woda nie dostała mu się do uszu. — Mogę ci pomóc! Wypuść mnie!

— Sądzisz, że możesz mi wyjaśnić, co ma wspólnego ta świątynia ze znakami wyrytymi na spodzie piramidy?

— Tak! Pozwól mi rzucić okiem!

— Znakomicie. Przekonajmy się, co wykombinujesz.

Pospiesz się!

Langdon uderzył w wieko, czując, jak zalewa go ciepły płyn. Sądził, że mężczyzna otworzy skrzynię.

Błagam! Szybciej!

Jednak wieko się nie otworzyło. Zamiast tego w okienku mężczyzna pojawiła się podstawa piramidy.

Langdon spojrzał na nią przerażony.

— Mam nadzieję, że jest wystarczająco blisko — powiedział mężczyzna, trzymając kamień w wytatuowanych palcach. — Niech pan myśli szybko, profesorze. Zostało panu nie więcej niż sześćdziesiąt sekund.

Rozdział 102

Robert Langdon słyszał często, że osaczone zwierzę jest zdolne do niezwykłych wyczynów. Mimo to, gdy naparł z całej siły na wieko, to nawet nie drgnęło. Poziom wody wciąż się podnosił, a jej powierzchnię oddzielało od wieka nie więcej niż dwadzieścia centymetrów. Langdon uniósł głowę, by móc oddychać. Przytknął twarz do szybki tak, że jego oczy znalazły się zaledwie kilka centymetrów od podstawy piramidy i wydawało się, że unosi się nad jego głową.

Nie mam pojęcia, co to takiego.

Przed oczami miał kolejną inskrypcję — od ponad stu lat ukryta pod stwardniałą mieszanką wosku i kamiennego pyłu spoczywała odsłonięta przed jego oczami. Była to kwadratowa siatka symboli pochodzących z najróżniejszych tradycji — alchemii, astrologii, heraldyki, angelologii i numerologii. Dostrzegł również sigile oraz litery greckie i łacińskie. W sumie anarchia symboli — alfabetyczna zupa przyrządzona z liter należących do kilku różnych języków, kultur i epok.

Chaos.

Chociaż Robert Langdon zajmował się symbolami, nie potrafił podać żadnej, nawet najbardziej zwariowanej interpretacji, która pozwoliłaby na rozszyfrowanie symboli i nadanie im sensu.

Porządek z chaosu? Wykluczone.

Płyn zaczął sięgać jego grdyki. Langdon był coraz bardziej przerażony. Zaczął walić w wieko, mając wrażenie, że piramida wpatruje się w niego szyderczo.

Oszalały z rozpaczy skoncentrował całą energię umysłu na siatce symboli. Co mogą oznaczać? Niestety, dobór znaków był tak przypadkowy, że nie wiedział, od czego zacząć.

Nie pochodzą nawet z tego samego okresu!

Z zewnątrz dobiegał stłumiony głos Katherine, płaczącej i błagającej o jego uwolnienie. Perspektywa śmierci motywowała do poszukiwań każdą komórkę jego ciała. Poczuł niezwykłą jasność umysłu, której nie doświadczył nigdy wcześniej.

Myśl!

W ogromnym skupieniu zaczął analizować siatkę znaków, szukając wskazówki — jakiegoś schematu, ukrytego słowa, szczególnego znaku, czegokolwiek — lecz widział tylko kwadrat o polach wypełnionych niepowiązanymi ze sobą symbolami.

Chaos.

Z każdą sekundą czuł, jak jego ciało ogarnia upiorne odrętwienie, jakby przygotowywało się do ochrony umysłu przed cierpieniem śmierci. Wiedział, że woda za chwilę zaleje mu uszy, więc uniósł głowę jeszcze wyżej, przyciskając twarz do wieka. Przed oczami mignęły mu przerażające obrazy. Ujrzał Nową Anglię i chłopca brodzącego w wodzie na dnie głębokiej ciemnej studni, a potem Rzym i mężczyznę przygniecionego zwłokami w przewróconym sarkofagu.

Krzyki Katherine stawały się coraz bardziej przeraźliwe. Langdon miał wrażenie, że próbuje przekonać do czegoś tego szaleńca — utrzymuje, że Langdon nie zdoła odczytać symboli, jeśli nie uda się do świątyni shrinersów.

— W tym gmachu jest brakujące ogniwo, bez którego nie uda się rozwiązać tej zagadki! Jak Robert ma odczytać symbole bez niezbędnych informacji?!

Choć Langdon był wdzięczny, że próbuje go ratować, miał pewność, że napis *Franklin Square 8* nie wskazuje świątyni Almas Skrine. Chronologia nie jest właściwa! Zgodnie z legendą piramida masońska powstała w połowie XIX wieku, kiedy zakon shrinersów jeszcze nie istniał. Langdon przypomniał sobie, że w tamtym czasie plac w ogólne nie nazywał się Franklin Square, zwieńczenie nie mogło więc wskazywać na nieistniejący gmach pod nieistniejącym adresem. To, na co wskazywały słowa *Franklin Square 8*... musiało istnieć w 1850 roku.

Niestety, nie przychodził mu do głowy żaden pomysł.

Sięgnął do banku pamięci, próbując odnaleźć coś, co pasowałoby do chronologii wydarzeń. Franklin Square 8? Coś, co istniało w 1850 roku? Nie potrafił niczego wymyślić. Poczuł, że płyn zaczął wdzierać mu się do uszu. Próbując opanować panikę, przytknął twarz do szybki, wpatrując się uporczywie w siatkę symboli.

Nie widzę żadnego związku!

Pogrążony w rozpaczy umysł zaczął analizować najdalsze paralele, jakie można było wymyślić.

Franklin Square osiem... kwadraty... siatka symboli ma kształt kwadratu... węgielnica i cyrkiel to masońskie symbole... masońskie ołtarze są kwadratowe... boki kwadratu stykają się ze sobą pod kątem prostym. Przekrzywił głowę, czując, że poziom wody nadal się podnosi. Franklin Square... 8... ta siatka ma osiem na osiem pól... nazwisko „Franklin" składa się z ośmiu liter... w „Zakonie" to też osiem znaków... odwrócona cyfra „8" to ∞, symbol nieskończoności... w numerologii ósemka to liczba zagłady...

Nie znał rozwiązania.

Słyszał błagania Katherine, lecz podnosząca się woda coraz bardziej je tłumiła.

— ...to niemożliwe bez poznania... napis na zwieńczeniu... tajemnica ukryta we wnętrzu...

Po chwili zamilkła.

Woda wlała mu się do uszu, zagłuszając słowa Katherine. Nagle otoczyła go cisza, jakby znalazł się w łonie matki. Zrozumiał, że umrze.

„Tajemnica ukryta we wnętrzu...".

Ostatnie słowa Katherine pobrzmiewały echem w upiornej ciszy grobu.

Tajemnica kryje się we wnętrzu...

Co dziwne, Langdon uświadomił sobie, że słyszał je wiele razy.

Tajemnica kryje się we wnętrzu...

Miał wrażenie, jakby pradawna wiedza tajemna z niego drwiła. Słowa *tajemnica kryje się we wnętrzu* stanowiły jądro misteriów, skłaniając ludzkość do poszukiwania Boga nie w niebiosach, ponad głowami, lecz raczej we własnej duszy. *Tajemnica kryje się we wnętrzu.* Takie było przesłanie wszystkich wielkich mistycznych nauczycieli.

*Oto bowiem Królestwo Boże pośród was jest** — nauczał Jezus Chrystus.

Poznaj siebie — mawiał Pitagoras.

Zali nie wiecie, że bogami jesteście? — pytał Hermes Trismegistos.

Można cytować bez końca...

Wszystkie mistyczne nauki minionych wieków starały się przekazać to samo przesłanie: tajemnica kryje się we wnętrzu. Mimo to ludzkość nadal wpatrywała się w niebo, szukając oblicza Boga.

Odkrycie to miało dla Langdona ironiczną wymowę. Leżąc

---

* Łk 17,21.

z oczami zwróconymi w górę, jak wszyscy ślepcy, którzy go poprzedzali, Robert Langdon doznał nagle olśnienia.

Objawienie poraziło go jak błyskawica.

Tajemnica
kryje się we wnętrzu Zakonu
Franklin Square 8

Nagle zrozumiał.

Wiadomość zapisana na podstawie piramidy stała się jasna. Miał ją przed oczami przez całą noc. Tekst na zwieńczeniu, jak sama masońska piramida, jest *symbolonem* — szyfrem podzielonym na części — przesłaniem w kawałkach. Sens napisu na zwieńczeniu został ukryty w tak prosty sposób, że Langdon nie mógł uwierzyć, iż Katherine tego nie dostrzegła.

Co jeszcze dziwniejsze, Langdon zdał sobie sprawę, że znaki na zwieńczeniu rzeczywiście wyjaśniają, jak rozszyfrować siatkę symboli umieszczonych na spodzie piramidy. To bardzo proste.

Zaczął walić w wieko, wołając:

— Wiem! Wiem!

Kamienna piramida uniosła się i znikła, a w jej miejsce ukazała się upiorna wytatuowana twarz.

— Rozwiązałem zagadkę! Wypuść mnie!

Mężczyzna coś powiedział. Choć woda zatykająca uszy powodowała, że Langdon niczego nie usłyszał, domyślił się z ruchu warg.

— Powiedz.

— Powiem!!! — wrzasnął, czując, że woda sięga jego oczu. — Wypuść mnie!

Wargi poruszyły się ponownie.

— Powiedz... bo zginiesz.

Czując, że woda jest już pod wiekiem, Langdon przechylił głowę, by jego usta znalazły się ponad powierzchnią. Gdy to zrobił, poczuł ciepły płyn wlewający się do oczu i zamazujący obraz. Wygiął plecy i przycisnął usta do szyby z pleksiglasu.

Wtedy, korzystając z resztki powietrza, Robert Langdon zdradził sekret masońskiej piramidy.

Kiedy skończył, woda sięgnęła do ust. Instynktownie odetchnął po raz ostatni i zacisnął usta. Chwilę później cały pogrążył się w wodzie. Przywarł do wieka, rozpłaszczając się na pleksiglasie.

Udało mu się — pomyślał Mal'akh. — Rozwiązał zagadkę piramidy.

Odpowiedź była niezwykle prosta. Oczywista.

Zanurzony w wodzie Robert Langdon spoglądał na niego błagalnie i z rozpaczą.

Mal'akh pokręcił głową i powiedział wolno:

— Dziękuję, profesorze. Powodzenia w życiu pośmiertnym.

Rozdział 103

Choć Robert Langdon był doskonałym pływakiem, często zastanawiał się, co czuje tonący. Teraz się tego dowiedział. Chociaż potrafił wstrzymywać oddech dłużej niż większość ludzi, jego organizm zaczął reagować na brak tlenu. Dwutlenek węgla gromadził się we krwi, skłaniając do odruchowego zaczerpnięcia powietrza. Nie oddychaj! Odruch oddychania z każdą chwilą stawał się silniejszy. Langdon wiedział, że niebawem osiągnie punkt krytyczny, po którym nie można się powstrzymać od nabrania powietrza.

Wypchnij wieko! Instynkt nakazywał Langdonowi uderzać w skrzynię i walczyć, wiedział jednak, że nie powinien tracić cennego tlenu. Mógł tylko patrzeć z nadzieją w górę przez zamazującą obraz wodę. Świat zewnętrzny skurczył się do zamglonej jasnej plamy widocznej przez szybkę. Ból mięśni wskazywał, że narządy i tkanki są już niedotlenione.

Nagle jego oczom ukazała się piękna, nieziemska wprost twarz. Widziane przez zasłonę wody delikatne rysy Katherine wyglądały nierealnie. Kiedy ich spojrzenia się spotkały, Langdon pomyślał, że jest ocalony. Katherine! Wtedy usłyszał jej stłumione przeraźliwe krzyki i zrozumiał, że tamten ją trzyma. Wytatuowany potwór zmusił ją, by była świadkiem jego śmierci.

Przepraszam, Katherine...

Uwięziony pod wodą, w dziwnym mrocznym miejscu, Langdon pomyślał, że to ostatnie chwile jego życia. Wkrótce przestanie istnieć to... kim był... kim mógł się stać. Wraz ze śmiercią mózgu wszystkie wspomnienia przechowywane w istocie szarej po prostu wyparują wskutek reakcji chemicznych.

Zdał sobie sprawę, jak małe znaczenie ma wszechświat. Ogarnęło go uczucie osamotnienia i pokory, jakiego wcześniej nie doświadczył. Niemal z wdzięcznością poczuł, że zbliża się punkt krytyczny.

Wreszcie ta chwila nadeszła.

Płuca Langdona wypchnęły całe powietrze, przygotowując się do zaczerpnięcia oddechu. Jeszcze przez chwilę powstrzymał odruch oddychania. Ostatnia sekunda. Później, jak człowiek, który nie może już dłużej przykładać dłoni do gorącego pieca, poddał się losowi.

Impuls wziął górę nad rozsądkiem.

Otworzył usta.

Poczuł, jak jego płuca się rozszerzają.

Do ust zaczęła wlewać się woda.

Skurcz klatki piersiowej okazał się silniejszy, niż sądził, woda wdzierająca się do płuc wywoływała pieczenie. Nagle poczuł ból przenikający w głąb czaszki, jakby ktoś ściskał mu głowę w imadle. Poprzez dudnienie w uszach usłyszał krzyk Katherine Solomon.

Ujrzał oślepiający błysk, po którym zapadła ciemność.

Robert Langdon odpłynął.

Rozdział 104

To koniec.

Katherine Solomon przestała krzyczeć. Śmierć Langdona pogrążyła ją w katatonii. Była dosłownie sparaliżowana z powodu szoku i rozpaczy.

Martwe oczy Langdona wpatrywały się w pustkę zza szybki. Twarz zamarła w wyrazie żalu i cierpienia. Ostatnie bąbelki powietrza uleciały z pozbawionych życia ust. Po chwili ciało profesora Harvardu, jakby zgadzało się oddać ducha, zaczęło powoli opadać na dno skrzyni, znikając w ciemności.

Odszedł. Katherine ogarnęło odrętwienie.

Wytatuowany potwór z bezduszną ostatecznością zasunął okienko, na zawsze zamykając Langdona w skrzyni.

Uśmiechnął się do Katherine.

— Pójdziemy?

Zanim zdążyła odpowiedzieć, zarzucił ją sobie, odrętwiałą z bólu, na ramię i zgasił światło. Wystarczyło kilka dużych kroków, aby dotarli do dużego pomieszczenia skąpanego w czerwonofioletowej poświacie. Katherine poczuła zapach kadzidła. Zaniósł ją na stojący pośrodku kwadratowy stół i rzucił na plecy tak mocno, że z jej płuc wyleciało całe powietrze. Powierzchnia stołu była szorstka i chłodna. Czy to kamień?

Szybko zdjął drut z jej nadgarstków i kostek. Instynktownie próbowała go odepchnąć, lecz ręce i nogi nie chciały jej słuchać.

Zaczął przywiązywać ją do stołu grubymi skórzanymi pasami, opasując kolana i biodra oraz przyciskając ramiona do tułowia. Ostatni pas umieścił na mostku, powyżej piersi.

— Otwórz usta — polecił, oblizując wytatuowane wargi.

Zacisnęła z odrazą zęby.

Palcem wskazującym powoli obrysował jej wargi, co przyprawiło Katherine o dreszcze. Jeszcze mocniej zacisnęła zęby. Potwór zachichotał. Drugą ręką odnalazł odpowiedni punkt na jej szyi i nacisnął. Szczęka Katherine otworzyła się w jednej chwili. Poczuła, jak wkłada jej palec od ust i obmacuje język. Zakrztusiła się i próbowała go ugryźć, ale zdążył cofnąć rękę. Nie przestając się uśmiechać, uniósł wilgotny palec i podetknął go Katherine pod nos. Później zamknął oczy i wtarł ślinę w czysty kawałek skóry na głowie.

Westchnął i powoli otworzył oczy, po czym z upiornym spokojem odwrócił się i wyszedł.

Katherine w tej nagłej ciszy słyszała łomotanie swojego serca. Reflektory umieszczone w suficie zmieniały barwę od purpurowoczerwonej do szkarłatnej, oświetlając niskie pomieszczenie. Kiedy spojrzała na sufit, zamarła ze zdumienia. Całą jego powierzchnię pokrywały rysunki. Niezwykły kolaż przedstawiał niebo. Gwiazdy, planety i konstelacje mieszały się z astrologicznymi symbolami, tablicami i wzorami. Dostrzegła strzałki wskazujące eliptyczne orbity, geometryczne symbole informujące o kątach wznoszenia ciał niebieskich i zodiakalne stwory, które śledziły ją wzrokiem. Wyglądało to tak, jakby zwariowanemu naukowcowi kazano pomalować sklepienie Kaplicy Sykstyńskiej.

Odwróciła głowę, lecz lewa ściana okazała się niewiele lepsza. Świece w średniowiecznych kandelabrach oświetlały chybotliwymi płomieniami powierzchnię pokrytą tekstami, zdjęciami i rysunkami. Niektóre wyglądały na fragmenty papirusu lub karty welinu wydarte ze starych ksiąg, inne pochodziły z nowszych dzieł. Oprócz nich dostrzegła zdjęcia, rysunki, mapy i schematy. Wszystkie przyklejono do ściany niezwykle starannie. Poszczególne elementy układanki łączyła sieć chaotycznych linii wskazujących możliwe związki.

Znów przekręciła głowę.

Ten widok okazał się jeszcze bardziej przerażający.

Obok kamiennego stołu, na którym leżała, dostrzegła stolik na narzędzia chirurgiczne, podobny do tych, jakie widywała w sali operacyjnej. Leżała na nim strzykawka i duży nóż o rączce z kości i lśniącym żelaznym ostrzu oraz stała buteleczka z czarnym płynem.

Boże, co on chce mi zrobić!

Rozdział 105

Kiedy Rick Parrish, specjalista CIA od bezpieczeństwa systemów, wreszcie zjawił się w pokoju Noli Kaye, miał ze sobą tylko jedną kartkę.

— Co zajęło ci tyle czasu?! — spytała Nola. — Przecież powiedziałam, żebyś przyszedł natychmiast!

— Przepraszam — odparł, zakładając okulary o grubych szkłach. — Próbowałem zebrać trochę informacji, lecz...

— Pokaż, co masz.

Parrish podał jej wydruk.

— Tekst został zredagowany, lecz to wystarczy, żeby się zorientować...

Nola była zdumiona tym, co przeczytała.

— Nadal próbuję ustalić, w jaki sposób haker dostał się do naszej bazy danych — ciągnął Parrish. — Pewnie obcy delegator wykorzystał jedną z naszych wyszukiwarek...

— Zapomnij o tym! — mruknęła Nola, podnosząc głowę znad tekstu. — Po co CIA tajny plik o piramidach, starożytnych portalach i *symbolonach* z wyrytymi inskrypcjami?

— Właśnie to zajęło mi tyle czasu. Próbowałem znaleźć dokument, którego szukali. Mam ścieżkę pliku... — Przerwał, by odchrząknąć. — Okazało się, że tekst znajduje się w części dysku zarezerwowanej do użytku dyrektora CIA.

Nola odwróciła się na krześle i popatrzyła na niego zdumiona. Szef Sato ma plik o masońskiej piramidzie?

Wiedziała, że obecny dyrektor, podobnie jak wielu innych

wyższych urzędników CIA, jest ważnym masonem, lecz nie sądziła, by którykolwiek z nich przechowywał na twardym dysku masońskie sekrety.

Później pomyślała o wydarzeniach, których była świadkiem w ciągu ostatnich dwudziestu czterech godzin i uznała, że wszystko jest możliwe.

Agent Simkins leżał na brzuchu, ukryty w krzakach na Franklin Square. Nie spuszczał z oczu kolumnowego wejścia do świątyni Almas Shrine. Nic się nie wydarzyło. Żadnych świateł wewnątrz, nikogo na zewnątrz. Odwrócił głowę i spojrzał na Bellamy'ego. Mężczyzna spacerował samotnie po parku. Wyglądał na zmarzniętego. Bardzo zmarzniętego. Simkins widział, że drży.

Poczuł wibrację telefonu. Sato.

— Jakie ma spóźnienie? — zapytała.

Simkins spojrzał na zegarek.

— Powiedział, że będzie za dwadzieścia minut. Minęło prawie czterdzieści. Coś jest nie w porządku.

— Nie przyjedzie — stwierdziła Sato. — Zbieramy się.

Agent wiedział, że szefowa ma rację.

— Hartmann dzwonił? — spytał.

— Nie zameldował się po przybyciu do Kalorama Heights. Nie mogę się z nim skontaktować.

Simkins zesztywniał. Coś jest bardzo nie w porządku.

Niech to szlag!

— Czy w jego wozie zainstalowano lokalizator GPS?

— Tak. Jest w domu w Kalorama Heights — powiedziała Sato. — Zbierz ludzi. Ruszamy.

Sato wyłączyła telefon i spojrzała na majestatyczne niebo nad stolicą. Lodowaty wiatr przenikał jej cienką kurtkę, więc oplotła się ramionami, by się ogrzać. Choć dyrektor Inoue Sato rzadko odczuwała chłód lub strach, w tej chwili czuła i jedno, i drugie.

Rozdział 106

Mal'akh miał na sobie tylko jedwabną przepaskę biodrową, gdy wbiegł po rampie, otworzył stalowe drzwi i dostał się do salonu przez wejście ukryte za obrazem.

Muszę się szybko przygotować. Spojrzał na zwłoki agenta CIA leżące na korytarzu.

Ten dom przestał być bezpieczny.

Podniósł kamienną piramidę, poszedł do gabinetu na pierwszym piętrze i usiadł przed laptopem. Podczas logowania pomyślał o Langdonie ukrytym w piwnicy. Ciekawe, ile dni lub tygodni upłynie, zanim odnajdą jego ciało. Nie ma to większego znaczenia. Jego już od dawna tu nie będzie.

Langdon wspaniale odegrał swoją rolę.

Nie tylko połączył fragmenty masońskiej piramidy, lecz odkrył, jak odczytać symbole wyryte na podstawie. Choć na pierwszy rzut oka wydawały się nie do rozszyfrowania, odpowiedź okazała się taka prosta, tak oczywista.

Komputer Mal'akha ożył i na ekranie ukazał się e-mail ze zdjęciem lśniącego zwieńczenia i palcem Warrena Bellamy'ego zasłaniającym część napisu.

Tajemnica
kryje się we wnętrzu Zakonu
Franklin Square ▬▬

Franklin Square... osiem — powiedziała Katherine. Wspomniała coś o zasadzce CIA. Chcieli go aresztować, a jednocześnie odkryć, o jaki „zakon" chodzi. O lożę masońską? Shrinersów? Różokrzyżowców?

Żaden z nich — pomyślał Mal'akh. — Langdon odkrył prawdę. Dziesięć minut temu, zanim woda dosięgła jego ust, profesor Harvardu znalazł klucz do rozszyfrowania zagadki piramidy.

— Franklin Square osiem! — wykrzyknął z trwogą w oczach. — Rozwiązanie zagadki kryje się we wnętrzu kwadratu* Franklina o boku składającym się z ośmiu pól!

Początkowo Mal'akh nie zrozumiał, o co mu chodzi.

— To nie adres! — krzyczał Langdon, przyciskając usta do szybki. — Chodzi o kwadrat magiczny! — Później wspomniał coś o Albrechcie Dürerze i o tym, jak pierwszy szyfr dostarczył wskazówki do rozwiązania ostatniego.

Mal'akh słyszał o kwadratach magicznych, które wcześni mistycy nazywali *kameami*. Starożytny tekst *De Occulta Philosophia* opisywał szczegółowo ich mistyczną moc oraz sposoby tworzenia potężnych sigilów opartych na magicznych siatkach liczb. Czyżby Langdon sugerował, że kluczem do rozszyfrowania symboli wyrytych na podstawie piramidy jest jakiś kwadrat magiczny?

— Trzeba znaleźć kwadrat magiczny o boku złożonym z ośmiu pól! — tłumaczył Langdon, wysuwając wargi ponad powierzchnię wody. — Magiczne kwadraty dzielą się na porządki! Kwadrat o boku składającym się z trzech pól należy do „porządku trzeciego"! Kwadrat o boku zbudowanym z czterech to „porządek czwarty"! Trzeba znaleźć odpowiedni kwadrat z „porządku ósmego"!

Langdon niemal całkowicie pogrążył się w wodzie. Rozpaczliwie odetchnął po raz ostatni i powiedział coś o sławnym masonie, jednym z Ojców Założycieli, naukowcu, mistyku, matematyku, wynalazcy oraz twórcy mistycznej *kamei*, która nosiła jego imię.

Franklin.

---

* *Square* (ang.) — „plac", „kwadrat".

Mal'akh od razu wiedział, że Langdon ma rację.

Wstrzymał oddech, wpatrując się w ekran komputera. Wprowadził hasło do wyszukiwarki, a następnie przebiegł wzrokiem listę znalezionych stron, wybrał jedną z nich i zaczął czytać:

MAGICZNY KWADRAT FRANKLINA
Z PORZĄDKU ÓSMEGO*

Najbardziej znany kwadrat magiczny z porządku ósmego został przedstawiony w roku 1769 przez amerykańskiego naukowca Beniamina Franklina. Kwadrat ten stał się sławny z powodu „złamanych przekątnych". Franklin interesował się mistycznymi dziełami sztuki pod wpływem znanych ówczesnych alchemików i astrologów, z którymi się przyjaźnił. Nie bez znaczenia była też wiara w astrologię, która znalazła odbicie w jego przepowiedniach publikowanych na łamach almanachu „Poor Richard's Almanack".

52	61	4	13	20	29	36	45
14	3	62	51	46	35	30	19
53	60	5	12	21	28	37	44
11	6	59	54	43	38	27	22
55	58	7	10	23	26	39	42
9	8	57	56	41	40	25	24
50	63	2	15	18	31	34	47
16	1	64	49	48	33	32	17

* W oryginale inskrypcja brzmi: *The secret hides within The Order*, przy czym słowo *order* oznacza zarówno „zakon", jak i „porządek".

Mal'akh przyjrzał się słynnemu kwadratowi Franklina — wyjątkowemu porządkowi liczb od jeden do sześćdziesiąt cztery, gdzie każdy wiersz, kolumna i dwie złamane przekątne dawały tę samą magiczną sumę.

Tajemnica kryje się we wnętrzu kwadratu magicznego Franklina o boku złożonym z ośmiu pól.

Uśmiechnął się do siebie. Drżąc z podniecenia, sięgnął po kamienną piramidę i położył ją na boku, aby widzieć podstawę.

Sześćdziesiąt cztery symbole trzeba było ułożyć w kolejności określonej przez kwadrat magiczny Franklina. Chociaż nie miał pojęcia, w jaki sposób uporządkowanie chaotycznej siatki znaków może nadać im sens, ufał starożytnej obietnicy.

Ordo ab chao.

Z bijącym sercem sięgnął po kartkę i szybko narysował kwadratową siatkę złożoną z sześćdziesięciu czterech pól. Następnie zaczął wpisywać kolejne znaki w nowych pozycjach. Nagle, ku jego zdumieniu, symbole zaczęły układać się w spójną całość.

Porządek z chaosu!

Spojrzał na rozszyfrowane przesłanie, nie mogąc uwierzyć własnym oczom. Dziwny obraz nabrał nowego kształtu. Niezrozumiała siatka symboli uległa przemianie, zyskała nowy wymiar i choć Mal'akh nie potrafił odczytać całego przesłania, zrozumiał dość, aby wiedzieć, dokąd powinien się udać.

Piramida wskaże drogę.

Siatka znaków pokazywała jedno z wielkich mistycznych miejsc. Co dziwniejsze, Mal'akh zawsze marzył o tym, aby właśnie tam zakończyć swoją podróż.

Przeznaczenie.

Rozdział 107

Katherine Solomon leżała na chłodnym kamiennym stole.

Przerażające obrazy agonii Roberta wirowały jej w głowie, przeplatając się z myślami o bracie. Czy Peter również nie żyje?

Dziwny nóż na stoliku nasuwał niepokojące przypuszczenia.

Czy to już koniec?

Wróciła myślami do swoich badań, do noetyki i ostatnich przełomowych odkryć. Wszystko stracone... cała praca poszła z dymem.

Nie będzie mogła opowiedzieć światu o tym, czego się dowiedziała. Najbardziej szokującego odkrycia dokonała zaledwie kilka miesięcy temu. To, co udało jej się ustalić, mogło na nowo określić ludzkie wyobrażenia o śmierci. Co dziwniejsze, przyniosło jej to nieoczekiwane pocieszenie.

Jako młoda dziewczyna Katherine Solomon często zastanawiała się nad tym, czy istnieje życie po śmierci. Czy jest niebo? Co się dzieje, gdy umieramy? Kiedy dorosła, badania naukowe szybko odsunęły fantazyjne wyobrażenia nieba, piekła i „życia po życiu". Przyjęła do wiadomości, że koncepcja „życia po śmierci" jest ludzkim wymysłem, bajeczką mającą złagodzić przerażającą prawdę o śmiertelności człowieka.

Tak wtedy sądziłam...

Rok temu dyskutowała z bratem o jednym z odwiecznych pytań filozoficznych, o zagadnieniu istnienia duszy, a konkretnie o tym, czy człowiek ma świadomość zdolną do bytowania poza ciałem.

Oboje czuli, że ludzka dusza istnieje. Większość starożytnych systemów filozoficznych zajmowała podobne stanowisko. Nauka buddyjska i bramińska mówiła o metempsychozie — pośmiertnej wędrówce duszy do nowego ciała. Zwolennicy filozofii Platona nazywali ciało „więzieniem", z którego dusza się uwalnia, a stoicy mówili o niej *apospasma tou theu* — „cząstka boga" — i wierzyli, że po śmierci wraca do Niego.

Istnienie ludzkiej duszy, mówiła sfrustrowana Katherine, jest koncepcją, która przypuszczalnie nigdy nie będzie mogła zostać naukowo potwierdzona. Próby dowiedzenia, że dusza istnieje poza ciałem, po jego śmierci, przypominały wydmuchiwanie obłoku dymu w nadziei, że po wielu latach uda się go odnaleźć.

Po zakończeniu rozmowy przyszła jej do głowy dziwna myśl. Brat wspomniał o tym, że w Księdze Rodzaju duszę opisano jako *neszama* — duchową „inteligencję" odrębną od ciała. Katherine pomyślała, że słowo „inteligencja" sugeruje obecność myśli. Z badań noetycznych wynikało, że myśli mają masę, a zatem musi ją też posiadać ludzka dusza.

Czy można zważyć ludzką duszę?

To niemożliwe. Już samo pytanie wydawało się głupie.

Trzy dni później Katherine obudziła się z głębokiego snu. Zerwała się na równe nogi i pojechała do laboratorium, by natychmiast rozpocząć przygotowania do nowego eksperymentu, który był jednocześnie niezwykle prosty... i przerażająco zuchwały.

Ponieważ nie miała pewności, czy wszystko się powiedzie, postanowiła nie wspominać o niczym Peterowi, dopóki nie zakończy pracy. Po czterech miesiącach przygotowań zaprosiła brata do laboratorium. Wtoczyła duże urządzenie, które ukryła w pomieszczeniu technicznym.

— Sama je zaprojektowałam i zbudowałam — oznajmiła, popisując się przed bratem swoją inwencją. — Domyślasz się, co to takiego?

Peter spojrzał na dziwną maszynę.

— Inkubator?

Roześmiała się i pokręciła głową, chociaż odpowiedź brata jej nie zdziwiła. Urządzenie przypominało przezroczyste szpitalne inkubatory dla wcześniaków, choć mogło zmieścić dorosłego człowieka. Była to długa hermetyczna kapsuła z przezroczystego plastiku wyglądająca jak futurystyczna sypialna gondola. U dołu znajdował się pokaźnych rozmiarów sprzęt elektroniczny.

— Ciekawe, czy teraz zgadniesz — powiedziała, włączając urządzenie. Kiedy na monitorze zamigotały cyfry, Katherine ostrożnie wyregulowała urządzenie.

Na ekranie pojawił się odczyt:

0,0000000000 kg

— Waga? — zdziwił się Peter.

— Niezwykła waga. — Katherine oderwała maleńki kawałeczek papieru i położyła go ostrożnie na wierzchołku kapsuły. Cyfry widoczne na ekranie poruszyły się gwałtownie, dając nowy odczyt.

0,0008194325 kg

— Niezwykle dokładna waga mikroanalityczna — wyjaśniła. — Można na niej zważyć przedmioty o masie kilku mikrogramów.

Peter nadal wyglądał na zdumionego.

— Skonstruowałaś precyzyjną mikroanalityczną wagę rozmiarów dorosłego człowieka?

— Właśnie. — Uniosła przezroczyste wieko. — Kiedy umieścimy w środku człowieka i zamkniemy wieko, znajdzie się w idealnie hermetycznym otoczeniu. Nic nie będzie mogło przeniknąć do środka ani wydostać się na zewnątrz — gaz, ciecz, cząstki kurzu, wydychane powietrze, pot, płyny organiczne... nic.

Peter pogładził nerwowo gęste siwe włosy w sposób tak charakterystyczny dla Solomonów.

— Hmm... długo w tym nie wytrzyma...

Skinęła głową.

— Umrze po mniej więcej sześciu minutach, w zależności od tempa oddychania.

Odwrócił się w jej stronę.

— Nie rozumiem...

Uśmiechnęła się.

— Za chwilę zrozumiesz.

Katherine wyłączyła urządzenie i zaprowadziła Petera do pomieszczenia kontroli, sadzając go przed ogromnym monitorem. Usiadła obok i zaczęła wczytywać kilka plików wideo zapisanych na holograficznych dyskach. Ekran zamigotał i po chwili pojawił się na nim amatorski film.

Kamera przesunęła się po skromniej sypialni z niepościelonym łóżkiem, lekarstwami, respiratorem i monitorem kontrolującym pracę serca. Peter był zdumiony, gdy kamera zatrzymała się na ustawionym pośrodku pokoju urządzeniu Katherine.

Wytrzeszczył oczy.

— Co to...?

Przezroczyste wieko było otwarte, a w środku leżał starzec z maską tlenową na twarzy.

— Mężczyzna w kapsule to mój profesor przedmiotów ścisłych z Yale — wyjaśniła Katherine. — Korespondowaliśmy ze sobą przez wiele lat. Był poważnie chory. Często wspominał, że chciałby przekazać swoje ciało na cele badawcze, więc kiedy opowiedziałam mu o moim eksperymencie, natychmiast zapragnął w nim uczestniczyć.

Peter milczał, przypatrując się scenie, która rozgrywała się na ekranie monitora.

Pracownica hospicjum dała znak żonie umierającego.

— Nadeszła pora. Jest gotowy.

Staruszka mrugnęła załzawionymi oczami i skinęła głową.

— Dobrze.

Pielęgniarka sięgnęła do wnętrza kapsuły i bardzo delikatnie zdjęła starcowi maskę tlenową. Drgnął lekko, lecz nie otworzył oczu. Kobieta odsunęła respirator, pozostawiając umierającego w otwartej kapsule stojącej na środku pokoju.

Żona podeszła i delikatnie pocałowała męża w czoło. Nie otworzył oczu, ale jego wargi lekko drgnęły, układając się w serdeczny uśmiech.

Bez maski tlenowej jego oddech stał się urywany. Koniec był coraz bliżej. Staruszka z niezwykłą siłą i spokojem zamknęła szczelnie wieko kapsuły tak, jak pokazała jej Katherine.

Peter cofnął się przerażony.

— Na Boga, Katherine! Co to ma znaczyć?

— Nie martw się — szepnęła. — W kapsule było dość powietrza. Chociaż oglądała ten film wiele razy, zawsze była poruszona. Monitor pokazywał wagę umierającego.

51,4534644 kg

— To ciężar jego ciała — wyjaśniła.

Kiedy oddech staruszka stał się płytki, Peter pochylił się do przodu, nie mogąc oderwać oczu od ekranu.

— Chciał wziąć udział w eksperymencie — dodała cicho Katherine. — Patrz uważnie, co się będzie działo.

Żona umierającego cofnęła się i usiadła na łóżku, patrząc w milczeniu na pracownicę hospicjum.

W ciągu kolejnych sześćdziesięciu sekund płytki oddech umierającego stał się bardziej przyspieszony. W końcu po raz ostatni zaczerpnął powietrza, jakby sam wybrał moment swojego odejścia. Wszystko ustało.

Koniec.

Pielęgniarka przytuliła staruszkę, by ją pocieszyć.

Nie wydarzyło się nic więcej.

Po kilku sekundach Peter spojrzał na Katherine zupełnie zdezorientowany.

Poczekaj. Skinęła w kierunku cyfrowego monitora kapsuły rejestrującego wagę zmarłego.

Wtedy to zobaczył.

Cofnął się, o mało nie spadając z krzesła.

— Ależ... to... — Zasłonił usta dłonią. — Nie pojmuję...

Wielki Peter Solomon rzadko tracił głos ze zdziwienia. Początkowo Katherine reagowała podobnie.

Chwilę po śmierci staruszka jego waga nagle się zmniejszyła. Choć zmiana była nieznaczna, zostało to zarejestrowane, a konsekwencje tego faktu wydawały się niepojęte.

Katherine zanotowała drżącą ręką: *Wydaje się, że w chwili śmierci ludzkie ciało opuszcza niewidoczna* substancja. *Ma ona określoną masę i przenika wszelkie bariery fizyczne. Przypuszczalnie porusza się w wymiarze, którego jeszcze nie znamy.*

Z miny Petera wywnioskowała, że zrozumiał konsekwencje jej odkrycia.

— Katherine... — wymamrotał, mrugając szybko, jakby chciał się upewnić, że nie śpi. — Myślę, że zważyłaś ludzką duszę...

Milczeli przez dłuższą chwilę.

Katherine wyczuła, że brat myśli o wszystkich przełomowych i cudownych konsekwencjach jej odkrycia. Jeśli faktycznie jest tak, jak im się wydaje... jeśli istnieje dowód na to, że dusza, świadomość lub siła życiowa mogą opuścić ciało, uda się rzucić nowe światło na całe mnóstwo mistycznych kwestii: wędrówkę dusz, kosmiczną świadomość, doświadczenia z pogranicza życia i śmierci, projekcję astralną, jasnowidzenie, świadome śnienie... Pisma medyczne pełne są opowieści ludzi, którzy przeżyli śmierć kliniczną i oglądali własne ciało z góry, zanim zostali wskrzeszeni.

Peter wciąż milczał, lecz Katherine dostrzegła w jego oczach łzy. Zrozumiała. Ona również płakała. Oboje stracili ukochane osoby, dlatego nawet najsłabszy dowód na to, że ludzka dusza istnieje po śmierci, oznaczał iskierkę nadziei.

Myśli o Zacharym — odgadła, dostrzegając melancholię w oczach brata. Od wielu lat Peter dźwigał na swoich barkach ciężar odpowiedzialności za śmierć syna. Wielokrotnie powtarzał jej, że zostawienie Zachary'ego w więzieniu było największym błędem jego życia i że nigdy sobie tego nie wybaczy.

Trzaśnięcie drzwiami sprawiło, że nagle ocknęła się w piwnicy, na zimnym kamiennym stole. Metalowe drzwi wiodące do rampy głośno zgrzytnęły i usłyszała, jak wytatuowany mężczyzna wchodzi do jednego z pomieszczeń, krząta się w środku, a następnie zaczyna iść w jej stronę. Zauważyła, że coś przed sobą pcha. Coś ciężkiego... na kółkach. Gdy stanął w kręgu światła, spojrzała, nie wierząc własnym oczom. Wtoczył do sali wózek inwalidzki.

Chociaż umysł rozpoznał osobę, która na nim siedziała, Katherine nie potrafiła tego zaakceptować.

Peter?

Nie wiedziała, czy powinna się cieszyć z tego, że jej brat żyje, czy trwać w przerażeniu. Z ciała Petera usunięto wszystkie włosy. Znikła srebrzysta lwia grzywa i brwi, a gładka skóra lśniła tak, jakby została namaszczona olejkiem. Miał na sobie czarny jedwabny szlafrok. W miejscu prawej dłoni sterczał kikut owinięty czystym bandażem. Spojrzał na nią oczami pełnymi bólu i smutku.

— Peter! — wychrypiała.

Próbował odpowiedzieć, lecz wydawał jedynie stłumione, gardłowe odgłosy. Dopiero wtedy zauważyła, że jest przywiązany do wózka i zakneblowany.

Wytatuowany mężczyzna podszedł i delikatnie pogładził ogoloną głowę Petera.

— Przygotowałem twojego brata na wielki zaszczyt, który czeka go tej nocy. Ma do odegrania ważną rolę.

Poczuła, że sztywnieje. Nie...

— Peter i ja za chwilę wyjeżdżamy. Pomyślałem, że chcielibyście się pożegnać.

— Dokąd go zabierasz? — zapytała słabym głosem.

Uśmiechnął się.

— Peter musi odbyć ze mną podróż na świętą górę. Tam, gdzie ukryto skarb. Masońska piramida wskazała mi miejsce. Twój przyjaciel Langdon okazał się niezwykle pomocny.

Katherine spojrzała w oczy Petera.

— On... zabił Roberta.

Jego twarz wykrzywił grymas bólu. Gwałtownie pokręcił głową, jakby nie mógł już znieść dodatkowego cierpienia.

— Uspokój się — powiedział mężczyzna, ponownie gładząc go po głowie. — Nie zepsuj tak podniosłej chwili. Pożegnaj siostrzyczkę. To wasze ostatnie rodzinne spotkanie.

Katherine ogarnęła rozpacz.

— Dlaczego to robisz?! — krzyknęła. — Czy cię skrzywdziliśmy? Dlaczego tak nienawidzisz mojej rodziny?

Zbliżył się i szepnął jej do ucha:

— Mam swoje powody. — Podszedł do stolika z narzędziami i wziął dziwny nóż. Pokazał go Katherine, po czym przesunął gładkim ostrzem po jej policzku. — To najsłynniejszy nóż w historii.

Katherine nie przypominała sobie takiego noża, lecz ten, na który patrzyła, wydawał się wystarczająco przerażający i stary. Był ostry jak brzytwa.

— Nie martw się. Nie zamierzam marnować na ciebie jego

mocy. Przygotowałem go na godniejszą ofiarę, którą złożymy w godniejszym miejscu. Poznajesz ten nóż, prawda? — zwrócił się do Petera.

Peter wytrzeszczył oczy.

— Jak widzisz, ten starożytny przedmiot przetrwał do dziś. Zapłaciłem za niego fortunę i zachowałem dla ciebie. Ty i ja wspólnie zakończymy naszą bolesną podróż.

Mówiąc to, starannie zawinął nóż oraz inne przedmioty — kadzidło, buteleczki z płynem, białą atłasową szatę i narzędzia rytualne — w tkaninę i włożył je do skórzanej torby Roberta Langdona obok masońskiej piramidy i zwieńczenia. Katherine patrzyła bezradnie, jak zasuwa zamek.

— Zajmij się tym, dobrze? — poprosił, umieszczając ciężki bagaż na kolanach Petera.

Podszedł do komody i zaczął czegoś szukać. Usłyszała brzęk metalu. Odwrócił się i ujął mocno jej prawe ramię. Katherine nie widziała, co robi, lecz Peter najwyraźniej był tego świadom, bo znów zaczął się szamotać.

Nagle poczuła ostre ukłucie w okolicy łokcia prawej ręki i dziwne ciepło spływające w dół. Peter wydał cichy zbolały jęk, próbując przewrócić ciężki wózek. Chłodne odrętwienie sięgnęło przedramienia i czubków jej palców.

Kiedy mężczyzna się odsunął, zrozumiała, dlaczego jej brat jest taki przerażony. Wytatuowany mężczyzna wbił jej w żyłę igłę, jakby miała zostać dawcą krwi. Igła nie była jednak przyczepiona do żadnej rurki i krew spływała na łokieć, przedramię i kamienny stół.

— To nasza żywa klepsydra — wyjaśnił, zwracając się do Petera. — Kiedy niebawem poproszę cię, byś odegrał swoją rolę, pomyśl o Katherine umierającej w ciemności.

Na twarzy Petera pojawił się wyraz udręki.

— Pożyje godzinę — dodał mężczyzna. — Jeśli będziesz współpracował, zdążę ją ocalić, lecz jeśli zaczniesz się stawiać, twoja siostra umrze samotnie w ciemności.

Peter, mimo knebla, próbował krzyczeć.

— Wiem, wiem... — szaleniec pokiwał głową, kładąc dłoń na jego ramieniu. — Zdaję sobie sprawę, że jest ci ciężko, choć nie powinno. Nie po raz pierwszy porzucisz członka rodziny. Mam na myśli twojego syna Zachary'ego w więzieniu Soganlik — szepnął.

Peter napiął więzy, wydając stłumiony okrzyk.

— Przestań! — wrzasnęła Katherine.

— Dobrze pamiętam tamtą noc — ciągnął mężczyzna, kończąc pakowanie. — Wszystko słyszałem. Naczelnik zaproponował, że uwolni twojego syna, lecz ty wolałeś dać Zachary'emu nauczkę. Pamiętasz? — Uśmiechnął się. — Jego strata stała się dla mnie zyskiem.

Wetknął Katherine do ust kawałek płótna.

— Należy umierać w ciszy — wyszeptał.

Peter zaczął się szamotać. Mężczyzna o ciele pokrytym tatuażami bez słowa wytoczył wózek z pokoju, dając Solomonowi ostatnią szansę popatrzenia na siostrę.

Katherine i Peter wymienili spojrzenia.

Katherine słyszała, jak wózek wjeżdża po rampie i otwierają się ciężkie metalowe drzwi. Wytatuowany mężczyzna zamknął je za sobą i otworzył przejście ukryte za *Trzema Gracjami*. Kilka minut później usłyszała dźwięk odjeżdżającego samochodu.

W rezydencji zapadła cisza.

Katherine leżała samotnie, krwawiąc w ciemności.

Rozdział 108

Duch Roberta Langdona unosił się w bezdennej otchłani.
Żadnego światła. Żadnego dźwięku. Żadnych doznań.
Miękkość.
Nieważkość.
Uwolnił się od ciała. Nie był już przez nie ograniczony.
Materialny świat przestał istnieć. Czas zniknął.
Był teraz czystą świadomością, bezcielesnym duchem zawieszonym w pustce bezkresnego wszechświata.

Rozdział 109

Helikopter unosił się nisko nad dachami rezydencji w Kalorama Heights, kierując się do miejsca o współrzędnych otrzymanych od zespołu wsparcia. Agent Simkins pierwszy zauważył czarnego escalade'a zaparkowanego niedbale na trawniku przed frontem jednego z domów. Brama była zamknięta, a okna ciemne.

Sato dała znak pilotowi, by wylądował.

Maszyna usiadła twardo na środku trawnika pomiędzy kilkoma innymi pojazdami, wśród których znajdował się radiowóz firmy ochroniarskiej z migającym na dachu światłem.

Simkins i jego ludzie zaskoczyli na ziemię, wyciągnęli broń i ruszyli w stronę ganku. Widząc, że drzwi są zamknięte, Simkins złożył dłonie i zajrzał do środka przez okienko. Choć w korytarzu było ciemno, zauważył na podłodze ciało.

— Cholera — szepnął. — To Hartmann.

Jeden z agentów wziął stojące na ganku krzesło i wybił boczną szybę. Dźwięk tłuczonego szkła był prawie niesłyszalny w huku helikoptera. Chwilę później wszyscy byli w środku. Simkins podbiegł do Hartmanna i sprawdził jego puls. Niczego nie wyczuł. Wszędzie była krew. Wtedy dostrzegł śrubokręt tkwiący w jego szyi.

Jezu! Wstał i kazał swoim ludziom przeszukać dom.

Agenci rozbiegli się po parterze. Światła laserowych celowników zaczęły penetrować luksusową rezydencję. Nie znaleźli niczego w salonie i gabinecie, lecz w jadalni odkryli uduszoną strażniczkę z firmy ochroniarskiej. Simkins zaczął tracić nadzieję, że Robert Langdon i Katherine żyją. Brutalny zabójca najwyraźniej zastawił na nich pułapkę, a skoro zdołał zamordować agenta CIA i uzbrojoną strażniczkę, wydawało się, że profesor i naukowiec nie mają żadnych szans.

Gdy zabezpieczyli parter, Simkins wysłał dwóch ludzi, żeby sprawdzili pierwsze piętro. Sam natrafił w kuchni na schody prowadzące do piwnicy i zszedł po nich. Kiedy znalazł się na dole, zapalił światło. Piwnica była duża i nieskazitelnie czysta, jakby nigdy jej nie używano. Bojlery, nagie betonowe ściany, kilka pudeł, nic więcej. Kiedy wrócił do kuchni, jego ludzie schodzili z piętra, kręcąc głowami.

Dom był pusty.

Nikogo żywego, żadnych innych ciał.

Simkins połączył się z Sato, przekazując jej ponure i jednoznaczne wieści.

Gdy ruszył w stronę korytarza, Sato wchodziła już po schodach do przedsionka. Za nią dostrzegł załamanego Warrena Bellamy'ego, siedzącego w helikopterze z tytanową walizką Sato u stóp. Dzięki specjalnemu laptopowi dyrektorka Biura Bezpieczeństwa przez cały czas miała dostęp do systemu komputerowego CIA za pośrednictwem bezpiecznego pasma łączy satelitarnych. Kilka godzin wcześniej użyła tego urządzenia do przekazania informacji, które zaszokowały Bellamy'ego i skłoniły go do współpracy. Simkins nie miał pojęcia, co zobaczył architekt Kapitolu, lecz nie miał wątpliwości, że to nim wstrząsnęło.

Sato weszła do korytarza i stanęła nad ciałem Hartmanna. Po chwili podniosła głowę i spojrzała na Simkinsa.

— Znaleźliście Langdona lub Katherine? A Petera Solomona?

Simkins pokręcił głową.

— Jeśli żyją, zabrał ich ze sobą.

— Czy w tym domu jest komputer?

— Tak, proszę pani. W gabinecie.

Simkins poprowadził ją korytarzem do salonu. Puszysty dywan zaścielało szkło z rozbitego okna. Przeszli obok kominka, dużego obrazu i kilku półek z książkami, by w końcu dotrzeć do drzwi gabinetu. Jego ściany wyłożone były drewnianymi panelami, a na zabytkowym biurku stał duży monitor. Sato obeszła biurko, spojrzała na monitor i ściągnęła brwi.

Simkins podszedł bliżej, by spojrzeć na ekran.
— Co się stało?
— Używa laptopa. Zabrał go ze sobą.
Nie zrozumiał, o co jej chodzi.
— Czy ma informacje, które są pani potrzebne?
— Nie. — Ma informacje, o których nikt nie może się dowiedzieć — odrzekła Sato ponuro.

Uwięziona w piwnicy Katherine Solomon usłyszała huk nadlatującego helikoptera, odgłos pękającej szyby i tupot ciężkich butów. Próbowała wołać o pomoc, lecz knebel tkwiący w jej ustach skutecznie to uniemożliwił. Z trudem wydobyła z siebie cichy jęk. Im bardziej się starała, tym szybciej spływała krew.
Poczuła, że traci oddech i zrobiło się jej słabo.
Wiedziała, że musi się uspokoić.
Wykorzystaj swój umysł, Katherine.
Z trudem weszła w stan medytacji.

Duch Roberta Langdona unosił się w pustce. Wpatrywał się w nią, szukając najmniejszego punktu odniesienia. Nie znalazł żadnego.
Nieprzenikniona ciemność. Całkowita cisza. Całkowity spokój.
Nie czuł nawet siły ciążenia, więc nie wiedział, w jakiej pozycji się znajduje.
Jego ciało odpłynęło.
To musi być śmierć.
Czas rozciągał się i kurczył niczym teleskop, jakby nie miał najmniejszego znaczenia. Langdon stracił poczucie czasu.
Dziesięć sekund? Dziesięć minut? Dziesięć dni?
Nagle, niczym dalekie eksplozje z odległych galaktyk, zaczęły się materializować wspomnienia, sunąc w jego stronę przez pustkę jak fale wstrząsów wtórnych.
Zaczął sobie przypominać. Osaczyły go obrazy, żywe i niepokojące. Przypatrywał się twarzy pokrytej tatuażami. Silne ramiona uniosły jego głowę i uderzyły nią o podłogę.

Poczuł ból, a później ogarnęła go ciemność.

Szare światło.

Pulsujące.

Pasma wspomnień zaczęły unosić półprzytomnego Langdona. Oprawca coś nucił.

Verbum significatium... Verbum omnificum... Verbo perdo...

Rozdział 110

Dyrektor Sato stała w gabinecie, czekając, aż dział inwigilacji satelitarnej CIA spełni jej prośbę. Jedną z korzyści pracy w Waszyngtonie była ciągła kontrola satelitarna. Jeśli dopisze im szczęście, otrzymają zdjęcia domu z tej nocy, a może nawet fotografię samochodu, który odjechał stąd pół godziny temu.

— Przykro mi, proszę pani — powiedział technik zajmujący się łącznością satelitarną. — Nie mamy aktualnych materiałów dla podanych współrzędnych. Chce pani, żebym sprawdził dla innych współrzędnych?

— Dziękuję. Już za późno — odrzekła, kończąc połączenie. Westchnęła głęboko, nie mając pojęcia, jak zdołają ustalić, dokąd udał się obiekt. Wyszła na korytarz. Jej ludzie włożyli ciało agenta Hartmanna do plastikowego worka i zanieśli je do helikoptera. Poleciła agentowi Simkinsowi, żeby zebrał swoich ludzi i przygotował się do powrotu do Langley. Okazało się jednak, że Simkins jest w salonie. Klęczał i wyglądał, jakby był chory.

— Nic ci nie jest?

Podniósł głowę. Miał dziwny wyraz twarzy.

— Widziała to pani? — Wskazał podłogę w salonie.

Sato podeszła i spojrzała na gruby dywan. Pokręciła głową, niczego nie widząc.

— Proszę przykucnąć. O tu, na włosach dywanu.

Po chwili dostrzegła to co on. Włókna dywanu były wgniecione... zauważyła dwie równoległe linie, jakby przez salon pchano ciężki wózek.

— Dziwna sprawa — mruknął Simkins. — Widzi pani, gdzie kończą się ślady? — Wskazał miejsce. Linie znikały przed dużym obrazem sięgającym od sufitu do podłogi, wiszącym obok kominka.

Simkins podszedł do obrazu i spróbował zdjąć go ze ściany. Ani drgnął.

— Jest dobrze przymocowany — stwierdził, przesuwając palce wzdłuż krawędzi ramy. — Proszę zaczekać. Coś jest pod spodem... — Natrafił na małą dźwignię pod dolną krawędzią. Usłyszeli wyraźne kliknięcie.

Simkins pchnął ramę, a obraz obrócił się wokół własnej osi.

Agent oświetlił latarką mroczną przestrzeń.

Sato zmrużyła oczy.

No i znaleźliśmy.

Na końcu korytarza dostrzegli ciężkie metalowe drzwi.

Wspomnienia przesuwały się przez mroczny umysł Langdona jak ciemne chmury. Gdy się pojawiały, widział wirujące czerwone gwiazdki, którym towarzyszył ten sam upiorny daleki szept.

Verbum significatium... Verbum omnificum... Verbo perdo...

Monotonne zawodzenie przypominało jednostajną melodię średniowiecznego kantyku.

Verbum significatium... Verbum omnificum... Słowa rozbrzmiewały w pustej przestrzeni, a do nich dołączały coraz to nowe.

Apocalypsis... Franklin... Apocalypsis... Verbum... Apocalypsis...

Nagle w oddali rozległ się dźwięk żałobnego dzwonu. Bił bez końca, coraz głośniej, coraz bardziej nagląco, jakby miał nadzieję, że Langdon zrozumie. Jakby wzywał jego umysł, aby za nim podążył.

Rozdział 111

Dzwon na wieży bił przez pełne trzy minuty, wprawiając w drżenie kryształowy żyrandol wiszący nad głową Langdona. Kilkadziesiąt lat temu słuchał wykładów w pięknej sali Phillips Exeter Academy. Dzisiaj przybył, by wysłuchać odczytu, który jego przyjaciel miał wygłosić dla studentów tej uczelni. Kiedy światła zgasły, Langdon zajął miejsce pod ścianą, na której wisiały portrety byłych rektorów akademii.

Przez salę przeszedł cichy szmer.

W ciemności na scenie pojawił się wysoki szczupły mężczyzna.

— Dzień dobry — wyszeptał do mikrofonu bezimienny głos.

Wszyscy wstali, próbując dojrzeć, kto do nich mówi.

Ktoś włączył rzutnik i na ekranie ukazała się wyblakła fotografia w kolorze sepii, przedstawiająca wyniosłe zamczysko o fasadzie z czerwonego piaskowca, z wysokimi kwadratowymi wieżami i gotyckimi zdobieniami.

Cień przemówił ponownie:

— Kto z państwa wie, co jest na tym zdjęciu?

— Anglia! — oznajmiła w ciemności jakaś dziewczyna. — Fasada zamku to połączenie wczesnej architektury gotyckiej z późną architekturą romańską. Ta budowla to klasyczny przykład zamku normańskiego z mniej więcej dwunastego wieku.

— Jestem pod wrażeniem — odpowiedział głos. — Widzę, że na sali są osoby znające się na architekturze.

Zewsząd dobiegały ciche jęki.

— Niestety, pomyliła się pani o jakieś pięć tysięcy kilometrów i pięćset lat.

Na sali zapanowało ożywienie.

Na ekranie ukazało się kolorowe współczesne zdjęcie tego samego zamku wykonane pod innym kątem. Zbudowane z piaskowca wieże zamku stojącego na terenie parku Seneca Creek zdominowały pierwszy plan, lecz w tle, zdumiewająco blisko, wznosiła się biała, otoczona kolumnami kopuła amerykańskiego Kapitolu.

— Zaraz! — wykrzyknęła dziewczyna. — Czy w Waszyngtonie jest jakiś normański zamek?!

— Od tysiąc osiemset pięćdziesiątego piątego roku — oznajmił głos. — Właśnie wtedy zrobiono pierwsze zdjęcie.

Na ekranie ukazało się kolejne zdjęcie — czarno-białe, przedstawiające wnętrze gmachu. Była to sala balowa o masywnym sklepieniu, w której stały szkielety zwierząt, gabloty z eksponatami, szklane słoje z okazami biologicznymi, archeologiczne artefakty i gipsowe odciski prehistorycznych stworów.

— Ten wspaniały zamek — mówił głos — był pierwszym prawdziwym muzeum przyrodniczym w Stanach Zjednoczonych. Ameryka otrzymała go w darze od zamożnego brytyjskiego badacza, który, podobnie jak nasi przodkowie wierzył, iż ten młody kraj stanie się krajem oświeconym. Przekazał on naszym ojcom ogromną fortunę, prosząc, aby w sercu narodu wznieśli „okazały gmach służący upowszechnianiu wiedzy". — Przerwał, by po chwili zapytać: — Czy ktoś z państwa wie, jak nazywał się ten hojny uczony?

— James Smithson? — powiedział nieśmiały głos.

Przez salę przeszedł szmer wskazujący, że studenci sobie przypomnieli.

— Tak, Smithson — potwierdził mężczyzna stojący na scenie. Peter Solomon wszedł w krąg światła, a jego szare oczy błysnęły figlarnie. — Dzień dobry. Nazywam się Peter Solomon. Jestem sekretarzem Instytutu Smithsoniańskiego.

Studenci zgotowali mu dziką owację.

Siedzący w cieniu Langdon obserwował z podziwem, jak Peter przyciągnął uwagę młodych słuchaczy fotograficzną prezentacją poświęconą początkom Instytutu Smithsoniańskiego. Pokaz rozpoczął się od zamku. Peter pokazał zdjęcia przedstawiające laboratoria w piwnicach, korytarze z rzędami eksponatów, salę pełną najróżniejszych mięczaków, naukowców, którzy nazywali siebie „kuratorami skorupiaków", a nawet starą fotografię dwóch najbardziej znanych mieszkańców zamku — parę nieżyjących już sów o imionach Dyfuzja i Wzrost. Trzydziestominutowy pokaz slajdów zakończył się wspaniałym zdjęciem satelitarnym przedstawiającym obszar National Mall z muzeami wchodzącymi w skład Instytutu Smithsoniańskiego.

— Jak wspomniałem na początku, James Smithson i nasi ojcowie pragnęli, aby ten wielki kraj stał się ziemią oświeconą. Wierzę, że dziś byliby z nas dumni. Ich wielki Instytut Smithsoniański stał się symbolem wiedzy i nauki stojącym w samym sercu Ameryki. To żywy hołd złożony marzeniom naszych przodków o tym kraju. O kraju, którego podwalinami są wiedza, mądrość i nauka.

Solomon wyłączył rzutnik przy dźwiękach gorącej owacji. Zapalono światła i w górę powędrowało kilkanaście rąk studentów, którzy chcieli zadać pytania.

Peter wskazał drobnego rudowłosego chłopaka siedzącego w środkowym rzędzie.

— Panie Solomon — zaczął chłopak, zdumiony, że go wybrano — powiedział pan, że nasi przodkowie uciekali przed religijnymi prześladowaniami w Europie, aby stworzyć kraj oparty na zasadach naukowego postępu.

— Tak.

— Zawsze sądziłem, że nasi przodkowie byli ludźmi głęboko religijnymi, którzy syworzyli Amerykę jako kraj chrześcijański.

Solomon się uśmiechnął.

— Przyjaciele, nie zrozumcie mnie źle. To prawda, że nasi przodkowie uważali się za ludzi głęboko religijnych. Nie zapominajmy jednak, że byli deistami. Wierzyli w Boga, lecz pojmowali go w sposób otwarty i uniwersalny. Jedynym religijnym ideałem, który wyznawali, był ideał wolności religijnej. — Zdjął mikrofon ze stojaka i przeszedł na przód sceny. — Ojcowie Założyciele mieli wizję duchowo oświeconej utopii, w której wolność myśli, kształcenie mas i postęp naukowy miały zastąpić mrok religijnych przesądów.

Rękę podniosła dziewczyna o jasnych włosach.

— Słucham?

— Czytałam o panu w Wikipedii. — Pokazała swój telefon komórkowy. — Piszą tu, że jest pan ważnym masonem.

Solomon uniósł dłoń z masońskim pierścieniem.

— Szkoda płacić za ściąganie danych z Internetu.

Studenci wybuchnęli śmiechem.

— Przed chwilą wspomniał pan... — ciągnęła z wahaniem dziewczyna — o „religijnych przesądach". Zawsze sądziłam, że to właśnie masoni takie przesądy rozpowszechniają

Solomon nie wyglądał na zaskoczonego.

— Tak? No i co?

— Czytałam dużo o wolnomularstwie i wiem, że macie dziwne pradawne obrzędy i wierzenia. W Internecie znalazłam artykuł, w którym piszą, że masoni wierzą w starożytną wiedzę tajemną, która może uczynić ludzi bogami...

Wszyscy spojrzeli na nią jak na wariatkę.

— Właściwie ma pani rację — przyznał Solomon, tłumiąc śmiech. — Czy znalazła pani w Wikipedii inne informacje na temat tej tajemniej wiedzy?

Dziewczyna poczuła są niezręcznie, ale zaczęła czytać tekst z ekranu komórki:

— „Aby potężna wiedza nie dostała się w ręce niegodnych, dawni mędrcy zaszyfrowali ją, ukrywając za pomocą metaforycznego języka symboli, mitów i alegorii. Ta zaszyfrowana wiedza przetrwała do dziś, wpleciona w naszą mitologię, sztukę i pisma tajemne. Niestety, współczesny człowiek stracił zdolność rozszyfrowania złożonej sieci znaków i wielka prawda została zagubiona".

Solomon odczekał chwilę.

— To wszystko?

Dziewczyna poruszyła się na krześle.

— Jest coś jeszcze.

— Miałem taką nadzieję. Proszę nam przeczytać...

Spojrzała na niego niepewnie, lecz odchrząknęła i czytała dalej:

— „Według legendy mędrcy, którzy dawno temu ukryli pradawną wiedzę, pozostawili klucz do jej odczytania, hasło, dzięki któremu można poznać sekrety. To magiczne hasło, *verbum significatium*, ma moc rozpraszania ciemności, objaśnia też zagadki starożytnych misteriów.

Solomon uśmiechnął się smutno.

— Tak... *verbum significatium*. — Przez chwilę patrzył przed siebie, po czym zwrócił się do blondynki. — Gdzie teraz znajduje się to słowo?

Dziewczyna wyglądała na wystraszoną. Najwyraźniej zaczęła żałować, iż rzuciła wyzwanie wykładowcy. Spojrzała na ekran komórki i doczytała do końca:

— „Legenda mówi, że *verbum significatium* jest zakopane głęboko pod ziemią i czeka cierpliwie na przełomowy moment w dziejach, moment, w którym ludzkość nie będzie mogła istnieć bez prawdy, wiedzy i odwiecznej mądrości. Stojąc na mrocznych rozstajach, ludzkość odnajdzie słowo i ogłosi nadejście wspaniałego nowego wieku oświecenia".

Wyłączyła komórkę i usiadła.

Po dłuższej chwili rękę podniósł inny student.

— Panie Solomon, czy pan w to wierzy?

Peter się uśmiechnął.

— Dlaczego miałbym nie wierzyć? W naszych mitologiach istnieje długa tradycja magicznych słów dostarczających wiedzy i boskiej mocy. Do dziś dzieci szepczą abrakadabra, mając nadzieję, że uda im się stworzyć coś z niczego. Oczywiście zapomnieliśmy, że słowo to nie jest zabawką, że ma korzenie sięgające starożytnego mistycyzmu aramejskiego. Słowa *Avrah KaDabra* znaczą „stwarzam, wypowiadając".

Na sali zapadła cisza.

— Chyba nie wierzy pan, że to jedno słowo, to *verbum significatium*... czymkolwiek jest... ma moc odsłonięcia przed nami starożytnej mądrości i doprowadzenia do oświecenia na całym świecie? — dociekał student.

Twarz Petera Solomona wydawała się nieprzenikniona.

— Moje prywatne poglądy nie powinny was obchodzić. Powinno was obchodzić proroctwo o nadchodzącym oświeceniu, które pobrzmiewa echem we wszystkich religiach i tradycjach filozoficznych na świecie. Hindusi nazywają je satjajugą, astrologowie Erą Wodnika, żydzi łączą to wydarzenie z przyjściem Mesjasza, teozofowie nazywają je Nowym Wiekiem, a kosmologowie, harmoniczną konwergencją.

— Wiem! Dwudziesty pierwszy grudnia dwutysięcznego dwunastego roku! — zawołał ktoś z sali.

— Tak... to niepokojąco bliska data, jeśli wierzy pan obliczeniom Majów.

Langdon zachichotał, przypominając sobie, że Solomon dziesięć lat temu przepowiedział zalew programów telewizyjnych poświęconych rokowi 2012, kiedy to ma nastąpić koniec świata.

— Odkładając na bok datę — podjął Solomon — uważam za rzecz niezwykłą, że w całej historii, we wszystkich systemach filozoficznych pojawia się jeden wspólny element: przepowiednia o nadejściu wielkiego oświecenia. W każdym kręgu kulturowym, w każdej epoce, w każdej części świata ludzkie marzenia skupiły się na identycznej koncepcji, nadchodzącej przemianie człowieka, zbliżającej się nieuchronnie przemianie ludzkiego umysłu w sposób umożliwiający wykorzystanie jego pełnego potencjału. — Uśmiechnął się do słuchaczy. — Co mogłoby wyjaśnić taką zbieżność poglądów?

— Prawda — szepnął ktoś.

Solomon odwrócił się w stronę, z której dobiegł głos.

— Kto to powiedział?

W górę powędrowała ręka drobnego Azjaty o łagodnych rysach twarzy wskazujących, że pochodzi z Nepalu lub Tybetu.

— Może jest to powszechna prawda zakorzeniona w każdej ludzkiej duszy. Może wszyscy skrywamy w swoim wnętrzu tę samą historię, jak stały element naszego łańcucha DNA. Może ta zbiorowa prawda jest odpowiedzialna za podobieństwo wszystkich naszych opowieści.

Solomon się rozpromienił. Złożył ręce i ukłonił się z szacunkiem chłopakowi.

— Dziękuję.

Studenci milczeli.

— Prawda... — zwrócił się do nich — prawda, moi drodzy, kryje w sobie moc. Jeśli wszyscy skłaniamy się ku jakiemuś poglądowi, może wynika to z tego, iż jest on prawdziwy... zapisany głęboko w naszej naturze. Gdy słyszymy prawdę, czujemy, jak w nas rozbrzmiewa, nawet jeśli jej nie pojmujemy, jak wibruje w naszej podświadomości. Nie odkrywamy prawdy, a raczej ją sobie przypominamy... przywołujemy... przyzywamy... jakby już w nas była.

Solomon odczekał chwilę, a następnie dodał cicho:

— Na zakończenie chciałbym was ostrzec, że odkrywanie prawdy nigdy nie było łatwe. W całej historii, w każdym okresie oświeceniu towarzyszył mrok, który chciał ją zniszczyć. Takie są prawa natury i równowagi. Spoglądając w mrok dzisiejszego świata, musimy pamiętać, że nadchodzi równie potężna jasność. Stoimy na progu wielkiego okresu oświecenia. Każdy z nas... wy wszyscy... macie szczęście żyć w punkcie zwrotnym dziejów. Spośród ludzi, którzy kiedykolwiek żyli na tej planecie, to my znaleźliśmy się w wąskim oknie czasu, kiedy nastąpi nasze ostateczne oświecenie. Po tysiącleciach mroku nasze umysły, nauka, a nawet religie odsłonią prawdę.

Wiedział, że za chwilę nagrodzą go hucznymi brawami, więc uniósł rękę, prosząc o ciszę.

— Proszę pani? — Wskazał kłótliwą blondynkę z komórką, siedzącą w jednym z tylnych rzędów. — Wiem, że w wielu kwestiach się nie zgadzamy, lecz chciałbym pani podziękować. Pani pasja poznawcza stanie się katalizatorem nadchodzących zmian. Mrok żywi się apatią, a niezłomne przekonania są najpotężniejszym lekiem, jaki mamy. Proszę poznawać swoją wiarę. Studiować Biblię. — Uśmiechnął się. — A szczególnie jej ostatnie rozdziały.

— Ma pan na myśli Apokalipsę? — zapytała.

— Tak. Apokalipsa jest wspaniałym przykładem wspólnej prawdy. Ostatnia księga Biblii opowiada tę samą historię co inne niezliczone tradycje. Wszystkie one przepowiadają objawienie wielkiej mądrości.

— Czy Apokalipsa nie opisuje końca świata? — spytał ktoś z sali. — Nadejścia Antychrysta, Armagedonu i ostatecznej bitwy dobra ze złem?

Solomon zachichotał.

— Kto z państwa uczy się greki?

W górę powędrowało kilka rąk.

— Co dosłownie oznacza słowo *apocalypse*?

— Oznacza... — zaczął jeden ze studentów, by natychmiast zamilknąć ze zdumienia. — *Apocalypse* znaczy odsłaniać albo ujawniać.

Solomon pokiwał głową.

— Dokładnie. Apokalipsa to nic innego jak objawienie. Biblijna księga objawienia przepowiada odsłonięcie wielkiej prawdy i niezwykłej mądrości. Apokalipsa nie jest końcem świata, lecz raczej końcem świata, który znamy. Proroctwo Apokalipsy to jeszcze jeden przykład tego, jak wypaczono piękne biblijne przesłanie. — Solomon stanął z przodu sceny. — Wierzcie mi, czas apokalipsy nadchodzi i okaże się całkiem inny, niż nas uczono.

W górze, ponad jego głową, rozległo się bicie dzwonu.

Studenci nagrodzili Petera Solomona gromkimi brawami.

Rozdział 112

Katherine balansowała na krawędzi utraty przytomności, kiedy jej ciałem wstrząsnął ogłuszający wybuch.

Chwilę później poczuła dym.

W uszach jej huczało.

Po kilku sekundach usłyszała dalekie stłumione odgłosy. Krzyki i tupot nóg. Nagle odetchnęła swobodniej. Ktoś wyciągnął jej knebel z ust.

— Jesteś bezpieczna — szepnął męski głos. — Trzymaj się.

Myślała, że wyciągnie jej igłę, lecz zawołał do kogoś:

— Przynieś zestaw medyczny... podłącz kroplówkę... roztwór Ringera z dodatkiem mleczanu... podaj ciśnieniomierz. — Badając ją, zapytał: — Gdzie jest człowiek, który to pani zrobił. Dokąd pojechał?

Katherine chciała coś powiedzieć, ale nie była w stanie.

— Musimy wiedzieć, dokąd pojechali — powtórzył mężczyzna.

W odpowiedzi wyszeptała trzy słowa, choć wiedziała, że nie będą miały dla nich żadnego sensu:

— Na... świętą... górę...

Dyrektor Sato przeszła przez dziurę po wyrwanych stalowych drzwiach i zeszła po drewnianej rampie do ukrytej piwnicy. Jeden z agentów już tam na nią czekał.

— Pani dyrektor, jestem pewny, że chciałaby pani to zobaczyć.

Poszła za nim do małego pokoju, jasno oświetlonego i pozbawionego mebli. Na posadzce leżała jedynie sterta ubrań, wśród których rozpoznała tweedową marynarkę i spodnie Langdona.

Agent wskazał duży, przypominający trumnę pojemnik stojący przy ścianie.

Co to takiego?

Podeszła bliżej i stwierdziła, że jest połączony ze ścianą przezroczystą plastikową rurką. Zrobiła niepewnie następny krok. W wieku znajdowała się niewielka ruchoma klapka. Pochyliła się i ją odsunęła. Okazało się, że pojemnik jest wyposażony w małą szybkę.

Przerażona zrobiła krok do tyłu.

Pod szybką unosiła się nieobecna twarz profesora Roberta Langdona.

Światło!

Bezkresna próżnia, w której wisiał, nagle wypełniła się oślepiającym światłem. Białe gorące promienie przenikały czarną przestrzeń, piekąc jego umysł.

Światło otaczało go ze wszystkich stron.

Nagle w jasnej poświacie ukazał się nad nim piękny kształt. Była to twarz... niewyraźna i zamazana... dwoje oczu wpatrujących się w niego poprzez próżnię. Strumienie światła, które ją otaczały, sprawiły, że pomyślał, iż ogląda oblicze Boga.

Sato patrzyła na zbiornik, zastanawiając się, czy profesor wie, co się z nim stało. Miała poważne wątpliwości. W końcu jedynym celem tego urządzenia było zdezorientowanie obiektu.

Pierwsze zbiorniki do deprywacji sensorycznej pojawiły się w latach pięćdziesiątych XX wieku i były używane przez zamożnych wyznawców New Age do „przejścia". Doznanie „unoszenia się", jak nazywano ten stan, umożliwiało przeżycie transcendentalnego doświadczenia, powrotu do łona matki. Ten rodzaj pomocy medytacyjnej ułatwiał wyciszenie myśli poprzez pozbawienie umysłu wszelkich doznań zmysłowych — światła, dźwięku, a nawet siły ciążenia. W takim zbiorniku człowiek unosił się na plecach w niezwykle gęstej cieczy, roztworze soli fizjologicznej, która utrzymywała jego twarz nad powierzchnią tak, by mógł oddychać.

W ostatnich latach zrobiono ogromny krok do przodu.

Natlenione perfluorokarbony.

Nowa technologia TLV* była tak sprzeczna z intuicją, że wielu wątpiło w jej istnienie.

Płyn, którym można oddychać.

Wynalazł go w 1966 roku Leland C. Clark, któremu udało się utrzymać przy życiu mysz zanurzoną przez kilka godzin w natlenionym perfluorokarbonie. W roku 1989 technologia TLV została ukazana w filmie fabularnym *Otchłań*, choć zaledwie garstka widzów zdawała sobie sprawę, że nie jest to obraz z gatunku science fiction.

Metoda TLV była wynalazkiem współczesnej medycyny pragnącej pomóc wcześniakom w oddychaniu poprzez umieszczenie ich w płynnym środowisku zbliżonym do tego, które istnieje w łonie matki. Ludzkie płuca, funkcjonujące przez dziewięć miesięcy w macicy, doskonale radziły sobie w płynnym środowisku. Perfluorokarbony były kiedyś zbyt kleiste, aby można było nimi oddychać, lecz dzięki odkryciom współczesnej nauki udało się nadać im konsystencję zbliżoną do konsystencji wody.

Wydział nauki i technologii CIA — „czarodzieje z Langley", jak nazywano ich w kręgach związanych z wywiadem — od dawna pracowali nad natlenionymi perfluorokarbonami, aby wykorzystać je dla potrzeb wojska. Elitarne oddziały nurków przekonały się, że oddychanie natlenionym płynem zamiast tradycyjnie stosowanym helioksem lub trimiksem pozwala zejść znacznie głębiej bez ryzyka wystąpienia choroby ciśnieniowej. NASA i amerykańskie siły powietrzne ustaliły, że piloci wyposażeni w aparat do oddychania płynem, zamiast w tradycyjną butlę tlenową, wytrzymywali wyższe przeciążenie, bo natlenione perfluorokarbony powodowały bardziej wyrównane rozłożenie siły odśrodkowej działającej na organy wewnętrzne.

Sato słyszała o „laboratoriach ekstremalnych", w których prowadzono badania nad zbiornikami TLV — „aparatami do

---

* TLV — Total Liquid Ventilation — całkowita płynna wentylacja.

medytacji", jak je nazywano. Urządzenie, które znaleźli, służyło przypuszczalnie prywatnym eksperymentom właściciela, chociaż obecność ciężkich zasuw nie pozostawiała wątpliwości, że używano go do znacznie mroczniejszych celów — do prowadzenia przesłuchań metodą doskonale znaną CIA.

Ta ponura technika, polegająca na zanurzeniu człowieka w cieczy, była niezwykle skuteczna, ponieważ ofiara była przekonana, że tonie. Sato wiedziała o kilku tajnych operacjach, w których podobne zbiorniki do deprywacji sensorycznej wykorzystano w celu wywołania tego przerażającego złudzenia. Ofiara zanurzona w natlenionym płynie dosłownie „tonęła". Paniczny strach powodował, że człowiek nie uświadamiał sobie, iż natleniony płyn dostający się do płuc jest trochę bardziej lepki od wody. Kiedy zalewał płuca, ofiara zwykle traciła przytomność, a później budziła się w idealnie „odizolowanym środowisku".

Do ciepłego natlenionego płynu dodawano substancje wywołujące odrętwienie oraz środki paraliżujące i halucynogenne, aby wywołać w więźniu przeświadczenie, iż jest oddzielony od ciała. Kiedy umysł wysyłał komendy do kończyn, te się nie poruszały. Stan „śmierci" był wystarczająco przerażający sam w sobie, lecz prawdziwą dezorientację powodował proces „powtórnych" narodzin, który za sprawą jasnego światła, chłodnego powietrza i ogłuszającego hałasu bywał niezwykle traumatyczny i bolesny. Po kilku kolejnych utonięciach i przebudzeniach więzień był tak zdezorientowany, że nie wiedział, czy żyje, i zwykle podawał przesłuchującemu wszystkie informacje

Sato zastanawiała się, czy powinna zaczekać na przyjazd ekipy medycznej, by wydobyć Langdona ze stanu, w którym się znajduje, lecz wiedziała, że nie ma na to czasu.

Muszę się dowiedzieć, co on wie.

— Zapalcie światło — poleciła. — I poszukajcie jakichś koców.

Oślepiające słońce znikło.

Znikła świetlista twarz.

Powróciła ciemność, lecz Langdon słyszał dalekie szepty pobrzmiewające echem w próżni rozciągającej się w promieniu wielu lat świetlnych. Stłumione głosy... niezrozumiałe słowa. Poczuł wibracje, jakby cały jego świat miał się rozpaść w kawałki.

Później to się stało.

Nagle jego wszechświat pękł na dwoje. W próżni powstała ogromna wyrwa... jakby puściły szwy spinające przestrzeń. Przez szczelinę zaczęła się wdzierać szarawa mgiełka. Ujrzał bezcielesne dłonie. Chwyciły go i uniosły, jakby próbowały wyrwać ze świata, w którym się znajdował.

Nie! Chciał je odepchnąć, ale nie miał rąk ani pięści... Czy rzeczywiście? Nagle poczuł, jak wokół jego umysłu materializuje się ciało. Powróciło, by mogły je pochwycić i unieść w górę silne ręce.

Nie! Błagam!

Za późno.

Klatkę piersiową przeszył ból, gdy został wyjęty z pojemnika. Czuł, że ma piasek w płucach.

Nie mogę oddychać!

Leżał na plecach na najzimniejszej i najtwardszej powierzchni, jaką mógł sobie wyobrazić, wypluwając ciepłą ciecz.

Chcę wrócić tam, gdzie byłem.

Czuł się jak noworodek, który przed chwilą opuścił łono matki.

Zwijał się w konwulsjach. Czuł przeszywający ból w klatce piersiowej i szyi. Potworny ból. Krtań paliła ogniem. Jacyś ludzie rozmawiali szeptem, lecz dla niego brzmiało to jak krzyk. Wszystko było zamazane, dostrzegał jednak niewyraźne kształty. Jego skóra była odrętwiała, jak wygarbowana.

Płuca wydawały się cięższe... poczuł nacisk.

Nie mogę oddychać!

Wyrzucił z siebie jeszcze więcej płynu. Zakrztusił się, odruchowo wdychając powietrze. Było chłodne i Langdon poczuł się jak nowo narodzone dziecko, które przed chwilą po raz pierwszy zrobiło użytek z płuc. Świat, który zobaczył, był tak potworny, że jedyne, czego pragnął, to powrócić do łona.

Robert Langdon nie miał pojęcia, ile czasu upłynęło. Czuł tylko, że leży na boku, na twardej posadzce, owinięty ręcznikami i kocami. Z góry spoglądała na niego znajoma twarz, lecz promienie światła zniknęły. W uszach nadal pobrzmiewało dalekie echo słów:

Verbum significatium... Verbum omnificum...

— Profesorze Langdon — usłyszał szept. — Czy wie pan, gdzie pan jest?

Skinął lekko głową, nie przestając kasłać.

Co ważniejsze, zaczął sobie przypominać wydarzenia ostatniej nocy.

Rozdział 113

Stał, chwiejąc się, owinięty kocami, wpatrując się w otwarty zbiornik wypełniony płynem. Odzyskał ciało, choć wcale go nie chciał. Krtań i płuca piekły niemiłosiernie. Świat, w którym się znalazł, sprawiał wrażenie okrutnego i bezlitosnego.

Przed chwilą Sato wyjaśniła mu działanie zbiornika do deprywacji sensorycznej, dodając, że gdyby go nie wyciągnęli, umarłby z głodu lub spotkał go jeszcze gorszy los. Langdon nie miał wątpliwości, że Peter przeżył podobne doświadczenie.

„Peter znajduje się w miejscu pośrednim — przypomniał sobie słowa wytatuowanego mężczyzny. — Przebywa w czyśćcu... Hamistaganie". Jeśli Peter przeżył kilka takich narodzin, nie byłby zdziwiony, gdyby powiedział swojemu oprawcy wszystko.

Sato skinęła ręką, by poszedł za nią. Ruszył wolno w dół wąskiego korytarza, w głąb dziwacznej nory. Widział ją pierwszy raz w życiu. Weszli do kwadratowego pomieszczenia z kamiennym stołem i reflektorami, których światło miało dziwny kolor. Na widok Katherine odetchnął z ulgą. Jednak to, co zobaczył, bardzo go zaniepokoiło.

Katherine leżała na plecach na kamiennym stole. Na posadzce dostrzegł nasączone krwią ręczniki. Jakiś agent CIA stał nad nią, trzymając kroplówkę połączoną rurką do jej ramienia.

Szlochała cicho.

— Katherine? — wychrypiał.

Odwróciła głowę zmieszana i zdezorientowana.

— To ty, Robercie?! — Otworzyła szeroko oczy ze zdziwienia, a później z radości. — Przecież... widziałam, jak toniesz!

Podszedł do kamiennego stołu.

Katherine usiadła, nie zwracając uwagi na kroplówkę i protesty agenta trzymającego pojemnik z płynem. Objęła Roberta, choć był owinięty kocami, i mocno przytuliła.

— Bogu dzięki — wyszeptała, całując go w policzek. Później pocałowała jeszcze raz, ściskając go z całej siły, jakby chciała się upewnić, że nie jest złudzeniem. — Nie rozumiem... jak...

Sato powiedziała coś o zbiorniku do deprywacji sensorycznej i natlenionych perfluorokarbonach, lecz Katherine jej nie słuchała. Wciąż przytulała Langdona.

— Robercie — powiedziała wreszcie. — Peter żyje. — Głos jej zadrżał na wspomnienie przerażającego spotkania z bratem. Opisała, w jakim był stanie. Wózek inwalidzki, dziwny nóż, wzmianki o „ofierze", o tym, jak tamten zrobił z niej krwawiącą ludzką klepsydrę, aby skłonić Petera do współpracy.

Langdonowi niemal odebrało mowę.

— Czy wiesz... domyślasz się... dokąd pojechali? — wykrztusił.

— Powiedział, że zabiera Petera na świętą górę.

Odsunął się i popatrzył na nią uważnie.

— Twierdził, że odczytał siatkę znaków na spodzie piramidy — tłumaczyła Katherine z oczami pełnymi łez. — Że piramida kazała mu się udać na świętą górę.

— Czy ma to dla pana jakiś sens, profesorze? — spytała Sato.

Pokręcił głową.

— Nie. — Mimo to poczuł nadzieję. — Skoro on odczytał symbole, my również zdołamy tego dokonać.

Powiedziałem mu, jak to zrobić.

— Zabrał piramidę. Sprawdziliśmy. Ma ją ze sobą — powiedziała Sato.

Langdon umilkł, próbując przypomnieć sobie znaki na jej podstawie. Siatka symboli była ostatnią rzeczą, którą ujrzał przed utonięciem, a wstrząs sprawił, że ten obraz zapadł głęboko w jego pamięć. Zapamiętał fragmenty siatki... nie wszystkie, lecz może to wystarczy?

Odwrócił się do Sato i rzekł pospiesznie:

— Może udało mi się co nieco zapamiętać. Chciałbym, żeby sprawdziła coś pani w Internecie.

Wyciągnęła blackberry.

— Proszę wpisać w wyszukiwarce: „Kwadrat Franklina ósmego stopnia".

Spojrzała na niego pytająco, lecz wpisała podyktowane słowa bez żadnego komentarza.

Obraz, który Langdon miał przed oczami, był w dalszym ciągu zamazany, lecz zaczął coraz wyraźniej dostrzegać szczegóły dziwnego pomieszczenia. Zauważył, że kamienny stół, nad którym się pochylają, jest pokryty plamami krwi, a ściana z prawej strony wytapetowana stronami tekstu, zdjęciami, rysunkami, mapami, z siatką kresek łączących różne punkty.

Dobry Boże!

Podszedł do osobliwego kolażu, przytrzymując koce, którymi był owinięty. Na ścianie znajdował się dziwaczny zbiór informacji — stronice z dawnych ksiąg o czarnej magii i fragmenty pism chrześcijańskich, rysunki przedstawiające symbole i sigile, wycięte artykuły poświęcone różnym teoriom spiskowym, adresy witryn internetowych, satelitarne zdjęcia Waszyngtonu, odręczne uwagi i znaki zapytania. Na jednej z kartek znajdowała się długa lista słów pochodzących z wielu języków. Rozpoznał wśród nich święte słowa masońskie, dawne magiczne zaklęcia i rytualne formuły.

Czy tego szukał?

Słowa?

Czy to naprawdę jest takie proste?

Sceptyczny stosunek Langdona do masońskiej piramidy wynikał głównie z tego, co miała ujawnić — miejsce ukrycia tajemniej starożytnej mądrości. Musieliby odkryć ogromną kryptę wypełnioną tysiącami ksiąg, które jakimś cudem ocalały ze starożytnych bibliotek, gdzie kiedyś były przechowywane.

Ogromne podziemia? Na terenie Waszyngtonu?

Wspomnienie odczytu Petera, wygłoszonego w Phillips Exeter Academy, w połączeniu z listą magicznych słów sprawiło, że przyszła mu do głowy jeszcze jedna możliwość.

Langdon z pewnością nie wierzył w magiczne zaklęcia, choć wytatuowany mężczyzna był święcie przekonany o ich mocy.

Z bijącym sercem jeszcze raz przyjrzał się odręcznym uwagom, mapom, tekstom, wydrukom komputerowym, karteczkom z notatkami.

Powracał w nich jeden temat.

Boże, on szuka *verbum significatium*... zaginionego słowa.

Pozwolił, aby ta myśl nabrała jasności, przypominając sobie fragmenty wykładu Petera.

Szuka zaginionego słowa! Wierzy, że ukryto je gdzieś na terenie Waszyngtonu.

Sato stanęła obok niego.

— Czy o to panu chodziło? — zapytała, podając mu telefon.

Langdon spojrzał na kwadratową siatkę sześćdziesięciu czterech liczb wyświetloną na ekranie.

— Tak! — Wziął kartkę. — Potrzebuję długopisu.

Sato sięgnęła do kieszeni i podała mu własny.

— Niech się pan pospieszy.

Nola Kaye siedziała w podziemiach wydziału nauki i technologii CIA, analizując dokument, który przyniósł jej Rick Parrish.

Co szef CIA ma wspólnego z plikiem zawierającym informacje na temat starożytnych piramid i tajemnych miejsc ukrytych pod ziemią?

Podniosła słuchawkę i wystukała numer.

Sato odebrała natychmiast.

— Nola, właśnie zamierzałam do ciebie zadzwonić. — Słychać było, że jest zdenerwowana.

— Mam nowe informacje — powiedziała Nola. — Nie wiem, jak to pasuje do reszty, lecz odkryłam, że zredagowany tekst...

— Zapomnij o nim — przerwała jej Sato. — Wkrótce wyznaczony czas dobiegnie końca. Nie udało nam się złapać tego człowieka. Mam powody, by sądzić, że spełni swoje groźby.

Nolę przeszedł zimny dreszcz.

— Dobrą nowiną jest to, iż wiemy, co zamierza zrobić. — Sato odetchnęła głęboko. — A złą, że zabrał ze sobą komputer.

Rozdział 114

W odległości niecałych dwudziestu kilometrów od nich Mal'akh okrył kocem Petera Solomona i powiózł go na wózku przez oświetlony promieniami księżyca parking w kierunku cienia rzucanego przez ogromny gmach. Budowla miała trzydzieści trzy kolumny zewnętrzne, każda o wysokości trzydziestu trzech stóp. O tej porze przypominający górę gmach był pusty. Mal'akh wiedział, że nikt ich tutaj nie zobaczy, choć i tak nie ma to większego znaczenia. Nawet gdyby ktoś ich dostrzegł, pomyślałby, że wysoki, elegancko wyglądający mężczyzna w długim czarnym płaszczu zabrał na spacer inwalidę przykutego do wózka.

Kiedy dotarli do tylnego wejścia, Mal'akh zatrzymał wózek przed zamkiem z klawiaturą numeryczną. Solomon spojrzał na nią buntowniczo, jakby odmawiał wprowadzenia hasła.

Mal'akh się roześmiał.

— Sądzisz, że przywiozłem cię tutaj, żebyś wpuścił mnie do środka? Zapomniałeś, że byłem jednym z was? — Wpisał hasło dostępu, które poznał, gdy przeszedł na trzydziesty trzeci stopień wtajemniczenia.

Ciężkie drzwi wydały charakterystyczne kliknięcie i otworzyły się.

Peter jęknął i zaczął szamotać się na wózku.

— Oj, Peterze, Peterze — szepnął czule Mal'akh — pomyśl o Katherine. Jeśli będziesz współpracował, twoja siostra przeżyje. Możesz ją ocalić. Przyrzekam.

Wtoczył swoją ofiarę do środka i zamknął drzwi. Czuł, jak

jego serce mocno bije z podniecenia. Przeszedł szeregiem korytarzy, stanął przed windą i nacisnął przycisk. Później ostentacyjnie wcisnął ostatni guzik.

Na udręczonej twarzy Petera pojawiło się przerażenie.

— Ciii... — szepnął Mal'akh, delikatnie gładząc jego ogoloną głowę, gdy drzwi się zamknęły. — Przecież dobrze wiesz, że prawdziwą tajemnicą jest śmierć.

Nie mogę sobie przypomnieć wszystkich symboli!

Langdon zamknął oczy, ze wszystkich sił próbując przywołać z pamięci położenie znaków wyrytych na podstawie piramidy, lecz nie pomogła mu w tym nawet jego słynna pamięć eidetyczna. Zapisał te symbole, które zapamiętał, umieszczając każdy w miejscu wskazanym przez kwadrat magiczny Franklina.

To, co zobaczył, nie miało najmniejszego sensu.

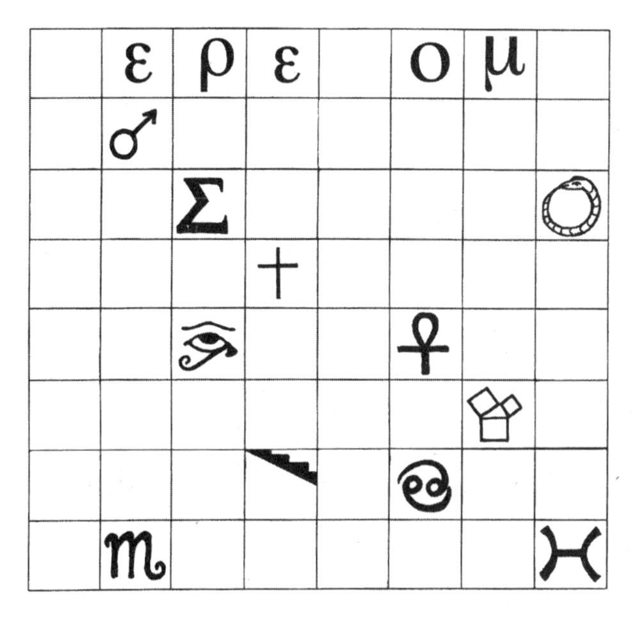

— Spójrz! — wykrzyknęła Katherine. — Chyba jesteś na właściwym tropie. Pierwszy wiersz składa się wyłącznie z greckich liter. Podobne symbole znalazły się obok siebie!

Langdon również to zauważył, lecz nie mógł sobie przypomnieć żadnego greckiego wyrazu, który pasowałby do układu liter i pustych pól.

Potrzebuję pierwszej litery!

Spojrzał na magiczny kwadrat, próbując przypomnieć sobie znak, który znajdował się w lewym górnym rogu. Zastanów się! Zamknął oczy i starał się zobaczyć podstawę piramidy.

Górny wiersz... lewy róg... jaka litera tam była?

Myślami wrócił na moment do zbiornika, do tego, jak trząsł się z przerażenia, oglądając przez szybkę spód piramidy.

Nagle ją zobaczył. Otworzył oczy, ciężko dysząc.

— Pierwsza litera to *H*!

Spojrzał na siatkę i wpisał pierwszy znak. Słowo nadal było niepełne, lecz teraz miał wystarczającą ilość informacji.

Ηερεδομ!

Czując, jak wali mu serce, Langdon wpisał to słowo do wyszukiwarki na blackberry Sato. Użył angielskiego odpowiednika znanego greckiego słowa. Pierwsze trafienie okazało się hasłem z encyklopedii. Przeczytał je i wiedział, że właśnie o to mu chodziło.

> HEREDOM rz. ważny termin używany przez wolnomularzy „wysokiego stopnia", wywodzący się z obrzędów francuskich różokrzyżowców. Odnosi się do mitycznej góry w Szkocji, legendarnego miejsca zgromadzenia pierwszej kapituły. Greckie słowo Ηερεδομ pochodzi od *heros-domos*, Domu Świętego.

— Mam! — krzyknął z niedowierzaniem. — Wiem, dokąd pojechali!

Sato spojrzała mu przez ramię.

— Na mityczną górę w Szkocji? — spytała zdezorientowana.

Langdon pokręcił głową.

— Nie, w Waszyngtonie jest budynek, którego tajemna nazwa to Heredom.

Rozdział 115

Dom Świątyni — przez braci nazywany Heredomem — od zawsze była perłą w koronie amerykańskiego wolnomularstwa rytu szkockiego. Ponieważ miał pochyły strzelisty dach w kształcie piramidy nazwano go imieniem legendarnej szkockiej góry. Mal'akh wiedział, że skarb, który w nim ukryto, nie jest legendą.

To miejsce, którego szukałem — pomyślał. — Masońska piramida wskaże drogę.

Kiedy stara winda wolno wjeżdżała na trzecie piętro, wyjął z kieszeni kartkę, na której zapisał symbole z podstawy piramidy w porządku określonym przez kwadrat Franklina. Wszystkie greckie litery znalazły się w pierwszym wierszu, a na końcu widział jeden prosty znak.

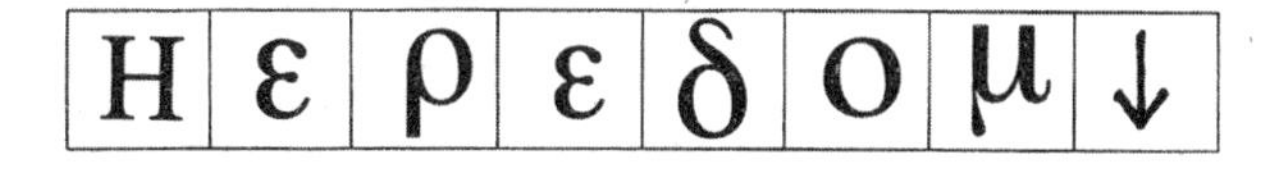

Przesłanie nie mogło być bardziej wyraźne.

Pod kaplicą świątyni.

Ηερεδομ!↓

Zaginione słowo ukryto gdzieś tutaj...

Chociaż Mal'akh nie miał pojęcia, jak je odnaleźć, był pewny, że odpowiedzi dostarczą mu pozostałe symbole wpisane w siatkę kwadratu. Tak się szczęśliwie złożyło, że miał u swego boku najlepszego specjalistę od masońskiej piramidy i tego gmachu: czcigodnego mistrza Petera Solomona.

Peter wciąż szamotał się na wózku, wydając stłumione okrzyki.

— Wiem, że martwisz się o Katherine — powiedział Mal'akh. — Prawie dotarliśmy do końca.

Mal'akh miał wrażenie, że koniec nadszedł bardzo szybko. Po tylu latach cierpienia, snucia planów, czekania i szukania chwila, na którą czekał, wreszcie nadeszła.

Kiedy winda zaczęła zwalniać, ogarnęła go euforia. Poczuł szarpnięcie i stanęli.

Drzwi z brązu rozsunęły się i Mal'akh ujrzał wspaniałą salę. Ogromne kwadratowe pomieszczenie było ozdobione symbolami, skąpane w blasku księżyca wpadającym przez *oculus* umieszczony na szczycie wysokiego sklepienia.

Zatoczyłem pełny krąg — pomyślał.

W Domu Świątyni Peter Solomon i pozostali bracia dokonali jego inicjacji i przyjęli do swojego grona. Teraz największy masoński sekret — coś, w czego istnienie wątpiła większość braci — ujrzy światło dzienne.

— Niczego nie znajdzie — powiedział Langdon, wychodząc z piwnicy po drewnianej rampie. Podążał za Sato i pozostałymi, choć nadal był półprzytomny i zdezorientowany. — Żadne takie słowo nie istnieje. To metafora, symbol starożytnych misteriów.

Za nim dreptała Katherine podtrzymywana przez dwóch agentów.

Kiedy ostrożnie mijali otwór po wyrwanych drzwiach i przechodzili do salonu za obrazem, Langdon wyjaśniał Sato, że zaginione słowo to jeden z najstarszych masońskich symboli — wyraz zapisany w tajemnym niezrozumiałym języku. Zaginione słowo, podobnie jak sama tajemna wiedza, miało obdarzyć mocą tylko oświeconych, którzy zdołają je odczytać.

— Mówi się — zakończył Langdon — że jeśli odnajdziesz i zrozumiesz zaginione słowo... posiądziesz starożytną wiedzę tajemną.

Sato obejrzała się przez ramię.

— Sądzi pan, że ten człowiek szuka słowa?

Langdon musiał przyznać, że w pierwszej chwili brzmi to absurdalnie, a jednak odpowiada na wiele pytań.

— Nie znam się na magicznych obrzędach — wyznał — lecz z tekstów, które widziałem na ścianach jego piwnicy oraz z tego, że na czubku głowy niczego sobie nie wytatuował, jak powiedziała Katherine, wnoszę, że ma nadzieję odnaleźć zaginione słowo i wytatuować je na swoim ciele.

Przeszli do jadalni. Usłyszeli helikopter przygotowujący się do startu, coraz głośniej młócący wirnikami powietrze.

Langdon zastanawiał się na głos:

— Jeśli ten facet naprawdę wierzy, że może posiąść starożytną wiedzę tajemną, żaden symbol nie jest dla niego ważniejszy od tego zaginionego słowa. Jeśli je odnajdzie i wytatuuje sobie na czubku głowy, w świętym miejscu, uzna, że jest przygotowany do... — Przerwał, widząc, że Katherine pobladła na myśl o losie czekającym Petera.

— To dobra wiadomość, prawda Robercie? — spytała słabym głosem, ledwie słyszalnym w huku helikoptera. — Jeśli zamierza wytatuować sobie zaginione słowo na czubku głowy, zanim złoży Petera w ofierze, to oznacza, że mamy czas. Nie zabije go, dopóki nie znajdzie słowa. A jeśli okaże się, że takie słowo nie istnieje...

Agenci posadzili Katherine na krześle, a Langdon próbował dodać jej otuchy.

— Niestety, Peter jest przekonany, że wykrwawiasz się na śmierć. Uzna, że jedynym sposobem, aby cię ocalić, to współdziałać z szaleńcem... pomagać mu w poszukiwaniu zaginionego słowa.

— Co z tego? Jeśli to zaginione słowo nie istnieje...

— Katherine — Langdon spojrzał jej głęboko w oczy — gdybym był przekonany, że umierasz i gdyby ktoś mi przyrzekł, iż mogę cię ocalić, jeśli odnajdę zaginione słowo, znalazłbym je... dowolne słowo... a potem modlił do Boga, by dotrzymał obietnicy.

— Pani dyrektor! — zawołał jeden z agentów z sąsiedniego pokoju. — Powinna pani to zobaczyć!

Sato wybiegła z jadalni. Agent wyszedł z łazienki, trzymając w ręku jasną perukę.

Co to jest, do cholery?

— To męska peruka — wyjaśnił. — Znaleźliśmy ją w garderobie.

Jasna peruka była znacznie cięższa, niż Sato oczekiwała. Jakby miseczka została wykonana z grubego żelu. Co dziwniejsze, pod spodem sterczał drut.

— Żelowa bateria dostosowuje się do kształtu czaszki — wyjaśnił agent — dostarczając energii mikroskopijnej kamerze światłowodowej ukrytej we włosach.

— Co? — Sato przesuwała palcami po peruce, aż odnalazła maleńką kamerę. — Ta peruka jest wyposażona w niewidoczną kamerę?

— Wideokamerę — uściślił agent. — Dane są zapisywane na tej karcie pamięci. — Wskazał niewielki kwadrat sylikonu przytwierdzony do miseczki. — Przypuszczalnie uruchamiała się pod wpływem ruchu.

Boże, więc w taki sposób tego dokonał — pomyślała.

Ta nowoczesna kamera, przypominająca kwiatek w butonierce, odegrała kluczową rolę w kryzysie, z którym tej nocy musiała się uporać szefowa Biura Bezpieczeństwa. Patrzyła na nią przez chwilę gniewnym wzrokiem, po czym oddała perukę agentowi.

— Proszę kontynuować przeszukanie. Chcę wiedzieć wszystko o tym facecie. Wiemy, że w domu nie ma jego laptopa. Ustalcie, w jaki sposób zamierza się podłączyć do sieci. Szukajcie instrukcji obsługi, kabli, wszystkiego, co mogłoby nam pomóc w ustaleniu, jakiego sprzętu używa.

— Tak jest, proszę pani — odpowiedział agent i szybko się oddalił.

Pora ruszać. Silnik helikoptera zaczął pracować na pełnych obrotach. Wróciła pędem do jadalni, gdzie Simkins zaprowadził Bellamy'ego, by zebrać od niego informacje na temat budynku, do którego miał się udać poszukiwany.

Dom Świątyni.

— Frontowe drzwi są zamykane od środka — mówił Bellamy owinięty kocem pokrytym folią aluminiową, nadal trzęsąc się z zimna po długim oczekiwaniu w parku na Franklin Square. — Możecie wejść do środka tylko tylnymi drzwiami. Jest tam zamek z klawiaturą numeryczną. Hasło znają tylko członkowie loży.

— Proszę je podać — polecił notujący skrzętnie Simkins.

Bellamy opadł na krzesło, jakby nie miał siły stać. Dzwoniąc zębami, wyrecytował hasło i dodał:

— Budynek stoi przy Siedemnastej Ulicy numer tysiąc siedemset trzydzieści trzy, powinniście jednak wjechać na tylny parking. Wiem, że trudno znaleźć drogę...

— Byłem tam! — wykrzyknął Langdon. — Pokażę wam.

Simkins pokręcił głową.

— Zostaje pan, profesorze. To wojskowa...

— Ani mi się śni! — odparował Langdon. — On ma Petera! Ten gmach to istny labirynt! Bez przewodnika odnalezienie drogi do Domu Świątyni zajmie wam z dziesięć minut!

— On ma rację! — przyznał Bellamy. — To prawdziwy labirynt. Winda jest stara i głośna, a na dodatek otwiera się na kaplicę. Jeśli chcecie wejść niepostrzeżenie, będziecie musieli skorzystać ze schodów.

— Nigdy nie znajdziecie drogi — ostrzegł ich Langdon. — Od tylnego wejścia trzeba przejść przez Salę Regaliów, Salę Honorową, środkowy podest, a następnie atrium, wielkie schody...

— Wystarczy — przerwała Sato. — Langdon idzie z nami.

Rozdział 116

Energia narastała.

Mal'akh czuł, jak w nim pulsuje, jak porusza się w górę i w dół jego ciała, gdy toczył wózek z Peterem Solomonem w stronę ołtarza.

Wyjdę z tego gmachu znacznie potężniejszy, niż wszedłem.

Pozostało tylko znaleźć ostatnie ogniwo.

— *Verbum significatium* — wyszeptał do siebie. — *Verbum omnificium*.

Ustawił wózek Petera obok ołtarza, obszedł go i rozpiął ciężką torbę stojącą na kolanach więźnia. Wyjął kamienną piramidę i uniósł ją w świetle księżyca, pokazując Peterowi. Następnie odwrócił ją, aby mógł zobaczyć siatkę symboli wyrytych na podstawie.

— Przez całe życie nie wiedziałeś, jakich sekretów strzegła. — Ustawił ją ostrożnie w rogu ołtarza i znów sięgnął do torby. — Ten talizman — ciągnął, wyjmując złote zwieńczenie — naprawdę wydobył porządek z chaosu. Tak jak obiecywał. — Ostrożnie umieścił zwieńczenie na ściętym wierzchołku piramidy i cofnął się, aby Peter też ją widział. — Teraz twój *symbolon* jest pełny.

Peter się skrzywił, lecz nie mógł wydobyć głosu, ponieważ nadal był zakneblowany.

— Widzę, że chcesz mi coś powiedzieć — rzekł mężczyzna, gwałtownie wyrywając mu szmatę z ust.

Peter zakrztusił się i rozpaczliwie zaczerpnął powietrze, zanim przemówił:

— Katherine...

— Zostało jej niewiele czasu. Jeśli naprawdę chcesz ocalić siostrę, radzę robić dokładnie to, co powiem. — Mal'akh podejrzewał, że Katherine już nie żyje lub że stanie się to niebawem. To bez znaczenia. Miała szczęście, że żyła wystarczająco długo, aby pożegnać się z bratem.

— Błagam... wyślij do... niej karetkę...

— Taki mam zamiar, lecz przedtem musisz mi powiedzieć, jak odnaleźć ukryte schody.

Peter spojrzał na niego z niedowierzaniem.

— Co?!

— Schody. Masońska legenda mówi o schodach wiodących głęboko pod ziemię, do ukrytego miejsca, w którym umieszczono zaginione słowo.

W oczach Petera pojawił się strach.

— Nie znasz legendy? — drażnił się z nim Mal'akh. — Nie słyszałeś o ukrytych schodach, które znajdują się pod kamieniem? — Wskazał główny ołtarz, ogromny blok granitu, na którym złotymi hebrajskimi literami napisano: *Wtedy Bóg rzekł: Niechaj stanie się światłość! I stała się światłość**. — Jesteśmy we właściwym miejscu. Wejście prowadzące do schodów musi być ukryte w posadzce pod naszymi stopami.

— W tym budynku nie ma żadnych ukrytych schodów! — wykrzyknął Peter.

Mal'akh uśmiechnął się cierpliwie i wskazał w górę.

— Ten gmach ma kształt piramidy! — Skinął w kierunku czterech pochyłych ścian sklepienia zbiegających się w górze, w miejscu kwadratowego *oculusa*.

— Dom Świątyni jest piramidą, lecz... — zaczął Peter.

— Peterze, mam całą noc — powiedział, wygładzając białą jedwabną szatę na swoim doskonałym ciele. — Obawiam się, że Katherine ma mniej czasu. Jeśli chcesz, aby żyła, powiedz mi, jak odnaleźć schody.

— Już ci powiedziałem — upierał się Peter. — W tym budynku nie ma żadnych ukrytych schodów.

— Czyżby? — Mal'akh wyciągnął z torby kartkę, na której

---

* Rdz 1,3.

przepisał we właściwym porządku symbole ze spodu masońskiej piramidy. — To jej ostatnie przesłanie. Twój przyjaciel Robert Langdon pomógł mi je odczytać.

Podetknął ją Peterowi pod nos. Czcigodny Mistrz westchnął chrapliwie na jej widok. Sześćdziesiąt cztery symbole nie tylko ułożyły się w logiczne grupy, lecz z chaosu wyłonił się wyraźny obraz.

Obraz przedstawiający schody... pod piramidą.

Peter Solomon patrzył z niedowierzaniem na siatkę symboli. Masońska piramida strzegła swojej tajemnicy przez wiele pokoleń. Teraz, gdy ją ujawniła, poczuł lód w żołądku.

Ostatni szyfr piramidy.

Prawdziwe znaczenie symboli było dla niego tajemnicą, choć natychmiast zrozumiał, dlaczego wytatuowany mężczyzna wierzy w to, w co wierzy.

Sądzi, że ukryte schody znajdują się pod piramidą zwaną Heredomem.

Niewłaściwie odczytał symbole.

— Gdzie one są? — zapytał Mal'akh. — Powiedz mi, jak znaleźć schody, a ocalę Katherine.

Żałuję, że nie mogę tego zrobić — pomyślał Peter. — Schody nie istnieją. Legenda ma znaczenie symboliczne, jest elementem wielkich alegorii masońskich. Jak wiadomo, kręte schody pojawiały się w emblematach masońskich drugiego stopnia. Przedstawiały zmierzanie ludzkiego umysłu do boskiej prawdy. Niczym drabina Jakuba, kręte schody były symbolem ścieżki prowadzącej do nieba, wędrówki człowieka do Boga... związku łączącego sferę ziemską i niebiańską. Ich stopnie oznaczały przymioty umysłu.

Powinien to wiedzieć. Przeszedł przecież przez wszystkie stopnie.

Każdy mason uczestniczący w inicjacji wiedział o symbolicznych schodach, po których ma wstępować, schodach „otwierających mu drogę do tajemnic ludzkiej nauki". Nauka masońska, podobnie jak noetyka i starożytna wiedza tajemna, otaczała głęboką czcią ogromny potencjał ludzkiego umysłu. Wiele symboli masońskich odnosi się też do fizjologii człowieka.

Umysł przypomina złote zwieńczenie na wierzchołku ludzkiego ciała. Kamień filozoficzny. Poprzez kręgi kręgosłupa energia wstępowała i zstępowała, ustawicznie krążąc, łącząc niebiański umysł z ciałem.

Peter wiedział, że nieprzypadkowo kręgosłup składa się z trzydziestu trzech kręgów. Trzydzieści trzy to liczba stopni masońskich. Podstawa kręgosłupa, sacrum, znaczy dosłownie „święta kość". Nasze ciało jest prawdziwą świątynią.

Niestety, powiedzenie prawdy nie pomoże Katherine. Peter spojrzał na siatkę symboli i westchnął z rezygnacją.

— Miałeś rację — skłamał. — Pod tym gmachem są ukryte schody. Zaprowadzę cię do nich, gdy tylko wyślesz karetkę pod Katherine.

Wytatuowany mężczyzna patrzył na niego bez słowa.

Solomon odpowiedział mu gniewnym spojrzeniem.

— Albo uratujesz moją siostrę i dowiesz się prawdy, albo zabijesz nas oboje i na zawsze pozostaniesz w niewiedzy!

Mal'akh cicho opuścił rękę z kartką i pokręcił głową.

— Nie jestem z ciebie zadowolony, Peterze. Nie zdałeś egzaminu. W dalszym ciągu uważasz mnie za głupca. Czy naprawdę sądzisz, że nie wiem, czego szukam? Czy myślisz, że nie osiągnąłem pełni moich możliwości?

Odwrócił się do Petera plecami i podniósł połę szaty. Kiedy biała jedwabna tkanina opadła na podłogę, Peter zobaczył tatuaż biegnący wzdłuż kręgosłupa.

Dobry Boże...

Spod białej przepaski biodrowej w górę muskularnych pleców pięły się spiralne wytatuowane schody. Na poszczególnych kręgach zaznaczono gwiazdy. Peter zaniemówił, pozwalając, by jego wzrok wspiął się po tych stopniach do podstawy czaszki.

Solomon wpatrywał się w tatuaż.

Mężczyzna odchylił głowę, odsłaniając skórę na czubku czaszki. Otaczał ją tatuaż przedstawiający węża pożerającego własny ogon.

Po-jednanie.

Mal'akh powoli opuścił głowę i spojrzał na Petera. Ogromny dwugłowy Feniks widniejący na jego piersi wpatrywał się w Solomona martwymi oczami.

— Szukam zaginionego słowa — powiedział. — Pomożesz mi, czy twoja siostra umrze?

Wiesz, jak je odnaleźć — pomyślał Mal'akh. — Jest coś, czego mi nie powiedziałeś.

Podczas przesłuchania Peter Solomon ujawnił mu fakty, których teraz pewnie nie potrafiłby sobie przypomnieć. Sesje topienia i cucenia sprawiły, że pogrążył się w delirium i posłusznie wykonywał wolę prześladowcy. Najbardziej niewiarygodne było to, że gdy o mało nie wypluł płuc, powtarzał Mal'akhowi rzeczy zawarte w legendzie o zaginionym słowie.

Zaginione słowo nie jest metaforą, jest jak najbardziej realne. Zapisano je w starożytnym języku, ukryto na wiele wieków. Słowo to może dać niewyobrażalną moc temu, kto pojmie jego prawdziwe znaczenie. Pozostaje w ukryciu do dziś, a masońska piramida wskaże miejsce, w którym się znajduje.

— Kiedy pokazałem ci siatkę symboli — powiedział Mal'akh, patrząc Peterowi w oczy — dostrzegłeś coś, doznałeś objawienia. Te symbole coś dla ciebie znaczą. Powiedz mi.

— Nic ci nie powiem, dopóki nie ocalisz Katherine!

Mal'akh się uśmiechnął.

— Uwierz mi, że strata siostry to najmniejsze z twoich zmartwień. — Sięgnął po torbę Langdona i zaczął wyjmować przedmioty, które zapakował do niej w piwnicy, a następnie ułożył je starannie na ołtarzu.

Złożoną jedwabną tkaninę. Białą i czystą.

Srebrną kadzielnicę. Egipską mirrę.

Buteleczkę z krwią Petera. Zmieszaną z popiołem.

Pióro czarnej wrony. Święty rylec.

Nóż do składania ofiar. Wykuty z rudy żelaza pochodzącej z meteorytu, który spadł na pustynię w Kanaanie.

— Myślisz, że boję się śmierci?! — krzyknął udręczony Peter. — Jeśli Katherine umrze, nic mi nie zostanie! Wymordowałeś całą moją rodzinę! Odebrałeś mi wszystko!

— Nie odebrałem ci wszystkiego. Jeszcze nie. — Mal'akh sięgnął do torby i wyjął laptop. Włączył go i spojrzał na swojego jeńca ponad ekranem. — Obawiam się, że jeszcze nie pojąłeś, w jakim jesteś położeniu.

Rozdział 117

Langdon poczuł, jak żołądek podchodzi mu do gardła, gdy helikopter CIA uniósł się z trawnika, wykonał ostry zwrot i ruszył z prędkością, o którą nigdy takich maszyn nie podejrzewał. Katherine została z Bellamym, aby odzyskać siły. Jeden z agentów kończył przeszukiwać rezydencję, czekając na nadejście wsparcia.

Żegnając Langdona, Katherine pocałowała go w policzek i szepnęła:

— Uważaj na siebie, Robercie.

Langdon ledwie zipał, gdy wojskowy helikopter obniżył się i mknął w kierunku Domu Świątyni.

Siedząca obok Sato krzyczała do pilota:

— Leć do ronda Dupont! Tam wylądujemy!

Langdon spojrzał na nią zdumiony.

— Rondo Dupont?! To kilka przecznic od Domu Świątyni! Przecież możemy wylądować na parkingu świątyni!

Sato pokręciła głową.

— Musimy wejść po cichu. Jeśli obiekt nas usłyszy...

— Nie mamy czasu! — upierał się Langdon. — Ten szaleniec może w każdej chwili zamordować Petera, a huk helikoptera przestraszy go i powstrzyma.

Inoue Sato spojrzała na niego zimno.

— Już panu powiedziałam, że ocalenie Petera Solomona nie jest moim głównym celem. Mam nadzieję, że wyraziłam się jasno.

Langdon nie miał ochoty na kolejny wykład o bezpieczeństwie narodowym.

— Jestem jedyną osobą, która wie, jak się poruszać po tym budynku...

— Hola, profesorze! Należy pan teraz do mojego zespołu, dlatego oczekuję od pana pełnej współpracy! — Przerwała, by po chwili dodać: — Może powinnam zapoznać pana z faktami, które pozwolą ocenić, z jak poważną sytuacją kryzysową mamy do czynienia tej nocy.

Sięgnęła pod fotel i wyciągnęła płaską tytanową walizeczkę. Gdy ją otworzyła, okazało się, że kryje w środku niezwykle skomplikowany komputer. Włączyła go i na ekranie ukazało się godło CIA oraz prośba o podanie hasła.

— Czy pamięta pan perukę, którą znaleźliśmy w domu tego człowieka, profesorze? — zapytała podczas logowania się do systemu.

— Tak.

— W peruce, pod równo obciętą grzywką, ukryto mikroskopijną kamerę światłowodową...

— Miniaturową kamerę?! Nie rozumiem...

Spojrzała na niego ponuro.

— Za chwilę pan zrozumie — powiedziała, otwierając plik.

PROSZĘ CZEKAĆ...
ROZSZYFROWYWANIE PLIKU...

Na ekranie ukazało się duże okno. Sato podniosła laptop i umieściła go na kolanach Langdona, aby mógł lepiej widzieć.

Przed jego oczami pojawił się niezwykły obraz.

Cofnął się zaskoczony.

Cóż to takiego, do cholery?

Ciemny obraz przedstawiał mężczyznę z workiem na głowie. Miał na sobie szatę średniowiecznego heretyka prowadzonego na szubienicę. Na jego szyi dyndał sznur, lewa nogawka spodni była podwinięta do kolana, prawy rękaw podciągnięty do łokcia. Rozpięta koszula odsłaniała pierś.

Langdon oglądał film, nie wierząc własnym oczom. Wiedział wystarczająco dużo o masońskich obrzędach, aby się domyślić, o jaką uroczystość chodzi.

To adept... przygotowujący się do masońskiej inicjacji pierwszego stopnia.

Mężczyzna był wysoki i umięśniony. Na głowie miał jasną perukę, był mocno opalony. Langdon od razu go rozpoznał. Tatuaże zostały przypuszczalnie ukryte pod brązującym podkładem. Stał przed olbrzymim lustrem, rejestrując swoje odbicie kamerą ukrytą w peruce.

Ale po co?

Ekran pociemniał.

Po chwili ukazało się małe prostokątne i słabo oświetlone pomieszczenie. Langdon zobaczył posadzkę z czarnych i białych płytek oraz niski drewniany ołtarz z migoczącymi świecami, z trzech stron otoczony filarami.

Langdon nagle zrozumiał.

Boże!

Prowadzona w amatorski sposób kamera skierowała się w kąt pokoju, ukazując grupę mężczyzn przypatrujących się adeptowi. Mieli na sobie masońskie regalia. Z powodu panujących ciemności Langdon nie mógł rozpoznać ich twarzy, lecz nie miał wątpliwości, gdzie się znajdują.

Pomieszczenie miało typowy wygląd i mogło się znajdować gdziekolwiek na świecie, lecz jasnoniebieskie trójkątne zwieńczenie nad krzesłem Mistrza wskazywało, że są w siedzibie najstarszej loży masońskiej w Waszyngtonie — Piątej Loży Potomacu. Byli w domu Jerzego Waszyngtona i Ojców Założycieli, którzy położyli kamień węgielny pod Biały Dom i Kapitol.

Loża ta działa do dziś.

Peter Solomon, oprócz tego, że sprawował nadzór nad Domem Świątyni, był mistrzem lokalnej loży. Właśnie w takiej loży zwykle rozpoczyna się podróż masońskiego adepta, tam też osiąga trzy pierwsze stopnie wtajemniczenia.

— Bracia — rozległ się głos Petera Solomona — w imieniu Wielkiego Budowniczego Wszechświata otwieram zgromadzenie loży w celu przeprowadzenia inicjacji na pierwszy stopień wtajemniczenia!

Rozległo się głośne uderzenie drewnianego młotka.

Langdon patrzył z niedowierzaniem na szereg scen ukazujących Petera Solomona wykonującego budzące największą grozę elementy rytuału.

Przykłada lśniący sztylet do obnażonej piersi adepta, ostrzega, że zostanie nim przeszyty, jeśli „zdradzi masońskie tajemnice", tłumaczy, że czarno-biała podłoga przedstawia „żywych i umarłych", opisuje kary czekające zdrajcę: „poderżnięcie gardła, wyrwanie języka i pogrzebanie ciała w ostrym morskim piasku...".

Langdon patrzył w milczeniu. Czy to sen? Masońskie obrzędy inicjacyjne były przez wieki utrzymywane w najściślejszej tajemnicy. Jedynymi opisami rytuałów, które wyciekły na zewnątrz, były relacje garstki zrażonych masonów. Choć Langdon je znał, oglądanie obrzędu na własne oczy wywierało o wiele większe wrażenie.

Szczególnie tak zmontowanych. Langdon wiedział, że film jest typowym materiałem propagandowym pomijającym najpiękniejsze elementy obrzędu inicjacji i ukazującym te najbardziej niepokojące. Wiedział, że gdyby go upowszechnić, w ciągu jednej nocy stałby się sensacją w Internecie. Zwolennicy wrogich masonom teorii spiskowych rzuciliby się na niego jak rekiny. Loże masońskie, a szczególnie Peter Solomon, znalazłby się w centrum zainteresowania, rozpaczliwie próbując wyjaśnić sytuację, chociaż obrzęd był naprawdę niewinny i czysto symboliczny.

Film zawierał również upiorne odniesienie do biblijnej wzmianki o ofiarach z ludzi... posłuszeństwie Abrahama wobec Istoty Najwyższej, gotowego ofiarować Izaaka, swojego pierworodnego syna. Langdon pomyślał o Peterze i zaczął żałować, że helikopter nie może lecieć szybciej.

Na ekranie pojawił się nowy film.

Ta sama sala. Inna noc. Większa liczba masonów. Peter Solomon przypatrujący się uroczystości z krzesła Mistrza. Obrzęd inicjacji drugiego stopnia. Bardziej dramatyczne sceny. Klękanie przed ołtarzem... przysięga „strzeżenia na wieki tajemnic masońskich", zgoda na karę polegającą na „wyrwaniu płuc i bijącego serca, by rzucić je na pożarcie wygłodniałym zwierzętom".

Langdon z biciem serca obserwował kolejną scenę. Jeszcze więcej członków loży, symboliczna trumna stojąca pośrodku pomieszczenia.

Obrzęd inicjacji trzeciego stopnia.

Rytuał śmierci — najbardziej surowy ze wszystkich — chwila, w której adept musi „stanąć twarzą w twarz z ostatecznym wyzwaniem, jakim jest śmierć". Wyczerpujące przesłuchanie stało się źródłem znanego powiedzenia „trzy ćwierci do śmierci". Chociaż Langdon znał naukowe opisy tego rytuału, nie był przygotowany na to, co oglądał.

Morderstwo.

W krótkich kadrach film ukazywał przerażającą scenę brutalnego zamordowania adepta przedstawioną z perspektywy ofiary. Ujrzał markowane uderzenia w głowę, między innymi masońskim młotem do kruszenia kamieni. A wszystko to przy akompaniamencie żałosnej legendy opowiadanej przez diakona — historii „syna wdowy", Hirama Abifa, budowniczego Świątyni Salomona, który wolał umrzeć niż zdradzić, jaką posiada wiedzę.

Oczywiście morderstwo było sfingowane, lecz mimo to film mroził krew w żyłach. Po otrzymaniu śmiertelnego ciosu adepta — „umarłego dla swojego dawnego ja" — opuszczano do symbolicznej trumny. Zamykano mu oczy i skrzyżowano ręce jak zmarłemu. Bracia masońscy wstali i zaczęli obchodzić „ciało" przy dźwiękach marsza żałobnego.

Makabryczna scena była wstrząsająca.

A miało być jeszcze gorzej.

Ukryta kamera pokazała wyraźnie twarze mężczyzn pochylonych nad zamordowanym bratem. Langdon zauważył, że Solomon nie jest jedyną znaną osobą na tej sali. Jeden z mężczyzn spoglądających na leżące w trumnie ciało prawie codziennie występował w telewizji.

Znany amerykański senator.

Dobry Boże...

Na ekranie ukazała się kolejna scena. Byli na zewnątrz... noc... ten sam skaczący obraz... mężczyzna idzie ulicą... przed kamerą widać podskakującą jasną grzywkę... skręca za róg... kamera zmienia kąt... trzyma coś w dłoni... jednodolarowy banknot... najazd na Wielką Pieczęć... wszystkowidzące oko... niedokończona piramida... nagły odjazd i podobna budowla widoczna w oddali, masywny gmach o kształcie przypominającym piramidę... pochyłe ściany wznoszące się w kierunku ściętego wierzchołka.

Dom Świątyni.

Langdona zdjęło przerażenie.

Obrazy przesuwały się... mężczyzna idzie szybko w stronę

budynku, wchodzi po schodach... ogromne drzwi z brązu pomiędzy dwoma siedemnastotonowymi sfinksami pełniącymi funkcję strażników.

Neofita wkraczający do piramidy inicjacji.

Znów ciemność.

Z oddali dolatuje potężny dźwięk organów, na ekranie ukazuje się nowy obraz.

Kaplica.

Langdon głośno przełknął ślinę.

Ogromna sala oświetlona elektrycznymi światłami. Pod *oculusem* czarny marmurowy ołtarz lśniący w blasku księżyca. Wokół niego zasiadającą ludzie na ręcznie wykonanych krzesłach obitych świńską skórą. Uroczyste zgromadzenie masonów z trzydziestym stopniem wtajemniczenia. Zebrali się, aby złożyć świadectwo. Kamera przesunęła się wolno po twarzach zebranych z wyraźną intencją.

Przerażony Langdon wpatrywał się w ekran.

Chociaż nie spodziewał się tego, co zobaczył, cała scena miała głęboki sens. To logiczne, że wśród najdostojniejszych i najwybitniejszych masonów w najpotężniejszym mieście na ziemi znalazło się wiele wpływowych i sławnych osób. Wśród zasiadających wokół ołtarza ludzi, w długich jedwabnych rękawiczkach, masońskich fartuchach i lśniących klejnotach, znajdowali się najpotężniejsi tego kraju.

Dwaj sędziowie Sądu Najwyższego...

Sekretarz obrony...

Spiker Izby Reprezentantów...

Langdonowi zrobiło się słabo, gdy kamera przesuwała się po twarzach.

Trzej wpływowi senatorzy, w tym przywódca większości parlamentarnej...

Sekretarz bezpieczeństwa krajowego...

I...

Dyrektor CIA...

Langdon żałował, że nie może odwrócić wzroku. Scena, którą oglądał, była tak hipnotyzująca, że poruszyła nawet jego. Zrozumiał, dlaczego Sato była tak zdenerwowana.

Naraz ten zbiorowy portret zastąpiła jedna szokująca scena.

Langdon ujrzał ludzką czaszkę wypełnioną ciemnoczerwonym płynem. Peter Solomon trzymał w szczupłych dłoniach słynną *caput mortuum* i podawał ją adeptowi. Na jednym z palców w płomieniach świec migotał złoty pierścień masoński. Choć czerwonym płynem było wino, lśniło jak krew. Efekt był wstrząsający.

Piąta libacja. Chociaż Langdon czytał pochodzący z pierwszej ręki opis tego obrzędu zawarty w *Letters on the Masonic Institution** Johna Quincy'ego Adamsa, patrzenie na najpotężniejszych ludzi w Ameryce było wstrząsającym przeżyciem.

Adept wziął czaszkę, a jego twarz odbiła się w winie.

Niech wino, które wypiję, stanie się dla mnie śmiertelną trucizną, jeśli kiedykolwiek świadomie lub rozmyślnie złamię złożoną przysięgę.

Najwyraźniej miał zamiar to uczynić w sposób przekraczający wszelkie wyobrażenie.

Langdon wolał nie myśleć, co by się stało, gdyby rozpowszechniono ten film. Nikt by nie zrozumiał. Doszłoby do potężnego wstrząsu politycznego. Rozległyby się głosy wrogów masonów, fundamentalistów i zwolenników teorii spiskowych, zionących nienawiścią i lękiem, nawołujących do nowych purytańskich polowań na czarownice.

Wiedział, że przeinaczono by prawdę. Zawsze tak postępowano z masonami.

W rzeczywistości poświęcenie tak dużej uwagi śmierci było afirmacją życia. Rytuały wolnomularskie miały obudzić drzemiącego wewnętrznego człowieka, podnieść go z mrocznej trumny niewiedzy ku światłu i obdarzyć widzącymi oczami. Tylko poprzez doświadczenie śmierci człowiek może w pełni zakosztować życia. Tylko dzięki odkryciu, że czas, jaki spędzi na ziemi, jest krótki, może docenić wagę przeżywania go w sposób godny, prawy i w służbie bliźniego.

Masońskie obrzędy inicjacyjne były niepokojące, ponieważ miały prowadzić do wewnętrznej przemiany. Okrutne przysięgi przypominały, że ludzka godność i „słowo" są wszystkim, co możemy zabrać ze sobą z tej ziemi. Nauki masońskie były

---

* *Letters on the Masonic Institution* — „Listy o wolnomularstwie".

tajemne, bo miały być uniwersalne, przekazywane za pomocą prostego języka symboli i metafor przekraczającego granice religii, kultur i ras, tworząc jednolitą „powszechną świadomość".

Przez krótką chwilę Langdon widział promyk nadziei. Próbował przekonać sam siebie, że gdyby ten film wyciekł na zewnątrz, ludzie okazaliby się tolerancyjni i otwarci, zrozumieliby, że wszystkie religijne rytuały zawierają elementy, które, wyrwane z kontekstu, mogą wydawać się przerażające: symboliczne odtworzenie ukrzyżowania, żydowski obrzęd obrzezania, chrzest za zmarłych przyjmowany przez mormonów, katolickie egzorcyzmy, muzułmański *nikab*, uzdrawianie przez szamanów za pomocą transu, żydowska uroczystość *kaparot*, a nawet spożywanie symbolicznego ciała i krwi Chrystusa.

Chyba śnię — pomyślał. — Ten film wywoła ogromne zamieszanie. Nie wyobrażał sobie, co się stanie, jeśli zobaczą go przywódcy Rosji lub świata islamskiego. Przykładanie noży do obnażonych piersi, przysięgi, odgrywanie zabójstwa, składanie ciała do symbolicznego grobu i picie wina z ludzkiej czaszki... Świat byłby wstrząśnięty.

Dopomóż nam, Boże...

Widoczny na ekranie adept podniósł czaszkę do ust, przechylił i wypił wino o barwie krwi przypieczętowując przysięgę. Opuścił czaszkę i spojrzał na zgromadzonych. Najpotężniejsi i najbardziej godni zaufania ludzie Ameryki skinęli głowami, wyrażając akceptację.

„Witaj, bracie" — powiedział Peter Solomon.

Kiedy obraz znikł, Langdon zdał sobie sprawę, że przestał oddychać.

Sato bez słowa zamknęła walizeczkę i zdjęła ją z jego kolan. Langdon odwrócił się do niej, by coś powiedzieć, lecz nie potrafił znaleźć właściwych słów. Nie musiał jednak nic mówić, bo jego mina mówiła sama za siebie. Tej nocy doszło do najpoważniejszego kryzysu, jaki można sobie wyobrazić.

Rozdział 118

Ubrany tylko w przepaskę na biodra Mal'akh przechadzał się tam i z powrotem przed Peterem Solomonem siedzącym na wózku.

— Zapomniałeś, że masz jeszcze jedną rodzinę — szepnął, z radością obserwując przerażenie malujące się na twarzy Solomona. — Nie pamiętasz o swoich masońskich braciach? Ich też zniszczę, jeśli mi nie pomożesz.

Peter wpadł w stan graniczący z katatonią, wpatrując się w ekran laptopa umieszczonego na jego kolanach.

— Błagam... — wyjąkał w końcu. — Jeśli ten film zostanie rozpowszechniony...

— Jeśli? — Mal'akh się roześmiał. — Jeśli zostanie rozpowszechniony? — Wskazał mały modem. — Jestem podłączony do Internetu.

— Nie zrobiłbyś tego...

Za chwilę się przekonasz — pomyślał Mal'akh, z rozbawieniem, obserwując przerażenie Solomona.

— Możesz mnie powstrzymać. Możesz też ocalić siostrę. Musisz mi jednak powiedzieć to, o co poproszę. Zaginione słowo ukryto gdzieś tutaj. Wiem, że ta siatka symboli wskazuje to miejsce.

Peter z kamienną twarzą spojrzał na kartkę z symbolami.

— Może to ci pomoże. — Mal'akh wcisnął kilka klawiszy. Na ekranie pojawiło się okno poczty elektronicznej. Solomon zesztywniał. Zobaczyli list przygotowany przez Mal'akha. Film miał zostać przesłany do wszystkich głównych sieci telewizyjnych i radiowych.

Mal'akh się uśmiechnął.

— Myślisz, że czas najwyższy się z nimi tym podzielić?

— Nie rób tego!

Mal'akh pochylił się i kliknął „wyślij". Peter szarpnął się gwałtownie, próbując zrzucić laptopa na podłogę.

— Wyluzuj się, Peterze — szepnął Mal'akh. — To duży plik, żeby przeszedł, potrzeba kilku dobrych minut. — Wskazał okno postępu:

PRZESYŁANIE WIADOMOŚCI: UKOŃCZONO W 2%

— Jeśli mi powiesz, zatrzymam przesyłanie i nikt się niczego nie dowie.

Peter zbladł, gdy pasek drgnął, przesuwając się nieco do przodu.

PRZESYŁANIE WIADOMOŚCI: UKOŃCZONO W 4%

Mal'akh zdjął komputer z kolan Petera i postawił go na krześle, odwracając ekran tak, by Solomon mógł obserwować postęp wysyłania. Następnie położył mu na kolanach kartkę z siatką symboli.

— Legenda mówi, że masońska piramida wskaże miejsce, w którym znajduje się zaginione słowo. To ostatnie zaszyfrowane przesłanie piramidy. Jestem przekonany, że wiesz, jak je odczytać.

Spojrzał na ekran komputera.

PRZESYŁANIE WIADOMOŚCI: UKOŃCZONO W 8%

Solomon wbił w niego nienawistne spojrzenie.

Dobrze, że mnie nienawidzisz — pomyślał Mal'akh. — Im silniejsze emocje, tym potężniejsza będzie energia wyzwolona po odprawieniu rytuału.

W swoim pokoju w Langley Nola Kaye przyciskała słuchawkę do ucha, ledwie słysząc Sato przez huk helikoptera.

— Mówią, że nie można przerwać wysyłania pliku! — krzyczała. — Wyłączenie lokalnego ISP zabierze przynajmniej godzinę! Jeśli facet ma dostęp do usług bezprzewodowego dostawcy, przerwanie łącza stacjonarnego w niczym mu nie przeszkodzi! W dzisiejszych czasach przerwanie przepływu danych cyfrowych stało się prawie niemożliwe. Istnieje zbyt wiele dróg dostępu do Internetu — w dobie łącz stacjonarnych, punktów dostępu Wi-Fi, modemów komórkowych, telefonów satelitarnych, superphonów i komputerów kieszonkowych wyposażonych w pocztę elektroniczną. Jedynym sposobem uniknięcia przecieku jest zniszczenie maszyny źródłowej.

— Sprawdziłam wyposażenie helikoptera, którym pani leci — powiedziała Nola. — Wygląda na to, że macie EMP.

Broń EMP, wykorzystująca impuls elektromagnetyczny, była powszechnie używana przez policję, głównie do namierzania uciekających samochodów. Skoncentrowany impuls elektromagnetyczny skutecznie niszczył układy elektroniczne w ściganym pojeździe — moduły sterujące, telefony komórkowe, komputery. Według wiedzy, którą dysponowała Nola, helikopter UH-60 miał zamontowany w podwoziu magnetron wyposażony w celownik laserowy o częstotliwości sześciu gigaherców i dyszę emitującą impuls o mocy dziesięciu gigawatów. Gdyby ten impuls trafił w laptopa, spaliłby urządzenie i wymazał wszystkie dane zapisane na twardym dysku.

— EMP na nic się nie przyda! — odkrzyknęła Sato. — Obiekt jest w budowli z kamienia! Zero widoczności, gruba osłona elektromagnetyczna! Czy przesłał już film?

Nola spojrzała na drugi monitor ustawiony na ciągłe wyszukiwanie sensacyjnych doniesień o masonach.

— Jeszcze nie, proszę pani! Jeśli go rozpowszechni, dowiem się o tym w ciągu kilku sekund.

— Informuj mnie na bieżąco! — poleciła Sato, kończąc rozmowę.

Langdon wstrzymał oddech, gdy helikopter się obniżył, dolatując do ronda Dupont. Garstka pieszych rozproszyła się, gdy maszyna zaczęła siadać na polanie. Wylądowali twardo na trawniku rozciągającym się na południe od dwupoziomowej fontanny zaprojektowanej przez tych samych architektów, którzy stworzyli Mauzoleum Lincolna.

Trzydzieści sekund później Langdon pędził aleją New Hampshire SUV-em marki Lexus w kierunku Domu Świątyni.

Peter Solomon rozpaczliwie szukał rozwiązania, lecz w jego głowie wciąż wirował obraz Katherine wykrwawiającej się w piwnicy i film, który przed chwilą obejrzał. Powoli odwrócił głowę w stronę laptopa stojącego na krześle kilka metrów od niego. Pasek postępu był wypełniony w niemal jednej trzeciej.

PRZESYŁANIE WIADOMOŚCI: UKOŃCZONO W 29%

Wytatuowany mężczyzna chodził wolno wokół ołtarza, kołysząc kadzielnicą i nucąc coś pod nosem. W górę uniosły się kłęby białego dymu. Miał szeroko otwarte oczy, jakby był w jakimś upiornym transie. Peter spojrzał na starożytny nóż czekający na białej jedwabnej tkaninie rozpostartej na ołtarzu.

Nie miał wątpliwości, że tej nocy zginie. Jedynym pytaniem, które pozostało bez odpowiedzi, było: jak to się stanie? Czy zdoła ocalić siostrę i bractwo, czy też jego śmierć będzie daremna?

Spojrzał na siatkę symboli. Kiedy zobaczył ją po raz pierwszy, szok niemal go oślepił, utrudniając dostrzeżenie czegokolwiek przez zasłonę chaosu, uniemożliwiając zobaczenie prawdy. Teraz prawdziwe znaczenie symboli stało się krystalicznie jasne. Ujrzał siatkę w zupełnie nowym świetle.

Peter Solomon doskonale wiedział, co należy zrobić.

Odetchnął głęboko i spojrzał na księżyc widoczny w *oculusie*, a później zaczął mówić.

Wszystkie wielkie prawdy są proste.

Mal'akh odkrył to dawno temu.

Rozwiązanie, które podał mu Peter Solomon, było tak piękne

i czyste, że musiało być prawdziwe. Co dziwniejsze, odczytanie ostatniego zaszyfrowanego przesłania piramidy okazało się znacznie prostsze, niż sądził.

Ukryte słowo było przed moimi oczami.

W jednej chwili jasny promień światła przeniknął mroczną historię i mity otaczające zaginione słowo. Tak jak przepowiadano, zostało zapisane w pradawnym języku i miało mistyczną moc w każdej filozofii, religii i nauce, która była znana człowiekowi. W alchemii, astrologii, kabale, chrześcijaństwie, buddyzmie, nauce różokrzyżowców, myśli masońskiej, astronomii, fizyce, noetyce...

Stojąc w sali inicjacji, na szczycie wielkiej piramidy Heredomu, Mal'akh podniósł głowę i ujrzał skarb, którego poszukiwał przez wiele lat. Wiedział, że nie mógł lepiej przygotować się na tę chwilę.

Wkrótce stanę się pełny.

Wkrótce odnajdę zaginione słowo.

W Kalorama Heights samotny agent CIA stał wśród śmieci, które wyrzucił na podłogę z pojemników znalezionych w garażu.

— Panno Kaye — zwrócił się do analityczki — warto było przetrząsnąć jego śmiecie. Myślę, że coś znaleźliśmy.

Katherine Solomon z każdą chwilą czuła się coraz silniejsza. Roztwór Ringera podniósł ciśnienie krwi i złagodził pulsujący ból głowy. Odpoczywała, siedząc w jadalni. Powiedzieli jej, żeby się nie ruszała. Była coraz bardziej zdenerwowana, z narastającym niepokojem czekała na wiadomości o bracie.

Gdzie się wszyscy podziali?

Zespół dochodzeniowy CIA jeszcze nie przyjechał, a agent, który z nimi został, nadal przeszukiwał teren. Bellamy siedział w jadalni, opatulony kocem, lecz on także gdzieś poszedł, szukając informacji, które mogłyby pomóc CIA w ocaleniu Petera.

Nie mogąc dłużej tkwić bezczynnie, Katherine wstała, zachwiała się, po czym wyszła na korytarz. Znalazła Bellamy'ego w gabinecie. Stał nad otwartą szufladą odwrócony plecami do drzwi. Był tak zajęty przeglądaniem jej zawartości, że nie usłyszał, jak Katherinie wchodzi.

Stanęła za nim.

— Znalazłeś coś, Warrenie?

Starszy mężczyzna drgnął i odwrócił się do niej, zamykając szufladę biodrem. Na jego twarzy widać było szok i cierpienie, po policzkach płynęły łzy.

— Co się stało?! — spojrzała na szufladę. — Co tam znalazłeś?

Bellamy nie mógł wykrztusić słowa. Wyglądał na człowieka, który znalazł coś, czego wolałby nie oglądać.

— Co jest w tej szufladzie?

Wpatrywał się w nią oczami pełnymi łez przez długą bolesną chwilę. W końcu przemówił:

— Oboje zastanawialiśmy się, dlaczego... dlaczego ten człowiek tak nienawidzi twojej rodziny.

Katherine ściągnęła brwi.

— Przed chwilą znalazłem odpowiedź... — Bellamy nie był w stanie dokończyć.

Rozdział 119

W kaplicy na szczycie Domu Świątyni człowiek, który nazywał się Mal'akh, stał przed wielkim ołtarzem i delikatnie masował skórę na czubku głowy. Przygotowując się do odprawienia obrzędu, nucił: *Verbum significatum, Verbum omnificum*... W końcu odnalazł ostatni element.

Najcenniejsze skarby są zwykle najprostsze.

Nad ołtarzem falowały smugi dymu z kadzielnicy. Oczyszczająca wonność unosiła się w słupie księżycowego światła, tworząc czysty kanał sięgający nieba, którym mogła swobodnie podróżować wyzwolona dusza.

Nadszedł czas.

Mal'akh sięgnął po buteleczkę z krwią Petera i ją odkorkował. Na oczach jeńca zamoczył czubek wroniego pióra w karmazynowej cieczy i uniósł go do świętego kręgu skóry na czubku głowy. Zatrzymał się na chwilę, myśląc o tym, jak długo czekał na tę noc. Niebawem dokona się ostateczna przemiana.

Kiedy zaginione słowo zostanie zapisane w ludzkim umyśle, będzie przygotowany do tego, by zostać obdarowanym niewyobrażalną mocą.

Taka była starożytna obietnica przemiany. Aż do dziś ludzkość nie potrafiła jej dokonać, a Mal'akh zrobił wszystko, by tak pozostało.

Dotknął skóry czubkiem pióra trzymanego pewną ręką. Nie potrzebował zwierciadła ani pomocy. Wystarczał mu zmysł dotyku i oko umysłu. Zaczął powoli i starannie zapisywać zaginione słowo wewnątrz kręgu, jaki tworzył Uroboros widniejący na jego głowie.

Peter Solomon przyglądał mu się przerażony.

Kiedy Mal'akh skończył, zamknął oczy, odłożył pióro i głośno wypuścił powietrze. Poczuł coś, czego nigdy wcześniej nie doświadczył.

Jestem pełny.

Stanowię jedność.

Poświęcił wiele lat na ozdobienie swego ciała, a teraz, gdy zbliżał się moment ostatecznej transformacji, czuł każdą wytatuowaną kreskę.

Jestem arcydziełem, jestem pełny i doskonały.

— Dałem ci to, o co prosiłeś. — Tę chwilę zadumy przerwał głos Petera. — Wyślij pomoc do Katherine i przerwij wysyłanie pliku.

Mal'akh otworzył oczy i się uśmiechnął.

— Jeszcze nie skończyliśmy. — Odwrócił się do ołtarza i podniósł nóż ofiarny, przesuwając palcem po jego ostrzu. — Ten starożytny nóż został wybrany przez Boga — powiedział. — Używano go do składania ofiar z ludzi. Zauważyłeś go już wcześniej, prawda? — Szare oczy Solomona były twarde jak kamień. — Myślisz, że to legenda? Czytamy o tym w Biblii. Nie wierzysz w prawdziwość tej opowieści?

Peter patrzył na niego w milczeniu.

Mal'akh wydał na ten nóż fortunę. Zwał się *akeda* i został wykonany ponad trzy tysiące lat temu z rudy żelaza zawartej w meteorycie, który spadł na ziemię. Wcześni mistycy nazywali go żelazem z nieba. Tym nożem zamierzał posłużyć się Abraham, by złożyć ofiarę ze swojego syna Izaaka na górze Moria. W przeszłości należał do papieży, nazistowskich mistyków, europejskich alchemików i kolekcjonerów.

Chronili go i podziwiali — pomyślał Mal'akh — lecz nikt nie odważył się uwolnić całej drzemiącej w nim mocy, wykorzystując go zgodnie z jego przeznaczeniem. Tej nocy nóż *akeda* zrobi to, do czego został stworzony.

Akeda w masońskim rytuale był otaczany szczególną czcią. Już podczas obrzędu wtajemniczenia pierwszego stopnia wychwalano „najwspanialszy dar, jaki kiedykolwiek złożono Bogu...

poddanie Abrahama woli Najwyższej Istoty, który zgodził się ofiarować pierworodnego syna Izaaka...".

Upojony ciężarem trzymanego w dłoni noża Mal'akh przykucnął i rozciął sznur, którym przywiązał Petera do wózka.

Peter Solomon skrzywił się z bólu, próbując wyprostować zdrętwiałe kończyny.

— Dlaczego chcesz mi to zrobić? Co zamierzasz w ten sposób osiągnąć?

— Spośród wszystkich ludzi akurat ty powinieneś znać odpowiedź — odparł Mal'akh. — Studiowałeś naukę starożytnych. Wiesz, jak ważną rolę w misteriach odgrywała ofiara, wyzwolenie ludzkiej duszy z okowów ciała. Tak było od początku.

— Nie masz zielonego pojęcia o ofiarach — odpowiedział Peter głosem, w którym słychać było ból i pogardę.

Znakomicie — pomyślał Mal'akh. — Nienawidź mnie. To ułatwi sprawę.

— W przelaniu ludzkiej krwi kryje się niezwykła moc. Rozumieli to wszyscy, od starożytnych Egipcjan po celtyckich druidów, od Chińczyków po Azteków. W ludzkich ofiarach kryje się magia, lecz współczesny człowiek stał się słaby. Boi się składać prawdziwe ofiary, jest zbyt kruchy, aby ofiarować życie, które potrzebne jest do duchowej przemiany. Starożytne teksty nie pozostawiają w tej kwestii żadnych wątpliwości. Jedynie ofiarowując to, co najcenniejsze, człowiek może zdobyć największą moc.

— Uważasz mnie za świętą ofiarę? — zdziwił się Peter.

Mal'akh się zaśmiał.

— Naprawdę nie rozumiesz?

Peter wpatrywał się w niego uporczywie.

— Czy wiesz, dlaczego mam w domu komorę do deprywacji sensorycznej? — Mal'akh oparł ręce na biodrach i wygiął swoje wytatuowane ciało zasłonięte jedynie przepaską na biodra. — Ćwiczyłem, przygotowywałem się, chciałem sobie wyobrazić, jak będę się czuł jako czysty umysł, gdy uwolnię się od tej śmiertelnej powłoki, kiedy złożę to piękne ciało w ofierze bogom. Jestem drogocenny! Jestem czystym białym barankiem.

Peter otworzył usta, lecz nie mógł wykrztusić słowa.

— Człowiek musi ofiarować bogom to, co uważa za najcenniejsze. Swoją najczystszą białą gołębicę... najcenniejszą i najbardziej wartościową ofiarę. Ty nie jesteś godny. — Spojrzał gniewnie na Solomona. — Nie rozumiesz? Nie ty będziesz ofiarą, Peterze, lecz ja. Złożymy ofiarę z mojego ciała. To ja jestem darem. Spójrz na mnie. Przygotowałem się, uczyniłem siebie godnym ostatniej wędrówki. Moje ciało będzie darem dla bogów!

Peter wciąż milczał.

— Prawdziwą tajemnicą jest śmierć — ciągnął Mal'akh. — Masoni to rozumieją. — Wskazał ołtarz. — Czcicie starożytne prawdy, a mimo to jesteście tchórzami. Rozumiecie moc ofiary, lecz trzymacie się w bezpiecznej odległości od śmierci, dokonując tych waszych pozorowanych morderstw i krwawych rytuałów, w których nie ma krwi. Dzisiaj wasz symboliczny ołtarz da świadectwo swojej prawdziwej mocy i tego, po co został wzniesiony.

Mówiąc to, wcisnął nóż do lewej dłoni Petera Solomona. Lewa dłoń służy ciemności. To również zaplanował. Peter nie będzie miał wyboru. Mal'akh nie wyobrażał sobie potężniejszej i bardziej symbolicznej ofiary niż złożona na tym ołtarzu, przez tego człowieka, zatapiającego nóż w sercu człowieka, którego śmiertelne ciało zostało owinięte całunem mistycznych symboli.

Ofiarowując siebie w taki sposób, Mal'akh miał zająć wysokie miejsce w hierarchii demonów. Bo prawdziwa moc jest tam, gdzie ciemność i krew. Wiedzieli o tym starożytni mędrcy, a adepci opowiadali się po jednej lub po drugiej stronie w zależności od swej natury. Mal'akh dokonał mądrego wyboru. Chaos był zawsze naturalnym stanem wszechświata. Obojętność napędzała entropię, a ludzka apatia była żyznym poletkiem, na które mroczne duchy rzucały swoje nasiona.

Służyłem im, a teraz przyjmą mnie jak boga.

Peter się nie poruszył. Patrzył na starożytny nóż, który trzymał w ręku.

— Zrobisz to — mówił Mal'akh. — Jestem dobrowolną ofiarą, twoja rola została napisana dawno temu. W ten sposób dokona się moja przemiana. Uwolnisz mnie z tego ciała. Zrobisz to albo stracisz siostrę i braci. Staniesz się naprawdę samotny. — Przerwał, uśmiechając się z politowaniem. — Uznaj to za ostateczną karę.

Peter wolno podniósł głowę.

— Zabicie ciebie ma być karą? Sądzisz, że się zawaham? Zamordowałeś mojego syna, matkę. Całą rodzinę!

— Nie! — krzyknął Mal'akh z mocą, która nawet jego zdumiała. — Mylisz się! Nie wymordowałem ci rodziny! Sam to zrobiłeś! Zdecydowałeś się zostawić Zachary'ego w więzieniu! To wtedy wprawiłeś wszystko w ruch! To ty wymordowałeś swoją rodzinę, nie ja!

Peter zacisnął palce na rękojeści noża tak mocno, że zbielały mu knykcie.

— Nie wiesz, dlaczego zostawiłem syna!

— Wiem wszystko! — krzyknął Mal'akh. — Byłem tam. Twierdziłeś, że chcesz mu pomóc. Próbowałeś mu pomóc, każąc wybierać między bogactwem i mądrością? Chciałeś mu pomóc, żądając, by przyłączył się do masonów? Który ojciec każe dziecku wybierać między bogactwem i mądrością, oczekując, że będzie wiedziało, jaką podjąć decyzję?! Który ojciec zostawia syna w więzieniu, zamiast zabrać go bezpiecznie do domu?! — Mal'akh stanął przed Peterem, a jego wytatuowana twarz znalazła się w odległości zaledwie kilku centymetrów od twarzy Petera. — Co najważniejsze, który ojciec mógłby patrzeć swojemu synowi w oczy i go nie rozpoznać!

Słowa Mal'akha odbijały się echem w kamiennej sali.

Później zapadła cisza.

Peter Solomon wyglądał, jakby właśnie oprzytomniał. Na jego twarzy malowało się niedowierzanie.

Tak, ojcze. To ja.

Mal'akh czekał wiele lat, by zemścić się na człowieku, który go porzucił, by spojrzeć w jego szare oczy i wyznać prawdę, która tak długo była ukryta. Teraz, gdy ta wyczekiwana chwila nadeszła, mówił wolno, pragnąc sycić się każdym słowem miażdżącym duszę Solomona.

— Powinieneś się cieszyć, ojcze, bo twój syn marnotrawny powrócił.

Peter był blady jak płótno.

Mal'akh napawał się każdą chwilą.

— W więzieniu nie pozostawiłeś mi wyboru, więc przysiągłem sobie, że więcej mnie nie odrzucisz. Nie byłem już twoim synem. Zachary Solomon przestał istnieć.

Kiedy w oczach Petera pojawiły się łzy, Mal'akh pomyślał, że to najpiękniejsza rzecz, jaką widział w życiu.

Solomon opanował się i spojrzał w twarz Mal'akha, jakby widział go pierwszy raz.

— Nadzorca chciał tylko pieniędzy, lecz odmówiłeś — ciągnął Mal'akh. — Nie przyszło ci do głowy, że moje pieniądze są równie zielone jak twoje? Było mu obojętne, kto zapłaci, byle tylko się wzbogacić. Kiedy zaproponowałem mu okrągłą sumkę, wybrał chorego więźnia o podobnej budowie ciała, ubrał w moje ubranie i skatował tak, że nie można go było rozpoznać. To nie ja byłem na zdjęciach, które oglądałeś, to nie ja leżałem w trumnie, którą złożyłeś do grobu... Pochowałeś obcego człowieka.

Mokrą od łez twarz Solomona wykrzywiło cierpienie i niedowierzanie.

— Boże... Zachary...

— Już nie. Zachary wyszedł z więzienia odmieniony.

Budowa nastolatka i jego dziecinna twarz uległy radykalnej przemianie, gdy zaczął faszerować się hormonami i sterydami. Nawet struny głosowe uległy zniszczeniu, zmieniając chłopięcy głos w szept.

Zachary stał się Androsem.

Andros stał się Mal'akhiem.

A tej nocy Mal'akh stanie się swym najwspanialszym wcieleniem.

W tej samej chwili Katherine Solomon pochylała się na otwartą szufladą biurka w domu w Kalorama Heights. W środku znajdowała się iście fetyszystyczna kolekcja starych artykułów prasowych i zdjęć.

— Nie rozumiem — mruknęła, odwracając się do Bellamy'ego. — Ten szaleniec miał obsesję na punkcie naszej rodziny, ale...

— Obejrzyj wszystko... — powiedział wstrząśnięty Bellamy, siadając w fotelu.

Katherine zaczęła przeglądać artykuły. Wszystkie dotyczyły rodziny Solomonów — sukcesów Petera, badań Katherine, zamordowania ich matki Isabel, licznych doniesień o narkomańskich wyczynach Zachary'ego, jego aresztowaniu i brutalnym zamordowaniu w tureckim więzieniu.

Choć nienawiść, którą ten mężczyzna żywił do jej rodziny, wydawała się bardziej niż fanatyczna, nie znalazła niczego, co rzucałoby światło na to, jakimi motywami się kierował.

Pod artykułami były zdjęcia. Na pierwszym Zachary stał po kolana w lazurowej wodzie. W oddali widać było pobielone domy. Grecja? Pomyślała, że zdjęcie musiało zostać zrobione podczas jego pobytu w Europie, gdy brał narkotyki i cieszył się życiem. Ze zdziwieniem stwierdziła, że Zachary wygląda na nim zdrowiej niż na zdjęciach zrobionych przez paparazzich, przedstawiających wychudzonego, naćpanego dzieciaka. Sprawiał wrażenie wysportowanego, silnego, bardziej dojrzałego. Katherine nie przypominała sobie, żeby kiedykolwiek tak zdrowo wyglądał.

Zdumiona spojrzała na datę.

To... niemożliwe.

Zdjęcie zrobiono niemal rok po tragicznej śmierci Zachary'ego.

Zaczęła nerwowo przeglądać fotografie. Wszystkie przedstawiały Zachary'ego Solomona, który stawał się coraz starszy. Przypominały fotograficzną autobiografię, kronikę powolnej przemiany. Nagle dostrzegła nieoczekiwaną, dramatyczną zmianę. Przerażona patrzyła, jak ciało Zachary'ego zaczyna się zmieniać, jak pod wpływem dużej dawki sterydów powiększają się jego mięśnie i zmieniają rysy twarzy. Ciężar jego ciała się podwoił, a w oczach pojawiła się niepokojąca dzikość.

Nie rozpoznałam go!

Nic nie przypominało młodego bratanka, którego zapamiętała.

Kiedy sięgnęła po zdjęcie Mal'akha z ogoloną głową, poczuła, że uginają się pod nią nogi. Później zobaczyła fotografię jego nagiego ciała ozdobionego pierwszymi tatuażami.

Jej serce zamarło.

— Boże...

Rozdział 120

— W prawo! — komenderował Langdon z tylnego siedzenia lexusa.

Simkins skręcił gwałtownie w ulicę S i dodał gazu, pędząc wysadzaną drzewami aleją, która przecinała dzielnicę mieszkalną. Kiedy dojechali do rogu Szesnastej Ulicy, po prawej stronie, wielki niczym góra, wyrósł Dom Świątyni.

Agent spojrzał na potężną budowlę, która wyglądała tak, jakby ktoś zbudował piramidę na szczycie rzymskiego Panteonu.

— Nie skręcaj! — krzyknął Langdon. — Jedź prosto! Trzymaj się ulicy S!

Simkins wykonał polecenie, jadąc wzdłuż wschodniej ściany budynku.

— Skręć w prawo! — polecił Langdon. — W Piętnastą!

Simkins posłuchał swojego pilota i po chwili Langdon wskazał mu prawie niewidoczną, niebrukowaną drogę przecinającą ogród rozciągający się za Domem Świątyni. Simkins skręcił na podjazd, kierując lexusa na tyły budynku.

— Spójrz! — Langdon wskazał dużą furgonetkę zaparkowaną w pobliżu tylnego wejścia. — Są tutaj!

Simkins zatrzymał samochód i zgasił silnik. Wysiedli cicho i zaczęli przygotowywać się do wejścia. Simkins podniósł głowę, przypatrując się monolitycznej bryle.

— Sala świątyni jest na górze?

Langdon skinął głową, wskazując dach.

— Płaska powierzchnia na szczycie piramidy to świetlik.

Simkins odwrócił się w jego stronę.

— Sala świątyni ma świetlik?

Langdon spojrzał na niego zaskoczony.

— Oczywiście, *oculus* skierowany ku niebu, wprost nad ołtarzem.

Helikopter pracował na wolnych obrotach przy rondzie Dupont. Sato obgryzała paznokcie, czekając na wiadomości od swojego zespołu.

Wreszcie radio zatrzeszczało i w słuchawce rozległ się głos Simkinsa:

— Pani dyrektor?

— Tak? — warknęła.

— Wchodzimy do środka, mam dla pani dodatkową informację.

— Słucham.

— Langdon poinformował mnie przed chwilą, że w sali, gdzie przypuszczalnie przebywa obiekt, jest bardzo duży świetlik...

Sato zastanowiła się chwilę nad jego słowami.

— Zrozumiałam, dziękuję.

Simkins się rozłączył.

Sato wypluła kawałeczek paznokcia i odwróciła się do pilota:

— Startujemy.

Rozdział 121

Jak każdy rodzic, który stracił dziecko, Peter Solomon często zadawał sobie pytanie, ile lat miałby teraz jego syn, jak by wyglądał i kim by był.

Właśnie się tego dowiedział.

Wytatuowany olbrzym, który przed nim stał, rozpoczął życie jako małe śliczne niemowlę, maleńki Zach leżący w wiklinowej kołysce, stawiający chwiejne kroczki w gabinecie Petera... uczący się wypowiadać pierwsze słowa. Istnienie zła w niewinnym dziecku wychowanym w kochającej rodzinie pozostaje jednym z paradoksów ludzkiej duszy. Peter był zmuszony bardzo wcześnie zaakceptować fakt, że choć w żyłach Zachary'ego płynie jego krew, serce, które ją pompuje, jest całkiem inne niż jego. Wyjątkowe i niepowtarzalne, jakby przypadkowo wybrane z całego wszechświata.

Mój syn zabił moją matkę, przyjaciela, a może nawet siostrę.

Poczuł, jak ogarnia go lodowaty chłód, gdy wpatrywał się w oczy Zachary'ego, szukając choćby najdalszego pokrewieństwa, czegoś znajomego. Choć jego oczy były szare jak oczy Petera, były obce, pełne takiej nienawiści i chęci zemsty, że wydawały się prawie nieziemskie.

— Starczy ci sił? — zadrwił Mal'akh, spoglądając na nóż, który trzymał w ręku. — Zdołasz zakończyć to, co rozpocząłeś dawno temu?

— Synu... — Solomon ledwie rozpoznał własny głos — ja... ja cię... kochałem.

— Dwa razy próbowałeś mnie zabić. Zostawiłeś mnie w więzieniu, postrzeliłeś na moście Zacha. Skończmy z tym!

Nagle Solomon poczuł się tak, jakby opuścił swoje ciało. Nie rozpoznawał siebie. Nie miał prawej dłoni, był łysy, ubrany w jakąś czarną szatę. Siedział na wózku i ściskał w lewej ręce starożytny nóż.

— Skończ z tym! — krzyknął Mal'akh, a jego naga wytatuowana pierś zadrżała. — Zabicie mnie jest jedynym sposobem ocalenia Katherine, jedynym sposobem uratowania wolnomularstwa!

Solomon przesunął wzrok na komputer stojący na krześle.

PRZESYŁANIE WIADOMOŚCI: UKOŃCZONO W 92%

Nie mógł się uwolnić od obrazu Katherine wykrwawiającej się na śmierć i swoich masońskich towarzyszy.

— Jeszcze jest czas — wyszeptał Mal'akh. — Wiesz, że nie masz wyboru. Uwolnij mnie od tej śmiertelnej powłoki.

— Błagam, nie... — jęknął Solomon.

— Zrób to! — syknął tamten. — Pamiętasz, jak zmusiłeś dziecko do dokonania niemożliwego wyboru?! Pamiętasz tamtą noc?! Bogactwo albo mądrość! Tamtej nocy odepchnąłeś mnie raz na zawsze. A jednak wróciłem, ojcze, tej nocy decyzja należy do ciebie. Zachary albo Katherine! Kogo wybierzesz? Czy zabijesz syna, aby ocalić siostrę? Czy zabijesz syna, aby uratować bractwo? Ojczyznę? A może poczekasz, aż będzie za późno? Aż Katherine umrze, aż ten film przedostanie się do mediów? Do końca życia będziesz sobie wyrzucał, że mogłeś zapobiec tragedii. Czas płynie. Wiesz, co trzeba zrobić!

Serce mu pękało. Nie jesteś Zacharym — wmawiał sobie. — Zachary umarł dawno temu. Kimkolwiek jesteś... kimkolwiek się stałeś... nie jesteś z mojej krwi. Chociaż Peter Solomon nie wierzył w to, co myśli, wiedział, że musi dokonać wyboru.

Czas się skończył.

Musimy odnaleźć wielkie schody!

Robert Langdon pędził ciemnymi korytarzami, zmierzając ku

środkowej części budynku. Agent Turner Simkins biegł tuż za nim. Po chwili znaleźli się w atrium.

Sala, zdominowana przez osiem doryckich kolumn z zielonego granitu, przypominała grecko-rzymsko-egipski grobowiec z czarnymi marmurowymi posągami, żyrandolami z czaszami ognia, teutońskimi krzyżami, medalionami przedstawiającymi dwugłowego Feniksa i kinkietami w kształcie głowy Hermesa.

Langdon zawrócił i ruszył w kierunku szerokich marmurowych schodów znajdujących się po drugiej stronie.

— Zaprowadzą nas wprost do sali świątyni — szepnął, gdy zaczęli cicho wbiegać na górę.

Na pierwszym podeście Langdon stanął oko w oko z brązowym popiersiem masońskiego luminarza Alberta Pike'a. Na tabliczce poniżej wyryto jego najsłynniejsze słowa: TO, CO UCZYNILIŚMY DLA SIEBIE, UMRZE RAZEM Z NAMI. TO, CO ZROBILIŚMY DLA INNYCH I DLA ŚWIATA, PRZETRWA WIEKI.

Mal'akh czuł, że atmosfera w sali świątyni uległa namacalnej zmianie, jakby frustracja i cierpienie Petera Solomona wydostały się na powierzchnię, skupiając się na nim jak promień lasera.

Nadszedł czas. Teraz.

Peter Solomon wstał z wózka i odwrócił się w stronę ołtarza, ściskając w ręku nóż.

— Ocal Katherine — ponaglił go Mal'akh, wabiąc do siebie, cofając się i w końcu kładąc na białym całunie, który przygotował. — Wiesz, co robić.

Peter drgnął i ruszył na wprost jak w nocnym koszmarze.

Mal'akh położył się na plecach, patrząc przez *oculus* na zimowy księżyc. Prawdziwą tajemnicą jest śmierć. Chwila nie mogłaby być bardziej doskonała. Ozdobiony pradawnym zaginionym słowem zginę jak ofiara od noża trzymanego w lewej ręce ojca.

Odetchnął głęboko.

Demony, przyjmijcie to ciało, które składam wam w ofierze.

Peter Solomon, drżąc, stanął nad Mal'akhiem. W jego pełnych

łez oczach była rozpacz, niepewność i ból. Po raz ostatni spojrzał na modem i komputer.

— Dokonaj wyboru — wyszeptał Mal'akh. — Uwolnij mnie od ciała. Bóg tego pragnie. Ty tego pragniesz. — Ułożył ramiona wzdłuż tułowia i wyprężył pierś, ofiarowując wspaniałego dwugłowego Feniksa.

Pomóż mi zrzucić ciało, które przyodziewa duszę.

Peter patrzył na niego, ale go nie widział.

— Zabiłem twoją matkę — szepnął Mal'akh. — Zamordowałem Roberta Langdona! Zamordowałem twoją siostrę! Niszczę twoje bractwo! Czyń to, co musisz!

Twarz Petera Solomona zastygła w wyrazie niewysłowionego żalu i cierpienia. Odrzucił do tyłu głowę i krzycząc, uniósł nóż.

Robert Langdon i agent Simkins stanęli bez tchu przed drzwiami sali, gdy usłyszeli mrożący krew w żyłach krzyk. Langdon był pewny, że to krzyczy Peter.

To był krzyk agonii.

Spóźniłem się!

Ignorując Simkinsa, nacisnął klamkę i otworzył drzwi. Przerażająca scena, którą ujrzał, potwierdziła jego najgorsze obawy. Pośrodku mrocznej sali dostrzegł kontur postaci z ogoloną głową stojącej przed wielkim ołtarzem. Człowiek ten miał na sobie czarną szatę i trzymał w ręku duży nóż.

Zanim Langdon zdążył zareagować, skierował ostrze ku dołowi, jakby chciał przebić ciało rozciągnięte na ołtarzu.

Mal'akh zamknął oczy.

To piękna chwila. Doskonała.

Starożytne ostrze noża *akeda* błysnęło w świetle księżyca, gdy Solomon pochylił się nad synem. Smużki dymu wznosiły się w górę, przygotowując ścieżkę dla jego uwolnionej duszy. Krzyk rozpaczy i cierpienia nadal odbijał się echem w świętej przestrzeni, gdy nóż runął w dół.

Zostanę pomazany krwią ludzkiej ofiary i łzami rodzica.

Przygotował się na wspaniałą chwilę.

Nadeszła chwila przemiany.

Co dziwne, nie poczuł bólu.

Jego ciało przeniknęła potężna wibracja, ogłuszająca i głęboka. Ściany sali zaczęły drżeć, a z góry zalało go jasne światło.

Wiedział, co się stało.

Dokładnie tak, jak to sobie zaplanował.

Langdon nie pamiętał, jak ruszył w kierunku ołtarza, gdy nad ich głowami pojawił się helikopter. Nie pamiętał też, jak rzucił się z wyciągniętymi rękami na człowieka w czarnej szacie, rozpaczliwie próbując go przewrócić, zanim znów zada cios.

Kiedy go dopadł, zobaczył jasny promień reflektora wpadający przez *oculus* i oświetlający ołtarz. Spodziewał się ujrzeć zakrwawione ciało Petera Solomona, lecz zamiast niego zobaczył pierś, na której nie było krwi, a tylko tatuaże. Obok leżało pęknięte ostrze, które trafiło w kamień zamiast w ciało.

Gdy przewrócili się na kamienną posadzkę, zauważył zabandażowany kikut w miejscu prawej dłoni i ze zdumieniem stwierdził, że zaatakował Petera Solomona.

Leżeli na posadzce, a szperacze oświetlały wnętrze sali. Silnik helikoptera wydawał niski odgłos. Jego płozy prawie dotykały szerokich szklanych ścian.

W przedniej części maszyny obróciło się dziwne działko, mierząc przez szybę. Czerwony promień laserowego celownika przedarł się przez świetlik i zaczął tańczyć po podłodze, zmierzając w stronę Langdona i Solomona.

Nie!

Langdon nie usłyszał huku wystrzału, a tylko łomot obracających się wirników.

Niczego nie poczuł, choć komórki jego ciała przeniknęła niezwykła wiązka energii. Laptop stojący na krześle za jego głową dziwnie zasyczał. Robert przekręcił się na bok i stwierdził, że ekran nagle zgasł. Niestety, ostatnia wiadomość, która się na nim pojawiła, była taka:

Wznieś się wyżej! Psiakrew! Wyżej!

Pilot włączył nadbieg, aby nie uszkodzić płozami dużego szklanego świetlika. Wiedział, że nacisk skierowanej ku dołowi siły nośnej wytworzonej przez śmigła powoduje, że szkło jest bliskie pęknięcia.

W górę! Teraz!

Pochylił nos maszyny, próbując odlecieć, lecz lewa płoza uderzyła w środek szklanej powierzchni.

Ogromny *oculus* eksplodował szkłem, zaścielając podłogę lawiną ostrych kryształków.

Gwiazdy spadające z nieba.

Mal'akh wpatrywał się w cudowne białe światło i widział strumień lśniących klejnotów lecących mu na spotkanie, przyspieszających z każdą chwilą, jakby pędziły, by otoczyć go swoją chwałą.

Nagle poczuł ból.

W całym ciele.

Przeszywający, przenikliwy ból, jakby ostre niczym brzytwa noże przeniknęły przez skórę na klatce piersiowej, szyi, udach i twarzy. Napiął się i skulił z bólu. Zakrwawione usta wydały okrzyk, gdy ból wyrwał go z transu. Białe światło zmieniło się i nagle, jakby za sprawą magii, zawisł nad nim ciemny kadłub helikoptera. Dudniące wirniki tłoczyły do środka lodowaty wiatr, rozwiewając obłoki kadzidła. Mal'akh poczuł przenikliwy chłód.

Odwrócił głowę i stwierdził, że nóż *akeda* leży pęknięty przy jego boku, złamany o granitowy ołtarz zaścielony kawałkami szkła.

Odrzucił nóż... po tym wszystkim, co mu zrobiłem. Peter Solomon nie chciał przelać mojej krwi.

Czując narastające przerażenie, uniósł głowę i spojrzał na swoje ciało. Na żyjące dzieło, które miało zostać złożone w wielkiej ofierze. Było poranione, zalane krwią. Na wszystkie strony sterczały duże odłamki szkła.

Czując, że robi mu się słabo, opuścił głowę na granitowy ołtarz i spojrzał w górę przez otwór w suficie. Helikopter odleciał, a w jego miejsce pojawił się cichy zimowy księżyc.

Mal'akh leżał z szeroko otwartymi oczami, nie mogąc złapać tchu, samotny na wielkim ołtarzu.

Rozdział 122

Prawdziwą tajemnicą jest śmierć.

Mal'akh wiedział już, że wszystko poszło źle. Nie było jaśniejącego światła i wspaniałego przyjęcia, tylko mrok i przeszywający ból. Bolały go nawet oczy. Chociaż niczego nie widział, wyczuwał wokół siebie ruch. Doleciały go głosy... ludzkie głosy... jeden z nich, co dziwne, należał do Roberta Langdona.

Jak to możliwe?

— Wszystko w porządku — powtórzył Langdon. — Katherine czuje się dobrze. Twoja siostra jest cała i zdrowa.

Nie, Katherine nie żyje — pomyślał Mal'akh. — Na pewno.

Chociaż nie widział ani nie mógł stwierdzić, czy ma otwarte oczy, słyszał odgłos odlatującego helikoptera. W sali nagle zrobiło się cicho. Poczuł, jak miarowy rytm ziemi stał się nierówny, jakby fale wzbierające na powierzchni oceanu zakłócił nadciągający sztorm.

Chao ab ordo

Usłyszał obce głosy prowadzące nerwową rozmowę z Langdonem na temat laptopa i pliku wideo. Za późno — pomyślał. — Szkoda została wyrządzona. W tej chwili film rozprzestrzeniał się lotem błyskawicy aż po krańce zaszokowanego świata, niszcząc przyszłość wolnomularstwa. Trzeba unicestwić tych, którzy są zdolni do rozpowszechniania mądrości. Dzięki ignorancji zapanuje chaos, bo ciemność czekająca Mal'akha karmi się brakiem światła.

Dokonałem wielkich czynów i wkrótce zostanę przyjęty jak król.

Wyczuł, że ktoś podszedł do niego cicho. Wiedział, kto to taki. Czuł woń świętych olejków, którymi natarł ogolone ciało ojca.

— Nie wiem, czy mnie słyszysz... — szepnął mu do ucha Peter Solomon — lecz chcę, żebyś wiedział... — Dotknął świętego miejsca nie czubku głowy Mal'akha. — To, co tutaj wypisałeś... — przerwał na chwilę — nie jest zaginionym słowem.

Na pewno jest — pomyślał Mal'akh. — Przekonałeś mnie o tym, nie mam najmniejszych wątpliwości.

Zgodnie z legendą zaginione słowo zostało zapisane w języku tak starym i tajemnym, że ludzie nie potrafili go odczytać. Sekretny język, o którym powiedział mu Peter, rzeczywiście był najstarszym językiem na ziemi.

Językiem symboli.

W świecie symboli istniał jeden znak mający władzę nad pozostałymi. Jako najstarszy i najbardziej uniwersalny symbol ten wzbogacał wszystkie starożytne tradycje jednym samotnym obrazem przedstawiającym egipskiego boga słońca, triumf złota stworzonego przez alchemików, mądrość kamienia filozoficznego, czystość róży różokrzyżowców, chwilę stworzenia, całość bytu, dominację astrologicznego słońca, a nawet wszechwiedzące oko wiszące nad niedokończoną piramidą.

Circumpunct. Symbol źródła. Miejsce pochodzenia wszystkich rzeczy.

O nim powiedział mu niedawno Peter. Mal'akh z początku mu nie ufał, lecz gdy spojrzał jeszcze raz na siatkę znaków, zrozumiał, że obraz piramidy wskazuje samotny symbol *circumpunctu* — krąg z umieszczoną pośrodku kropką. Piramida masońska jest mapą — pomyślał o legendzie — wskazującą zaginione słowo. Wyglądało na to, że ojciec w końcu powiedział mu prawdę.

Wszystkie wielkie prawdy są proste.

Zaginione słowo nie jest słowem, lecz symbolem.

Wtedy z entuzjazmem wytatuował sobie wielki symbol *circumpunctu* na czubku głowy. Gdy to zrobił, poczuł, jak wzbierają w nim moc i zadowolenie. Moje arcydzieło i ofiara stały się pełne. Siły ciemności na niego czekają. Zostanie wynagrodzony za swój trud, będzie to chwila jego chwały...

A jednak w ostatnim momencie wszystko poszło źle.

Peter stał nad nim bez ruchu, wypowiadając słowa, które Mal'akh z trudem pojmował.

— Okłamałem cię. Nie pozostawiłeś mi wyboru. Gdybym zdradził ci prawdziwe zaginione słowo, nie uwierzyłbyś mi ani nie zrozumiał.

Zaginione słowo... to nie jest słowo *circumpunct*?

— W rzeczywistości — ciągnął Peter — zaginione słowo jest znane wszystkim, lecz rozpoznawane jedynie przez nielicznych.

Słowa Solomona odbijały się echem w jego głowie.

— Pozostałeś niepełny. — Położył dłoń na czubku głowy Mal'akha. — Twoje dzieło nie zostało zakończone, lecz pamiętaj, dokądkolwiek się udasz, że byłeś tu kochany.

Nie wiedzieć czemu, delikatne dotknięcie ojca zapiekło go, jakby było silnym katalizatorem zapoczątkowującym reakcję chemiczną. Nagle poczuł przypływ gorącej energii przenikającej jego fizyczną powłokę, jakby rozpuściła się każda komórka.

W jednej chwili znikł cielesny ból.

Przemiana się dokonała.

Spoglądam w dół na moje zakrwawione ciało leżące na świętej płycie z granitu. Ojciec klęczy za mną, trzymając w dłoni pozbawioną życia głowę.

Czuję narastającą wściekłość... i zagubienie.

To nie pora na współczucie... to czas zemsty i przemiany... a jednak ojciec nie chce się poddać, nie chce odegrać swojej roli, nie chce skupić bólu i gniewu w ostrzu noża mierzącym w moje serce.

Jestem uwięziony, unoszę się w powietrzu... przywiązany do mojej ziemskiej powłoki.

Ojciec delikatnie przesuwa dłonią po mojej twarzy, aby zamknąć mi oczy.

Czuję, jak łańcuch pęka.

Otacza mnie obłok przypominający zasłonę. Gęstnieje i przyćmiewa światło, zasłaniając świat. Nagle czuję, że czas przyspiesza. Pogrążam się w otchłani znacznie ciemniejszej, niż się spodziewałem. W wielkiej pustce słyszę szept... wyczuwam dzia-

łanie jakiejś siły. Narasta z ogromną szybkością. Ogarnia mnie zewsząd, potężna i złowroga. Ciemna i rozkazująca.

Nie jestem sam.

To mój triumf. Wielkie powitanie. A jednak z jakiegoś powodu nie czuję radości, lecz bezgraniczny strach.

Nie tego oczekiwałem.

Dziwna siła zaczyna wirować, obraca się wokół mnie z ogromną mocą, jakby chciała mnie rozerwać. Nagle mrok przybiera postać wielkiej prehistorycznej bestii i ryczy.

Widzę wszystkie mroczne dusze, które trafiły tu przede mną.

Krzyczę w nieskończonej trwodze... gdy pochłania mnie mrok.

Rozdział 123

Dziekan Galloway wyczuł w powietrzu dziwną zmianę. Nie był pewny, czemu to przypisać, lecz miał wrażenie, jakby upiorny cień znikł, jakby ciężkie brzemię zostało zabrane, gdzieś daleko, a jednak tak blisko.

Siedział przy biurku pogrążony w głębokiej zadumie. Nie był pewny, ile czasu minęło, zanim zadzwonił telefon. Okazało się, że to Warren Bellamy.

— Bogu dzięki — odetchnął z ulgą Galloway. — Gdzie on jest?

Słuchał w milczeniu niezwykłej opowieści Bellamy'ego o tym, co się stało od czasu, gdy Katherine i Langdon opuścili Cathedral College.

— Nikomu nic się nie stało?

— Dochodzą do siebie — odparł Bellamy. — Ale pojawił się pewien problem... — Przerwał na chwilę.

— Słucham?

— Masońska piramida... obawiam się, że Langdon odczytał jej przesłanie.

Galloway uśmiechnął się mimo woli. Nie był zaskoczony.

— Czy przekonał się, że piramida dotrzymuje obietnicy? Czy ujawniła to, co głosi legenda?

— Jeszcze tego nie wiem.

Dotrzyma obietnicy — pomyślał Galloway.

— Musisz odpocząć — powiedział.

— Ty również.

Nie, muszę się pomodlić.

Rozdział 124

Drzwi się otworzyły i ukazała się oświetlona sala.

Katherine Solomon czuła, że ma nogi jak z waty, gdy do niej wbiegła szukać brata. Ogromną salę wypełniało lodowate powietrze i zapach kadzidła. Scena, która ukazała się jej oczom, sprawiła, że stanęła jak wryta.

Pośrodku wspaniałej sali, na niskim kamiennym ołtarzu leżało zakrwawione wytatuowane ciało przeszyte kawałkami rozbitej szyby. Wysoko ponad nim, przez otwór w suficie, widać było niebo.

Boże. Odwróciła głowę, szukając Petera. Siedział w innej części sali opatrywany przez sanitariusza. Rozmawiał z Langdonem i dyrektor Sato.

— Peter! — zawołała, biegnąc ku niemu. — Peter!

Spojrzał na nią i odetchnął z ulgą. Zerwał się na nogi i ruszył jej na spotkanie. Miał na sobie prostą białą koszulę i czarne spodnie, które przyniesiono mu z gabinetu na dole. Jego prawą rękę podtrzymywał temblak, a gdy delikatnie przytulił siostrę, zrobił to trochę niezgrabnie, lecz Katherine tego nie zauważyła. Ogarnęło ją znajome poczucie bezpieczeństwa, zupełnie jak w dzieciństwie, gdy przytulał ją starszy brat.

Objęli się w milczeniu.

W końcu Katherine wyszeptała:

— Nic ci nie jest? Naprawdę...? — Zrobiła krok do tyłu i spojrzała na zabandażowany kikut. Poczuła łzy napływające do oczu. — Tak mi... tak mi przykro.

Peter wzruszył ramionami, jakby nie stało się nic wielkiego.

— Doczesne ciało nie jest wieczne. Najważniejsze, że tobie nic się nie stało.

Pogodna odpowiedź Petera rozproszyła ponure myśli, przypominając jej wszystkie powody, dla których go kochała. Pogładziła jego głowę, czując nierozerwalną więź łączącą ich rodzinę... tę samą krew, która płynie w ich żyłach.

Znała już tragiczną wiadomość, że tej nocy na sali był trzeci Solomon. Mimowolnie spojrzała na ciało leżące na ołtarzu. Przeszył ją zimny dreszcz, gdy próbowała zapomnieć o zdjęciach, które widziała.

Odwróciła wzrok i dostrzegła Roberta Langdona. W jego oczach malowało się głębokie współczucie i zrozumienie, jakby dokładnie wiedział, co czuje. Robert wie. Poczuła ulgę, sympatię i rozpacz. Peter drżał jak dziecko. Nigdy w życiu czegoś takiego nie doświadczyła.

— Zapomnij o tym — szepnęła. — Już dobrze. Zapomnij.

Zaczął jeszcze bardziej dygotać.

Przytuliła go, gładząc po głowie.

— Zawsze byłeś silny, Peterze... zawsze mnie wspierałeś. Teraz ja pomogę tobie. Już dobrze. Jestem tutaj.

Delikatnie ułożyła jego głowę na swoim ramieniu, a wielki Peter Solomon zaczął rozpaczliwie szlochać.

Dyrektor Sato odeszła na bok, by odebrać telefon.

Dzwoniła Nola Kaye, dla odmiany z dobrymi wiadomościami.

— Nadal żadnego zamieszania — powiedziała z nadzieją w głosie. — Jestem pewna, że do tej pory coś byśmy usłyszeli. Wygląda na to, że udało się pani przerwać wysyłanie.

Dzięki tobie, Nola — pomyślała Sato, spoglądając na komputer, na którym Langdon zobaczył komunikat o zakończeniu transmisji. Niewiele brakowało.

Idąc za radą Noli, agent przeszukujący rezydencję Mal'akha sprawdził kubły na śmieci i znalazł pudełko kupionego niedawno modemu komórkowego. Dysponując numerem urządzenia, Nola mogła sprawdzić usługodawców komórkowych, różne pasma i siatki serwisowe, aby określić najbardziej prawdopodobny satelitarny węzeł dostępu — mały przekaźnik na rogu Corcoran i Szesnastej Ulicy, trzy przecznice od Domu Świątyni.

Nola szybko przekazała tę wiadomość Sato czekającej w helikopterze. Zbliżając się do Domu Świątyni, pilot przeleciał nisko i zniszczył węzeł dostępu ładunkiem promieni elektromagnetycznych, przerywając łączność na kilka sekund przed zakończeniem transmisji.

— Doskonale się spisałaś tej nocy — pochwaliła ją. — Idź do domu się przespać. Zasłużyłaś na to.

— Dziękuję — odpowiedziała z wahaniem Nola.

— Coś jeszcze?

Nola milczała przez dłuższą chwilę, jakby zastanawiała się, czy to powiedzieć.

— Nic, co nie mogłoby poczekać do rana. Dobranoc.

Rozdział 125

Robert Langdon przemył twarz ciepłą wodą i spojrzał w lustro nad umywalką w pogrążonej w ciszy eleganckiej łazience na parterze Domu Świątyni. Nawet w przyćmionym świetle wyglądał dokładnie tak, jak się czuł... wykończony.

Na jego ramieniu znów wisiała torba, ale znacznie lżejsza, wypełniona jedynie osobistymi rzeczami i pogniecionym konspektem wykładu. Zachichotał. Jego wieczorna wizyta w Waszyngtonie w celu wygłoszenia odczytu okazała się nieco bardziej wyczerpująca, niż się spodziewał.

Mimo to miał dużo powodów do wdzięczności.

Peter żyje.

Udało się przerwać wysyłanie filmu.

Nabierając w dłonie ciepłą wodę i obmywając twarz czuł, że wraca do życia. Wciąż nie widział zbyt wyraźnie, lecz poziom adrenaliny zaczął się obniżać i Langdon znów poczuł się sobą. Wytarł ręce i spojrzał na zegarek z Myszką Miki.

Dobry Boże, jest naprawdę późno.

Wyszedł z łazienki i ruszył pięknym sklepionym korytarzem, na którego ścianach wisiały portrety zasłużonych masonów, amerykańskich prezydentów, filantropów, luminarzy i innych wpływowych obywateli. Przystanął przed olejnym portretem Harry'ego S. Trumana, wyobrażając sobie, jak uczestniczy w obrzędach i rytuałach i studiuje, by zostać masonem.

Za światem widzialnym znajduje się świat ukryty. Świat dostępny dla nas wszystkich.

— Wymknąłeś się niepostrzeżenie — usłyszał głos w głębi korytarza.

Odwrócił się.

Katherine, choć przeszła tej nocy prawdziwe piekło, wyglądała promiennie... jakby odmłodniała.

Uśmiechnął się z trudem.

— Jak on się czuje?

Przytuliła go mocno.

— Jak zdołam ci podziękować?

Roześmiał się.

— Przecież nic takiego nie zrobiłem?

Nie wypuszczała go z objęć.

— Peter wyzdrowieje... — Nagle spojrzała mu głęboko w oczy. — Przed chwilą powiedział mi coś niezwykłego... coś wspaniałego. — Jej głos drżał. — Muszę się o tym osobiście przekonać. Wrócę za chwilę.

— Co? Dokąd idziesz?

— Wrócę niebawem. Peter chce z tobą mówić... sam na sam. Czeka w bibliotece.

— Powiedział dlaczego?

Katherine zaśmiała się i pokręciła głową.

— Znasz Petera i te jego sekrety.

— Ale...

— Za chwilę sam się dowiesz — powiedziała i odeszła.

Langdon westchnął ciężko. Miał dość sekretów jak na jedną noc. Oczywiście pewne pytania pozostały bez odpowiedzi — wśród nich o masońską piramidę i zaginione słowo — lecz wyczuwał, że odpowiedzi, nawet jeśli istnieją, nie są przeznaczone dla jego uszu.

Przecież nie jestem masonem.

Zebrał resztki sił i ruszył do biblioteki. Peter siedział przy stole, na którym stała kamienna piramida.

— To ty, Robercie? — Uśmiechnął się i skinął ręką. — Chciałbym zamienić z tobą słowo.

Langdon odpowiedział wymuszonym uśmiechem.

— Słyszałem, że jedno już zgubiłeś — mruknął.

Rozdział 126

Biblioteka w Domu Świątyni w Waszyngtonie była najstarszą czytelnią publiczną w mieście. Na jej eleganckich regałach spoczywało pół miliona woluminów, w tym rzadki egzemplarz *Ahiman Rezon, Tajemnic przygotowanego braterstwa*. W gablotach wystawiono piękne masońskie klejnoty, przedmioty rytualne, a nawet cenny tom, który został osobiście wydrukowany przez Beniamina Franklina.

Ulubionym skarbem Langdona było jednak coś, co dostrzegała tylko mała garstka.

Iluzja.

Dawno temu Solomon pokazał mu, że jeśli spojrzeć pod odpowiednim kątem, stół do czytania i złota lampa tworzą charakterystyczne złudzenie optyczne... piramidę i lśniące złote zwieńczenie. Solomon zawsze uważał tę iluzję za milczące przypomnienie, iż tajemnice masońskie są dobrze widoczne dla każdego, pod warunkiem że spojrzy na nie z właściwej perspektywy.

Tej nocy sekrety masońskie zmaterializowały się pośrodku sali. Langdon usiadł naprzeciwko Czcigodnego Mistrza Petera Solomona i masońskiej piramidy.

Peter się uśmiechnął.

— „Słowo", o którym wspomniałeś, Robercie, nie jest legendą.

Langdon spojrzał na niego zdziwiony i zapytał:

— Nie rozumiem... Jak to możliwe?

— Czego nie rozumiesz?

„Wszystkiego" — chciał odpowiedzieć Langdon, szukając w oczach starego przyjaciela choć odrobiny zdrowego rozsądku.

— Twierdzisz, że zaginione słowo jest realne... że posiada prawdziwą moc?

— Ogromną moc — zapewnił Peter. — Może doprowadzić do przemiany ludzkości poprzez odsłonięcie ukrytej pradawnej wiedzy.

— Słowo? — spytał z niedowierzaniem Langdon. — Nie mogę uwierzyć, by słowo...

— Uwierzysz — odpowiedział spokojnie Solomon.

Langdon patrzył na niego w milczeniu.

— Jak zapewne wiesz — ciągnął Solomon, wstając i zaczynając spacerować wokół stołu — już dawno prorokowano, że nadejdzie dzień, w którym zaginione słowo zostanie na nowo odkryte... wydobyte z ziemi... i cała ludzkość znów uzyska dostęp do jego zapomnianej mocy.

Langdon przypomniał sobie wykład Petera o apokalipsie. Chociaż wielu błędnie sądziło, że apokalipsa oznacza gwałtowny koniec naszego świata, słowo to znaczyło dosłownie „odsłonięcie" czegoś, co starożytni uważali za najwyższą mądrość. Nadchodzi wiek oświecenia. Mimo to Langdon nie potrafił sobie wyobrazić, aby drogę wielkim zmianom miało utorować... słowo.

Peter wskazał kamienną piramidę stojącą na stole obok złotego zwieńczenia.

— Masońska piramida, legendarny *symbolon*, dzisiejszej nocy stała się pełna... kompletna. — Z czcią uniósł złote zwieńczenie i umieścił je na ściętym wierzchołku piramidy. Ciężka złota bryła kliknęła cicho, trafiając na właściwe miejsce.

— Tej nocy, przyjacielu, zrobiłeś coś, czego nie zrobiono nigdy wcześniej. Złożyłeś masońską piramidę i odczytałeś wszystkie zaszyfrowane wiadomości. W końcu odsłoniła... to.

Solomon położył na stole kartkę. Langdon rozpoznał siatkę symboli, które uporządkował za pomocą kwadratu magicznego Franklina ósmego stopnia. Widział ją przelotnie w kaplicy.

— Jestem ciekaw, czy potrafisz odczytać te symbole. W końcu jesteś specjalistą.

Langdon spojrzał na znaki.
Heredom, *circumpunct*, piramida, schody...

— Jak pewnie wiesz, to piktogram alegoryczny — rzekł z westchnieniem. — To oczywiste, że jego język jest raczej przenośny i symboliczny niż dosłowny.
Peter zachichotał.
— Zadaj specjaliście od symboli proste pytanie... Dobrze, powiedz mi, co widzisz.
Naprawdę chce to usłyszeć?
Langdon odwrócił kartkę w swoją stronę.
— Cóż, oglądałem ją wcześniej. Mówiąc prostym językiem, ta siatka to obraz... przedstawiający niebo i ziemię.
Peter uniósł brwi.
— Tak?
— Oczywiście. U góry mamy słowo „Heredom"... święty dom, co rozumiem jako Dom Boży... lub niebo.
— Zgoda.
— Zwrócona ku dołowi strzałka umieszczona po słowie „Heredom" wskazuje, że pozostała część piktogramu oznacza sferę leżącą pod niebem, czyli... ziemię. — Langdon spojrzał na dolną część siatki. — Dwa najniższe wiersze, te pod piramidą, sym-

bolizują samą ziemię — *terra firma* — najniższy ze światów. Odpowiednio, dolne kwadraty zawierają dwanaście starożytnych symboli astrologicznych oznaczających religię pierwszych ludzi, którzy spoglądali w niebo i dostrzegali rękę Boga w ruchach gwiazd i planet.

— Dobrze, widzisz coś jeszcze?

Solomon przysunął swoje krzesło i spojrzał na siatkę znaków.

— Na fundamencie astrologii — kontynuował Langdon — z ziemi wznosi się wielka piramida sięgająca nieba, trwały symbol zaginionej mądrości. Wypełniają ją wielkie systemy filozoficzne i religie z przeszłości: egipskie, pitagorejskie, buddyjskie, hinduskie, islamskie, judeochrześcijańskie. Wszystko podąża ku górze, stapiając się ze sobą i przepływając przez transformującą bramę piramidy, gdzie ostatecznie łączą się w jedną, uniwersalną filozofię. — Przerwał na chwilę. — Jedną powszechną świadomość... wspólną, ogólnoświatową wizję Boga symbolizowaną przez starożytny znak widniejący ponad zwieńczeniem.

— *Circumpunct* — potwierdził Peter. — Uniwersalny symbol Boga.

— Właśnie. W minionych wiekach *circumpunct* oznaczał najróżniejsze rzeczy... boga słońca Ra, alchemiczne złoto, wszechwiedzące oko, punkt osobliwości przed Wielkim Wybuchem i...

— Wielkiego Budowniczego Wszechświata.

Langdon skinął głową, wyczuwając, że Peter użył tego samego argumentu w sali świątyni, aby przekonać Mal'akha, że to *circumpunct* jest zaginionym słowem.

— A schody? — zapytał Peter. — Co ze schodami?

Langdon spojrzał na symbol schodów umieszczony pod piramidą.

— Jestem przekonany, że wiesz, iż symbolizują one spiralne schody masońskie prowadzące wzwyż, przez ziemskie ciemności ku światłu... niczym drabina Jakuba sięgająca nieba... albo złożony z wielu członów kręgosłup łączący śmiertelne ciało człowieka z jego nieśmiertelną duszą. — Milczał przez chwilę. — Pozostałe symbole wydają się połączeniem astronomicznych, masońskich i naukowych symboli potwierdzających prawdziwość tajemniej starożytnej wiedzy.

Solomon pogładził się po brodzie.

— Zgrabna interpretacja, profesorze. Oczywiście zgadzam się, że siatkę symboli można odczytać jako alegorię, lecz... — W oczach Petera pojawił się tajemniczy błysk. — Te symbole opowiadają także inną historię. Znacznie bardziej pouczającą.

— Tak?

Peter znów zaczął krążyć wokół stołu.

— Kiedy myślałem, że umrę w sali świątyni, przeniknąłem przez metaforę i alegorię do sedna przesłania zawartego w symbolach. — Odwrócił się nagle w stronę Langdona. — Ta siatka wskazuje dokładne miejsce, w którym ukryto zaginione słowo.

— Co? — Langdon poruszył się na krześle zaniepokojony, że traumatyczne doświadczenia tej nocy wprawiły Petera w pomieszanie i zagubienie.

— Robercie, legenda zawsze opisywała masońską piramidę jako mapę... mapę, która doprowadzi tego, kto jest godny, do miejsca ukrycia zaginionego słowa. — Solomon postukał palcem w kartkę leżącą przed Langdonem. — Gwarantuję ci, że te znaki są dokładnie takie, jak głosi legenda... są mapą. Rysunkiem wskazującym, gdzie dokładnie znajdują się schody prowadzące do zaginionego słowa.

Langdon roześmiał się nerwowo.

— Nawet gdybym wierzył w legendę o masońskiej piramidzie — zaczął ostrożnie — ta siatka symboli nie mogłaby być mapą. Spójrz na nią. Nic tu nie przypomina mapy.

Solomon uśmiechnął się pobłażliwie.

— Czasami trzeba tylko trochę zmienić punkt widzenia, aby ujrzeć coś znanego w nowym świetle.

Langdon po raz kolejny spojrzał na kartkę, ale nie zauważył niczego nowego.

— Pozwól, że o coś cię spytam — powiedział Peter. — Czy wiesz, dlaczego masoni umieszczają kamień węgielny w północno-wschodnim narożniku budynku?

— Oczywiście. Na północno-wschodni narożnik padają pierwsze promienie porannego słońca. To symboliczne ukazanie potęgi architektury wznoszącej się z ziemi ku światłu.

— Dobrze. Może powinieneś poszukać pierwszych promieni

światła w północno-wschodnim rogu rysunku. — Wskazał siatkę znaków.

Langdon skierował wzrok na prawy górny róg siatki lub jej północno-wschodni kraniec. Widniał w nim znak ↓.

— Strzała zwrócona ku dołowi — stwierdził, próbując odgadnąć intencje przyjaciela. — Pod... Heredomem?

— Nie, Robercie, nie pod — poprawił go Solomon. — Zastanów się. Ta siatka nie jest metaforycznym labiryntem. To mapa. Na mapie strzałka zwrócona ku dołowi oznacza...

— Południe! — wykrzyknął zdumiony Langdon.

— Właśnie! — przytaknął z entuzjazmem Solomon. — Południe! Na mapie strzałka zwrócona w dół oznacza południe! Co więcej, na mapie słowo „Heredom" nie byłoby metaforą nieba, lecz nazwą miejsca geograficznego.

— Domu Świątyni? Chcesz powiedzieć, że mapa wskazuje miejsce... leżące na południe od tego budynku?

— Chwała Bogu! — wykrzyknął ze śmiechem Solomon. — Wreszcie rozbłysło światło!

Langdon spojrzał na siatkę.

— Peterze... nawet jeśli masz rację... na południe od tego gmachu... może oznaczać dowolny punkt położony na tej długości geograficznej w promieniu niemal czterdziestu tysięcy kilometrów.

— Nie, Robercie. Zapomniałeś o legendzie, która mówi, że zaginione słowo zostało ukryte w Waszyngtonie. To znacznie zawęża obszar poszukiwań. Legenda wspomina również, że schody zasłania duży kamień, na którym wyryto przesłanie w starożytnym języku jako rodzaj drogowskazu, aby człowiek godny mógł go odnaleźć.

Langdon miał wyraźny problem z tym, aby traktować to wszystko poważnie, i choć nie znał Waszyngtonu wystarczająco dobrze, by wiedzieć, co jest na południe od miejsca, w którym się znajdują, był pewny, iż nie ma tam żadnego olbrzymiego kamienia z wyrytymi znakami, zasłaniającego podziemne schody.

— Wiadomość wyryta na kamieniu jest przed twoim nosem — powiedział Peter, wskazując trzeci wiersz siatki. — Oto inskrypcja, Robercie! Rozwiązałeś zagadkę.

Osłupiały Robert Langdon przypatrywał się siedmiu symbolom.

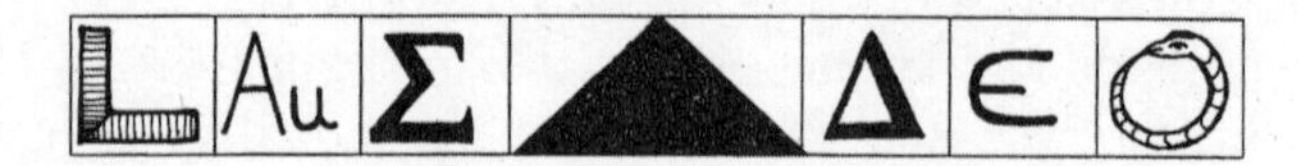

Rozwiązałem zagadkę? Nie miał zielonego pojęcia, co może oznaczać siedem osobliwych znaków, lecz był pewny, że nie wyryto ich w żadnym miejscu w stolicy kraju, a już na pewno nie na ogromnym kamieniu zasłaniającym schody.

— Nie rozumiem, w jaki sposób miałoby nam to pomóc w rozwiązaniu zagadki — powiedział. — Nie znam żadnego kamienia na terenie Waszyngtonu, na którym wyryto by... takie przesłanie.

Peter poklepał go po ramieniu.

— Przechodziłeś obok i go nie zauważyłeś. My wszyscy też nie. Widać go jak na dłoni, podobnie jak same tajemnice. Tej nocy, gdy zobaczyłem tych siedem znaków, od razu zrozumiałem, że legenda jest prawdziwa. Zaginione słowo ukryto gdzieś w Waszyngtonie... u dołu długich schodów, pod olbrzymim kamieniem z tą inskrypcją.

Langdon milczał, niczego nie rozumiejąc.

— Myślę, że tej nocy zasłużyłeś sobie na to, by poznać prawdę.

Langdon spojrzał na Petera, próbując przetrawić to, co przed chwilą usłyszał.

— Chcesz mi powiedzieć, gdzie znajduje się zaginione słowo?

— Nie — odparł Solomon z uśmiechem. — Chcę ci pokazać.

Pięć minut później Langdon siedział na tylnym siedzeniu samochodu obok Petera Solomona. Za kierownicą zasiadł Simkins. Czekali na Sato idącą do nich przez parking.

— Panie Solomon, przed chwilą tam zadzwoniłam — oznajmiła, stając obok auta i zapalając papierosa.

— I? — spytał Peter, wychylając się przez okno.

— Kazałam pana wpuścić. Na chwilę.

— Dziękuję.

Spojrzała na niego zaciekawiona.

— Muszę przyznać, że to niezwykła prośba.

Solomon wzruszył enigmatycznie ramionami.

Sato zignorowała go i podeszła do okna po stronie Langdona.

— Profesorze — powiedziała lodowato — pańska pomoc, choć niechętna, przyczyniła się w dużym stopniu do naszego sukcesu... dziękuję. — Zaciągnęła się papierosem i wydmuchnęła dym, odwracając głowę. — Na pożegnanie dam panu pewną radę. Kiedy następnym razem wysoki funkcjonariusz CIA powie panu, że mamy do czynienia z poważnym kryzysem zagrażającym bezpieczeństwu narodowemu... — spojrzała na niego gniewnie — proszę zachować te swoje brednie dla Cambridge...

Langdon otworzył usta, by odpowiedzieć, lecz dyrektor Inoue Sato odwróciła się na pięcie i ruszyła do czekającego na nią helikoptera.

Simkins spojrzał na nich z kamienną twarzą.

— Możemy jechać, panowie? — zapytał.

— Proszę chwilę zaczekać — powiedział Solomon, wyciągając złożony kawałek ciemnej tkaniny i podając go Langdonowi. — Robercie, zasłoń tym oczy, zanim ruszymy.

Langdon spojrzał zdumiony na tkaninę. Czarny aksamit. Kiedy ją rozwinął, stwierdził, że trzyma w rękach masoński kaptur, którego używano podczas inicjacji pierwszego stopnia.

Co, u licha?

— Wolałbym, żebyś nie wiedział, dokąd jedziemy.

Langdon odwrócił się w jego stronę:

— Chcesz, żebym założył to na głowę?

— Mój sekret, moje zasady — odparł z uśmiechem Solomon.

Rozdział 127

Nola Kaye poczuła chłodny powiew wiatru, kiedy wyszli z kwatery głównej CIA w Langley. Trzęsła się z zimna, idąc za specjalistą od bezpieczeństwa systemów, Rickiem Parrishem, parkingiem oświetlonym blaskiem księżyca.

Dokąd on mnie prowadzi?

Kryzys związany z filmem o masonach został zażegnany, lecz Nola wciąż czuła się nieswojo. Plik znajdujący się na partycji zarezerwowanej dla dyrektora CIA pozostał zagadką i nie dawał jej spokoju. Miała spotkać się z Sato następnego dnia, aby złożyć jej sprawozdanie, więc chciała poznać wszystkie fakty. W końcu zadzwoniła do Ricka Parrisha i poprosiła go o pomoc.

Teraz szła z nim w nieznane miejsce gdzieś poza kwaterą CIA, nie mogąc uwolnić się od dziwnych słów i fraz.

Ukryte miejsce pod ziemią... na terenie Waszyngtonu... o współrzędnych... zasłaniające starożytny portal wiodący do... ostrzega, że piramida skrywa groźne... odczytać wyryty w kamieniu symbolon, *aby odsłonić...*

— Chyba zgodzisz się — mówił Parrish, gdy szli do samochodu — że haker, który wpisał te słowa, szukał informacji na temat masońskiej piramidy...

To oczywiste — pomyślała Nola.

— Sądzę, że natknął się na element zagadki związanej z piramidą, którego się nie spodziewał.

— To znaczy?

— Jak wiesz, dyrektor CIA zachęca pracowników agencji, aby dzielili się swoimi uwagami na wewnętrznym forum.

— Oczywiście. — Forum stwarzało pracownikom agencji okazję do wymiany opinii, a dyrektorowi umożliwiało wirtualny kontakt z jego ludźmi.

— Baza forum znajduje się na zastrzeżonej części dysku, jednak aby umożliwić dostęp wszystkim pracownikom, niezależnie od posiadanego certyfikatu dostępu do informacji tajnych, została umieszczona poza tajną zaporą.

— Do czego zmierzasz? — spytała, kiedy skręcili za róg, obok kawiarenki, do której przychodzili ludzie agencji.

— Krótko mówiąc... chodzi o to. — Parrish wskazał przed siebie.

Nola podniosła głowę. Na placu przed nimi, w blasku księżyca lśniła masywna metalowa rzeźba.

W instytucji, która chlubiła się posiadaniem ponad pięciuset oryginalnych dzieł sztuki, najbardziej znana była rzeźba zatytułowana *Kryptos*. Opatrzona greckim tytułem „ukryty" rzeźba amerykańskiego artysty Jamesa Sanborna stała się legendą w CIA.

To dzieło sztuki składało się z masywnej miedzianej powierzchni wygiętej w kształt litery S, opartej na krawędzi niczym zwinięta metalowa ściana. Na ogromnej powierzchni ściany wyryto niemal dwa tysiące liter ułożonych w zaskakujący szyfr. Jakby tego było mało, wokół ściany w kształcie litery S umieszczono inne elementy wchodzące w skład rzeźby — granitowe płyty ustawione pod dziwnym kątem, różę kompasową, magnetyt, a nawet zapisaną językiem Morse'a wiadomość nawiązującą do „wyraźnych wspomnień" i „mrocznych sił".

Kryptos był dziełem sztuki, a jednocześnie zagadką.

Odczytanie zaszyfrowanej wiadomości stało się obsesją kryptologów zatrudnionych w CIA i poza nią. Wreszcie, kilka lat temu, udało się złamać fragment szyfru, co stało się ogólnokrajową sensacją. Chociaż znaczna część szyfru *Kryptosa* nie została odczytana, ta, którą udało się rozszyfrować, była tak osobliwa, że rzeźba stała się jeszcze bardziej tajemnicza. Wspominano w niej o tajemnych podziemnych miejscach, portalach wiodących do starożytnych grobowców, długościach i szerokościach geograficznych...

Nola przypomniała sobie fragmenty tekstu: *Zgromadzone informacje umieszczono pod ziemią w nieznanym miejscu... całkowicie niewidocznym... jak to możliwe... wykorzystano pole magnetyczne ziemi...*

Nigdy nie przywiązywała do tej rzeźby większej wagi, nie obchodziło jej też, czy kiedykolwiek wszystko zostanie odczytane. Jednak w tej chwili potrzebowała odpowiedzi.

— Dlaczego pokazujesz mi *Kryptosa*?

Parrish uśmiechnął się konspiracyjnie. Dramatycznym gestem wyciągnął z kieszeni kartkę.

— *Voilà!* Oto tajemniczy dokument, który tak cię interesuje. Dotarłem do pełnego tekstu.

Nola aż podskoczyła z wrażenia.

— Wszedłeś na zastrzeżoną część serwera należącą do szefa?!

— Nie. Tego już próbowałem. Spójrz. — Podał jej wydruk.

Rozłożyła kartkę. W górnej części widniał standardowy nagłówek agencji. Przechyliła głowę ze zdumienia.

Ten dokument nie był opatrzony klauzulą tajności. Daleko mu było do tego.

FORUM DYSKUSYJNE PRACOWNIKÓW: „KRYPTOS"
SKOMPRESOWANA BAZA DANYCH: WĄTEK #2456282.5

Nola spojrzała na szereg wpisów, które dla wygody umieszczono na jednej stronie.

— To twój dokument — wyjaśnił Parrish. — Jacyś zwariowani kryptolodzy dyskutują o *Kryptosie*.

Nola zaczęła przeglądać dokument, aż natrafiła na znajome słowa.

> Jim, rzeźba powiada, że przeniesiono je do tajemnego miejsca POD ZIEMIĄ, gdzie ukryto informacje.

— Ten wpis pochodzi z forum internetowego „Kryptos" znajdującego się na dysku dyrektora — wyjaśnił Rick. — Forum działa od wielu lat. Są na nim tysiące wpisów. Nie dziwi mnie, że niektóre zawierają wszystkie twoje kluczowe słowa.

Nola przebiegła wzrokiem dokument, aż natrafiła na kolejny wpis zawierający kluczowe słowa.

Chociaż Mark zgadza się, że szerokość i długość geograficzna w zaszyfrowanej wiadomości wskazują miejsce w WASZYNGTONIE, współrzędne, których użył, były przesunięte o jeden stopień — spowodowało to, że *Kryptos* wskazywał samego siebie.

Parrish podszedł do *Kryptosa* i przesunął dłonią po tajemniczym układzie liter.

— Znaczna część tego szyfru nie została jeszcze odczytana. Wielu ludzi sądzi, że jego przesłanie może mieć związek ze starożytnymi sekretami masonów.

Nola przypomniała sobie plotki o ogniwie łączącym *Kryptosa* i masonów, lecz zwykle trzymała się z daleka od obłąkanych ekstremistów. Spojrzała na różne elementy rzeźby rozrzucone po placu i zdała sobie sprawę, że ma do czynienia z szyfrem podzielonym na części — *symbolonem* — jak masońska piramida.

Dziwne.

Przez chwilę myślała, że *Kryptos* to współczesna piramida masońska — szyfr w kilku częściach, wykonany z różnych materiałów, gdzie każdy element odgrywa jakąś rolę.

— Czy myślisz, że *Kryptos* i masońska piramida mogą skrywać tę samą tajemnicę?

— Kto wie? — Parrish spojrzał niepewnie na *Kryptosa*. — Wątpię, czy kiedykolwiek uda nam się odczytać całe przesłanie. Chyba że ktoś skłoni dyrektora, by otworzył sejf i pozwolił rzucić okiem na rozwiązanie.

Nola skinęła głową. Powoli zaczęła sobie przypominać. *Kryptos* przybył wraz z zapieczętowaną kopertą, w której podano sposób złamania szyfru rzeźby. Kopertę oddano do rąk własnych dyrektora CIA Williama Webstera, który zamknął ją w sejfie w swoim gabinecie. Dokument znajdował się tam do dziś przekazywany kolejnym szefom agencji.

Co dziwne, wspomnienie o Williamie Websterze przywołało kolejny fragment rozszyfrowanego przesłania *Kryptosa*:

ZOSTAŁO TO GDZIEŚ UKRYTE.
KTO ZNA DOKŁADNE POŁOŻENIE?
TYLKO W.W.

Chociaż nikt nie wiedział, co zostało ukryte, większość uważała, że W.W. to aluzja do Williama Webstera. Nola słyszała kiedyś, że nie chodziło o Webstera, lecz Williama Whistona — teologa z Royal Society — choć nigdy nie zadała sobie trudu, by się nad tym zastanowić.

— Muszę przyznać, że nie znam się na artystach, lecz ten facet, Sanborn, musiał być geniuszem. Niedawno oglądałem w Internecie jego instalację *Cyryllic Projector*! Urządzenie wyświetla ogromne litery rosyjskiej cyrylicy z jakiegoś dokumentu na temat metod kontroli umysłu. Dziwaczne!

Nola przestała go słuchać. Studiowała wiadomość, w której znalazła trzecie kluczowe słowo.

> Fakt, cały fragment został zaczerpnięty słowo w słowo z dziennika słynnego archeologa. Tekst opisuje chwilę, w której zaczął kopać i odsłonił starożytny PORTAL, który prowadził do grobowca Tutenchamona.

Nola wiedziała, że słynnym archeologiem, o którym wspomniano na forum, jest egiptolog Howard Carter. Następny wpis wymieniał go z nazwiska:

> Przejrzałem pozostałe notatki robocze Cartera zamieszczone w Internecie. Wygląda na to, że znalazł glinianą tabliczkę ostrzegającą, że PIRAMIDA kryje w sobie niebezpieczną niespodziankę dla tego, kto zakłóci wieczny spokój faraona. Przekleństwo. Czy powinniśmy się tym przejmować? ☺

— Na Boga, Rick! — jęknęła. — Ten idiotyczny wpis o piramidzie to bzdura. Tutenchamon nie został pochowany we wnętrzu piramidy. Jego ciało spoczęło w Dolinie Królów. Czy nasi kryptolodzy nie oglądają Discovery Channel?

Parrish wzruszył ramionami.

— Nie interesuje ich nic oprócz nowoczesnych technologii.

Nola dotarła do ostatniego słowa klucza.

Wiecie, że nie jestem zwolennikiem teorii spiskowych, choć uważam, że byłoby lepiej gdyby Jim i Dave odszyfrowali SYMBOLON i ujawnili jego ostatnią tajemnicę przed końcem świata wyznaczonym na 2012 rok... Cześć!

— Wiesz — zaczął Parrish — pomyślałem sobie, że chciałabyś wiedzieć o tym forum... *Kryptosie*... zanim oskarżysz szefa o przechowywanie tajnych dokumentów związanych ze starożytną legendą masońską. Jakoś trudno mi uwierzyć, by ktoś tak potężny jak dyrektor CIA marnował czas na takie rzeczy.

Nola pomyślała o filmie i wpływowych politykach biorących udział w obrzędach. Gdyby tylko wiedział...

Wiedziała, że niezależnie od tego, co ostatecznie ujawni *Kryptos*, jego przesłanie będzie miało z pewnością podtekst mistyczny. Spojrzała na rzeźbę lśniącą w poświacie księżyca — trójwymiarowy szyfr stojący w milczeniu w samym sercu głównej agencji wywiadowczej kraju — zastanawiając się, czy kiedykolwiek zdradzi swój sekret.

Kiedy wracali do budynku, uśmiechnęła się do siebie.

Ukryto to gdzieś tutaj.

Rozdział 128

To jakiś obłęd.

Robert Langdon siedział w kapturze na głowie, gdy escalade mknął na południe opustoszałymi ulicami. Peter przycupnął obok, nie odzywając się ani słowem.

Dokąd on mnie wiezie?

Zaintrygowanie Langdona było podszyte lękiem i ciekawością, a jego wyobraźnia dwoiła się i troiła, rozpaczliwie próbując dopasować elementy układanki. Peter nie wycofał się ze swoich twierdzeń. Zaginione słowo? Ukryte u podstawy schodów zasłoniętych masywnym kamieniem, na którym umieszczono inskrypcję? Wszystko to brzmiało nieprawdopodobnie.

Choć ciągle miał przed oczami napis, który na nim rzekomo wyryto, siedem symboli nie układało się w żadną sensowną całość.

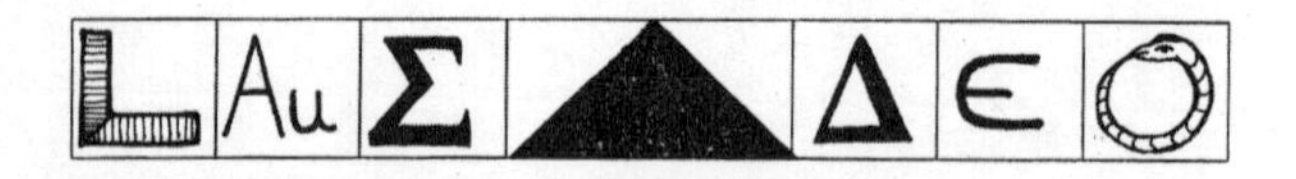

Masońska węgielnica: symbol uczciwości i „prawości".
Au: chemiczny symbol złota.
Sigma: grecka litera S, matematyczny znak sumy.
Piramida: egipski symbol człowieka dążącego ku niebu.
Rtęć: ukazana za pomocą najstarszego symbolu alchemicznego.
Uroboros: symbol pełni i po-jednania.

Solomon upierał się, że siedem wspomnianych symboli tworzy „przesłanie". Jeśli rzeczywiście tak jest, Langdon nie miał pojęcia, jak je odczytać.

Escalade zwolnił i ostro skręcił w prawo, wjeżdżając na inną nawierzchnię. Byli na podjeździe lub drodze dojazdowej. Langdon wytężył słuch, próbując ustalić, gdzie są. Jechali niecałe dziesięć minut i chociaż próbował śledzić w myślach drogę, szybko się pogubił. Przypuszczał, że wrócili na tyły Domu Świątyni.

Cadillac stanął i Langdon usłyszał dźwięk opuszczanej szyby.

— Agent Simkins, CIA — oznajmił kierowca. — Mam nadzieję, że was uprzedzono.

— Tak, proszę pana — odpowiedział „wojskowy" głos. — Dzwoniła dyrektor Sato. Proszę poczekać, odsunę zaporę bezpieczeństwa.

Langdon nasłuchiwał, coraz bardziej zagubiony, wyczuwając, że wjeżdżają na teren bazy wojskowej. Kiedy samochód ruszył po niezwykle gładkiej nawierzchni, odwrócił głowę w stronę Solomona.

— Gdzie jesteśmy, Peterze? — zapytał.

— Nie zdejmuj kaptura — usłyszał surowy nakaz.

Wóz przejechał kawałek, aby po raz kolejny zwolnić i stanąć. Kolejne głosy. Jacyś wojskowi. Ktoś poprosił Simkinsa o pokazanie dokumentów. Agent wysiadł i zaczął z nimi rozmawiać ściszonym głosem.

Nagle drzwi po stronie Langdona otworzyły się i silne ręce pomogły mu wysiąść z samochodu. Wiał lodowaty wiatr.

Solomon stanął obok niego.

— Robercie, pozwól, by agent Simkins zaprowadził cię do środka.

Langdon usłyszał szczęk klucza w zamku, a następnie zgrzyt ciężkich metalowych drzwi. Przypominało to odgłos otwierania starej grodzi.

Dokąd, u licha, idziemy?

Simkins poprowadził Langdona do drzwi. Przeszli przez próg.

— Proszę iść przed siebie, profesorze.

Nagle zapadła cisza. Pomieszczenie było puste. Powietrze miało sterylną, sztuczną woń.

Simkins i Solomon szli po obu stronach Langdona, prowadząc go korytarzem, w którym pobrzmiewało echo kroków. Wydawało się, że posadzka zrobiona jest z kamienia.

Za plecami usłyszał głośny zgrzyt zamykanych drzwi. Z przodu doleciał go szereg elektronicznych odgłosów, po których nastąpił nieoczekiwany szmer. Langdon pomyślał, że to otwierające się automatycznie drzwi.

— Panie Solomon, dalej pójdą panowie sami. Zaczekam tutaj — oznajmił Simkins. — Proszę wziąć moją latarkę.

— Dziękuję — odpowiedział Solomon. — Nie zabawimy długo.

Latarkę? Serce Langdona zaczęło dziko łomotać.

Peter wziął go pod ramię i zaczął prowadzić.

— Idź obok mnie, Robercie.

Wolno przekroczyli kolejny próg. Langdon usłyszał szmer drzwi zamykających się za jego plecami.

Peter przystanął.

— Zrobiło ci się słabo?

Langdon poczuł, że ogarniają go mdłości i traci równowagę.

— Myślę, że powinienem zdjąć kaptur.

— Jeszcze chwilę, prawie jesteśmy na miejscu.

— Gdzie mnie przywiozłeś? — Langdon czuł w żołądku coraz większy ciężar.

— Przecież powiedziałem. Pokażę ci schody prowadzące do zaginionego słowa.

— Peterze, to wcale nie jest zabawne.

— Nie miałem zamiaru cię rozśmieszać. Chciałem, abyś otworzył umysł, Robercie. Abyś przypomniał sobie, że na tym świecie są sekrety, o których nawet ty nie masz pojęcia. Zanim zrobimy wspólnie kolejny krok, chciałbym, żebyś coś dla mnie zrobił... abyś uwierzył... na chwilę... w legendę. Uwierzył, że za moment ujrzysz spiralne schody prowadzące kilkadziesiąt metrów w dół, do jednego z największych zaginionych skarbów ludzkości.

Langdonowi zakręciło się w głowie. Chciał wierzyć przyjacielowi, lecz nie potrafił.

— Daleko jeszcze? — Aksamitny kaptur przesiąkł potem.

— Nie, jeszcze tylko kilka kroków. Ostatnie drzwi. Zaraz je otworzę.

Kiedy Solomon zostawił go na chwilę samego, Langdon zatoczył się, bo zakręciło mu się w głowie. Wyciągnął rękę, by się o coś oprzeć, i natrafił na Solomona, który właśnie wrócił. Z przodu doleciał dźwięk otwierania ciężkich automatycznych drzwi. Peter wziął go pod ramię i ruszyli.

— Tędy.

Kolejny próg i kolejny odgłos zamykanych drzwi.

Cisza i chłód.

Langdon natychmiast poczuł, że to miejsce, gdziekolwiek się znajduje, nie ma nic wspólnego ze światem po drugiej stronie drzwi. Powietrze było wilgotne i lodowate jak w grobie. Akustyka wydawała się słaba, a dźwięki przytłumione. Poczuł, że nadciąga fala irracjonalnego klaustrofobicznego lęku.

— Jeszcze kilka kroków. — Solomon poprowadził go za róg i ustawił w starannie wybranym miejscu. — Zdejmij kaptur.

Langdon zdarł kaptur z głowy. Rozejrzał się, ciekawy, gdzie jest, lecz nadal nic nie wiedział. Potarł oczy. Nic.

— Peterze, tu panują nieprzeniknione ciemności.

— Wiem. Sięgnij przed siebie. Jest tam metalowa poręcz. Chwyć się jej.

Langdon namacał żelazną poręcz.

— Popatrz uważnie. — Langdon usłyszał, jak Solomon wyjmuje coś z kieszeni i nagle mrok przeszył jasny promień latarki. Światło było skierowane na podłogę. Zanim Langdon zorientował się, gdzie jest, Solomon przesunął snop światła w dół, poza barierkę.

Langdon zobaczył głęboki szyb i niekończące się kręte schody wiodące pod ziemię. Dobry Boże! Złapał się kurczowo barierki, czując, że uginają się pod nim kolana. Schody były tradycyjną kwadratową spiralą. Langdon dostrzegł przynajmniej trzydzieści podestów zstępujących w głąb ziemi, zanim światło latarki zgasło. Nie widać dna.

— Peterze... co to za miejsce? — wymamrotał.

— Za chwilę sprowadzę cię na dół, lecz wcześniej muszę ci coś pokazać.

Zbyt przytłoczony, by zaprotestować, Langdon pozwolił się zaprowadzić do dziwnego niewielkiego pomieszczenia. Gdyby Solomon nie oświetlał wytartej kamiennej posadzki pod stopami,

Langdon nie miałby żadnego wyobrażenia o otaczającej go przestrzeni... z wyjątkiem tego, że jest niewielka.

Mała kamienna sala.

Szybko dotarli do przeciwległej ściany, w którą wstawiono prostokątną szybę. Langdon pomyślał, że to okno wychodzące na następne pomieszczenie, jednak gdy się do niego zbliżył, zobaczył jedynie ciemność.

— Śmiało — zachęcił go Peter. — Przypatrz się dokładnie.

— Co tam jest? — spytał Langdon, przypominając sobie komnatę zadumy w podziemiach Kapitolu i to, jak przez chwilę sądził, że może się w niej kryć portal prowadzący do ogromnej podziemnej jaskini.

— Sam zobacz, Robercie. — Solomon pchnął go lekko. — Przygotuj się, bo ten widok cię zaskoczy.

Langdon przysunął się do szyby, nie mając pojęcia, czego się spodziewać. Peter zgasił latarkę. Mała sala pogrążyła się w ciemności.

Kiedy jego wzrok przyzwyczaił się do mroku, Langdon pomacał przed sobą, odnalazł szybę i przysunął do niej twarz.

W dalszym ciągu widział jedynie ciemność.

Przycisnął twarz do szyby.

Wtedy zobaczył.

Fala szoku i zagubienia przeniknęła jego ciało. O mało nie upadł do tyłu, gdy jego umysł zmagał się z zaakceptowaniem nieoczekiwanego widoku, który miał przed sobą. W najdzikszych marzeniach Robert Langdon nie odgadłby, co znajduje się po drugiej stronie szyby.

Był to wspaniały widok.

W ciemności ujrzał lśniący jasny kamień błyszczący jak klejnot.

Teraz wszystko zrozumiał — zaporę zagradzającą drogę... wartowników przy głównym wejściu... ciężkie metalowe drzwi na zewnątrz... automatycznie otwierane i zamykane przegrody... ciężar w żołądku... zawroty głowy... i wreszcie to małe kamienne pomieszczenie.

— Robercie... — szepnął za jego plecami Peter — czasem, aby zobaczyć światło, trzeba tylko nieco zmienić perspektywę.

Langdon zaniemówił, patrząc przez okno. Jego wzrok poszybował w ciemności nocy, pokonał kilka kilometrów pustej przestrzeni... a następnie spoczął na wierzchołku jasno oświetlonej białej kopuły amerykańskiego Kapitolu.

Nigdy nie widział Kapitolu z tej perspektywy — ze szczytu liczącego sto siedemdziesiąt metrów największego egipskiego obelisku Ameryki. Tej nocy po raz pierwszy w życiu wjechał windą do małej sali widokowej na szczycie pomnika Waszyngtona.

Rozdział 129

Robert Langdon stał jak zahipnotyzowany, wchłaniając moc rozciągającego się w dole krajobrazu. Po tym, jak przeniósł się nieświadomie sto siedemdziesiąt metrów ponad ziemię, podziwiał jeden z najwspanialszych widoków, jakie oglądał w życiu.

Lśniąca kopuła Kapitolu wznosiła się jak góra na zachodnim końcu National Mall. Po obu stronach budynku biegły ku niemu dwie linie światła... oświetlone fasady muzeów Instytutu Smithsoniańskiego... latarni sztuki, historii, nauki i kultury.

Zdumiony Langdon stwierdził, że to, co Peter przedstawił jako prawdę... faktycznie nią jest. Rzeczywiście istnieją kręte schody... opadające wiele metrów w dół... pod masywnym kamieniem. Nad głową miał ogromne zwieńczenie obelisku. Nagle przypomniał sobie drobną błahostkę, która teraz zyskała osobliwe znaczenie. Zwieńczenie pomnika Waszyngtona ważyło dokładnie trzysta trzydzieści funtów.

Znów liczba trzydzieści trzy.

Najbardziej zdumiewające było jednak to, że na zwieńczeniu, umieszczono niewielki wypolerowany czubek z aluminium — metalu, który w czasach, gdy wznoszono tę budowlę, był równie cenny jak złoto. Lśniący wierzchołek pomnika Waszyngtona miał zaledwie trzydzieści centymetrów wysokości, podobnie jak masońska piramida. Co dziwniejsze, na małej metalowej piramidzie wyryto słynne słowa *Laus Deo**. Langdon nagle zrozumiał.

---

* *Laus Deo* (łac.) — „Bogu chwała".

Takie jest prawdziwe przesłanie wyryte na podstawie kamiennej piramidy.

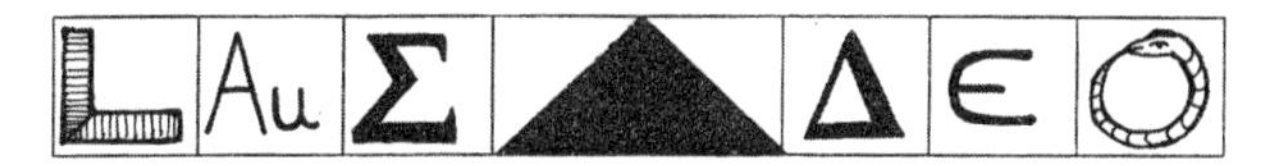

Siedem symboli to zwykła transliteracja!
Najprostszy z szyfrów.
Symbole są literami.

Masońska węgielnica — L
Symbol złota — AU
Grecka sigma — S
Grecka delta — D
Alchemiczny symbol rtęci — E
Uroboros — O

— *Laus Deo* — wyszeptał Langdon. Znane łacińskie powiedzenie, „Bogu chwała", wyryto na czubku pomnika Waszyngtona, a litery miały wysokość niecałych trzech centymetrów. Na widoku... a mimo to niewidoczne dla nikogo.

Laus Deo.

— Bogu Chwała — powtórzył za jego plecami Peter, oświetlając latarką ściany pomieszczenia. — To ostatnie przesłanie masońskiej piramidy.

Langdon się odwrócił. Kiedy przyjaciel uśmiechał się do niego szeroko, przypomniał sobie, że Peter wypowiedział te same słowa w czytelni masońskiej biblioteki.

A ja nie pojąłem, o co mu chodzi.

Poczuł zimny dreszcz, gdy zrozumiał, jak logiczne było, że legendarna masońska piramida doprowadziła ich właśnie w to miejsce, do wielkiego amerykańskiego obelisku — symbolu starożytnej tajemnej mądrości — wznoszącego się w sercu kraju.

Oszołomiony zaczął obchodzić małe kwadratowe pomieszczenie, dochodząc do drugiego okna.

Północ.

Langdon ujrzał znajomy zarys Białego Domu. Spojrzał na

horyzont, gdzie prosta linia Szesnastej Ulicy biegła na północ w kierunku Domu Świątyni.

Jesteśmy na południe od Heredomu.

Ruszył do następnego okna. Kiedy spojrzał na zachód, jego oczy podążyły wzdłuż długiego prostokątnego zbiornika odbijającego blask księżyca, do Mauzoleum Lincolna, którego klasyczna grecka architektura nawiązywała do ateńskiego Partenonu, świątyni Ateny, bogini bohaterskich czynów.

Annuit coeptis — pomyślał. — Bóg spojrzał życzliwie na nasze przedsięwzięcie.

Zerknął na południe, przez ostatnie okno, i za mrocznymi wodami Tidal Basin ujrzał lśniące w mroku Mauzoleum Jeffersona. Langdon wiedział, że jego lekko nachylona kopuła wzorowana jest na greckim Panteonie, pierwotnym domu wielkich rzymskich bóstw z kart mitologii.

Spojrzawszy na cztery strony świata, Langdon pomyślał o zdjęciach lotniczych obszaru National Mall przedstawiających cztery linie wychodzące z pomnika Waszyngtona w stronę punktów kardynalnych kompasu. Jestem na rozstaju Ameryki.

Wrócił do miejsca, w którym stał Peter. Jego twarz promieniała.

— Oto rozwiązanie zagadki, Robercie! Zaginione słowo. Tu je ukryto. Masońska piramida doprowadziła nas do tego miejsca.

Langdon potrzebował czasu, by odpowiedzieć. Prawie zapomniał o zaginionym słowie.

— Robercie, nie znam nikogo, kto byłby bardziej godny zaufania od ciebie. Po nocy, którą przeżyłeś, zasłużyłeś na to, by poznać prawdę. Jak obiecywała legenda, zaginione słowo ukryto pod krętymi schodami. Wskazał głęboką gardziel klatki schodowej.

Robert Langdon wreszcie zaczął dochodzić do siebie. Nie wiedział, co o tym wszystkim sądzić.

Peter sięgnął do kieszeni i wyjął mały przedmiot.

— Pamiętasz to?

Langdon wziął do ręki kwadratowe kamienne pudełko, które Solomon dawno temu powierzył jego opiece.

— Tak... niestety, marnie się spisałem.

Solomon zachichotał.

— Może nadszedł czas, aby ujrzał światło dzienne..

Langdon spojrzał na kamienny sześcian, zastanawiając się, dlaczego Peter mu go wręczył.

— Na co patrzysz? — spytał Solomon.

Langdon utkwił wzrok w napisie 1514 AD, przypominając sobie, co powiedziała Katherine, gdy rozpakowała zawiniątko.

— Kamień węgielny.

— Właśnie — przytaknął Peter. — Jest kilka rzeczy, których możesz o nich nie wiedzieć. Po pierwsze, pomysł kładzenia kamienia węgielnego pochodzi ze Starego Testamentu.

Langdon skinął głową.

— Wiem, z Księgi Psalmów.

— Dokładnie. Kamień węgielny znajdował się zawsze pod ziemią — symbolizował pierwszy krok budowli podnoszącej się z ziemi ku niebu.

Langdon popatrzył na Kapitol i przypominał sobie, że kamień węgielny pod tym gmachem został umieszczony tak głęboko, że do dziś nie udało się go odnaleźć.

— Prócz tego — ciągnął Solomon — podobnie jak kamienne pudełko, które trzymasz w rękach, wiele kamieni węgielnych było jednocześnie małymi skrytkami. W środku znajdowała się pusta przestrzeń, w której można było ukryć skarby... talizmany, jeśli wolisz — symbole nadziei wiązanej z przyszłością budynku, który miał zostać wzniesiony.

Langdon słyszał o tej tradycji. Jeszcze dziś masoni umieszczali w kamieniach węgielnych cenne przedmioty — kapsuły czasu, fotografie, manifesty, a nawet prochy sławnych ludzi.

— Chciałbym, żebyś nie miał wątpliwości, dlaczego ci to powiedziałem. — Solomon patrzył w głąb schodów.

— Sądzisz, że zaginione słowo zostało ukryte w kamieniu węgielnym pod pomnikiem Waszyngtona?

— Nie sądzę, lecz wiem, Robercie. Zaginione słowo zostało ukryte w kamieniu węgielnym tego pomnika czwartego lipca tysiąc osiemset czterdziestego ósmego roku podczas uroczystego masońskiego rytuału.

Langdon spojrzał na niego.

— Twoi masońscy przodkowie zakopali tam zaginione słowo?!

Peter skinął głową.

— Tak. Znali jego prawdziwą moc.

Przez całą noc Langdon próbował objąć myślą ulotne koncepcje, starożytną wiedzę tajemną, zaginione słowo, tajemnice wieków. Pragnął czegoś namacalnego i choć Peter twierdził, że klucz do rozwiązania zagadki tkwi w kamieniu węgielnym sto siedemdziesiąt metrów pod nim, trudno mu było to zaakceptować. Ludzie badają zagadki przez całe życie, a mimo to nie potrafią dotrzeć do mocy, która rzekomo została w nich ukryta.

Pomyślał o *Melancholii I* Dürera — obrazie przedstawiającym przygnębionego adepta otoczonego narzędziami, którymi posługiwał się w daremnym trudzie odsłonięcia mistycznych tajemnic alchemii. Jeśli wszystkie tajemnice zostaną kiedyś ujawnione, nie będą się znajdowały w jednym miejscu!

Odpowiedź, o której prawdziwości zawsze był przekonany, kryła się w tysiącach ksiąg na całym świecie, zaszyfrowana w dziełach Pitagorasa, Hermesa Trismegistosa, Heraklita, Paracelsusa i setkach innych. W zakurzonych i zapomnianych tomach dzieł alchemicznych, mistycznych, magicznych i filozoficznych. Spoczywała ukryta w starożytnej bibliotece w Aleksandrii, na glinianych tabliczkach Sumeru, w egipskich hieroglifach.

— Wybacz, Peterze — powiedział cicho, kręcąc głową. — Aby pojąć starożytne tajemnice, trzeba całego życia. Nie wyobrażam sobie, aby kluczem mogło być jedno słowo.

Solomon położył dłoń na ramieniu przyjaciela.

— Robercie, zaginione słowo nie jest „słowem". — Uśmiechnął się jak mędrzec. — Nazywamy je „słowem", bo tak czynili starożytni... na początku.

Rozdział 130

Na początku było Słowo.

Dziekan Galloway uklęknął w szerokim przejściu katedry Świętych Piotra i Pawła, modląc się za Amerykę. Zanosił modły, aby jego ukochany kraj pojął prawdziwą moc słowa... spisaną mądrość wszystkich starożytnych misteriów, duchowe prawdy, których nauczali wybitni mędrcy.

Historia pobłogosławiła ludzkość mądrymi nauczycielami, głębokimi, oświeconymi duszami, których duchowe i intelektualne pojmowanie misteriów przekraczało wszelkie wyobrażenie. Drogocenne słowa tych mistrzów — Buddy, Jezusa, Mahometa, Zaratustry i niezliczonych rzesz innych — przekazywano w ciągu dziejów w najstarszych i najcenniejszych naczyniach.

Księgach.

Każda kultura miała własną świętą księgę — własne Słowo — inne, a jednocześnie takie samo. Słowem chrześcijan była Biblia, muzułmanów Koran, żydów Tora, hindusów Wedy...

Tej nocy, gdy Galloway klęczał samotnie w wielkiej katedrze, położył dłonie na Słowie... zużytym egzemplarzu masońskiej Biblii. Ta bezcenna księga, podobnie jak wszystkie Biblie wolnomularzy, zawierała Stary i Nowy Testament oraz skarbnicę wiedzy zawartą w filozoficznych pismach masońskich.

Chociaż był niewidomy i nie mógł czytać, znał wstęp na pamięć. Wspaniałe przesłanie spisane w niezliczonych językach i czytane przez miliony braci na świecie:

CZAS JEST JAK RZEKA, A KSIĘGI JAK ŁODZIE. WIELE KSIĄG PŁYNIE W DÓŁ STRUMIENIA TYLKO PO TO, ABY SIĘ ROZBIĆ I ZAGINĄĆ NA MIELIŹNIE. BARDZO NIELICZNE WYTRZYMUJĄ PRÓBĘ CZASU, ŻYJĄC I BŁOGOSŁAWIĄC KOLEJNE POKOLENIA.

Nie bez powodu przetrwały, gdy inne zaginęły. Jako badacza wiary dziekana Gallowaya nie przestawało dziwić, że starożytne duchowe księgi — najpilniej studiowane księgi na ziemi — były w istocie najmniej rozumiane.

Ich karty kryją niezwykłe tajemnice.

Pewnego dnia zajaśnieje światło, ludzkość odkryje prostą prawdę prowadzącą do przemiany i zrobi ogromny krok naprzód w pojmowaniu własnej wspaniałej natury.

Rozdział 131

Kręte schody oplatające kręgosłup pomnika Waszyngtona składały się z ośmiuset dziewięćdziesięciu sześciu stopni biegnących spiralnie wokół otwartego szybu windy. Kiedy Langdon i Solomon schodzili w dół, ten pierwszy nadal zmagał się z tym, co Peter powiedział przed chwilą: „Robercie, w wydrążanym kamieniu węgielnym tego pomnika nasi przodkowie umieścili jeden egzemplarz Słowa — Biblię — który leży w ciemności pod tymi schodami".

Nagle Peter przystanął, oświetlając promieniem latarki duży kamienny medalion umieszczony w ścianie.

A cóż to takiego?! Langdon drgnął na jego widok.

Medalion przedstawiał przerażającą zakapturzoną postać z kosą pochylającą się nad klepsydrą. Postać unosiła rękę, wyciągając palec wskazujący w stronę dużej otwartej Biblii, jakby chciała powiedzieć: „Tu znajdziesz odpowiedź!".

Langdon uniósł brwi i odwrócił się do Petera.

W oczach jego mentora pojawił się tajemniczy błysk.

— Chciałbym, żebyś się nad czymś zastanowił, Robercie. — Jego głos odbił się echem w pustej klatce schodowej. — Jak sądzisz, dlaczego Biblia przetrwała tysiące lat burzliwej historii? Dlaczego nadal istnieje? Bo zawiera niezwykłe opowieści? Oczywiście, że nie... Powód jest inny. Istnieje przyczyna, dla której chrześcijańscy mnisi poświęcili całe życie, aby ją odczytać. Istnieje powód, dla którego żydowscy mistycy i kabaliści ślęczeli nad Starym Testamentem. Czynili to, bo na kartach tej starożytnej księgi ukryto... skarby niezmierzonej mądrości, która czeka na to, aby ją odsłonić.

— Prorocy ostrzegają nas — ciągnął Peter — że język, którym opisują tajemną wiedzę, jest językiem zakrytym. Ewangelia świętego Marka mówi: *Wam dana jest tajemnica Królestwa Bożego, dla tych zaś, którzy są poza wami, wszystko dzieje się w przypowieściach**... Księga Przysłów ostrzega, że słowa mędrców są „zagadkami", a Pierwszy List do Koryntian wspomina o „mądrości ukrytej". W Ewangelii świętego Jana Jezus uprzedza: *Mówiłem wam o tych sprawach w przypowieściach... [niejasnych słowach]***.

„Niejasne słowa" — zadumał się Langdon, wiedząc, że wzmianki o nich pojawiają się wielokrotnie w Księdze Przysłów i psalmie 78. *Do przypowieści otworzę me usta, wyjawię tajemnice zamierzchłego wieku****. Langdon wiedział, że określenie „niejasne słowa" nie oznacza, iż są one „złe", lecz że ich prawdziwe znaczenie zostało zakryte lub zasłonięte przed światłem.

— Gdybyś miał wątpliwości — mówił Peter — Pierwszy List do Koryntian otwarcie mówi, że przypowieści mają dwie warstwy znaczeniowe: „mleko dla niemowląt" i „pokarm stały dla mężów". „Mleko" to rozwodniona prawda przeznaczona dla dziecięcego umysłu, „pokarm stały" to prawdziwe przesłanie dostępne jedynie dla dojrzałych umysłów.

Solomon uniósł latarkę, oświetlając zakapturzoną postać wskazującą Biblię.

— Wiem, że jesteś sceptykiem, Robercie, lecz pomyśl o tym, co ci powiedziałem. Jeśli Biblia nie zawiera ukrytego przesłania, dlaczego tylu wybitnych ludzi — wśród nich sławni naukowcy z Royal Society — tak pilnie ją studiowało? Izaak Newton napisał ponad milion słów, próbując odczytać prawdziwe przesłanie Pisma, w tym rękopis opatrzony numerem tysiąc siedemset cztery, w którym powiada, że wydobył naukowe informacje zawarte w Biblii!

---

* Mk 4,11.

** 16,25.

*** Ps 78, 2.

Langdon wiedział, że przyjaciel mówi prawdę.

— Pomyśl o Baconie, luminarzu wynajętym przez króla Anglii do tego, aby opracował autoryzowaną wersję Biblii króla Jakuba. Francis Bacon był tak głęboko przekonany, że Biblia zawiera tajemne przesłanie, iż zaczął używać własnego szyfru, który jest badany do dziś! Wiesz, że Bacon był różokrzyżowcem, autorem dzieła *Mądrość starożytnych*? — Peter się uśmiechnął. — Nawet William Blake, obrazoburczy poeta, dawał do zrozumienia, że powinniśmy czytać między wierszami.

Langdon przypomniał sobie znane słowa Blake'a:

CZYTAMY OBAJ BIBLIĘ DNIAMI I NOCAMI
LECZ TAM, GDZIE TY BIAŁE, JA CZARNE MAM PRZED OCZAMI.

— Nie ogranicza się to do myślicieli europejskich — kontynuował Peter, przyspieszając kroku. — Biblia była tu, w samym sercu młodego amerykańskiego narodu. Najwybitniejsi Ojcowie Założyciele — John Adams, Beniamin Franlin, Thomas Paine — wszyscy ostrzegali przed niebezpieczeństwem dosłownego odczytywania Biblii. Thomas Jefferson był tak głęboko przekonany, że prawdziwe przesłanie Biblii jest ukryte, że dosłownie ciął karty księgi i redagował ją na nowo, aby, jak mówił, „pozbyć się sztucznego rusztowania i przywrócić prawdziwą naukę".

Langdon znał te dziwne fakty. Biblia Jeffersona wychodzi drukiem do dziś i zawiera wiele kontrowersyjnych zmian redakcyjnych, w tym usunięcie fragmentów opowiadających o narodzeniu z dziewicy i zmartwychwstaniu. Co niewiarygodne, w pierwszej połowie XIX wieku Biblię Jeffersona otrzymywał w darze każdy nowy członek amerykańskiego Kongresu.

— Uważam ten temat za fascynujący i rozumiem, dlaczego ludzie o błyskotliwym umyśle sądzą, że Pismo ma ukryte znaczenie. Dla mnie nie ma to żadnego sensu. Każdy dobry profesor potwierdzi, że nie naucza się za pomocą szyfru.

— Co?

— Nauczyciele nauczają, Peterze. Wyrażamy się jasno. Dlaczego prorocy — najwięksi nauczyciele w dziejach — mieliby ukrywać swoje przesłanie? Dlaczego posługiwali się szyfrem, skoro chcieli zmienić świat? Dlaczego nie wypowiadali się w sposób jawny, aby świat mógł ich zrozumieć?

Solomon obejrzał się przez ramię zaskoczony pytaniem przyjaciela.

— Robercie, Biblia nie wypowiada się w sposób otwarty z tego samego powodu, z którego trzymano w ukryciu starożytną wiedzę, z tego samego powodu, z którego neofici przechodzili inicjację, zanim poznali sekretne nauki minionych wieków, z tego samego powodu, z którego członkowie Invisible College nie chcieli podzielić się swoją wiedzą. Te informacje kryją w sobie moc, Robercie. Starożytnej wiedzy tajemnej nie można rozgłaszać z dachów domów. Tajemnica jest jak płonąca pochodnia, która w rękach mistrza oświetla drogę, lecz w rękach szaleńca może podpalić ziemię.

Langdon przystanął. Co on wygaduje?

— Przecież rozmawiamy o Biblii! Dlaczego opowiadasz mi o starożytnej wiedzy tajemnej?

Peter odwrócił się w jego stronę.

— Nie rozumiesz, Robercie? Starożytna wiedza tajemna i Biblia to jedno i to samo.

Langdon patrzył na niego zdumiony.

Peter milczał przez chwilę, dając mu czas na zastanowienie się.

— Biblia jest jedną z ksiąg, za których pośrednictwem przekazywano tajemną wiedzę — podjął. — Jej karty rozpaczliwie pragną przekazać nam ukryte przesłanie. Nie pojmujesz tego? „Niejasne słowa" to szept starożytnych, którzy dzielą się z nami swoją tajemną mądrością.

Langdon nie odpowiedział. Starożytna wiedza tajemna była zdaniem Petera swoistą instrukcją pokazującą, jak wydobyć ukrytą moc ludzkiego umysłu, przepisem na prywatną apoteozę. Nie potrafił uwierzyć w moc starożytnych tajemnic, a już z pewnością w to, iż w Biblii kryje się klucz do odczytania ich znaczenia.

— Peterze, Biblia i starożytna wiedza tajemna to przeciwieństwa. Misteria opowiadają o bogu w nas, o człowieku, który jest bogiem. Biblia naucza, że Bóg jest ponad nami, a człowiek jest pozbawionym siły grzesznikiem.

— Właśnie! Dokładnie! Dotknąłeś sedna problemu! W chwili, gdy ludzkość oddzieliła się od Boga, prawdziwe przesłanie Słowa zostało zagubione. Głosy pradawnych mędrców ucichły, zagłuszył je harmider samozwańczych pyszałków twierdzących, że tylko oni rozumieją Słowo, że Słowo spisano tylko w ich języku i żadnym innym.

Solomon ruszył dalej.

— Robercie, obaj wiemy, że starożytni byliby przerażeni, gdyby dowiedzieli się, jak wypaczono ich naukę, gdyby ujrzeli religię, która stała się punktem pobierania opłat za wjazd do nieba, gdyby widzieli wojowników idących do bitwy w przekonaniu, że Bóg jest po ich stronie. Zagubiliśmy Słowo, choć jego prawdziwe znaczenie nadal pozostaje w naszym zasięgu, przed naszymi oczami. Zachowało się w wielkich księgach, które przetrwały, od Biblii przez Bhagawadgitę i Koran, dalej nie będę wymieniał. Masoni czczą je wszystkie, bo wierzą, że świat zapomniał, iż każdy z tych tekstów, na swój sposób szepcze to samo przesłanie — głos Petera wezbrał emocjami. — *Nie wiecie, że bogami jesteście?*

Langdona uderzyło, jak często te słynne starożytne słowa powracały ostatniej nocy. Rozmyślał o nich, gdy rozmawiał z Gallowayem i gdy próbował objaśnić *Apoteozę* Waszyngtona w Kapitolu.

— Budda powiedział: „Jesteś Bogiem" — Peter zniżył głos do szeptu. — Jezus powtarzał: *Oto bowiem Królestwo Boże pośród was jest.* Obiecał nawet: *Kto we Mnie wierzy, będzie także dokonywał tych dzieł, których Ja dokonuję, owszem, i większe od tych uczyni**. Nawet pierwszy antypapież, Hipolit Rzymski, przytoczył te słowa, zwracając się do gnostyckiego nauczyciela Monojmusa: „Zaniechaj poszukiwania Boga, zacznij od siebie samego".

Langdon przypomniał sobie Dom Świątyni, gdzie z tyłu masońskiego krzesła Odźwiernego wyryto zawartą w dwóch słowach radę: *Poznaj siebie.*

— Pewien mądry człowiek powiedział mi kiedyś — ciągnął Peter — że jedyną rzeczą, która odróżnia nas od Boga jest to, iż zapomnieliśmy o naszej boskości.

---

* J 14,12.

— Rozumiem, co chcesz mi powiedzieć, Peterze. Chciałbym wierzyć, że jesteśmy bogami, lecz nie widzę żadnych bogów stąpających po ziemi. Nie widzę nawet nadludzi. Możesz wskazać na rzekome cuda opisane w Biblii lub innych tekstach religijnych, lecz są to jedynie dawne opowieści wymyślone przez ludzi, które z upływem czasu zostały wyolbrzymione.

— Może... A może nasza nauka musi zwyczajnie dorosnąć do wymiarów starożytnej mądrości. — Umilkł na chwilę. — To zabawne... myślę, że mogą w tym pomóc badania Katherine.

Langdon przypomniał sobie, że Katherine wybiegła w pośpiechu z Domu Świątyni.

— Skoro o niej mowa, dokąd pojechała?

— Niebawem wróci — odrzekł z uśmiechem Solomon. — Chciała się upewnić, czy tej nocy los choć trochę jej sprzyja.

Kiedy wyszli na dwór, Peter Solomon ożywił się pod wpływem chłodnego nocnego powietrza. Z rozbawieniem obserwował, jak Langdon unika jego wzroku, wpatrując się w ziemię, drapiąc w głowę i oglądając otoczenie obelisku.

— Profesorze, kamień węgielny, w którym ukryto Biblię, znajduje się pod ziemią — zażartował. — Wiem, że nie możesz się o tym przekonać osobiście, lecz zapewniam cię, iż tam jest.

— Wierzę — mruknął Langdon w zamyśleniu. — Wiesz... coś zauważyłem.

Cofnął się i spojrzał na ogromny obszar, na którym wznosił się pomnik Waszyngtona. Okrągły plac był wyłożony białym piaskowcem z wyjątkiem dekoracyjnych pasów z czarnego kamienia tworzących dwa koncentryczne kręgi wokół obelisku.

— Okrąg we wnętrzu okręgu — mruknął. — Nigdy wcześniej nie zauważyłem, że pomnik Waszyngtona wznosi się w centrum dwóch koncentrycznych okręgów.

Peter nie mógł powstrzymać śmiechu. Niczego nie przeoczy.

— Tak, to wielki *circumpunct*... uniwersalny symbol Boga... w samym sercu Ameryki. — Spojrzał na Langdona, wzruszając ramionami. — Jestem pewny, że to przypadek.

Langdon błądził myślami gdzieś daleko. Spojrzał w górę na oświetloną iglicę bielejącą na tle czarnego zimowego nieba.

Solomon wyczuł, że Langdon zaczyna postrzegać tę budowlę taką, jaką naprawdę jest, jako milczące przypomnienie starożytnej mądrości, ikonę oświeconego człowieka umieszczoną w centrum tego wielkiego kraju. Chociaż nie widział małego aluminiowego zwieńczenia na szczycie obelisku, wiedział, że się tam znajduje niczym oświecony ludzki umysł sięgający nieba.

Laus Deo.

— Peterze? — Langdon wyglądał jak człowiek, który przed chwilą przeszedł mistyczną inicjację. — O czymś zapomniałem. — Sięgnął do kieszeni i wyjął złoty masoński pierścień Solomona. — Całą noc myślałem o tym, żeby ci go oddać.

— Dziękuję, Robercie. — Peter wyciągnął lewą rękę i odebrał pierścień, podziwiając jego kształt. — Tajemnice i sekrety, które łączą się z nim i masońską piramidą wywarły ogromny wpływ na moje życie. Dostałem go, gdy byłem młodym mężczyzną, wraz z obietnicą, że kryje w sobie mistyczne sekrety. Samo jego istnienie skłaniało mnie do wiary w wielkie tajemnice. Pierścień podsycał moją ciekawość, wzmacniał zadziwienie, skłaniał do otwarcia umysłu na starożytną wiedzę tajemną. — Uśmiechnął się lekko i wsunął pierścień do kieszeni. — Teraz zrozumiałem, że prawdziwym zadaniem masońskiej piramidy nie było dostarczenie odpowiedzi, lecz raczej wzbudzanie fascynacji.

Przez dłuższą chwilę stali w milczeniu u stóp pomnika.

— Chciałbym poprosić cię o przysługę — odezwał się Langdon poważnym tonem. — Jak przyjaciela...

— Proś, o co chcesz.

Langdon wyjawił swoją prośbę.

Solomon skinął głową, wiedząc, że przyjaciel ma rację.

— Zgoda.

— Bez zwłoki — dodał Langdon, wskazując czekającego na nich cadillaca.

— W porządku. Muszę cię jednak przed czymś ostrzec.

Langdon przewrócił oczami i zachichotał.

— Zawsze musisz mieć ostatnie słowo.

— Jest jeszcze jedna rzecz, którą chciałbym pokazać tobie i Katherine.

— O tej porze? — Langdon spojrzał na zegarek.

Solomon uśmiechnął się do starego przyjaciela.

— To najwspanialszy skarb Waszyngtonu, coś, co widziała tylko garstka ludzi.

Rozdział 132

Katherine Solomon wbiegła szczęśliwa na wzgórze, zmierzając ku podstawie pomnika Waszyngtona. Choć tej nocy przeżyła tragedię, teraz potrafiła się skoncentrować. Pragnęła podzielić się z Robertem nowiną, którą Peter przekazał jej niedawno: Wyniki badań ocalały. Wszystkie.

Chociaż tej nocy zniszczono holograficzne dyski w laboratorium, gdy byli w Domu Świątyni, Peter powiedział jej, że trzymał kopię wszystkich jej badań noetycznych w biurze dyrekcji SMSC. „Jak wiesz, jestem zafascynowany twoimi eksperymentami — wyjaśnił. — Chciałem śledzić postępy, nie przeszkadzając ci w pracy".

— Katherine? — usłyszała głęboki głos.

Spojrzała w stronę, z której dobiegł.

U podstawy oświetlonego obelisku ujrzała samotną postać.

— Robercie! — Podbiegła i przytuliła się do niego.

— Słyszałem wspaniałe nowiny — szepnął Langdon. — Musiało ci ulżyć.

— To niewiarygodne. — Głos Katherine drżał z emocji. Wyniki badań ocalone przez Petera są naukową sensacją, cyklem eksperymentów udowadniających, że ludzka myśl jest realną, dającą się zmierzyć siłą. Badania Katherine ukazywały wpływ ludzkiej myśli na wszystko — od kryształków lodu po generatory zdarzeń przypadkowych i ruch cząstek subatomowych. Rezultaty eksperymentów były przekonujące i nie do podważenia, mogły zmienić sceptyków w ludzi wierzących, wpłynąć na powszechną świadomość. — Wszystko się zmieni, Robercie! Wszystko!

— Peter też tak uważa.

Katherine rozejrzała się w poszukiwaniu brata.

— Pojechał do szpitala — wyjaśnił Langdon. — Nalegałem, aby wyświadczył mi tę przysługę.

Odetchnęła z ulgą.

— Dziękuję.

— Kazał mi tu na ciebie zaczekać.

Katherine podniosła głowę, spoglądając na lśniący biały obelisk.

— Powiedział, że przywiózł cię tutaj. Wspomniał też o *Laus Deo*. Nie wyjaśnił dokładnie, o co chodzi.

Na twarzy Langdona pojawił się zmęczony uśmiech.

— Nie jestem pewny, czy rozumiem własne myśli. — Spojrzał na wierzchołek pomnika. — Twój brat powiedział mi tej nocy kilka rzeczy, których nie rozumiem.

— Niech zgadnę. Powiedział ci o starożytnej wiedzy tajemnej, nauce i Piśmie Świętym?

— Bingo!

— Witaj w moim świecie. — Puściła do niego oko. — Wprowadził mnie w te sprawy dawno temu. Zainicjował przez to wiele moich badań.

— Intuicja podpowiada mi, że niektóre z jego stwierdzeń mogą być prawdziwe... — Langdon pokręcił głową — lecz z racjonalnego z punktu widzenia...

Katherine uśmiechnęła się, kładąc mu rękę na ramieniu.

— Może będę mogła ci pomóc, Robercie.

Architekt Warren Bellamy szedł pustym korytarzem w głębi Kapitolu.

Tej nocy została do zrobienia tylko jedna rzecz — pomyślał.

Kiedy dotarł do swojego gabinetu, wyjął z szuflady biurka stary klucz. Długi i smukły, zrobiony był z poczerniałego żelaza, na którym widać było wytarte znaki. Wsunął go do kieszeni i przygotował się na przybycie gości.

Robert Langdon i Katherine Solomon byli w drodze do Kapitolu. Na prośbę Petera Bellamy miał im pokazać najwspanialszy sekret tego gmachu i tylko on, jego architekt, mógł to zrobić.

Rozdział 133

Robert Langdon szedł ostrożnie po kładce biegnącej pod kopułą wysoko, wysoko nad posadzką Rotundy Kapitolu. Spoglądał nerwowo za barierkę, czując zawroty głowy i nadal nie mogąc uwierzyć, że dziesięć godzin temu na środku tej sali znajdowała się dłoń Petera.

Na tej samej posadzce dostrzegł teraz architekta Kapitolu — małą kropeczkę ponad pięćdziesiąt metrów w dole — idącego przez salę i znikającego za drzwiami. Niecałą godzinę temu Bellamy zaprowadził Langdona i Katherine na balkon, udzielając bardzo dokładnych instrukcji.

Instrukcje Petera!

Langdon spojrzał na stary żelazny klucz, który dostał od Bellamy'ego, a potem na ciasną klatkę schodową... Boże, pomóż! Architekt powiedział, że wąskie schody prowadzą do małych metalowych drzwi, które można otworzyć tym właśnie kluczem.

Za drzwiami znajduje się coś, co Peter chciał im pokazać. Nie wyjaśnił, co to jest, lecz przekazał dokładne wskazówki dotyczące pory otwarcia drzwi.

Mamy zaczekać z otwarciem drzwi? Dlaczego?

Langdon rzucił okiem na zegarek i jęknął.

Wsunął klucz do kieszeni i spojrzał na przeciwległy balkon. Katherine szła bez lęku, jakby wysokość nie robiła na niej wrażenia. Była w połowie obwodu, podziwiając każdy cal *Apoteozy Waszyngtona* Brumidiego tuż nad ich głowami. Oglądane pod tak niezwykłym kątem, mierzące pięć metrów postacie zdobiące ponad tysiąc pięćset metrów kwadratowych kopuły Kapitolu, były bardzo dobrze widoczne.

Langdon odwrócił się do niej plecami i zwrócił twarzą do zewnętrznej ściany, szepcząc cicho:

— Katherine, to głos twojego sumienia. Dlaczego zostawiłaś Roberta?

Katherine najwyraźniej słyszała o akustycznych właściwościach kopuły, bo ściana odpowiedziała szeptem:

— Bo jest tchórzem. Powinien być tu ze mną. Do otwarcia drzwi jest jeszcze dużo czasu.

Langdon wiedział, że Katherine ma rację i z ociąganiem ruszył balkonem, trzymając się ściany.

— Ten fresk jest wspaniały — westchnęła, odchylając głowę, by móc podziwiać ogromne malowidło. — Mityczni bogowie wraz z naukowcami, wynalazcami i ich dziełami. Tylko pomyśl, jaki obraz umieszczono w naszym Kapitolu!

Langdon podniósł głowę i popatrzył na potężne postacie Franklina, Fultona i Morse'a przedstawione wraz z ich wynalazkami. Z grupy postaci wychodziła tęcza, prowadząc wzrok w stronę Jerzego Waszyngtona wstępującego do nieba na obłoku.

Wielka obietnica stania się bogiem.

— To tak jakby nad Rotundą unosił się duch starożytnych misteriów.

Langdon musiał przyznać, że niewiele fresków na świecie łączy naukowe wynalazki z mitycznymi bogami i apoteozą człowieka. Imponująca kolekcja obrazów namalowanych na kopule była przesłaniem o starożytnej wiedzy tajemniej i znalazła się tu nie bez powodu. Ojcowie Założyciele widzieli Amerykę jako czyste płótno, żyzną ziemię, w której będzie można zasiać nasiona starożytnych tajemnic. Dziś ten wzniosły obraz — ojca kraju wstępującego do nieba — wisiał ponad prawodawcami, przywódcami i prezydentami jako wyraźne przypomnienie, mapa wskazująca przyszłość i obietnica nastania czasów, gdy człowiek osiągnie pełną duchową dojrzałość.

— Robercie, to proroczy obraz — szepnęła Katherine, nie odrywając wzroku od potężnych postaci wielkich amerykańskich wynalazców kroczących w orszaku Minerwy. — Wykorzystujemy najbardziej zaawansowane technologie do badania najdawniejszych poglądów człowieka. Noetyka jest młodą nauką, a jednocześnie najstarszą nauką na ziemi, nauką badającą ludzką myśl. — Odwróciła się do niego z błyskiem w oczach. — Okazuje się, że starożytni rozumieli świat myśli znacznie lepiej niż my.

— To zrozumiałe. Ludzki umysł był jedyną technologią, jaką dysponowali. Pierwsi filozofowie badali go niestrudzenie.

— Tak! Starożytne pisma przenika obsesja na punkcie potęgi ludzkiego ducha. Wedy opisują przepływ energii umysłu. *Pistis Sophia* analizuje uniwersalną świadomość. Księga Zohar bada naturę duchowego umysłu. Teksty szamańskie przepowiadają „oddziaływanie na odległość" Einsteina w formie dokonywanych na odległość uzdrowień. Wszystko można tu znaleźć! A jeszcze nie dotarliśmy do Biblii.

— Jesteś podobnego zdania, jak Peter? — spytał Langdon, chichocząc. — Próbował mnie przekonać, że w Biblii znajdują się zaszyfrowane informacje naukowe.

— To prawda! Jeśli nie wierzysz Peterowi, przeczytaj ezoteryczne pisma Newtona na temat Biblii. Gdy zaczniesz rozumieć biblijne przypowieści, odkryjesz, że mówią o badaniach nad ludzkim umysłem.

Langdon wzruszył ramionami.

— Może faktycznie powinienem przeczytać ją jeszcze raz.

— Pozwól, że o coś cię spytam. — Katherine była wyraźnie niezadowolona z jego sceptycyzmu. — Kiedy Biblia powiada „wznieśmy świątynię"... świątynię, którą trzeba „zbudować bez narzędzi i czynienia hałasu", jaką budowlę twoim zdaniem ma na myśli?

— Tekst mówi wyraźnie, że świątynią jest nasze ciało.

— Racja. Pierwszy List do Koryntian. *Jesteś świątynią Boga**. — Uśmiechnęła się do niego. — To samo czytamy w Ewangelii świętego Jana. Biblia mówi o możliwościach, które w nas drzemią, wzywa, abyśmy wykorzystali tę moc, wznosząc świątynię własnego umysłu.

— Niestety, większa część wyznawców czeka na odbudowanie realnej świątyni. To element proroctw mesjańskich.

— To prawda, nie zwracają jednak uwagi na pewien ważny

---

* 1 Kor 3,16.

element. Drugie Przyjście to przyjście człowieka, to chwila, w której ludzkość zbuduje wreszcie świątynię swojego umysłu.

— Sam nie wiem — mruknął Langdon, pocierając brodę. — Nie jestem znawcą Biblii, lecz mam pewność, że opisuje szczegółowo materialną świątynię, która musi zostać odbudowana. Budowla ta ma się składać z dwóch części — zewnętrznej świątyni nazywanej Miejscem Świętym i wewnętrznego sanktuarium zwanego Świętym Świętych. Obie części ma oddzielać cienka zasłona.

Katherine się uśmiechnęła.

— Jak na sceptyka dobrze to zapamiętałeś. Nawiasem mówiąc, czy widziałeś kiedyś ludzki mózg? Składa się z dwóch części — zewnętrznej, nazywanej *dura mater*, i wewnętrznej, którą określa się mianem *pia mater*. Oddziela je od siebie pajęczynówka — zasłona z tkanki przypominającej pajęczynę.

Langdon uniósł brwi.

Katherine delikatnie dotknęła jego skroni.

— Właśnie dlatego po angielsku nazywamy ją *temple**, Robercie.

Zastanawiając się nad słowami Katherine, Langdon przypomniał sobie fragment gnostyckiej *Ewangelii Marii Magdaleny*: *Tam gdzie jest umysł, tam jest skarb.*

— Słyszałeś o scyntygrafii mózgu medytujących joginów? — spytała cicho. — Ludzki mózg w stanie wysokiego skupienia wydziela przypominającą wosk substancję wytwarzaną przez szyszynkę. Nie przypomina ona innych substancji organicznych. Ma niezwykłe działanie lecznicze. Potrafi dosłownie regenerować komórki. Być może właśnie dlatego jogini żyją tak długo. To prawdziwa nauka, Robercie. Ta substancja ma niewyobrażalne właściwości i może być wytwarzana jedynie przez dostrojony umysł będący w stanie głębokiej koncentracji.

— Coś o tym czytałem kilka lat temu.

— A słyszałeś o biblijnej mannie z nieba?

Langdon nie dostrzegł żadnego związku.

— Masz na myśli magiczną substancję, która spadała z nieba, aby nakarmić głodnych?

---

* *Temple* (ang.) — „świątynia”, lecz także „skroń”.

— Tak. Substancja ta miała leczyć chorych, dawać życie wieczne i nie powodować wydalania odchodów u tych, którzy ją spożywali. — Katherine przerwała, jakby dawała mu czas na przetrawienie tego, co usłyszał. — Robercie? — Trąciła go. — Jaka substancja spada z nieba? — Puknęła się palcem w skroń. — W magiczny sposób leczy ciało? Nie powoduje wydalania odchodów? Nie pojmujesz? To szyfr, Robercie! „Świątynia" to zaszyfrowana aluzja do „ciała", a „niebo" do „umysłu". „Drabina Jakuba" to kręgosłup, a „manna" to bardzo rzadka wydzielina mózgu. Kiedy zauważysz w Biblii takie zaszyfrowane słowa, zwróć na nie szczególną uwagę. Często pełnią funkcję drogowskazów kierujących nas ku głębszemu znaczeniu ukrytemu pod powierzchnią tekstu.

Katherine wytłumaczyła Langdonowi, że wzmianki o identycznej magicznej substancji pojawiają się w całej starożytnej wiedzy tajemnej. Nektar bogów, eliksir życia, źródło młodości, kamień filozoficzny, ambrozja, rosa, *odżas, soma*... Później zaczęła mówić o szyszynce mającej symbolizować wszystkowidzące oko Boga.

— W Ewangelii świętego Mateusza czytamy: *Jeśli więc twoje oko jest zdrowe, całe twoje ciało będzie w świetle**. Podobną koncepcję można odnaleźć w adżńa ćakrze i kropce, którą hindusi malują sobie na czole...

Umilkła i spojrzała onieśmielona na Roberta.

— Przepraszam... zagalopowałam się. To taki fascynujący temat. Wiele lat studiowałam starożytne pisma poświęcone niezwykłej mocy ludzkiego umysłu. Współczesna nauka potwierdza, że dostęp do tej mocy jest procesem fizycznym. Nasz umysł, właściwie wykorzystany, może stać się źródłem nadludzkiej siły. Biblia, podobnie jak wiele innych starożytnych tekstów, szczegółowo objaśnia najbardziej wyrafinowane urządzenie, jakie stworzono... ludzki umysł. — Westchnęła. — Co dziwniejsze, nauka zrobiła dopiero pierwszy krok...

— Wygląda na to, że twoje badania w dziedzinie noetyki będą wielkim krokiem naprzód.

— Albo wstecz. Starożytni znali wiele prawd naukowych,

---

* Mt 6,22.

które teraz odkrywamy na nowo. Już wkrótce współczesny człowiek będzie zmuszony zaakceptować to, co dzisiaj wydaje się niewyobrażalne, że nasz umysł jest zdolny do wytwarzania energii mogącej oddziaływać na materię. Cząstki materii wchodzą w reakcje z naszymi myślami, a to oznacza, że mogą zmieniać świat.

Langdon uśmiechnął się lekko.

— Badania, które przeprowadziłam — ciągnęła Katherine — skłoniły mnie do wniosku, że Bóg jest bardzo realny. Jest duchową energią, która przenika wszystko, a my, ludzie, zostaliśmy stworzeni na Jego obraz...

— Przepraszam, chyba czegoś nie zrozumiałem — przerwał jej Langdon. — Zostaliśmy stworzeni na podobieństwo... duchowej energii?

— Dokładnie. Nasze fizyczne ciało zmieniało się na przestrzeni wieków, lecz umysł został stworzony dokładnie na obraz Boga. Odczytujemy Biblię zbyt dosłownie. Dowiadujemy się, że Bóg stworzył nas na swój obraz, lecz to nie nasze ciało Go przypomina, lecz umysł.

Langdon milczał, czekając w napięciu na dalsze słowa Katherine.

— To wielki dar, Robercie. Bóg pragnie, abyśmy go zrozumieli. Ludzie na całym świecie patrzą w niebo, szukając Boga, a nie zdają sobie sprawy, że On na nas czeka. Jesteśmy stwórcami, a mimo to naiwnie odgrywamy rolę stworzenia. Uważamy się za bezradne owieczki skupione wokół Boga, który je stworzył. Klęczymy jak przerażone dzieci, błagamy o pomoc, o przebaczenie, o pomyślność. Kiedy odkryjemy, że zostaliśmy stworzeni na podobieństwo Stwórcy, zrozumiemy, że podobnie jak On musimy być stwórcami. Zrozumienie tego faktu otworzy na oścież drzwi ukrytemu ludzkiemu potencjałowi.

Langdon przypomniał sobie fragment z pism myśliciela Manly'ego P. Halla: *Gdyby Nieskończony nie chciał, aby człowiek był mądry, nie obdarzyłby go zdolnością poznania*. Spojrzał na *Apoteozę Waszyngtona* — symboliczną przemianę człowieka w bóstwo. Stworzenie... które staje się Stwórcą.

— Najbardziej niesamowite jest to, że gdy ludzie zaczną odkrywać swoją prawdziwą moc — podjęła Katherine — zyskają kontrolę nad światem. Zaczniemy tworzyć rzeczywistość, zamiast tylko na nią reagować.

Langdon opuścił głowę.

— Trochę groźnie to zabrzmiało...

Spojrzała na niego zdziwiona, ale też pełna podziwu.

— Tak, dokładnie tak! Jeśli myśli mogą oddziaływać na świat, musimy zwracać uwagę na to, jak myślimy. Także destrukcyjne myśli wywierają wpływ, a wszyscy wiemy, że łatwiej niszczyć niż tworzyć.

Langdon pomyślał o długiej tradycji głoszącej potrzebę ukrywania starożytnej mądrości przed maluczkimi i przekazywania jej tylko tym, którzy są godni. Przypomniał sobie prośbę członka Invisible College, wielkiego uczonego Izaaka Newtona, skierowaną do Roberta Boyle'a, aby zachował w „największej tajemnicy" ich badania. *Nie można ich ogłosić bez wyrządzenia światu ogromnej szkody* — napisał w 1667 roku.

— W tym punkcie dochodzi do interesującego zwrotu akcji — oznajmiła Katherine. — Ironia polega na tym, że wszystkie wielkie światowe religie wzywały swoich naśladowców do „wierzenia". Współczesna nauka, która od wieków szydziła z religijnych przesądów, zmuszona jest przyznać, że jej następną wielką granicą jest całkiem dosłownie nauka wiary, nauka badająca moc skoncentrowanego przekonania lub intencji. Ta sama nauka, która doprowadziła do osłabienia religii, dziś w cudowny sposób buduje most nad przepaścią, którą sama stworzyła.

Langdon zastanawiał się długo nad tymi słowami. Powoli podniósł głowę i spojrzał na *Apoteozę*.

— Mam tylko jedno pytanie — odezwał się wreszcie. — Nawet gdybym przyjął na chwilę, że mój umysł ma moc oddziaływania na materię i dokonywania tego, czego zapragnę, we własnym życiu nie dostrzegam niczego, co by to potwierdzało.

Katherine wzruszyła ramionami.

— Może nie przyglądałeś się wystarczająco uważnie.

— Daj spokój, naprawdę szukam odpowiedzi. Odpowiedziałaś mi jak ksiądz. Chcę odpowiedzi naukowca.

— Żądasz odpowiedzi? Oto ona. Gdybym podała ci skrzypce i powiedziała, że możesz z nich wydobyć wspaniałą muzykę, wcale bym cię nie okłamała. Masz taką zdolność, lecz musiałbyś bardzo długo ćwiczyć, aby ją ujawnić. Podobnie jest z naszym umysłem. Zdolność skoncentrowanego myślenia jest sztuką. Zrealizowanie intencji wymaga koncentracji uwagi podobnej do skupionej wiązki lasera, pełnej wizualizacji sensorycznej i głębokiej wiary. Dowiedliśmy tego w laboratorium. Podobnie jak w przypadku gry na skrzypcach jedni są w tej dziedzinie bardziej uzdolnieni od innych. Spójrz na historię. Spójrz na opowieści o genialnych, oświeconych umysłach, które dokonywały cudownych czynów.

— Katherine, błagam, tylko mi nie mów, że wierzysz w cuda... w przemianę wody w wino, w uzdrawianie chorych dotykiem.

Katherine odetchnęła głęboko i powoli wypuściła powietrze.

— Byłam świadkiem, jak ludzie zmieniają komórki rakowe w zdrowe, tylko o nich myśląc. Widziałam, jak ludzki umysł na miriady sposobów wpływa na świat materialny. Kiedy zobaczysz to na własne oczy, kiedy stanie się to częścią twojej rzeczywistości, niektóre znane cuda staną się dla ciebie jedynie kwestią stopnia.

Langdon się zamyślił.

— To bardzo natchniony sposób postrzegania świata, Katherine — rzekł po dłuższej chwili. — Lecz nie jestem zdolny uwierzyć aż tak głęboko. Jak wiesz, wiara nigdy nie przychodziła mi łatwo.

— W takim razie nie traktuj tego jak wiary. Pomyśl o nowej perspektywie, o zaakceptowaniu tego, że świat nie jest taki, jak sądziłeś. Z historycznego z punktu widzenia wszystkie wielkie przełomy naukowe zaczynały się od prostej idei, która groziła wywróceniem całego świata naszych przekonań. Proste twierdzenie „ziemia jest kulą" zostało wyszydzone jako absurdalne, bo większość ludzi sądziła, iż oceany spłynęłyby w przestrzeń kosmiczną. System heliocentryczny uważano za herezję. Ludzie o ciasnych umysłach zawsze atakowali to, co nie mieściło się w granicach ich pojmowania. Są ci, którzy tworzą... i ci, co niszczą. W końcu jednak ci, którzy tworzą, znaleźli zwolenników, było ich coraz więcej i nagle ziemia stała się kulista, a Układ Słoneczny został uznany za system heliocentryczny. Zmianie uległ sposób postrzegania, narodziła się nowa rzeczywistość.

Langdon skinął głową i znów głęboko się zamyślił.

— Masz śmieszny wyraz twarzy — zauważyła Katherine.

— Co? Nie wiedziałem. Przypomniałem sobie, jak pewnej nocy wypłynąłem kanoe na środek jeziora. Leżałem pod gwiazdami i dumałem o wzniosłych sprawach.

— Wszyscy mamy podobne wspomnienia. To dziwne, lecz leżenie na plecach i wpatrywanie się w niebo otwiera umysł. — Spojrzała na sklepienie i powiedziała: — Daj mi swoją marynarkę.

— Po co? — spytał zdumiony, zdejmując ją i podając Katherine.

Katherine złożyła ją i umieściła na pomoście niczym poduszkę.

— Kładź się.

Langdon położył się na plecach, a Katherine wsunęła mu pod głowę połowę złożonej marynarki. Sama położyła się obok. Jak dwoje dzieci leżących ramię przy ramieniu na wąskim pomoście wpatrywali się w ogromny fresk Brumidiego.

— A teraz spróbuj wprawić się w podobny stan — szepnęła. — Wyobraź sobie, że jesteś dzieckiem, które leży na dnie kanoe... spoglądasz w gwiazdy... twój umysł jest otwarty, jeszcze potrafisz się dziwić.

Langdon chciał jej posłuchać, lecz wygodna pozycja sprawiła, że nagle poczuł się wyczerpany. Kiedy obraz przed oczami się zamazał, dostrzegł nad głową niewyraźny kształt, który sprawił, że natychmiast się ocknął. Czy to możliwe? Nie mógł uwierzyć w to, że wcześniej tego nie dostrzegł, lecz postacie otaczające Waszyngtona tworzyły dwa koncentryczne kręgi, jeden umieszczony w drugim. Czy *Apoteoza* też jest *circumpunctem*? Był ciekaw, co jeszcze tej nocy uszło jego uwagi.

— Chciałabym powiedzieć ci coś ważnego, Robercie. Jest coś jeszcze element, który jest najbardziej zdumiewającym rezultatem moich badań.

Jest coś jeszcze?

Katherine przekręciła się na bok i oparła na łokciu.

— Jeśli zdołamy pojąć tę prostą prawdę, obiecuję, że świat zmieni się w ciągu jednej nocy.

Popatrzył na nią zaintrygowany.

— Powinnam to poprzedzić przypomnieniem masońskiej formuły — powiedziała. — „Zebrać to, co rozproszone"... aby wywieść „porządek z chaosu"... znaleźć „po-jednanie".

— Powiedz — zachęcił ją Langdon.

Patrzyła na niego i się uśmiechała.

— Dowiedliśmy naukowo, że moc ludzkiej myśli wzrasta wprost proporcjonalnie do liczby umysłów, które ją „wytwarzają".

Langdon milczał, ciekawy, cóż to za idea.

— Chcę powiedzieć, że... dwie głowy są lepsze niż jedna... choć dwie głowy nie są dwa razy lepsze od jednej, są o wiele, o wiele lepsze razem. Wielość umysłów działających jednomyślnie zwiększa efekt myśli... wykładniczo. Na tym polega siła grup modlitewnych, kółek uzdrowienia, chóralnego śpiewu i grupowego nabożeństwa. Koncepcja uniwersalnej świadomości nie jest ulotną ideą rodem z New Age. To twarda naukowa rzeczywistość, jej ujarzmienie może zmienić świat. To jedno z podstawowych odkryć noetyki. Co więcej, to już się dzieje. Możesz to wyczuć wokół siebie. Technologia łączy nas w sposób, który kiedyś wydawał się nie do pomyślenia: Twitter, Google, Wikipedia — wszystkie te narzędzia tworzą sieć wzajemnie powiązanych umysłów. — Roześmiała się. — Gwarantuję ci, że gdy tylko opublikuję wyniki moich badań, uczestnicy serwisu społecznościowego Twitter zaczną wymieniać się informacjami na ten temat i zainteresowanie noetyką wzrośnie w sposób wykładniczy.

Langdon poczuł, że jego powieki stają się coraz cięższe.

— Ciągle nie wiem, jak przesłać twittera.

— Tweeta — poprawiła go z uśmiechem.

— Jak?

— Nieważne. Zamknij oczy. Obudzę cię, gdy nadejdzie czas.

Langdon pomyślał o starym kluczu, który dał im architekt, i o tym, dlaczego się tu znaleźli. Ogarnęło go zmęczenie. Zamknął oczy, myśląc w ciemności o uniwersalnej świadomości „umyśle świata" Platona i „gromadzeniu Boga", o „zbiorowej podświadomości" Junga. Myśl ta była prosta, a jednocześnie niepokojąca.

Bóg istnieje w Wielu... a nie w Jednym.

— Elohim — wyszeptał, nagle otwierając oczy.

— Przepraszam? — Katherine wciąż na niego patrzyła.

— Elohim — powtórzył. — To starotestamentowe hebrajskie imię Boga! Zawsze mnie intrygowało.

Uśmiechnęła się ze zrozumieniem.

— Wiem, ma formę liczby mnogiej.

Właśnie! Langdon nigdy nie rozumiał, dlaczego na pierwszych stronach Biblii Bóg został opisany jako byt mnogi. Wszechmogący Bóg z Księgi Rodzaju nie został opisany jako jeden... lecz wielu.

— Bóg to postać mnoga — szepnęła Katherine — bo wiele jest ludzkich umysłów.

Myśli Langdona zaczęły wirować, mieszały się sny, wspomnienia, nadzieje, lęki i objawienia... wszystko unosiło nad nim pod kopułą Rotundy. Zamykając oczy, spojrzał na trzy łacińskie słowa nakreślone we wnętrzu *Apoteozy*.

E PLURIBUS UNUM.

Jedno uczynione z wielu, pomyślał, pogrążając się we śnie.

Epilog

Robert Langdon zaczął się budzić.

Ujrzał wpatrujące się w niego oczy.

Gdzie ja jestem?

Po chwili sobie przypomniał. Usiadł na pomoście pod *Apoteozą Waszyngtona*, czując, że plecy mu zesztywniały od leżenia na twardej posadzce.

Gdzie jest Katherine?

Spojrzał na zegarek. Już niedługo. Wstał i wyjrzał ostrożnie za barierkę w przepaść w dole.

— Katherine?! — zawołał.

Jego głos odbił się echem od ścian pustej Rotundy.

Sięgnął po leżącą na posadzce marynarkę, otrzepał ją i włożył. Sprawdził kieszenie. Żelazny klucz, który dostali od architekta, zniknął.

Ruszył wokół Rotundy do wejścia, które wskazał Bellamy, do metalowych schodków niknących w mroku. Wspinał się coraz wyżej. Schody stawały się coraz bardziej strome. Mimo to wchodził dalej.

Jeszcze trochę.

Schody zaczęły przypominać drabinę, a tunel stał się przerażająco ciasny. W końcu stopnie się skończyły i Langdon wszedł na mały podest. Dostrzegł przed sobą ciężkie metalowe drzwi. W zamku tkwił żelazny klucz. Drzwi były lekko uchylone. Kiedy je pchnął, otworzyły się ze zgrzytem. Poczuł powiew chłodnego powietrza. Przekroczył próg i pogrążył się gęstej ciemności. Zdał sobie sprawę, że jest na dworze.

— Właśnie miałam po ciebie zejść — powiedziała z uśmiechem Katherine. — Zaraz nadejdzie czas.

Kiedy Langdon zorientował się, gdzie jest, westchnął ze zdumienia. Stał na małej platformie widokowej otaczającej szczyt Kapitolu. Ponad nim wznosiła się Statua Wolności z brązu spoglądająca na pogrążoną we śnie stolicę. Była zwrócona na wschód, gdzie na horyzoncie pojawiały się pierwsze szkarłatne promienie poranka.

Katherine poprowadziła go wokół balkonu, aż znaleźli się po zachodniej stronie, na wprost National Mall. W oddali, w świetle świtu, widać było zarys pomnika Waszyngtona. Z tego miejsca wielki obelisk prezentował się jeszcze bardziej imponująco niż poprzednio.

— Kiedy go zbudowano — szepnęła Katherine — był najwyższą budowlą na świecie.

Langdon przypomniał sobie stare sepiowe fotografie przedstawiające kamieniarzy na rusztowaniu wznoszącym się ponad sto pięćdziesiąt metrów w górę układających własnymi rękami każdy blok.

Jesteśmy budowniczymi — pomyślał. — Jesteśmy stwórcami.

Od zarania dziejów człowiek wyczuwał, że jest w nim coś szczególnego, że kryje się w nim coś więcej. Pragnął mocy, której nie miał. Marzył o tym, aby latać i zmieniać świat we wszelki wyobrażalny sposób.

I dokonał tego.

Dziś pomniki ludzkich osiągnięć zdobią obszar National Mall. Muzea Instytutu Smithsoniańskiego pełne są jego wynalazków, dzieł sztuki, osiągnięć naukowych, idei wielkich myślicieli. Wszystko to opowiada dzieje człowieka stwórcy — od kamiennych narzędzi rdzennych ludów Ameryki w Muzeum Historycznym po odrzutowce i rakiety w Muzeum Lotnictwa i Przestrzeni Kosmicznej.

Gdyby przodkowie zobaczyli, jak daleko zaszliśmy, uznaliby nas za bogów.

Spoglądając przez mgłę na muzea i gmachy, zwrócił wzrok ku pomnikowi Waszyngtona. Pomyślał o Biblii umieszczonej w wydrążonym kamieniu węgielnym i pomyślał, że Słowo Boże jest w istocie słowem człowieka.

Wyobraził sobie wielki *circumpunct* okrągłego placu rozpościerającego się wokół obelisku wznoszącego się w samym środku kraju. Nagle pomyślał o małym kamiennym pudełku, które powierzył mu Peter. Zdał sobie sprawę, że po otwarciu i rozłożeniu sześcian utworzył ten sam kształt. Krzyż, w którego środku znajdował się *circumpunct*. Uśmiechnął się do siebie. Nawet mała szkatułka wskazywała to rozdroże.

— Robercie! Popatrz tam! — zawołała Katherine, wskazując wierzchołek obelisku.

Langdon podniósł głowę, lecz niczego nie dostrzegł.

Wytężył wzrok i nagle to zobaczył.

Od wierzchołka niebotycznego obelisku stojącego pośrodku National Mall odbijał się mały złocisty promień światła. Lśniąca plamka stawała się coraz jaśniejsza, odbijając się w czubku aluminiowego zwieńczenia. Langdon obserwował, jak promień przekształca się w latarnię wiszącą nad pogrążonym w mroku miastem. Wyobraził sobie mały napis wyryty na wschodniej ścianie aluminiowego wierzchołka i ze zdumieniem stwierdził, że pierwszy promień słońca padający na stolicę tego kraju codziennie oświetla dwa słowa:

Laus Deo.

— Robercie, nikt tu nie przychodzi o wschodzie słońca — szepnęła Katherine. — Właśnie dlatego Peter chciał, żebyśmy to zobaczyli.

Langdon z bijącym sercem obserwował coraz jaśniej błyszczący wierzchołek obelisku.

— Peter twierdzi, że właśnie dlatego jest taki wysoki. Nie wiem, czy to prawda, wiem jednak, że istnieje bardzo stare prawo zabraniające budowania w Waszyngtonie wyższych gmachów.

Światło opadało w dół zwieńczenia, w miarę jak słońce za ich plecami wznosiło się coraz wyżej. Podziwiając ten widok, Langdon czuł wokół siebie ciała niebieskie poruszające się po odwiecznych orbitach. Pomyślał o Wielkim Budowniczym Wszechświata i słowach Petera, że chce mu pokazać coś, co może odsłonić jedynie Budowniczy. Langdon pomyślał wtedy, że przyjacielowi chodziło o Warrena Bellamy'ego. Mylił się.

Kiedy promienie stały się jaśniejsze, złota poświata zalała całe ważące sto pięćdziesiąt kilogramów zwieńczenie. Umysł człowieka osiągający oświecenie. Światło zaczęło opadać w dół obelisku, zstępując ku ziemi jak co rano. Niebo zmierzające ku ziemi... Bóg łączący się z człowiekiem. Langdon zdał sobie sprawę, że wieczorem dokonuje się proces odwrotny. Słońce zajdzie na zachodzie, a światło wróci z ziemi do nieba, przygotowując się na nadejście nowego dnia.

Katherine zadrżała z zimna i przysunęła się bliżej. Langdon otoczył ją ramieniem. Stali w milczeniu, a Langdon rozmyślał o tym, czego nauczył się tej nocy. Zastanawiał się nad słowami Katherine, że niebawem wszystko się zmieni, nad przekonaniem Petera, że niebawem nadejdzie czas oświecenia. Dumał też nad słowami wielkiego proroka, który śmiało ogłosił: *Nie ma bowiem nic ukrytego, co by nie miało być ujawnione, ani nic tajemnego, co by nie było poznane i na jaw nie wyszło**.

Obserwując słońce wschodzące nad Waszyngtonem, Langdon spojrzał w niebo, na którym gasły ostatnie gwiazdy. Myślał o nauce, wierze i człowieku. Myślał o tym, że wszystkie kultury we wszystkich krajach i epokach, łączyło jedno: Stwórca. Używano różnych imion, różnych postaci i różnie się modlono, lecz Bóg zawsze był uniwersalną stałą. Był symbolem łączącym wszystkich... symbolem tajemnic życia, których nie potrafiliśmy pojąć. Starożytni czcili Boga jako symbol nieograniczonych możliwości człowieka, lecz starożytny symbol zaginął. Aż do dziś.

Stojąc na wierzchołku Kapitolu w ciepłych promieniach słońca, Robert Langdon poczuł, że w jego wnętrzu wzbiera coś potężnego. W całym swoim życiu nie odczuwał tego równie głęboko.

Nadzieja.

---

* Łk 8,17.

Polecamy powieści Dana Browna

KOD LEONARDA DA VINCI

Ofiarą popełnionego w Luwrze morderstwa pada kustosz muzeum Jacques Saunière. Wezwany przez policję francuską historyk i badacz symboli Robert Langdon odkrywa na miejscu zbrodni szereg zakonspirowanych śladów, które mogą pomóc w ustaleniu zabójcy; stanowią też klucz do jeszcze większej zagadki – niezwykłej tajemnicy sięgającej korzeniami początków chrześcijaństwa. Zamordowany był członkiem Zakonu Syjonu, powstałego w 1099 roku tajnego stowarzyszenia strzegącego miejsca ukrycia bezcennej, zaginionej przed wiekami relikwii Kościoła – Świętego Graala. Do organizacji należeli m.in. Leonardo da Vinci i Isaac Newton. Kustosz poświęcił życie, by strzeżony przez zakon sekret nie dostał się w niepowołane ręce. Teraz pozostały jedynie 24 godziny na rozwikłanie precyzyjnie skonstruowanej łamigłówki pozostawionej przez Saunière'a – inaczej tajemnicę na zawsze skryją mroki historii. Kluczowe elementy zagadki kryją się w najsławniejszych obrazach mistrza Renesansu – *Mona Lizie* i *Ostatniej Wieczerzy*. Czy ścigany przez policję i bezlitosnego zabójcę Langdon zdoła ujść pogoni i dotrzeć do szokującej prawdy? Jego jedynym sprzymierzeńcem jest piękna Sophie Neveu, agentka policji, specjalistka od tajnych kodów i szyfrów, wnuczka Saunière'a...

ANIOŁY I DEMONY

Robert Langdon zostaje pilnie wezwany do położonego koło Genewy centrum badań jądrowych CERN. Jego zadanie – zidentyfikować zagadkowy wzór wypalony na ciele zamordowanego fizyka. Langdon ze zdumieniem stwierdza, że jest to symbol tajemnego bractwa iluminatów – potężnej, aczkolwiek nieistniejącej od 400 lat organizacji walczącej z Kościołem, do której należały najświetniejsze umysły Europy, jak choćby Galileusz. Iluminaci przetrwali w ukryciu do czasów współczesnych i planują straszliwą wendettę – wysadzenie Watykanu przy użyciu antymaterii wykradzionej z genewskiego laboratorium. Langdon i Vittoria Vetra, córka zamordowanego fizyka, mają zaledwie dobę, by odnaleźć utajnioną od XVI wieku siedzibę iluminatów i zapobiec niewyobrażalnej tragedii. Czy zdołają na czas rozszyfrować wskazówki zapisane w jedynym zachowanym w archiwach Świętego Miasta egzemplarzu legendarnego traktatu Galileusza? Jak zakończy się dramatyczny wyścig z czasem – po tajemnych kryptach i katakumbach, wyludnionych katedrach, tropem symboli iluminatów zakamuflowanych przed wiekami w miejscach znanych każdemu mieszkańcowi Rzymu? Zagadka goni zagadkę, prowadząc do najbardziej nieoczekiwanego finału...